归亚蕾 饰 武则天

陈红

饰 太平公主

周迅
饰 小太平

赵文瑄

饰 薛绍、张易之

目 录

再 版 序　　精神的印记_____001

初版前言　　武则天与太平：一个女人的两面_____001
　　　　　　——导演李少红解析《大明宫词》

导演简介_____001
编剧简介_____003

第一集_____001
　　　皇上，我千里迢迢赶来做您的皇后/她心如蛇蝎，连自己亲生女儿都会杀死/妈妈已经等你很多年了，我知道你会回来的/我的出生终止了长安城持续数月的淫雨

第二集_____016
　　　媚娘，你得帮我/横行关中的三年大旱，被我当朝的一泡尿奇妙而轻易地解决了

第三集 _____030

我上吊是弄着玩儿的，我就是想见你／立谁为太子我心里已有数，皇后就别费心了／你们是可以被取代的，并且永远会成为革命和阴谋的靶子

第四集 _____048

你走了，父皇就会从塔顶摔下来，他不会那么傻的／这宫里只有我们两个女人／你的错误就是美若天仙／皇上要真喜欢贺兰，就不要把她留在身边／您是天下最成熟阴险的野心家，李唐王朝最危险的敌人

第五集 _____069

我担心他会突然失声痛哭／请您放过我的两位姐姐／难道大唐乏人，只有皇后才能成全它的命运／我担心有一天，太子的仁义会害了我／十几年前，也有一个女孩子说过同样的话／贺兰软弱的哭声提前为她多舛的命运敲响了丧钟

第六集 _____091

这是我们这种女人生存的全部秘密／能进你梦里的就是好女人／皇上您错了，弘儿说什么做什么，从来经过深思苦想／寒冷的死亡，以弘为形式第一次真切地闯入我的视野

第七集 _____110

我是他的爱人／我平生第一次感受到权力，那君临于万众之上的迷人感觉／小鸟一旦想成为凤凰，就如同死期将至／我不可思议的母亲，总在别人遭受灭顶之灾时充当劫难沉默的见证人

第八集 _____127

我遍尝了几乎所有形式的噩梦／你们都嫉妒我／这就是你送给我的成人

礼物吗/我是一个陌生人，畏缩地逡巡于夜长安狂放情趣的边缘/我从未见过如此明亮的面孔，从此便将灵魂彻底地交与了他

第九集　　　　140

他比哥哥中的任何一个都好看千倍/我最喜欢吃我自己的身体/我出宫啦，带着浪漫的心情踏上了另一条优美的征程

第十集　　　　155

明清远始终是一个善恶相间的谜/我终于见到了他，是梦醒了，还是梦刚刚开始……

第十一集　　　　171

请二圣赐女儿一个驸马/生活在这个世上，必须学会把灾难都当做荣幸/你知道爱情是什么？你真正拥有它吗？太平公主

第十二集　　　　198

一旦被权力的毒刺扎伤，最先坏死的就是亲情/驸马，以折磨一个女人的方式缅怀另一个女人，连世上最刻薄的妇人都不如/我所爱的人并不爱我。我握剑的手甚至都在哭泣/我要充当姐姐现世的眼睛。让公主得不到爱情

第十三集　　　　218

刺客不知道明清远很难被杀死。我其实还长着另外一副面孔/公子，我也可以选择为您而死/母亲正式启动了她那辆权力的战车

第十四集　　　　234

你说正义应该选择杀子还是休妻/一旦把自己交给了阴谋，就等于把

成败交给了运气那乖张的胃口/我们都不了解母亲

第十五集 _____ 250

仇恨在她心里像有毒的藤蔓迅速滋长/我的天真致使我站在秘密的门前却无洞察

第十六集 _____ 270

你在利用一个幼小的心灵报复我/没想到怀念会变得如此艰难/李治临终前的淡漠，令武则天再也无法控制自己的眼泪

第十七集 _____ 284

那晚我终于盼来了姗姗来迟的爱情那甜蜜而动情的面孔/记住，你是天子，是不怒自威、与日月同辉的神明/你们谁都不让我省心/我担心自己会无可挽回地坠入对您的爱恋

第十八集 _____ 296

母亲，您欠我的……/我不想二十年后面对又一个鲁莽复仇的青年/你认为自己在做一个皇帝吗

第十九集 _____ 311

你再怎么飞，也飞不出大明宫上的一方天空/他让我想起传说中一种叫狌狉的怪兽/你不能这样做女人，更不能被男人的道德操纵/只有我能从心灵上彻底击败她/李唐的运气已随鸽子一起飞走了

第二十集 _____ 325

地上的人儿走了，想念就要来了呀，尖刀剜心一样地痛/天空可以忍耐，但无法忍耐太阳在夜间出山；我可以忍耐，但无法忍耐你乱了纲

常／她用自己体内全部的眼泪向女性的一切软弱品格做最后的诀别

第二十一集_____344
他们为我安排去处了吗／我们离权力太近，而我们的能力又驾驭不了权力／你们准备让一具死尸登基主政吗

第二十二集_____364
他们正在把我最亲爱的女儿变成我的敌人／你们，要听话／我曾经泰然处之的姓氏原来是多么大的荣誉，如今一去不复返

第二十三集_____381
我第二次专横地买断了自己的婚姻／她居然提前为我的婚姻宣判了死刑／爱情本质上只属于想象和隐秘的愿望

第二十四集_____390
我选择了忍耐／我的心全给了你，可我永远不了解你／他是我医治寂寞的一剂良药／你需要有人来帮助你结束这一切／至尊的地位替她选择了不爱的立场

第二十五集_____409
婚姻的无趣培养了我对于政治与日俱增的热情／废君永远是旧势力的旗帜，新时代的阴影／保护亲情的惟一出路是夺回权力

第二十六集_____423
衰老是惟一令她一贯自信的超常心智无法逾越的困难／等我当了太子，就休了她

第二十七集 _____ 436

这天下，我只信任你/您既然得罪了太平公主，就再也没有前途了/我甚至佩服母亲驾驭男人的能力/久违了的男性躯体令太平不自觉地一颤

第二十八集 _____ 451

从此，我的感情生活像一头优美的猎物，被一个叫张易之的男人秘密地俘获/我又不是害她，我是爱她！哪个女人拒绝得了爱/血滴沿着他光洁的面孔缓缓地滑落，仿佛是记忆惊慌挤出的辛酸泪水/那是酷似薛绍的脸，我其实害怕他来

第二十九集 _____ 463

谁要害我！/我连自己的儿子都保护不了/你们很走运，碰上了个孝子

第三十集 _____ 481

公主以为男宠是些什么样的人/我望着他熟悉而又陌生的面孔，慌张地预感到自己关于爱情的信念，已被他微笑着摧毁/你拒绝了我的心情/我要把女儿嫁给皇子，你们却派来一个出身低贱的新贵

第三十一集 _____ 502

在我生病的时间，你已经给我造成了很大的麻烦/您还是忘不了长相守/最高级的统治莫过于操纵别人的爱情/天下不止只有一个不让须眉的女人

第三十二集 _____ 517

你们是想让我一个女人去征战吗/公主所说的爱需要纪律，而我却认为爱更需要自由/她一生与男人争斗的武器——智慧，正无情地将她抛弃/名声是我自己挣来的，是保持住还是挥霍掉，那是我自己的事

第三十三集＿＿＿＿＿532

请母皇把张易之赐给女儿/你闯祸了！易之/如果有一天我再发现你有非分之想，你就会真正死在我的剑下/我的舌头不对了，它死了

第三十四集＿＿＿＿＿547

他已经闻到了阴谋那野兽般正悄悄逼近的气息/该是母亲退位的时候了/太平救我/只有时间可以考验易之对你们的爱情

第三十五集＿＿＿＿＿573

她怎么能与母亲相比/武大人，你害我/太平，你为什么这么恨我

第三十六集＿＿＿＿＿590

请您放过我的丈夫/我哪点儿不如你/难道皇上要挑起新一轮祸端吗/你是个软弱的男人，无能的帝王

第三十七集＿＿＿＿＿606

对不起，显，我们养了一个逆子/我闻到了某种熟悉的味道，大规模排斥政治异己，是改朝换代的先兆/听清楚了吗，圣上必须活着

第三十八集＿＿＿＿＿622

你没有权力处置我们，你仅仅是皇后/隆基恳求您为家国社稷舍弃一次亲情/我憎恨你们的家庭，它只能让人为权力疯狂

第三十九集＿＿＿＿＿636

没有一个女人能胜过您/难道我用生命成全的是一个乳臭未干的儿皇帝/我对来自珠帘后的声音由衷地反感，痛心的是您将成为那声音的来源/她应该登基，那才是真正的完美

第四十集————651
　　我一生清醒，终于有人让我在死前糊涂了一次／没有人能再阻挡您登基／我完全不理解姑母您了，这一切把我打垮了／为什么你们要因为爱我而相互残杀／我无法抑制对您的感情／我的死如同我的生，又一次为大唐带来了太平

再版序

精神的印记

◎ 李少红

谢谢观众,这么多年都始终对这部剧念念不忘。也谢谢人民文学出版社,这么多年还要再版这本文学剧本。

人民文学出版社是全国文学出版社的重镇,他们不仅有着一流的文学品位,也有着先锋的探索精神。当时,为了和《大明宫词》的电视剧开播同步,同名剧本的出版也在紧锣密鼓地进行着。这也是人民文学出版社第一次以电视剧文学剧本的形式出版图书。

电视剧大获成功的同时,《大明宫词》的图书一经发行,半年内就加印了七次。这么多年过去了,很多真心喜欢这部剧的观众还能流利地背出里面的台词。据说,《大明宫词》还进入了很多学校语文老师推荐的课外读物书单。老师喜欢就推荐给了学生,学生做了老师继续推荐,这样相传下去。到〇〇后,《大明宫词》已经积累了两三代的观众了。这与人民文学出版社当年出版了文学剧本,开了这先河很有关系。

记得《大明宫词》播出十五周年的时候,人民文学出版社就出了一次纪念版。如今,图书在市面上断货许久,应众多读者的要求,还要再出二十周年纪念版,我很感动。

一部影视作品能用影像和文字记录下来,被更多的人阅读,这本身就是我们创作者最为欣慰,最为幸福的,也是我们愿意一生为之付出,想留给这个世界的。虽然,跟更伟大的人类科技和财富贡献相比,它们只是非常个人的、精神的印记。

初版前言

武则天与太平：一个女人的两面
——导演李少红解析《大明宫词》

◎ 李少红　　⊙ 余韶文

⊙ 以前你并不是以拍古装戏著称的，那么这次选题材的时候，为什么选择了拍一个古装戏，而且选择了这一段历史？

◎ 我没想过超越不超越，但我知道每个人的表现方法和关注的地方是不一样的，每个人关心的角度和热情都会不一样。我只是特别想搞清楚我自己最关注的是什么东西，我能不能把我最关注的东西表现出来。如果能表现出来，我相信都不相同。一个题材你给十个人拍，一定十个样子。一个人物也是。

⊙ 最后你定的是一个母女关系的点？

◎ 实际上定的是一个女人和权力之间的分歧，这个题材的女人的关键是她们是权力中心的女人，这是一般女人生活中不存在的一个点。我觉得女人和权力发生冲突，最集中的一个焦点是感情和权力之间的冲突——作为女人特色的感情和权力的冲突，我觉得这是和其他的女性题材区别开来的一个关键。

⊙ 这是不是说只有女导演才能如此敏感地关注这一点？男性导演很容易就

忽略了？

◎ 关注的方法可能不一样。很多男导演都以拍女性题材著称，中外都有，但他们关注的角度和方法还是不一样的，女性导演可能在这里把女人当做一个"我"，而男性会把女人当做一个"她"来处理。

⊙ 从商业角度来考虑，大家会觉得男人和女人之间的矛盾冲突更有市场，当初有没有担心两个女人之间的冲突在市场上不容易有卖点？

◎ 我没有太大担心，因为我觉得这两个女人实际上是写一个女人的两面：武则天更多地表现她和权力之间的过渡，她女儿那面更多照射出来的是她在感情方面的矛盾。武则天在生活中特别无法去做到的事情都在她女儿身上表现出来了，但是武则天有和普通女人不同的选择，就是当权力和感情发生矛盾的时候，她最后选择的是权力，而一般女人会选择感情。所以她才会用特殊的方式来要求她女儿：我满足你一切对感情的欲望。但她没想到的是她对女儿的这种要求已经带有权力色彩了，也正是她女儿一生要跟她作对的原因：我不需要你用一种权力的方式来关怀我，我不需要按你规定的感情来生活。这是现实中的矛盾和武则天作为女人自身的矛盾。另外因为有女人，因为有冲突，必定有男人存在，这对母女面对的社会实际上是男权的社会和男人的世界。我想这部片子放完之后可能会有人提出来是不是太女性主义了，这里的男人都是很背景的人，不是主线，没有一个贯穿的男性从头到尾，而且男性在里面的下场都不好，会说你这个女导演在里面充分地过了把瘾，把所有的男人都给杀死了。我觉得这个东西挺难解释的。

⊙ 在这部戏里你讲了很多人情，你怎么说服观众武则天作为一个感情很丰富的女人，甚至她的感情的另一面体现在太平公主身上，这样一个多情的女人为什么对自己的儿子下得去狠手？特别是你塑造的这个武则天比以往的更富有感情。

◎ 我觉得，武则天的初衷可能是非常简单非常女人化的，但后来的事情是她无法预料的。我设想最初她最主要是想得到一个她所能得到的正常的生活,但这种生活已经是非常特殊地跟权力非常接近的一种生活,她实际上最早的一个初衷可能是简单的怎样控制住她丈夫和她的关系,而且武则天和所有女人的区别就是她有智慧,不是单纯地像韦氏以为有胆魄就能有一切,她确实有文化,而且她苦读了。所以她一开始可能就是很简单的帮忙,为了自己,而且她不惜于把她的姐姐献给李治,她做的一切,不好的、歹毒的,最简单的初衷就是为了她自己能够巩固住她自己的地位,她做得越多以后,就像宝塔,底座越大,越架越高,等真正到了顶端的时候她下不来了。像她跟太平说的:我牺牲了这么多,你说我能随便给别人吗?而且我要是掉下来的话,你们呢?我的孩子们,我的家庭,李氏这个姓氏,一切的东西都没有了。我觉得她是为了感情才去和权力发生关系,权力才最后作用在她的情感上。

⊙ 那就跟以往戏的诠释不同,以往会处理成她是为了争夺权力才去操纵感情。你的戏恰恰相反。而且这部戏里并没有特别表达出来:她是为了情感才争夺权力的。

◎ 前面有一段长戏,太平出了宫,碰上了第一个她感兴趣的男人,其中的情形特别像武则天碰上李治的情形,一个游戏引起的,那一段是我们特意设置的她要讲这么多,在她言谈的感觉中你能感觉她当时作为一个女孩子的一种欣喜,单纯的欣喜,不复杂,我特意让亚蕾老师一定要用最单纯的方式来演,不要用过来人的回味。所以我们当初设计了一个最单纯的游戏,从几个故事中选了这个,很少女感,很单纯的一个动因,类似这种地方都很明确地表达出她的感受。还有几个比较大的地方,像在太庙里跟她女儿讲她应不应该登基,其实是述说了她的一个很重要的心理历程,她最早的心态,以及她为这件事情不断付出的感受。

⊙ 武则天的戏拍过这么多,你把情感放在权力之上的角度非常奇特,包括张艺谋曾经很多年要拍武则天也没拍成,你是不是觉得这种情感在权力之上的戏只有女导演才能拍好?

◎ 我不敢说,但女人往往会这么想。很多事情是约定俗成的,世界是属于男性的，武则天不太会最早那么想到我以后就是一个女王，这个世界今后就是女性的；而她打一开头就知道自己将来是个女皇，未见得。这当然是一个很女人的考虑，男人会总结这段历史觉得她是蓄谋的。蓄谋这个字眼本身就是一个外来人的感觉，是夺取和入侵者的角度。我觉得最重要的是最后是一个悲剧，不管是入侵还是有过短暂的胜利，整个局面还是恢复到原来了，女性在这种权力之中的最大的懦弱还是在于感情上。叫我看武则天最大的一个懦弱的地方不是她杀人不杀人这种感情，而是她对于世俗的观念，她一生犹豫的是这个问题。归根结底她是个女人，她是要做一个李家的媳妇。她觉得她夺取的权力是为了要保护李家的利益，总比给别人更好，她实际看不起武家的人，她最后是把权力交还给李显了，这在历史上非常明确的，她第二次把李显从流放地召回来，她已经八十多岁了。当时她有两个选择，天下已经姓武了，顺理成章可以把天下传给姓武的，武则天很有意思，她对她本族的人虽然非常纵容，但在权力上她非常清楚。她的无字碑一个是她政治上的胆魄，另一个很根深蒂固的思想是她是一个女人的思想：她不能写在上面，或者写在上面是没有用处的。她不能向后人发表任何演说，这是一个挺悲哀的心态。

⊙ 这是不是意味着中国文化对女人的影响很重？

◎ 我们现在颂扬她的人说她在政治上的胆魄之大，比男人都厉害，这点我也写了，但有一点，她还是渗透了女性的悲哀，这种悲哀是你无法言说的，是她自己说不出来的。而且最后不管如何描述，她晚年都是非常孤独的。

⊙ 你以前导的《雷雨》中也有周萍式畸形的情感，这次在《大明宫词》中武则天与男宠、李隆基与他姑母、李弘和孪童等种种畸形的情感经常能够看到，能谈谈吗？

◎ 我只是想说人们在现在越来越发现了情感的复杂性和它的形态的多样性，这种形态我们今天管它叫"现代"，其实可能从打好几千年之前就存在了，只不过像我们特别愿意遮掩这一部分。在处理情感戏时我并不特别想回避它。因为说到感情，它就有很多很多元的样式，尤其像武则天这样非常特殊的人物，特殊的女性，我只是想怎么来解释这些事，能够更让人觉得有一定的合理性。比如武则天到晚年最不可回避的就是她和男性之间的关系，她确实是养了几十个男孩子，这段历史要写到她时，不管是书还是戏都是无法回避的。当时想过是不是回避，但我觉得没法回避，因为你是一个情感戏，你要触及武则天，一定要触及到她这方面。当时我们特别想过一个八十多岁的女人，有特权这样来寻欢作乐，她是什么感受？她是什么要求？我想她肯定要求的首先是男性，不会是不男不女，再一个心理的感觉应该是长辈和孩子的感觉。她需要呵护别人，也需要别人来呵护她。这种很微妙的、不是完全赤裸裸的性的关系，那种性的关系会在她这个年龄里改变了。所以按照这种方式写了这种特殊性。所以很明显张昌宗和她在一起的时候更多是一种撒娇，她更多享受的感觉是摸着他的头：孩子你不要这样啊……这种关系能被人接受，从道理上也能说得通。我无法想象他们怎么床笫之欢。一个七八十岁的老太太，既不舒服，从心理上对我自己也解释不了。我看史书时很感动的是李显的《皇台种瓜》，觉得这些皇族的孩子其实挺可怜的，他们无法左右自己，没有自由，而且他们的生活全是不完整的，每个人多少都是有残缺的，所以这四个皇子我都写了他们的残缺性。比如为什么给李显设计他玩香，一个孩子在宫里无法发泄他青春的那些东西，他能演变成玩香，他能成套成套说出香的名字，但他说不清楚一个政治观点。等他长大以后三番五次地被迫害，等他坐在朝堂上的时候依然离不开他的香囊，这香囊就是他的寄托，握着它他就有安全感。包括李弘，一把梳子，一种特殊的关系，他和合欢可能没有那么复杂的关系，但他有很强的不安全感，包括李贤对于马球杆的感情。多疑，神经过敏，都是他们心态的一种缺憾。

导演简介

李少红

　　第五代导演。1978 年考入北京电影学院导演系。1982 年任北京电影制片厂导演。于 2011 年至 2020 年连任中国电影导演协会会长。

主要电影作品：

《银蛇谋杀案》（1988）　　《幸福大街》（1997）

《血色清晨》（1990）　　《恋爱中的宝贝》（2004）

《四十不惑》（1992）　　《生死劫》（2005）

《红粉》（1994）　　《门》（2006）

《红西服》（1997）　　《妈阁是座城》（2018）

　　以上作品曾在法国南特三大洲国际电影节、德国柏林国际电影节、瑞士洛迦诺国际电影节、美国夏威夷国际电影节、印度国际电影节、纽约翠贝卡电影节、中国电影金鸡奖、中国电影华表奖、上海影评协会、全国大学生电影节、澳门国际影展、中美电影节上获得多种奖项。

主要电视剧作品：

《雷雨》（1996）　　《红楼梦》（2010）

《大明宫词》（1998）　　《花开半夏》（2012）

《橘子红了》（2001）　　《大宋宫词》（2020）

《买办之家》（2004）

曾念平

　　1978年毕业于北京电影学院摄影系,留校任教。1994年,担任《红粉》的摄影师,该片获得德国柏林国际电影节最佳视觉效果银熊奖。2007年,凭借《门》获得中国电影金鸡奖最佳摄影奖。

主要电影作品：

《红象》(1982)　　　　　　《红粉》(1994)

《银蛇谋杀案》(1988)　　　《恋爱中的宝贝》(2004)

《血色清晨》(1990)　　　　《生死劫》(2005)

《遭遇激情》(1990)　　　　《门》(2006)

《四十不惑》(1992)

主要电视剧作品：

《雷雨》(1996)　　　　　　《买办之家》(2004)

《大明宫词》(1998)　　　　《红楼梦》(2010)

《人间四月天》(1999)　　　《大宋宫词》(2020)

《橘子红了》(2001)

编剧简介

郑 重

1970年生。1995年芝加哥艺术学院戏剧专业毕业。主要中文剧作:《大明宫词》《绿衣红娘》《禧娃》《挪威的中秋》《橘子红了》《恋爱中的宝贝》等;英文剧作有《革命时期的爱情》等。

王 要

1968年生。1991年大学毕业。主要编剧作品:《大明宫词》《橘子红了》《恋爱中的宝贝》。

第 一 集

旁白：据你奶奶讲，我出生的时候，长安城阴雨连绵。一连数月的大雨将大明宫浸泡得仿佛失去了根基，甚至连人们的表情也因为多日未见阳光而日显苍凉伤感，按算命先生的理论，这一切主阴，预示着大唐企盼的将是一位公主的临世。

1. 后宫　白天　外景

绵绵细雨周密而仔细地覆盖住这座精致皇家小院中的每一个角落，通往紧闭着房门的主厅的砖红通道两侧，两排卫士纵向一字排开，雨水沿着他们铁灰色的冰冷头盔亮晶晶地滑下。透过雨雾，檐下横向站着一队神色黯淡的侍从，瞪着空洞木然的眼睛懒懒地注视着眼前铺天盖地的雨雾。风悄悄地鼓动着他们轻盈的麻制官服，于是，那瑟瑟抖动的宽大衣袖，就成为了此时死气沉沉的潮湿空气中惟一的一线自由。

突然地，门被拉开，两侧的侍从像是遭到了惊吓，又诚惶诚恐地垂下了眼帘，武则天沉沉地吸了一口气，眯起双眼，望着阴郁的天空，她腹部高高隆起，两手沉重地扶住腰部。

武则天：我要上朝！

继而果断地走出房门。

王伏胜：不能啊，您不能。我这就是跟您随便说说，其实没那么严重，哎哟，您慢点走……您可别急，没那么急，皇上正想办法呢。……皇后，您听我说，情况没那么严重，咱大唐百万雄师，文韬武略，还怕他小小的突厥不成，再说了，没准皇上使的是引蛇出洞的计策。等那不自量力的突厥再深入点儿，来他个一网打尽。……哎哟，皇上真跟我说，别跟您说宫里的事，说是怕刀光剑影的，伤了胎气。您看我这嘴，您这往宫里一去，这不等于告我欺君之罪吗？您就饶了我吧！

王伏胜跑前跑后的，终于跪倒在大步流星的武则天面前，武则天身后是一长队惊慌的御医，带着各式各样的接生器具。

武则天：你起来！

王伏胜：臣不敢，除非您一刀砍了我！

武则天：我问你，你的命重要，还是大唐的社稷重要？

王伏胜：当、当然是大唐的江山重要，我的命如草芥，如果斩我能够救大唐山河，我肝脑涂地，在所不辞！可皇后您想想，您现在是两条命啊，万一有个好歹，我死十回也抵不了这份罪呀！请皇后三思！

众御医：（齐声）请皇后三思！

此时，武则天背后已跪倒一片。

2. 大明宫勤政殿　白天　内景

裴行俭：陛下，我已失定州、房州等边防五郡，萧翙业将军也已殉国。目前边境人心惶惶，百姓传谣言说：朝廷已决意不再管他们，因此很多地方城门洞开，百姓自觉归顺突厥王。而突厥人嗜血成性，入城后即大开杀戒，劫掠一通后逃之夭夭，留下一池被鲜血染红的护城河水，惨不忍睹啊！我跟随先帝多年，与突厥的交战中从未遭此败绩。臣深知突厥人禀性，你追他跑，你稍有犹豫就会被反咬一口。行军打仗，靠的是一个"势"字，我大唐屯军百万、气壮山河，仅凭一个"势"字就已胜券在握，而臣实在想不出陛下的道理，再如此按兵不动，难道非要等到人家打到长安城下再出击吗？臣现有萧将军捐躯前著下的血书一封，请陛下过目！

李治眉头紧锁，手中握着一枚铜钱神经质般地玩弄着，他看罢血书后，突然拍案而起。

李治：混蛋，欺人太甚！传我的令，一定要活拿可汗，我要让他亲眼看看他是在跟谁作对！让他明白大唐的圣土绝不可以如此横遭践踏！

裴行俭：（跪下来，继而众臣皆跪）我愿请令出击，臣虽年逾古稀，但精气尚存，臣愿在此立生死状。（裴行俭咬破手指）如十天之内不奏凯歌，则以首级献上，臣身后是大唐如虹国威，身旁是大唐锦绣江河，身前是大唐无数的敢死壮士，臣以为，此次出征，成竹在胸，就请皇上赐旨吧！

众：（附和）请圣上赐旨。

李治注视着匍匐的众臣，先是激动，继而又有些心事重重。

李治：（缓慢而艰难地）皇后怀孕几个月了？

3. 通往大殿的甬道　白天　外景

武则天：御医，御医。

御医：臣在。

武则天：我怀了几个月了？

御医：到月头就十二个月了。

武则天：人说十月怀胎，我为什么还生不下来？是你无能还是我无能？

御医：这……不是您、我能控制得了的。

武则天：那是谁的意思？老天爷？你是说，老天爷跟我作对？

御医：……臣不敢！

武则天：那是怎么回事，整个御医房都是像你一样的草包吗？

御医：古书上说，出此情况，不外乎两例：要么您怀的是大福大贵，要么……

武则天：怀的是个妖孽？你听着，我赐你一旨，如生下来果真是个妖孽，你就一剪子结果了她的性命，毫不留情，懂吗？

御医：臣遵旨！

武则天：王伏胜，抬我进宫！

一行人匆匆地穿行于后宫长长的走廊里，向被幽禁在茫茫雨雾中的勤政殿疾行……

4. 大明宫勤政殿　白天　内景

传令官：皇后到！

随着传令官的声音，皇后一行人急匆匆地穿过跪伏在地上的群臣，高高在上，背身而立的李治惊异地转过身。

李治：皇后，你怎么来了？

武则天从王伏胜背上下来，苍白的脸上浮出一丝灿烂的笑意。

武则天：我听说皇上有难处，臣妾愿助一臂之力！

李治：胡闹！你怀有身孕，怎么还这么毛毛躁躁？一旦着凉伤了胎气，你就不怕孩子有个好歹吗？再说，这是朝臣议事重地，无折是不可上殿的，你连这点规矩都不懂了吗？下去！

武则天：臣妾恰恰是有一折相奏，而且恰恰是关于我腹中的婴儿。

武则天微笑以对。

李治：孩子出事了？御医，孩子怎么了？

武则天：臣妾请圣上从速发兵，以缓边境燃眉之急！

武则天说罢随即跪下，重臣皆惊异地侧脸望着武则天。

李治：什么？不是你讲御医说孕期应避免战事，滋养胎气吗？不是你求我先不要发兵,尽量避讳血光之色吗?

武则天:不错,臣妾是说过。但陛下可曾想到边关生灵涂炭,现在有多少怀孕的母亲正在遭受蛮人的蹂躏,有多少新生的婴儿正惨死在胡人的剑下?您可曾想到一旦突厥得势,长驱直入,李唐江山将会遭到怎样的创伤?陛下的英明又将会遭到怎样的伤害?而一旦我母女成为昏君之妻、庸君之女,那健康长寿又有何意义?你我又将如何面对祖宗的灵魂?国事为大,家事为小,忠孝不能两全,这是自古的真理。对皇室更不应例外,我腹中之子,与大唐基业相比,轻如鸿毛。我诚请陛下念我盼子之心,恕我一时疏忽国事之罪,也请各位忠烈栋梁原谅我一时的妇人心境,陛下,对于您给予我母女的深刻爱怜,我感激涕零,就请您在此赐予我母女一个机会,来报答您的恩情!十月怀胎,我这已是第十二个月了,如今孕期已过,就请陛下大胆发兵吧。我想您未来的女儿也一定会赞同您今天的英明决断!

李治:媚娘,……说得好,媚娘!传旨:命安西都护裴行俭,为定襄道行军大总管,即刻发兵,讨伐突厥。另转告出征将士,你们不仅仅是为大唐山河而战,你们是在为大唐的皇后而战,为大唐未来的公主而战!我未降世的女儿等待着你们得胜还朝的歌声,出征吧!

裴行俭:(激动)谢皇上隆恩!不灭突厥誓不为人,皇后深明大义,臣代表出征众将士祝皇后及公主母女平安!请受老臣一拜!

武则天疲惫地微笑,含情脉脉地注视着李治。

李治:谢谢你,媚娘!

武则天终于体力不支,晕倒在大殿之上。

5.武则天寝宫 白天 内景

武则天梦境。

武则天躺在卧榻上,突然被一种神秘的感应惊醒,她睁开眼,发现自己置身于大殿之中，一排排光柱诡秘地穿过大殿的窗子倾泻下来，将她置于光柱的中心。李治高高端坐在龙椅上，望着满案的奏折，轻抚双额。

武则天：（跪伏）皇上，我要做您的皇后。

李治：（惊讶地看着她）抬起头，你是谁？

武则天：武则天，山西并州人氏，千里迢迢赶来做您的皇后。

李治：皇后？我自己有皇后。

武则天：您的皇后不称职，上苍让我来辅佐您。

李治：（略显兴趣）那你说说，什么样的皇后才算称职，我的皇后又怎么不称职了？

武则天：（站起来，意气昂扬）皇后的使命是管理繁杂纷乱的后宫，给皇帝以最清明的生活，使他远离妖媚淫荡的女人；远离倾轧的家庭纷争；远离随时都会出现的堕落的引诱。当皇帝暴怒的时候，皇后要帮他恢复理智；当皇帝怯懦的时候，要帮他恢复勇气；当皇帝意志消沉的时候，要时刻提醒他一个英君明主应尽的职责。一个皇后所做的一切都不是为了她自己，而是为了一个伟大帝国的事业；为了一个天赐皇族的万世荣光。造就另一个贤君明主，这是上苍赐予我的使命，只不过完成这使命会更艰难，更费周折，但只要能够完成它，不论做什么，我都在所不惜！

武则天坚决的声音在大殿内回荡着……

一个白衣女人突然出现在她身边，头发披散，戳指武则天。

萧淑妃：（怒喝）皇上，她怎么能做皇后？她心如蛇蝎，连自己亲生女儿都会杀死，她怎么能做皇后？

武则天：（转身，语气轻蔑）萧淑妃，你真是可恶，看来对你的处罚还是太轻了。我早知道要让你这个在皇上床头枕边天天进谗言的妖妇闭嘴，最好的办法就是割掉你的舌头。来人，把她给我拉下去，先掌嘴五十，再割掉舌头！

声音在空旷的宫殿里回荡，没有人出现，武则天有些惶惑地环顾四周，继而有些失控。

武则天：（大叫）来人，快来人！你们这些无用的奴才，都躲到什么地方去了？！

萧淑妃：（诡异地轻声说）你不用白费力气了，看，我的舌头不是早就被你割了吗？

她张开嘴，武则天看见里面黑洞洞的什么也没有，只见血缓缓地从萧淑妃的嘴角流下。

另一个白衣女人出现，站在第一个女人身边。

王皇后：媚娘，为了得到现在的地位，你害死了多少人？他们在冥冥之中会放过你吗？你有多少个夜晚是在恐惧和噩梦中度过的，只有你自己最清楚。你难道不想获得一个平静安稳的内心生活吗？你从现在积德行善还来得及。上天是会宽恕那些悔过的罪人的。

萧淑妃：（空洞的嘴中发出混沌的声音，好像代表着冥冥之中一股神秘的力量在宣布一个不可告人的重大阴谋）武媚娘，你再能言善辩，再计划缜密，也掩藏不住亲手掐死自己尚在襁褓中的亲生女儿的事实，你为了嫁祸于我，干尽了灭绝人伦、丧尽天良的丑事。皇上，这样的人怎能当皇后呢？

武则天：（有些神经质）住嘴！圣上，我从未杀死自己的女儿，我只不过为了给她一个更安稳的生活，推迟了她降生的时间，这是上天的旨意，现在上天又把她还给我了，我永远爱她，要给她最幸福的生活。我怎么能杀死我最爱的人呢？

李治疑惑地看着三个人。

王皇后：你杀了，我看见你杀了，我看见你掐住她的脖子，看见了她涨紫的面孔。一度你也曾良心发现，如果你在那时候停止，以后所有的罪过都不会发生，然而野心使你疯狂，我看见她终于在你的双手间停止了挣扎，我听见你终于控制不住发出了一声惨叫，然后昏了过去。我知道为什么，因为恐惧、悔恨和良心在一起打击你的身体。没有人怀疑过你，你的悲痛欺骗了皇上，欺骗了我，欺骗了所有的人，甚至包括你自己。你这个疯狂的女人，你把这一切丧女的怨恨都集中在我们两个可怜的女人身上，对我们进行疯狂的报复，以平息自己的愧悔。

武则天：（对着王皇后嚎叫）你胡说，你不可能看见！不可能知道！

王皇后：我没看见，但神灵看见了，神灵永远明鉴，他永远会提醒你，是你亲手杀死了自己的女儿！

武则天：（用双手捂住耳朵大叫）圣上，我没有杀死我自己的女儿！我没有杀死她，我没有，我没有！

武则天：（被噩梦惊醒，她喽嚅着）我没有……我没有……

最终，她睁开眼睛，环视着在周围肃立的表情呆滞的太监们，逐渐恢复了往日的端庄和威仪。她坐起身。

武则天：我睡了多久？

太监：没多会儿。

武则天：没多会儿是多会儿呀？睡个觉都不安生，我好像做了噩梦……

太监：噩梦伤身，您可得注意着点儿！

武则天：这么说你知道我做了个噩梦，你听见什么啦？

太监：我什么也没听见！

武则天：（板起面孔）说谎，什么没听见，怎么知道我做了个噩梦？

太监：（把头俯得更低了）奴才不知，是皇后自己说的。

武则天：没听见，那就是看见了，那更有意思了。

太监：奴才只看见皇后在床上辗转反侧……

武则天：这么说，你是真的什么也没听见？

太监：奴才是真的什么也没听见。

武则天走到窗前，两个太监赶紧诚惶诚恐地走过来扶她。她看着窗外烟雨迷蒙的天空。

武则天：（嘟囔）没听见，要你们的耳朵有什么用，都下去吧。

望着太监们战战兢兢离去的背影，武则天表情若有所思。

武则天：慢着……

众太监一起打了个寒战，转过身。

武则天：你们这群人还是阳气太重，呆头呆脑地站在那儿伤我的胎气，今儿个就都走吧，权当放假，从今儿起，后宫只留女官，我身边，不需要男人伺候！

6. 后宫长廊　白天　外景

两侧的走廊上各自行进着一个奇异的队伍。一侧是老少混杂、高矮不一的太监们，另一侧是服饰艳丽、悄然无声的宫女，他们时不时互相遥望，太监们悄悄地开着不咸不淡的玩笑。

8[①]. 后宫长廊　白天　外景

李治面色疑惑地望着眼前默默行进着的队伍。他的目光久久停留在宫女队伍中一位面目清秀，然而大腹便便的宫女身上。

李治：春！

春：奴婢叩见圣上！

李治：起来吧，起来吧。怎么回事，你们这是上哪儿呀？

春：去皇后那儿，您不知道吗？皇后把太监们都遣散了，说是他们的阳气太重，毁胎气，我们这不就调换过来啦！

李治：胡闹，太监还有什么阳气？你怎么样，上次我让伏胜送去的药都喝了？

春：多谢圣上惦念，喝了。

李治：你……几个月了？

春：九个月了……皇上，您看我这身子快生了，您能不能行行好，

[①] 本书的场次及内容均有少量删节，标号按照原先的场次不作改动。下同。

跟皇后说说……

李治：（打断她）行了，知道了，你先去吧，头两天注意点儿！

9. 佛堂　白天　内景

五百个尼姑坐在武则天身后，为她们母子祈求平安。

武则天：（跪在佛前低语着祈祷）孩子，不要再折磨母亲了，我知道你已经来了，快快出现在我身边吧，让妈妈好好看看你。我对不起你，但我当时也没有别的办法。她们随时都会害我们，我只有这样才能打败她们。你帮了母亲，妈妈谢谢你，你快点出来吧，不要记恨我，也不要害怕。现在一切情况都好了，我会加倍补偿你曾经付出的代价。会永远对你好，让你成为世界上最幸福的女人。妈妈已经等你很多年了，妈妈知道你会回来的，别再让我等下去了。

10. 武则天寝宫　夜晚　内景

武则天半倚在床上，牢牢地盯着正在忙着温汤的春的背影。春似乎已经感觉到身后如炬的目光，动作愈加慌张起来。屋内只剩下食具相互碰撞的音响。

武则天：你过来！

武则天冰冷的声音令春大吃一惊，汤碗随即掉在地上，春慌忙蹲下收拾，嘴中念叨着：皇后恕罪，皇后饶罪！

武则天：没事儿，过来吧，让她们收拾……扶我坐起来。

武则天：（盯着春下垂的眼帘）我就那么吓人吗？坐下，咱俩聊聊天儿……你是哪儿人啊？

春：扬州人。

武则天：扬州，好地方！山灵水秀，怪不得生得这么漂亮！……几个月了？

春：什么？奴婢听不懂！

武则天：（笑）别装了，这还有藏得住的，我倒劝你松松这个，别把孩子勒死……几个月了？

春：九……九个月了。

武则天：（自我解嘲）噢，不小了，但没我的大，我的都十二个月了，就是生不下来，小孽障！

武则天：（将手伸进春的怀里，摸了摸）不错嘛，奶水挺好的！

春面目绯红，满脸恐惧。

武则天：皇上宠幸了你几次？

春：（一惊，随即跪下）皇后恕罪，皇上就宠过我一次，真的再也没有了。请皇后开恩，这次就饶了我吧！

春惊恐地流出了眼泪。

武则天：起来，起来，谁也没怪罪你啊，怕什么，起来呀。

春：奴婢不敢！

武则天：哟！还要我扶你起来呀？！起来！

春：（站起身）谢皇后。

武则天：（自言自语）这男人啊，真是，有了三宫六院还是不够，就像同自己的身子存心过不去似的，最后弄下几十个孩子，连自己都认不全，有什么意思！皇后，皇后能怎么样呢？他是个男人，又是皇上，万人之上，自然爱干什么就干什么，喜欢谁就是谁，我能有什么办法呢？……（看着春）你下去吧，注意点儿身子，把那东西松了吧！

春：谢皇后。

随即，怯生生地退下。

武则天挣扎着站起身，想在屋内走走，突然一阵剧烈的腹痛，令她不得不坐下。阵痛愈演愈烈，她忍不住大叫起来。

武则天：御医，快，御医，这回可能真要生了！

第 一 集

很快，武则天床前站满了呈扇形排开的御医。李治站在人群之外焦急地向内张望。武则天痛苦的喊声不时地从里面传出，终于一切又归于平静，御医们垂头丧气地站在那里。

李治：怎么了，说话呀，生了没有……

御医转过身来，无奈地摇摇头。

李治：（暴怒）你们这帮饭桶，怎么连个孩子都接不下来！这已经快十二个月了，什么太医！弘他们不是好好的就生下来了吗？我再给你们一次机会，下次再生不下来，统统斩了，一个不留！

武则天：（平静而虚弱）杀了他们，孩子真就永远生不下来啦！……你们都先下去吧！……皇上，你和他们生什么气，也怪不得他们……过来，坐到这儿来……（哭）我觉得这孩子生不下来啦！肯定是老天爷和我作对，或者像他们说的，我也许真的怀上了妖孽……

李治：别瞎说，会生下来的，我昨天还做了个梦，梦见女儿对我说：我是仙女下凡，告诉妈妈要有耐心！

武则天：（苦笑）皇上，我对不起你！这些日子也够让你烦的了！裴将军他们有消息了吗？

李治：有，有，裴将军势如破竹，已经向沙漠挺进了。多亏媚娘那天的一番话。现在大唐军心稳定，失地百姓归心似箭。皇后的母仪四海皆知，真要感谢媚娘一番苦心呢。

武则天：只要大唐的江山稳定就好，我一个并州女子，哪有如此的威力，我指望皇上能成为一代名君，也就不枉与您夫妻一场。什么苦心，我不过是做了分内的事而已！

李治：媚娘，立你为后是我一生的幸运。眼下你只管安心养好身体，再别为朝内的事费力伤神了……噢，对了，有个叫春的宫女……

武则天：怎么，皇上要讨她过去伺候两天？

李治：没，没有，哪儿的话，我是那天在走廊上碰见她，看她……

武则天：看她眉清目秀，皇上想封她做才人？

李治：哪的话，她是一个宫女，我是……怕她挺着个大肚子，看着怪烦人的，又笨手笨脚给你添堵。

武则天：我本来也正想同皇上商量商量怎么处理她，是把她交给王伏胜呢？还是干脆逐出宫。不过刚才，我摸了摸，她的奶水不错，人也算老实。我想请皇上就别罚她了，干脆把她赐给我，给咱女儿做奶娘吧。

李治：这，这也行。她也算因祸得福了！准了，就让她当奶娘吧！

武则天：谢皇上！

11. 春的小屋　白天　内景

屋内破旧、阴暗，春面色憔悴、苍白。阵阵腹痛令她在床上发出轻声的呻吟，她抚着腹中的胎儿，表情复杂。她最后挣扎着爬起来，走到屋角处一座漆皮脱落的小佛龛前祈祷。

春：求上苍保佑我们母子平安，求菩萨让皇后大开善心放过我们……我自小就不知道父母是谁，佛呀！你不要再让这样的命运落在我孩子的身上。这次您就放过我吧，我会终生虔诚的信奉您。

她伏下身，一丝阳光穿过小窗照在她佝偻的身体上，缕缕青烟在香头上空盘旋着散去……

12. 大明宫勤政殿　白天　内景

大殿内静得出奇，所有人都屏住呼吸，焦急地望着殿外连绵的雨雾。龙位上的李治神色凝重，他机械地旋转着手中的铜钱，随着转动频率的加快，他内心的不安逐渐堆积到脸上。武则天端正地坐在珠帘后，不停地在衣摆上拭去沾满掌心的汗渍。

铜钱与桌面摩擦的声音，和着单调的雨声，在大殿内回响。

铜钱滚下来，沿着台阶向下滚动。

李治：怎么还不来，报个信儿都这么慢，还打个什么胜仗！

李治终于忍耐不住内心的焦虑，有些失态地脱口而出。

武则天：（悄声）皇上，皇上，别慌！您一慌，别人就更坐不住了，再耐心等等。

一个士卒高声呐喊着跑入，浑身被汗水和雨水浸透。

士卒：报！定襄道……行军……大总管裴……行俭……大将军，自发兵……之后，一路渴……渴饮刀刀……头血，倦卧……马鞍鞯……出征将将……士，克服连夜……行军……劳顿，三天后，即达定州，然……然而突遇风……雪，军中仅冻死就达……数千人，然而……我将士……牢记……圣上旨意……为江山而战……为皇……后而战……为大唐的……公主而战……

他上气不接下气地说着战况。

李治：哎呀，别啰嗦了，我们是打赢了，还是败了？

士卒：我们打……赢了！

武则天：好！

李治：好，好一个裴大将军！皇后，你听见了……皇后，皇后！

武则天：快，快，我破水了！

说完晕过去。李治随即冲入帘内，抱住晕倒的媚娘。

李治：来人，来人呀，快来人呀！快去叫御医！

众大臣慌了，都以为在叫自己，一拥而上，一时间，龙台上面围满了人，焦急地望着帘内若隐若现的景象，帘内传来一阵阵武则天令人心悸的喊声。

御医一行疾步而入，然而却在半路上听到了嘹亮的哭声，所有人都静下来。

武则天：（虚弱地）剑，剑！

李治：剑，剑，拿剑来！

李治焦急地冲帘外伸出手。

一将军从侍卫腰间抽出剑，慌乱地递上剑。

御医斩断脐带。

李治：（双手托起孩子，兴奋地转过身）孩子生下来啦……（突然发现所有人都围在他的身后，感觉有点不太体面）你们怎么都上来了？

众臣皆惊，面面相觑，慌忙退下去，跪下。

李治：哈哈，我赦你们无罪，我赦天下无罪！从今儿开始，举国同庆，这孩子为大唐带来了太平。赐号：太平公主。狂欢吧！

面目疲惫的武则天，将湿淋淋的面颊贴在太平的小脸上，泪水夺眶而出。

旁白：唐显庆四年，我生于大明宫的正殿上。我的出生终止了长安城持续数月的淫雨，母亲常说：我有一张同太阳一般明媚的面孔……

一抹新鲜的阳光在母女脸上写上一层厚厚的金黄色。

13. 春的小屋　白天　内景

春抱着刚出世的孩子，疲惫的面孔上浮现着一丝欣喜，她用脸轻轻贴着孩子面颊，喃喃低语。

春：你终于出来了，你这个小冤孽，可把妈妈折腾苦了……

这时，一阵杂沓的脚步声传来，春似乎预感到什么，慌忙把孩子藏在自己身后。

两个太监进入，一人手捧托盘，一人手捧上谕。

太监甲打开上谕，宣读：奉圣谕，封春为五品伺奶女官，赏御酒，即刻打点入宫。

太监乙倒酒，递与春。春跪拜接酒，满含热泪喝下，太监甲将婴儿抱起，春挣扎着爬起来，欲喊，然而却悲哀地发现自己已经无法出声，她捂住嘴，蜷缩在地上，片刻，又抬头仰望佛像，泪水终于夺眶而出。

第 二 集

旁白：不知为什么，这些日子即使你不来的时候，我也总是对着自己唠唠叨叨，尽是些属于过去时日的前情往事。大概是真的上了年纪，对于昨日想念的诱惑远远超乎对于明日的期冀，过去从未呈现得如此鲜活和具体，它像是一件正在发生的事情，摆布着我今天的情绪和心境。

1. 熏风殿　白天　内景

（伴随着旁白）太平静谧地躺在乳娘春的臂弯里，侧头望着从半合着的门缝中挤进的明亮风景。

2. 后宫庭院　白天　外景

太平的主观视角。这是一个婴儿眼中快乐的艳阳天，光线成为风景的主角，庭院中的花匠们，各自拥抱着属于自己的一份阳光，步履轻盈地来回奔走，他们身体那被阳光强调的明快线条，赋予了朝阳某种更快乐和生动的形式。他们怡人地说笑，那声音仿佛是雨后盛行于长安的季风，遥远而干爽。

花匠们正在搭造一个由千朵牡丹组成的背景,他们正忙着浇水。

花匠甲:真是奇了,这公主一降世,就雨过天晴,听说那天皇上在朝堂上手起剑落,咔嚓!云就开了,紧接着太阳就腆着大红脸冲出来了。搭手往下一看,说:哎呀,还是公主了得,又先我一步啊!这大唐果真是了不得了,敢与我争辉啊!

3. 熏风殿　白天　内景

旁白:乳娘春的皮肤像玉一般圣洁细腻,像被掌心焐热的宝石般温暖恬静,我至今仍记得她那永远散发着淡淡幽香的身体优美的轮廓。躺在她怀里小憩是一个孩子能体会到的最透彻的幸福。我喜欢望着她乌黑的眼睛发呆,那慈爱而永远忧郁的目光中仿佛蕴藏着人世间的所有秘密。

屏风之后。

太平转过头,含着春的乳头。春的手爱怜地抚着太平的乳毛,定定地注视着某一个方向出神。她继而低下头望着幼小的太平,一滴泪急促地滴到她的脸上。春掩饰着做出一个俏皮的笑脸,她皱了皱鼻子。于是太平就甜甜地笑了,露出稚嫩的乳牙。

屏风之前。

武则天:再往上,再往上。好,好!就这样……

武则天今天显得格外兴奋,她笑脸宜人地让宫女为她梳头,色彩明艳的熏风殿,由于皇后的活跃显得亲切而亮丽。

武则天:你们说,我这额头长得怎么样?

宫女:皇后宽额广颐,是典型的大福大贵之相,您是后福无穷啊!

武则天:我还能有什么后福可言?作为女人,身为皇后,这已经就是福贵之巅了,再不敢有什么虚妄非分的想念了……别用这只簪,拿来我看看，这簪子太显浮华外露，换一只吧。把那箱子拿过来，我自己挑……我给你们说个故事。当年选才人的时候，太宗最讨厌我这个大额头，害得我拼命地盖，刘海儿蓄得有这么长。可第一天入宫，伺候太宗那天，天公偏不作美。牡丹园里一阵大风，我就原形毕露了。太宗就看着我说：方额广颐，这是帝王之相啊，武才人的野心不小啊！我当时吓坏了，结结巴巴地说：皇上，您看哪个野心家敢把野心写在脸上啊？不藏的野心至多也就是颗童心，供人玩笑罢了！太宗笑了，我呢，就一身冷汗地陪着傻笑……

上林属令：（入）皇后，牡丹屏搭好了，画匠们也已就位！

武则天：行了，知道了，我待会儿就到！……用这只吧。内敛朴实又不失高贵之气，插上吧……讲到哪儿啦？噢，对了，你知道太宗最喜欢我哪儿吗？……不对，是我的鼻子。说它看上去干练果敢，非一般女子可及，可到了儿子这辈儿，情况掉了个过儿。皇上最喜欢我这额头，最讨厌我这鼻子。他说它太过挺拔笔直，像个男人，还是个行武的男人！哈哈哈哈，（笑）我清楚地记得那年，他把我从感业寺接回来，天天用手就这样捂住我的额头，然后再放在自己头上，说：媚娘额头宽我两指，自然也就比我聪明两分，娶媚娘定让我省不少脑子，哈哈……所以这做女人啊，千万别对自己的长相太自信，那你就把自己推浪尖儿上了。一个鼻子能让你升天，转脸儿，同样一个鼻子就让你成了谁的丫鬟。所以还得靠这儿……（武则天指着自己的头）行了，就这么着吧。还能美到哪儿去啊？都三十八了，五个孩子的娘啦！哎！我像三十八的吗？

宫女：皇后不像，皇后像十八的！

武则天：哼，你呀，也就只能当个伺候人的丫头，连夸个人都不会，怎么让人不信你怎么夸！行了，走吧，太平呢？

武则天转过屏风，默默地望着正专心哺乳的春，片刻。

武则天：太平有你真是福气，看着你们俩的样子，我这当妈的都有点儿嫉妒啦，吃饱了吗？

春点头，随即将太平交与武则天。

武则天怀抱着太平来到屏风前，坐下，所有的画匠都准备好了。

武则天：你们可以开始了。

4. 大明宫勤政殿　白天　内景

春天的慵懒气氛似乎在整个朝堂上弥漫。李治斜倚在龙案上，神情倦怠地看着大殿外的光影与飞絮，老臣们的声音在他耳边相继回荡。这时一只柳絮飘到他的面前，他伸手接住，在掌心把玩儿，柳絮马上破碎了。李治神情现出一丝失望。老臣李弼的声音又在大殿中回荡。群臣们脸上也都挂着若隐若现的倦意，似乎都或多或少地被李治的情绪所感染。

李弼：（声音拖沓，呆滞，只顾低头念奏折）陇右大旱，自总章二年初春至仲夏，滴雨未降，恰逢魏水断流，灾情殃及尚原、广延、西陵等六府。秧禾枯死，颗粒未收，民生艰苦，灾民总计十万余户，有西陵人刘十三者，聚众谋乱，杀太守，占尚原五府，又有奸商与污吏勾结，囤积居奇，私分赈灾粮饷。工部侍郎郭孝威，奉旨赈灾杀奸商二十余人，惩办失职属员，开府库济民，民心大快。又平息刘十三叛乱，斩贼首五百，已而民心安定。继而又率众凿井济旱，旱情稍减。至八月，又率老耄、士绅及各州属员至会阴山祈雨，七日七夜，诚心感动天地，天赐大雨。臣以为郭侍郎办事得力，诚心可嘉，应大加奖励。

李弼陈词一番之后，顿首等待李治回复。良久，大殿上寂静无声，他偷偷抬头向上观望，发现李治正在盯着眼前另一束飘飞的柳絮出神。大臣裴炎发现李弼的尴尬。

裴炎：臣以为郭孝威赈灾有功，忠心可表，应晋升大理寺散骑常侍，以辅佐议政大事，按例，应赏绢二百匹，缗钱三千。

李治被裴炎的声音惊醒，有些不知所措地看着廷下的两个人。

李治：（声音倦滞无力）准奏！

李弼与裴炎齐称遵旨，准备退下，李治突然想起什么。

李治：李弼！

李弼又起身回来跪倒。

李弼：臣在。

李治：我记得这陇右大旱是去年的事情，怎么现在才来回复？

李弼口吃起来，一时不知道该怎么回答。

裴炎出列跪奏。

裴炎：圣上可能忘记了，自从皇后临产，许多朝政都荒疏了。

李治不满地看了一眼裴炎。

李治：知道了，你退下吧！

另一名臣许敬宗出列跪奏。

许敬宗：臣许敬宗启奏圣上。今有凉州张圭山，因欠官府银钱。无法偿还，逃至契丹奚奴部落，冒充大唐使节，招摇撞骗，后被识破，已被契丹可汗押送回朝，听候圣上发落。

李治：（眉头微扬，面露戏谑之色）他欠了官府多少钱呀？

许敬宗：缗钱二千。

李治：我以为多大一笔数目，让他加倍偿还不就得了。

许敬宗：可张圭山冒充天朝使节，有损国威，应从重处罚。

李治：那你说该怎么处置？

许敬宗：自古从未出现过这种先例，《大唐律》也未曾记载，还请圣上明断。

李治：张圭山这个人倒是挺有意思，能用缗钱二千惹出这么大的热闹，朕倒想见见这个人。

许敬宗：他……已在驿馆中畏罪自杀了。

李治：（一拍龙案）许敬宗，你是越老越糊涂了，怎么拿个死人到朝堂上来起哄？

许敬宗：这事关两国邦交、民风教化，不妥善处理，一会损我大唐威严，二会贻笑夷族蛮邦，三会授契丹人以滋事口实，四会开刁民犯上先河，五会误导民智，六会……

李治：（挥挥手，厌烦）好了好了，你就替朕妥善处理此事吧。

许敬宗：可是，皇上的意思是……

李治：我的意思你还没领会吗？

许敬宗：恕老臣愚钝。

李治：我的意思就是你赶快下殿吧！

许敬宗满脸潮红，唯唯诺诺退下。

李治伸了半个懒腰，他马上意识到什么，又收了回去。默不作声地看了一会阶下众臣。众臣沉默。

李治：还有事吗？没事就散朝吧！

李义府：（出列）臣没法子退，臣的折子，您答应今天给我回复的！

李治：什么折子？

李义府：就在您案上放着呢，从上往下数第三册。

李治：哪有当天递折子，当天回复的道理，先放这儿吧。三天后给你答复！

李义府：圣，圣上，臣是三天前递上去的！

李治：怎么回事，李大人的折子你没看吗？……

李治习惯性地回头，但很快意识到身后无人。

李治：（干咳了两声）我这几天不大舒服，折子我从速看，明儿给你答复，你们都散了吧！……

众臣怏怏地散去。

李治：碧玉妆成一树高，万条垂下绿丝绦！长安春柳闻名遐迩，我给你们三天假，带妻女出门赏春去吧！

5. 熏风殿　白天　内景

武则天身前的案上放着一摞画纸，旁边站着春，抱着太平，案下七八位画匠毕恭毕敬地坐在那里，紧张地观察着武则天的脸色。武则天翻了三四张后，脸上的表情显得明显的不耐烦，最终按捺不住，烦躁地将画纸胡乱地往案上一扔，风随即将画纸吹得七零八落。武则天的脸上又恢复了其惯有的冰冷表情，她默默地注视着眼前这群人。

武则天：你们都是画师吗？

画师：（年长者）是，微臣已在宫中服侍多年，曾经为太宗作画。

武则天：那就不需要给你讲神形兼备的要义了？你说说，我让你画的是什么图？

画师：母子连心图。

武则天：形是什么？

画师：母与子。

武则天：神是什么？

画师：连心，是皇后对公主的爱意！

武则天：你这不是挺明白的吗？可你看看你们画的，神似谈不上了，形都不似呀！你看看我，倒真是慈眉善目，看上去像佛堂里供的菩萨，公主呢？一个百日的孩子哪有那么大的眼睛？再说她一直闭着眼睛，你刚才就一点没发觉？这真是奇怪了，七八张画都一模一样，真是有什么师傅带什么徒弟，要你们的眼睛有什么用？怪不得祖宗们让你们画的都一个样子，你是不是觉得但凡皇上、皇后都应该一个模样？否则对不起他们的称号？早知这样，摆这么个大排场干吗？干脆让你们闭门造车不就完啦！

画师：（跪）皇后恕罪，要不我再为您画一张？

武则天：行了，行了，下去吧！恕罪？我能治你什么罪？老眼昏花罪？迂腐教条罪？咱大唐还没有这样的律令，下去吧！

画师：谢皇后！

众画师下，只留下最后排一位少年仍专心致志地在画架上忘情作画，一卫士要上前制止，被武则天拦住。武则天悄然走上前，画架后的少年正在做最后的收尾，他长舒一口气，抬起头，才发现武则天已站在身后，他慌忙跪倒。

严利德：臣严利德献画！

武则天注视着画纸上的自己，一身田园打扮，悠闲而不失高雅，怀中的太平正在熟睡，手紧紧握着自己的衣襟，背景是一片盛开的牡丹。

武则天：（语气明显缓和）我没穿这件衣服啊！

严利德：皇后是没穿这件衣服，皇后没发现您身后的牡丹园也非此造作人工之物吗？我作画时眼中并没看见皇后！

武则天：那你在画谁？

严利德：我是在画一位母亲，一位与天下所有普通妈妈有着同样表情的温柔的母亲；一位怀抱着新生儿，沉浸在欣喜与无限爱意中的尊贵的母亲；一位有着比身后盛开的牡丹更为优美和令人感动笑容的幸福的母亲。而作为一个四岁丧母、八岁丧父的孤独的孩子，您美妙而高贵的姿态，唤起了我关于母亲温暖而疏远的记忆，我甚至确切地记起我也曾经这样安逸地躺在母亲怀里，体味安全和绵延的爱情，我想这就是公主此刻微笑的全部内涵。惟一不同的是，我母亲身后或许仅仅是塞北枯黄的杂草，以及在冷风中瑟瑟抖动的几朵坚强绽放的百合，然而比起身份地位及贫富的悬殊，母爱是永恒的，就像那始终顽强地占据您嘴角的只属于伟大母亲的笑靥。

严利德的眼中泛起了泪花，他真挚热烈的表述，随风在静静的庭院中飘荡。每一个人都安静地站在那里，惟有春几乎啼嘘不已。

武则天：（默默地望着他，良久）你叫什么？多大了？

严利德：臣严利德，今年刚满十八！

武则天：好，从今天起，就留在宫里吧，作我的画师，封五品……你画了幅好画，谢谢你！

6. 武则天寝宫　白天　内景

太平已经安然入梦，她恬静的面孔被透过轻纱散射过来的阳光浸泡得红润而安详，武则天轻轻晃动着摇篮，她的表情洋溢着在任何一位普通母亲脸上都常见的幸福关爱以及疲惫的神情。

她默默地望着挂在窗前的《母子连心图》，半自语似的对着侍立在屏风前的春。

武则天：自从有了太平这孩子，什么事情都顾不上了，也不知道宫里现在忙不忙，皇上的头疼病好点了没？皇上有日子没来过了吧？

她似乎突然意识到对方不会说话。

武则天：（稍感歉意地）你也够累的了，先下去休息吧！……你是孩子的乳母，我希望你像对待自己的孩子那样照顾她，爱护她，我会记住你这份情的，我想太平也会！

春的身体轻轻抖动了一下，然后默然离去。

这时两个太监抬着一箱奏折入殿，把奏折放在地上，向武则天施礼。

武则天：谁让你们拿来的？皇上的意思？

李治：是我的意思！

随着话音，李治走进武则天的寝殿，眉毛上还挂着一丝柳絮。

武则天：怎么皇上今天这么早下朝？

李治：今天春光明媚，草木勃发，我放假让群臣们出城赏春去了。

武则天：（轻抚着刚刚被太监们堆在书案上的奏折）那皇上怎么不和群臣们同乐呢？

李治：（拿起一本奏折，做阅读状）朕还有许多政务要处理，（看了一眼，又摔在桌上）这些大臣也真是的。什么鸡零狗碎的事都要让我拿主意，好像他们自己没有脑子似的。这么多奏折让我怎么看得过来？

武则天：皇上是在埋怨我吧？

李治：我怎么会怪罪皇后？你是一国之母，每天为朕照料新降世的女儿，夜以继日，不辞辛劳，连奶娘、宫女的事情都要亲自去做，你为我们大唐的公主呕心沥血，劳苦功高，我怎么能怪罪你这样一位贤良的母亲呢？

李治越说越有些愤愤不平。语气明显带有讽刺的意味。

武则天：（上前把李治眉上的柳絮摘下）皇上，我知道这些日子疏远了你，也疏远了国事，但太平刚刚降生，我怎么离得了她呢？

李治：（不再试图掩饰）媚娘，我一直以为你是一个深明大义的女子，你那天在朝堂上的慷慨陈词，真是震古烁今，令人热血沸腾，我一直以娶到了你这样壮志不让男儿的奇女子而深感庆幸，可你现在怎么能沉迷在一个小女子的情怀中难以自拔，而忘掉了身为一国之母应尽的大义呢？

武则天神情由柔媚转为庄重。

武则天：请问皇上，什么是一个皇后应尽的大义？

李治口吃起来，一时不知应该怎么回答。

武则天随手拿起一奏折，缓缓打开，看了一眼，放下，又直视李治。

武则天：皇上可曾想过一个母亲的心情？不论她是贵为一国之母，还是普通如村姑农妇，我想她最深挚的渴望没有什么不同。如果皇上无法理解，就看看这幅《母子连心图》吧！我想，它有可能帮助皇上理解我目前的心情。

李治看着《母子连心图》，一时语塞，但他还不甘心。

李治：可你对别的皇子也没有这么过分。

武则天：正因为感到欠他们的太多，才想到在这最后一个女儿身上倾注更多的心血偿还……

李治语气软下来，有那么一点撒娇的色彩。

李治：不管怎么样，媚娘，你得帮我。

武则天坐在床上，同时用温柔的目光示意李治坐在她身边。

武则天：皇上，这么多年风风雨雨，我们相互扶持着，也不知躲过了多少惊涛骇浪，现在天下太平，朝臣归心，内宫安定，您也该树立一个贤明君主的威信了……

李治自尊心明显地受到了伤害，猛地甩开武则天的手，站起身来。

李治：（语调锐利）胡话，天下都知道现在是二圣临朝，而所有的政务都控制在你的手里，我所有的事情都搞不清楚，根本无从着手，又得了这个讨厌的头疼病，你现在让我单独主政，哪来的什么明智君主，明明是让天下人看我的笑话！

他的声音惊醒了沉睡中的太平，她发出高亢的哭声，武则天匆匆忙忙跑过去，抱起太平哄着，李治焦躁地在屋里走来走去，这时春也赶来，接过武氏手中的孩子，轻轻地摇着。

武则天凝视着眉头紧锁的李治，片刻，叹了口气。

武则天：好吧，等孩子满了周岁，我就过来帮你。

李治：（神色稍缓）那我现在怎么办？

武则天想说些什么，又被孩子的哭声打断，她连忙走过去，把太平从春的手中抱起，太平马上止住了哭声。

李治把怨气一股脑地撒在春的身上。

李治：你怎么这样无能，连个小孩都带不好，要你这样的乳母有什么用？！

春惊恐地跪下。

武则天：这也不能怪她，孩子跟惯我了，一时真没法离开了。

李治：（烦躁地）那你就抱着太平上朝吧！

武则天：（吃惊）这成什么体统？

李治：体统都是皇帝定的，从现在起，天下就有了这样的体统。

10. 太平睡房　夜晚　内景

春抱着大哭的太平满头大汗地转来转去，想尽各种办法取悦她，可太平全然不理。

武则天：怎么了？是不是饿了！

武则天接过太平，但依然制止不住哭声，武则天焦急地望着她。

武则天：别哭了，告诉妈，你想要什么？妈妈就在你身边……

太平突然停止了哭声，她傻傻地望着武则天的头顶发呆，武则天这才意识到身后的李治，他手里举着一张皮影。

李治：看来她喜欢这个。嘿嘿，不哭了，还是我有办法！

武则天：你从哪弄来的这玩意儿？

李治：你忘了，这是太宗从西域带回来的玩意儿，放在那儿多少年了，没人能演，也就荒置了，我记得我哥哥小时候特爱玩这东西。看来太平也喜欢。哟哟！乐了，乐了！这真邪了！

太平的主观视角，皮影夸张地摆动。

旁白：皮影这东西真奇妙，薄薄的一张纸却有着人世间的一切表情。我喜欢你爷爷，大概因为他是伴着皮影闯入我生活的。我就这样看着皮影蹒跚着长大……

皮影特写，拉开。李治正弓着身子，用皮影逗引太平，此时太平已经会走路了，张开小手要扑父亲手里的皮影。

武则天：皇上，该上朝了，大臣们都到了！

李治：知道了，知道了！太平，咱们下了朝再玩，去让妈妈给你洗洗脸。该上朝了！……我知道，我知道。上朝有什么意思呀，还是皮影好玩儿，我也是这么想的。……

11. 大明宫勤政殿　白天　内景

李治在龙位上昏昏欲睡，成群的知了在殿外鼓噪。

裴炎：皇上，……皇上，综上所述，臣建议实施黄河改道工程，即刻动工，这于您又成就了一件功及子孙的伟业！请圣上明鉴！（提高声音）请圣上明鉴！

李治：(仿佛从梦中惊醒，有些不悦) 啊？什么？不就是黄河改道吗？

第 二 集

好事啊！只要百姓能从中得到实惠，就是好事，准了！

将军：臣不同意裴大人的主张。圣上，如今，突厥虽定，然而我大唐边关仍欠稳定，北有突厥、契丹，西有回鹘，南临南诏，且皆虎视眈眈，伺机而动。如裴大人所言，盲目开工，必牵扯大量精壮劳力，动用大笔国库储备，这等于给了蛮人乘虚而入犯我边关的绝佳机会。试想，一旦外族入侵，皇帝指望老弱病残、手无缚鸡之力的弱小女子充军抗敌吗？臣以为，如今当务之急应为加紧扩军，壮我军威，长我大唐志气，待边疆真正稳定，四海之内惟我独尊，这时方可考虑赈救内灾。安疆与赈灾，孰轻孰重，请圣上明察。

裴炎：将军所言自有其道理，然而攘外必先安内，此为屡试不爽的古训真理。不错，我大唐边疆诚如将军所言，尚欠安稳。可试想，关中大旱，已近三年，如继续纵容，臣敢断言，不出一年，关中皆病夫。而到那时，一旦蛮族入侵，不用说什么老弱病残，即使是青春少年也无缚鸡之力。诚想将军以何充军？此为一。其二，大旱三年来，从国库调出的赈灾粮草已不计其数，劳民伤财。且有头痛医头，脚痛医脚的嫌疑，而这正是治国安邦的大忌讳，国体如人体，一旦遭病，治里治本，方可断绝无穷后患，当年，如提早当机立断，这三年赈灾款项恐怕早已成就了不知几个改造工程。其三，臣刚从灾区归来，亲眼目睹了灾区惨状，真可谓人间悲剧，关中各地，乞丐成帮，流贼大盗与贪官污吏狼狈为奸，私吞救灾粮草，百姓落不到一点实惠……

大胡子裴炎喋喋不休，帘后太平灵机一动，趁母亲不注意已溜了出来。

李治大概又犯了头疼，用手指按住太阳穴，盯着眼前的卷宗发呆，那上面的字迹，时而清晰，时而模糊。

裴炎：由于连年颗粒无收，村落中除人外已无其他生灵，从关中到汉阳，一路白骨遍地，再加之连日来的烈日毒阳，腥腐恶臭之气弥漫四野，许多人身染恶疾，不出半日便暴死，弃尸街头，不出半个时辰，便有成群沙漠狼入侵，分而食之。然而连荒原狼都逃不出必亡劫数。还未出村，便已奄奄一息，于是人又出击，明知食之必死，但仍求一时果腹之欢。一时间，当街人狼共舞，犹如地狱狂欢……

太平站在裴炎身下，望着他颤动着的胡须，继而对其腰间佩玉发生了兴趣，自顾解下来拿在手中把玩。裴炎不敢停下来，继续吞吐着陈述。然而此时，他看见沿着大堂地板的砖缝有涓涓细流，他随即停下来，望着悄然而进的水流发呆，太平发现自己大腿内侧冰凉，知道尿了裤子，于是哇地哭出声来。

李治被太平的哭声吓了一跳，他抬起眼，发现了阶下的太平。

李治：怎么回事？太平，你怎么下来了？岂有此理，太没规矩了，这是朝堂圣地……

于是太平便哭得更为惨烈。

武则天：皇上怪我，是我一时没看住她。裴大人，您别见怪。不过，太平也是参政心切，皇上不认为孩子已为您解了难吗？

所有人都不知皇后所云，惟裴炎看着水流渐露笑意。

武则天：裴大人的一番陈述，丝丝入扣，有理有节，水不加疏导性恶，奔突万里，盲目鲁莽；引则性善，则有了理智。自古灌溉为农耕之本，是有百利而无一害的民生大计。大禹治水，三过家门而不入，于是就有了中原沃野千里，我看光靠祈雨是不行的，这大概是神对圣上的启示。改道黄河，引水入田，这可是能造福子孙后代的空前壮举啊！臣妾以为圣上应舍小利而取大义。诚请陛下三思！

旁白：横行关中的三年大旱，就被我用当朝的一泡尿奇妙而轻易地解决了，裴炎后来成了关中百姓的救星，被人们像敬神那样维护至今，这大概就算是我最早的政绩了吧！

第 三 集

旁白：你是宫里的孩子，知道长大意味着什么？身为皇家之子，长大意味着进入无穷无尽的礼数，意味着任何一种孩童的普通想念都要被披上一件高贵的外衣，意味着与你所爱的人开始疏远的漫长历程……我能走路之后的日子里，母亲和我在一起的时间越来越少。过去，母亲总是让我和她一起睡。后来，母亲越来越忙，我再也不能同母亲同床共寝，连见她都似乎成了一件艰难而隆重的事情。后宫安静得令人心慌，似乎就只剩下春那双多愁善感的眼睛……

1. 太平寝宫　白天　内景

（伴随着旁白）太平站在小桌上精心地在梁柱上系一条白绫，她用手试着向下拽了拽，结儿就松了，之后又系，再试，直至满意。她脸上的表情丝毫不带有这尺白绫所暗示的悲怆与凶险，反倒显得轻松、俏皮，还有几分只属于孩童的稚嫩的专注。结终于系好，她长舒了口气，踮起脚把头伸进去。

宫女：公主！

手中的食盘猝然坠地。

太平：你别过来，过来我可就死了！我在上吊，上吊后就死了，死了多好，死了我就变成鸟，飞得特高！

这时有侍卫闻讯赶到，火火地站在那儿不知如何是好。

太平：你们都甭过来，都跪下，看着我上吊！……把头低下去，我要死了……

所有人都跪下，低下头，太平抿嘴笑了。

春赶到，她焦急地赶到最前面，扑通就跪了。

太平：你也来了？春妈妈。正好，我死后你告诉母后，我再也不喜欢她了，都三天没来看我啦！再告诉父皇，把三国的皮影做好一套，就放在我屋里，好了，我该死了，闭眼吧！

2. 宫廷甬道　白天　内景

武则天一行人急匆匆地走着，盛气凌人，后面跟着小跑儿的王伏胜。

3. 太平寝宫　白天　内景

冲外跪着一地人，低着头，都屏住呼吸，恨不得脑后长眼，此时，春已吓得瘫在地上。

太平双手扒绳，口吐舌头，做死状，踩在桌子上的腿瑟瑟抖动，不时睁开一只眼张望。

武则天一行人入，太平急忙闭上眼睛，憋住笑，武则天默默地望着她，浮出一丝笑意，随即掩饰住。

武则天：太平，你下来！

太平不动，舌头又吐出了一点儿。

武则天：看来她真想死，那走吧，我成全她！

转身就走。

太平：（忍不住了）回来！（她退下绳套儿，无趣儿地站在桌子上）我……我弄着玩儿的，我就是想见你，想你了……你抱我下来！

太平张开双臂。

武则天望着她，眼眶居然有些湿润，她随即走上前，抱住太平。

太平：（紧紧搂住妈妈的脖子，耳语）妈妈，我想你。你都三天没来看我了，我闷得慌！

武则天：那你也不能拿死吓唬人呀？你快把春妈妈吓死了！

春被两个人扶着，半坐在地上，头上敷着毛巾。嗔怒地看着武则天肩头的太平，太平冲着春笑得像一朵花，一脸灿烂。

武则天：妈妈本来今天要来看你的，带你出门儿！

太平：（惊喜）去哪儿？

武则天：去看哥哥们打马球，下来让春给你洗洗，换身衣服！

太平雀跃地跳下，拉住春急急地走：你们都起来吧，让你们受惊啦！

众纷纷起身，武则天背身而立，与他们背对背站着。

武则天：都给我跪下！

众皆惊慌地重跪。

武则天：从今往后，把太平身边所有的绳子、剪子及各种利器派专人看管，再出现这样让人丧气的闪失，即使是玩笑，我也饶不了你们，听清了？

众人：听清了！

武则天：起来吧！

4. 马球场　白天　内景

旁白：对于宫里的男孩子来讲，球场犹如战场，犹如供他们尽情呈现勇气、智慧及必胜信念的舞台，他们知道看台上一双双眼睛正狡诈地洞察着自己一切优良的潜质,知道自己未来的飞黄腾达很可能就始于眼下球场上的一次凯旋,而在我眼里,马球场不啻是一个逃离乏味宫廷生活的绝妙去处。因为至少我能看见哥哥们,看见盛装的似曾相识的亲戚们,看见父母脸上少见的轻松表情。

武则天拉着太平的手穿过两侧皇亲国戚们虔诚行礼的队列,款款步向看台,一群带着响哨在空中盘旋的鸽子吸引了太平的注意,她举手示意母亲。

太平:看,母后,旦的鸽子,多漂亮啊!飞得真高!

武则天眯起眼,注视着一只鸽子悠然地降落在正在施礼的旦的肩头。

武则天:都平身吧!(说罢坐定)皇上还没到吗?

太监:还没有,要不咱们再等等?

武则天:算了,告诉他们,开始吧!

在后面备场的贤正给自己的队员们训话。

贤:今天的赛事一定要赢,你们知道胜利意味着什么!要打得坚决,果断,不给弘以喘息的机会,气势上一定要先压倒他们。我要你们一出场就把"得胜"二字写在脸上,明白了吗?

众人:明白!

贤:你呢?显?

显正紧张地摆弄腰间的香囊,背襟已被汗水浸湿了一块儿。

显:啊?明……白啦!二哥,你放心!

贤:好!胜败在此一举,出发吧!

球场上弘的队伍早已列好,一色的红衣红马。随着一阵张扬的喧闹声,一队白衣白马的贤的队伍从后场杀出,搅得尘土飞扬。看台上看客们都半站起身,嘴中啧啧称叹。

看客甲:这二皇子果真气势非凡,大有勇气之师的风范!

看客乙:是啊!白衣白马,气宇轩昂,英姿勃发,大唐真算是后继有人!

坐相持重的武则天听着背后的议论,嘴角浮现出一丝笑意。

球场上双方队伍面对而立,一字排开,身处正中央的贤和弘互相盯视着对方的眼睛。

贤:大哥,我今天赢定了!

贤盛气凌人,语气略带轻蔑。

弘:张而自持,华而有实,这才是王者之师,请二弟切记!

弘显得冷静沉着,成竹在胸。

贤:(笑)以不变应万变,大哥永远老成持重,真是佩服!……显,你先下去吧!

贤的目光始终没有离开弘的眼睛。

显:(吃惊地)二哥,我……

贤:下去!

显随即勒马,快快地退下场。

弘:(微笑)临阵削员,我佩服二弟胆量,那就多谢二弟相让!

说罢挥杆击球,二队开始厮杀,球场立时尘土大作,人马几乎没了影子。

看台上,李治已经就位,他眉头紧锁,满脸的不痛快。眼睛虽也追随着球场上的战况,却经常走神儿,显得心不在焉,武则天相反兴趣盎然,她随着场上的一来一去,来回转动着头颈,有一搭无一搭地与李治聊天。

武则天:皇上怎么来晚了?

李治:我来早来晚有什么关系,还不是你一声令下,球赛就开始了!

武则天:哟!皇上今天是有火儿,话茬不对啊!要不咱让他们停了,重来?……好球!我看这球赛八成贤能赢!

李治:我能有什么火儿?太子都让你给废了,我至多不过是个传令官,到时候盖个玺,宣个旨而已。

武则天:您这话可真让我伤心!(武则天把头转向李治)忠为庶子,

废庶立嫡，名正言顺，相反则为选嗣大忌，皇上不至于忘了当年您与李泰的争斗吧？要不是先王最终的清明远虑，您恐怕早已成了李泰的刀下鬼。我是不愿重蹈覆辙，让我们的孩子也互相残杀，才做此决定。您如果不同意，把忠接回来再立不就得了，犯不上跟我气鼓鼓的！

李治：废立太子，虽为国事，但更是李家家事，这毕竟还是李家的天下，你这么明目张胆地指手画脚，自然有一批老臣⋯⋯

武则天：（打断）每朝每代都有那么一批迂腐的文人搬弄是非，他们说什么对我来讲不敌一张废纸。至于天下姓李，毋庸置疑！但我提醒陛下，李家的孩子也是我的孩子，我想作为母亲我有责任制止流血的悲剧重演，这不为过吧！

李治：道理虽然如此，但你不是一般的母亲，媚娘，你是国母，我的皇后。身处是非漩涡中心，一招一式、所言所行就有了旁的意义，就说这场球赛吧，你张罗它除了让孩子们自娱自乐，恐怕不会再有其他意思了吧？

武则天：有意思没意思皇上自己定夺。但既然太子废了，木已成舟，新太子则速立为上，省得别有用心的人离间，坏了兄弟们之间的情谊！

李治：那就多谢皇后挂念，立谁我心里已有数，就请皇后别费心了⋯⋯就拿显来说吧（李治把目光投向在场边怅然若失的显）虽略显愚笨，但兴许是大智若愚，其实这孩子性善单纯，又没什么是非之心，将来再给他娶个像你一样精明过人的媳妇，这李唐香火没准会愈烧愈旺呢，你说呢，皇后？

李治微笑着，语气略带挑衅。

武则天：既然皇上真是心意已定，我就远离这是非。不管立谁，都是我的孩子，做妈的都替他们高兴，但恳请皇上切记，速立为上，免得祸起萧墙之忧⋯⋯

这时看台上一片唏嘘，人们都半站起身焦急地望着场下。

弘已被掀翻落地，倒地的弘望着高高在上策马而立的贤。

第 三 集

贤：(伸出球杆) 三比二，我以五胜六，还望大哥恕我不敬之罪，大哥，扶它起来。

弘拨开球杆，翻身上马。

李治：好孩子，有志气！……王伏胜，告诉御医，一会儿给他看看，别伤着筋骨！

武则天：弘这孩子倒是沉稳豁达，但略显得有些缩手缩脚，胜败攸关时也总是瞻前顾后。他明明刚才能把球击出去的。他这种性格，难堪大任，持重有余而果敢不足；相反我倒更喜欢贤，常有铤而走险、出敌制胜的胆略，一副鱼死网破、不达目的誓不罢休的伟丈夫气概。大唐就需要如此豪气冲天的少年！

李治：(听着武则天的话，沉思) 是啊，贤的举止风范很像当年的父皇，伏胜，去把先王的那支龙骨球杆拿来！

武则天听着，脸上浮出一丝不露痕迹的满意之色。

这时场中飞奔的马匹突然都急停下来。待尘埃落定，球场中央浮现出一个红衣小女孩，竟然是太平站在那儿。

李治：(突然地站起，满脸担忧，急呼) 太平！

武则天转身怒视春，春因失职而惊恐地跪下。

春急下。太平把球抛向贤的球门，随着银光一闪，众马又开始奔驰，只有弘起身把太平抱在马鞍上送了出去，太平在他的怀里踢打、吵闹，弘微笑不语，最后递与春。

武则天接过太平，把她搂在怀里。

李治：太平，你也太任性了，知道这有多么危险吗？

看着李治铁青的脸，太平把脸藏在武则天怀里，武则天摸着她的头发。

武则天：太平，你要喜欢打马球，妈妈一定给你配最好的马和球杆，但你现在还小。

太平：他们欺负弘哥哥……我不过是想帮帮大哥。

武则天：真是好孩子，从小就懂兄妹情谊，不过，这是打球，得胜是目的，打赢球不一定就是欺负人呀？

李治：太平越来越顽皮了，应该让她上学，长长规矩了。

这时贤趁弘回场不及时，又击入一球，比赛结束。

李治：好，好，精彩！传贤来见我。

5. 凌烟阁　白天　内景

一把橘黄色的桌椅与众不同。

太平与韦氏趴在窗台上，望着窗外窃窃私语。

太平：韦姐姐，今天怎么啦？好像谁都不高兴啊？

韦氏：你不知道啊，忠哥哥昨天被废了太子位，今天早晨就被逐出了城。

太平：太子位？什么是太子位？

韦氏：哎呀，你真傻，亏你还是个公主，看那张桌子，那就是太子位啊！凌烟阁中只有太子才能坐在上面，太子就是以后的皇上啊！

太平：我说忠哥哥怎么最近一直阴着脸，原来是当不成皇帝啊！那他当不成，谁当呢？

韦氏：听说，今天上官老师要宣旨，立新太子，要不怎么这会儿还没到呢，我想八成让贤哥哥当，你看他最近多得意，昨天打马球还赢了弘！

太平：我不想让贤哥哥当，他成天凶凶的，谁都看不起的样子，我想让旦哥哥当，他一定是个好皇帝。

韦氏：（捅了捅太平）你看，弘哥哥今天从进来就坐在那儿看书，一句话都没讲。

弘坐在座位上望着眼前的太子椅出神，眉头紧锁，显得心事重重。

太平与韦氏偷偷绕到弘的身后。

太平：哈，我还以为弘哥哥看书有多用功，原来连书都拿倒了。

弘被太平突然的发问吓了一跳。这才意识到书确实拿反了，他尴尬地笑了笑重又埋头读书。

贺兰氏楚楚动人地飘进教室，绕过旦，眼睛始终没有离开盯着书桌、心事重重的弘。

贺兰氏：忽如一夜春风来，千树万树桃花开！

她吟咏着诗句，路过弘时，特意用宽大的袖口拂过弘的脸颊，弘全然不予理会。

旦：是梨花开！不是你说的桃花！

话说得不咸不淡。

所有人都笑了。

一支球杆从门口斜刺着进入，上面挂着显的香囊。之后，贤侧身而入，羽扇纶巾，春风满面，显跟在其后，两眼巴巴地盯着贤手中球杆上的香囊。所有人的目光都集中在球杆上。

贤：（犹如演讲）唐高祖武德二年，祖父行军至德州，人困马乏，前有渭水横截，后有追兵围堵，一时四面楚歌，军中士气委顿，一老者帐前求见，称有宝物呈上。祖父见所谓宝物仅为一球杆，大为不悦。问其缘故？老人振振有词：陛下想征服天下，危险则为常情。而身为龙首，您惧一分，大军则怕十分，敌人则乐百分。如果您能临危不惧，处乱不惊，则军心大定，则大业有成，别小看这球杆，此为龙骨雕成，且应为陛下此刻心境！祖父听后大喜，即招众将于军中大演马球。立时，萎靡颓气一扫而光。第二天就大破追兵，逢凶化吉。昨天，父亲将这支龙骨球杆赏与了我，球场上的常胜将军，二皇子贤！显，把你的女人玩意儿拿下来吧！

说完，抖了个帅气的剑花，显擦了擦手中的汗，毕恭毕敬地取下香囊，就势倾慕地摸了摸杆身。

贤：（挑衅般）大哥，你不想摸摸吗？

弘：（皱眉）不了，还望二弟承继祖父雄风，也能成就一番事业！

语气略显失落。

宣旨！

随着一声报令,上官仪及一宣旨官沉稳进入,所有人都慌忙各就各位,跪下迎旨。

上官仪:(威严地扫视了一番众人,轻声吩咐)念吧!

宣旨官:皇帝诏曰:今立……今立……(他突然开始剧烈地打了一串儿喷嚏)大人,我……闻不了……龙蛇……香……

所有人都把目光愤怒地指向显,显慌忙地将香囊藏在怀里。

宣旨官:今立(喷嚏)……皇子弘为大唐太子。

"啪"的一声,贤的球杆落地。

宣旨官:代王李弘,地居茂亲,才惟明哲,至性仁孝,淑质惠和,好礼无倦,强学不忌,朕谓此子,实允众望,永固百世,以负万国。

说罢,收卷而去。在场所有人的目光齐齐地投向弘,惟贤低头不语。弘愣愣地跪在那儿,一时无言。韦氏站在弘的身后,看上去很激动。她喜欢弘。

上官仪:(微笑)就请太子入位吧!

弘这才站起,庄重地整理衣襟,深呼了一口气,他转过身,郑重地步向那把明黄的太子椅。然而,就在他就座的一刹那,静立一侧的太平却已笑嘻嘻地抢先坐了上去,弘不知所措地站在那里。

太平:哈哈,我先坐了!我以为当太子有什么了不起,原来就是坐在这把椅子上啊!那我现在不就是太子啦?

上官仪:太平,成何体统,下来,你这是犯律的!

太平:犯什么律?弘,你是太子,未来的皇帝,你让我坐吗?

弘:太平,快下来,当太子不是那么简单的。

太平:有什么难的,我没见你做什么难的事啊?

弘:你不懂,我会给你解释的,最简单的道理就是,太子通常是长子。

太平:你不是长子,忠哥哥就比你大,为什么废忠哥哥呢?

弘:忠兄非母后所生,再说……

太平:(打断)那旦哥哥是母后亲生,我要让旦哥哥当太子!

第 三 集

弘尴尬地望着上官仪求救，上官仪清了清喉咙，转身走到讲台上。

上官仪：太平，我念你稚气无知，就先原谅你一时乱了规矩，那我就先给你讲讲什么是太子吧！太平，你父皇为太宗第九个儿子，他能最终被立为太子，你认为原因何在？

太平：因为父皇聪明，并且好强能干，还因为他……他有帝王相貌！

上官仪：（微笑）公主所说的都对，但有一点公主没想到，而这恰恰是成为太子乃至未来一国之君最重要的品德！那就是宽仁孝友，这正是你父皇的过人之处，忠、孝、恭、俭、义方之谓……

只有显没有注意听，他在把玩着手中的香囊，他腰上挂满了一圈香囊，一会儿闻闻这个，一会儿闻闻那个。还拿给韦氏闻，韦氏专注于弘，不爱理他。

贤用球杆把显的香囊挑起，甩在地上。显的目光追着空中的香囊，跑去捡回来，贤凑过身去。

贤：你去叫父王来！

显应了，偷偷溜走。

上官仪：昔日汉窦太后及景帝不识义方之理，骄纵梁孝王，几近亡国；宣帝娇宠淮阳王，几至于败。正所谓圣人之教，不肃而成者也！

太平：我没听懂，到底什么是宽仁孝友呀？

上官仪：宽仁孝友，就是感情，身为一国之君，一家之主，不论治国治家，待人接物一定要有感情，要以诚相待，以理相敬，要懂得以宽仁之心善待家人，邻人，友人，有时甚至包括你的敌人，它看似混沌，然而却坚如磐石，胜过任何利器，惟有如此，身为家长，才能真正得到子女的爱戴；身为国君，才可获得民心，得到子民的衷心拥护及尊崇。我想，圣上立弘为太子，正是看重了他宽和仁义的心境！

太平：既然弘哥哥如此宽容厚道，那就让我在这坐一天吧，就坐一天行吗？

上官仪：不要说一天，一个时辰都不成。太平，你父皇宽仁孝友，你能因此就求他让你也做一天皇上吗？记住，你们都是皇家子弟，是天之骄子，不是寻常百姓人家的孩子，你们的一言一行，一举一动，都代表着皇家的风采，都应成为大唐无数子民的典范，对你们来讲，长大成人意味着兴邦耀国的责任，意味着为百姓谋福创利的义务，如把大唐比做舟，则皇室应为航行的舵手，王室兴，则国业腾达；皇室和睦，则举国安宁。你们的命运是上苍注定，肩上背负着大唐的无尽福祉，背负着李家的万世光荣，你们的德行就是大唐的品格，而你们一时的疏忽、任性，很可能就是举国的灾难。秦穆公好赌，则举国赌风日盛，舞弊成灾。燕昭王好斗，则乡野血雨腥风，匹夫横行。因此，你们要时刻观望自己的心智，反省自己的教养，时刻牢记自己尊贵而骄傲的身份！

　　皇子们不论听得懂，还是听不懂，都从上官的话语中领略到某种神圣和庄严的使命感，其中也包含了几分凶险的暗示。这是他们第一次领略有关命运的教诲。

　　上官仪：（看看沉默了的孩子们）弘现在被立为太子，这仅仅是成为一代明君漫漫路途的开始。在你们到达君主龙位的咫尺之间并不遥远，但却充满了荆棘坎坷，刀光剑影。你将面临你一生最大的两个敌人：无条件的尊奉和最深刻的仇恨，所为皆因为你高贵的血统。你甚至会悲哀地发现，那仇恨来源于你血统的内部。这绝不会仅仅因为嫉妒和愚蠢的虚荣，而是源于与你相同的远大抱负和血液中流淌的同样的骄傲。

　　弘的脸色越来越持重。

　　上官仪：你虽不得不提前面对炎凉的世态，但也同时拥有了得到天授神权的机缘。要么像太宗那样成为旷世明君，要么像叔父李泰那样遗臭万年，上苍恩允了你们潜在的荣耀，但也给予了你们实在的苦难！记住，你们是可以被取代的，并且永远会成为革命和阴谋的靶子……

　　凌烟阁内寂静无声，所有人都怔怔地伫立，禁锢在言语中仿佛琥珀。

　　旁白：我喜欢上官仪，喜欢他那颗硕大浑圆的头颅，那里面仿佛寄存着人世间的一切道理。就在那一天，我似乎开始隐约意识到作为一个帝国公主的荣耀以及与之相伴的艰难。

此时，李治怒气冲冲地赶到，王伏胜紧随其后。

李治：太平，你下来，目无尊长，怎么一点规矩都不懂！你知道你在做什么吗？那是太子位，尊贵如龙椅，不是随便什么人都可以坐的。你下来，罚背一百遍《女则》，否则不许回宫！

武则天不知何时出现在李治身后。

武则天：太子位固然尊贵，但太平也不是"随便什么人"，她好歹也是大唐公主。至于《女则》嘛，我看就免了，圣上如果真想让她长长规矩，倒是有不少别的法子！那书只能教她越读越糊涂，是吧，老师？

李治：皇后，太平太过骄纵顽劣，私坐太子位，不论家法还是国律，都应重罚，背《女则》已然是轻而又轻啦！

武则天：法律规矩都是人定的，不破不立，这宫里不少规矩都陈如腐谷。太子既然立了，旨也宣了，就没必要记在孩子们头上，像这太子位，好端端的非在孩子中间显个势利，我看倒是有点哗众取宠！太平，你为什么偏喜欢坐在那儿？

太平：嗯，嗯，它颜色好看！

武则天：那就请皇上赐旨依此再做一把！

上官仪欲言又止，王伏胜在旁皱起眉头。

武则天：但我提醒太平，还有你们大家，弘现在是太子，是大唐未来的君主。君臣有别，自有纲常，你们兄弟应牢牢记住这一点，尊重他，尽量辅佐他，帮他成为一个真正英明的人！明白啦？……皇上，您说呢？

李治：皇后说得对，君君臣臣，父父子子，这对皇家子弟来讲，还要加个更字！（稍顿）既然公主喜欢明黄，那就抓紧做一把，省得她惦念。从今往后大唐太子位改为大红色，要红得耀眼，要让他们从小就知道天子至上的尊严！

说完，拂袖而去。

武则天怔怔地站在那里，从丈夫张扬的语气里，她敏锐地感受到了某种微妙的弦外之音。

6. 牡丹园　白天　外景

李治怨气未消，倒背着手只管疾行。突然他站住，侧目望着园中正在隐蔽盛开的一簇簇蔷薇。

李治：这牡丹园里怎么种了这么多蔷薇？不知道牡丹是大唐的国花吗？找人给我拔了！

王伏胜：这是皇后让人种的，并州的种子，长势特猛，几天的工夫就长得满墙满院子都是！……要不，我让人给除除？

李治紧皱双眉，沉默着离去。

7. 女红坊　白天　内景

武则天拿起一枚针，递给太平。

武则天：这是什么？

太平：一根银针。

武则天：谁用银针？

太平：他们，宫女，太监。

武则天：用针做什么？

太平：缝衣织被，供我们使用。

武则天：我们穿上她们缝的衣，盖上她们织的被，做什么？

太平：做公主，做皇帝，做皇后，做……

武则天：皇帝做什么？皇后做什么？

太平：皇帝管理国家，皇后辅佐皇帝打理后宫。皇子吗，嗯，嗯，念书，准备做皇帝。

武则天：说得对，你看这宫里几千人，其实各有各的事情做，各有各的规矩可循，宫女不能做太监的事，太监不可以做大臣们的事，而大臣们永远代替不了皇帝拟旨。这就好像一座塔，塔尖儿上就是皇帝，地位最高贵，然后依身份、地位依次往下，于是，塔座儿就越来越大，皇帝坐在顶上才会越来越安全、更稳固。每个人都有自己的位置，长势也就有了固定的方向，一层长歪了，塔就不稳，就要塌，所以在这宫里要立许多规矩，每个人都要依规矩行事。

太平：那我在塔的第几层啊？

武则天：你是公主，皇帝高贵的女儿，仅次于皇帝的一层。你下面还有许多许多的人，都眼巴巴地望着你。而你现在却太没规矩，所以父皇今天很生气，他今天依了你，为你做了书桌，明天就不能再依你了。从今天开始，每天给我纫一百个针眼儿！

太平：我不！你刚才说这是她们做的事，我是公主，住在第二层，我不用守她们的规矩。

武则天：你是个公主，但同时是个女孩子，女孩子要守女孩子的本分，就像弘，虽然做了太子，但他还要去马厩驯马，因为男孩子理当谙熟骑术，就像女孩子理为手巧心灵、气平心和，这就是做女孩子的规矩，你现在就不像个女孩子，莽撞，冒失，所以我要你纫针眼儿，要你先做女孩子，再做公主！上官老师不是说过，圣人设立君臣、父子、尊卑后，天下人才知道了自己的本分，世界才有了和谐（说着转脸对身旁的主事）我把太平交给你了，你要每天教她纫一百个针眼儿，不完成不许出去！

说罢，向外走去。

8. 女红坊绣房　白天　内景

太平百无聊赖地走进绣房，渐渐地，对绣工们正在刺绣的绢画发生了兴趣。

太平：这是什么？

女工：这是皇帝命我们绣的牡丹图，专门送给波斯做礼物的。

太平：牡丹图？怎么全是牡丹，没有蔷薇？

女工：皇上没让我们绣蔷薇。

太平：皇上当然不用说，他以为连傻子都知道呢！你现在就给我绣上！

女红坊的主事闻声赶来。

主事：要不然请示一下皇上？

太平：不用请示，我是公主，可以替皇后管理后宫，这点小事我还不能做主吗？赶快绣吧，别再惹我生气了！

9. 议事殿　白天　内景

李治：想当年父皇与贵国缔交睦邦，算来已历经数十载，我记得贵国使臣第一次来访，就在此殿，我那时还是个孩子，光阴似箭，现今我也是一国之主，所幸的是大唐与贵国的情谊仍能完好如初，且历久弥坚，实在是你我两国子民的幸事，不知当时文皇赐予的牡丹花种在贵国长势如何？

使节：长势甚好！如今在我国禁苑已蔚然成势，花开时红灿灿的一片，着实赏心悦目！

李治：我这里备了一份薄礼，望你能带给贵国陛下！思天下于共睦，愿四海常靖波平，愿你我两国人民世代友好……开卷吧！此为大唐牡丹图！此图由上等苏杭绢锦，由上百能工巧匠日夜制作而成。牡丹花雍容华贵，花开时香及千里，象征我……大唐……国运昌盛。

李治发现展开的画卷上又绣了千朵蔷薇。他一时语塞，连在一旁的武则天都面露微惊。

李治：……当然牡丹蔷薇，蔷薇牡丹，相映成趣，和合天成，牡丹虽好，但没有了蔷薇，牡丹则略嫌咄咄逼人；而没有了牡丹，蔷薇则至多不过是墙围上神情黯淡的野草，长势再好，也难成大器！

李治定定地望着武则天，词句中明显带有指责和讽刺的意味。使节不知其中之意，完全当作圣旨一般。

使节：多谢陛下！我回去一定转达圣上，也在牡丹园周遭种上蔷薇，这牡丹蔷薇真是天作之合，比肩而立，果真多了一份声情并茂的华韵，陛下真是才智过人啊！

李治笑得很复杂。

10. 武则天寝宫　白天　内景

李治：你太不像话了，为什么这么做？

武则天：皇上，蔷薇不是我让绣的！

李治：媚娘，你到底想要什么？为了让你当皇后，我废了萧淑妃、王皇后。褚遂良、长孙无忌反对我立你为后，我放逐了他们，我事事随你所愿，选立太子都征求你的意见，你还觉得不够吗？

武则天：皇上，我再说一遍，这蔷薇不是我让人绣的。

李治：那会是谁，难道是她们自己的主意？

武则天：是太平的主意。（向外）你进来吧！

女红坊主事：圣上，确实是公主的主意！她偏要绣蔷薇，绣工们就吓坏了，我想阻止……可公主她……

武则天：皇上，太平管教无方，确实是我的过错，不过既然事情已经发生了，也别再增烦恼，国花这种东西毕竟是一种虚名，取什么作礼仪象征，也不过是凭先人的一时喜爱。

李治：太平管教无方，这有目共睹，有你这样任意娇惯的母亲，她做出什么出格的事情都不会让我意外。至于国花是不是一种虚名，那就要看怎么说了。对于你我，暂且不谈，而对于天下百姓，这国花却是上天的旨意，是国运更替的符号，神圣无比，你可知道多少乱臣贼子在这上面做文章吗？太平亏了是公主，否则连活命都成问题……简直是胡闹，这次就算了，你明天去向众臣们解释吧！

　　他说着向门外走去，行至门口，又停步。

　　李治：不过你要记住，媚娘，你是皇后，仅此而已。做事要顾及左右，行者无意，观者有心。我还毕竟是皇上，忍耐是有限度的！

　　李治走出去，武则天面沉如水，颇感吃惊与意外，一时不知道怎么回答。

　　旁白：那天晚上，母后抱着我哭得很伤心。我知道自己闯了大祸，却始终思量着一个问题：为什么蔷薇可以种，却永远不能画呢？

第 四 集

旁白：不知为什么，猫是母亲最恐惧的动物，自从母亲被立为皇后，猫也就在宫里绝了踪迹。这条不成文的忌讳，直到你奶奶仙逝那年才被解了禁。母亲常说：猫的目光贪婪阴险，却长着一副笑脸，牙齿犀利尖刻，却长着一嘴迷惑人的诚善胡须……

1. 庭院甬道　夜晚　外景

武则天梦境。
一只面相凶险的黑猫安宁地卧在一个白衣女人的怀里。它的身形懒惰，眼神却不见丝毫倦怠，霍霍地放着光，带着游丝般的杀气。
猫的主人全身着白绸，连头都裹了白绢。夜风嚣张，扯动着她的衣袖。于是，人就更显得轻盈婀娜没了重量。从背后看，倒更像是一片在风中随遇而安的白叶，或宽袖下的黑猫扯起的一面雪白的旗帜。
宫女太监们似乎和她有了默契，照面儿时笑得一脸谄媚，扬起手为她指方向，脸被灯笼映得忽明忽暗，如夜一般动荡。
她望着几步之遥的武则天幽暗的寝宫，停下来。看不清她的脸，头巾的走势像是风的伎俩，固执地遮住她的面容，只有头发张扬着传递着表情。那表情一定很复杂，隐晦，正如她夜幕下的心情。

门口的侍卫恭敬地为她开门，她款款步入。

2.武则天寝宫　夜晚　内景

房中撒了一地冷月，武则天睡得还算安详，轻吟着翻了个身。

白衣女人放下头巾，面目原来如此凄美忧郁。她缓缓地逼近武则天，微笑着俯在武则天耳边。

萧淑妃：我为你带来一只黑猫，专吃你这鼠精！

说完就走，风一样飘向门口。

武则天惊醒，望着她的背影。

武则天：萧淑妃……萧淑妃，抓住她，抓住她！

萧淑妃已没了影子。武则天慌忙地侧头，发现床头一双眼睛，她惊叫一声，"啪"的一声铜镜摔在地上，她惊魂未定，半倚着床喘着粗气。突然又发觉地上鬼影幢幢，此起彼伏地晃动着身体，再看窗外，窗纸上也映着一片动荡的鬼影。

武则天：来人，快来人！

太监疾步而入，跪在地上。

太监：皇后有什么吩咐？

武则天：院子里有人！点灯，把院子里的灯都点亮，快去！

太监疾步而出，嘈杂声渐起。

3.庭院　夜晚　外景/内景

寝宫阴冷和凄凉，武则天面对孤灯独影，长夜难眠，武则天起身，步态威仪地行至门口。

太监：皇后还有事儿吗？

武则天：把太平抱过来，陪我。

太监：遵旨。

5. 武则天寝宫　夜晚　内景

武则天望着躺在床上昏昏欲睡的太平，爱怜地抚着她的头发。

武则天：太平，妈妈刚才做了个噩梦……

太平：（迷迷糊糊）什么噩梦呀？

武则天：我梦见一只黑猫，长得凶凶的，吓死我了……

太平：猫还用梦见，我白天都看见过……

武则天：什么？在哪儿？在哪儿看见的，告诉妈，快告诉我……

武则天情绪激动地摇醒太平，太平睁开眼，不知所措，弄不清什么使母亲如此慌张。

太平：在凌烟阁后的宫墙上，韦姐姐也看见啦！

武则天：（关切地）什么颜色的？

太平：黑……黑的。

武则天：后来怎么啦？它去哪儿啦？

太平：让神策军乱箭射死了，中了好多箭，像刺猬似的……妈妈，你怎么啦？猫有什么好怕的，那么小，伤不了您！

武则天：没什么……没什么，妈最近总是很怕，心慌慌的，没什么，睡吧！

太平反而彻底清醒了。

太平：（关切地）妈妈，你怕什么？

武则天：没什么，……太平，你父皇和我，你更喜欢谁啊？

太平：我……我都喜欢！

武则天：如果父皇废了我，你跟我走，还是留在父皇身边？

太平：什么是废了呀？

武则天：废了，就是不要我了，我就再也不是皇后了。

太平：不可能，父皇不可能废你，你不是说过我们住在塔顶紧挨着父亲的一层吗？你要走了，父皇就要摔下来，他不会那么傻的。

武则天很仔细地听太平的话，好像受到了启发。

武则天：对，我走了，皇上就会摔下来，摔得很惨，我怎么能走呢？我不能走！

武则天望着太平，如释重负地叹了口气。

武则天：（慈爱地）睡吧，太平，我的小公主。

太平重新倒在床上，用手搂住武则天的脖子，口中喃喃有词。

太平：我喜欢你，妈妈……

武则天若有所思地自言自语。

武则天：这宫里只有我们两个女人。妈妈最爱你，因为妈妈有一天会很老，到那时，你就是我惟一的依靠，惟一的指望了。

她侧头望着已经酣然入睡的太平，俯下头爱怜地吻了吻她娇小的额头。

6. 后宫甬道　白天　外景

春光明媚，太平跑着，手里挥着一只皮影。路上，宫女太监们依次向她施礼，她就一路喊着：免礼，免礼，免礼……

7. 熏风殿　白天　内景

室内光线幽暗，门窗都被大丝绒布围得很严，严格地挡住光线，只有一块白布映现着亮光。

皮影戏演得正热烈，白布上升起一轮太阳，百花齐放，鸟语花香。

幕后演皮影的竟然是李治和贺兰氏，他们演得十分投入，好像自己就是剧中之人。这是一出哀婉的千古爱情绝唱《采桑女》。

但是,台下的观众寥寥,只有显、旦和韦氏坐在当中,几个太监在不远处侧头观望,三个孩子不像台上表演者那么投入。他们的情绪和台上形成强烈的对比。

贺兰氏:(悠扬、凄婉地)野花迎风飘摆,好像是在倾诉衷肠;绿草萋萋抖动,如无尽的缠绵依恋;初绿的柳枝轻拂悠悠碧水,搅乱了芳心柔情荡漾。为什么春天每年都如期而至,而我远行的丈夫却年年不见音讯……

幕后的贺兰氏操纵着皮影,表情陷入忧伤与思念。李治看着她,恍如是她企盼多时的郎君。

李治:离家去国整整三年,为了梦想中金碧辉煌的长安,为了都市里充满了神奇的历险,为了满足一个男儿宏伟的心愿。现在终于衣锦还乡,又遇上这故人般熟识的春天,看这一江春水,看这满溪桃花,看这如黛青山,都没有丝毫改变,也不知我新婚一夜就别离的妻子是否依旧红颜?对面来的是谁家女子,生得满面春光,美丽非凡!

台下的显心不在焉,拿出一只香囊递给韦氏。

显:(低声地)这是我新配制的百花香,你闻闻。是不是有早春的香气?贺兰姐姐今天用的就是这个香。

韦氏和显热衷于他们的游戏,小声嬉戏着。

旦的目光虽然始终如一,但灵魂似乎已游移到遥远的地方去了。

台后的情绪依然是热烈的。

李治:(望着贺兰氏,动情地)这位姑娘,请你停下美丽的脚步,你可知自己犯下什么样的错误?

贺兰氏:(声音千娇百媚)这位官人,明明是你的马蹄踢翻了我的竹篮,你看这宽阔的道路直通蓝天,你却非让这可恶的畜生溅起我满身泥点,怎么反倒怪罪是我的错误?

李治完全忘记了自己的身份,脸色红润,目光和贺兰氏相遇,不回避地看着她。

李治：（声音轻柔，充满真情）你的错误就是美若天仙，你婀娜的身姿让我的手不听使唤，你蓬松的乌发涨满了我的眼帘，看不见道路山川，只是漆黑一片；你明艳的面颊让我胯下的这头畜生倾倒，竟忘记了他的主人是多么威严。

这时，门口出现韩国夫人的身影，她似乎已经站了多时，从李治和贺兰氏热情洋溢的言辞中，她体味的是与众不同的感觉。只有她知道台后面的情形，知道那令她担忧的事情已经在她女儿和皇上之间发生了。她微锁眉头，心中泛起忧虑的哀情。

贺兰氏：（异常娇媚，更加诱人）快快走远点吧，你这轻浮的汉子，你可知调戏的是怎样多情的一个女子？她为了只见过一面的丈夫，已经虚掷三年，把锦绣青春都抛入无尽的苦等，把少女柔情都交付了夜夜空梦。快快走远点吧，你这邪恶的使臣，当空虚与幽怨已经把她击倒，你就想为堕落再加一把力，把她的贞洁彻底摧毁。你这样做不怕遭到上天的报应……

显和韦氏偷偷地离开座位，溜了出来，从韩国夫人身边跑走了。

大殿里只剩下旦一个观众。

台后的李治和贺兰氏完全沉浸在彼此的情意中，旁若无人。

李治：（画外音）上天只报应痴愚的蠢人，我已连遭三年的报应。为了有名无实的妻子，为了虚妄的利禄功名。看这满目春光，看这比春光还要柔媚千倍的姑娘……

太平随着一道明媚的春光急火火跑入。

太平：（对韩国夫人）姨妈，您怎么不进去看？

韩国夫人看了一眼太平，没有回答她的话，转身快快地离去。太平不明白，看着她远去的背影，随即入殿。

李治：（画外音）……想起长安三年的凄风苦雨，恰如在地狱深渊里爬行。看野花缠绕，看野蝶双双追逐，只为了凌虚中那点点转瞬依恋，春光一过，它似就陷入那命定中永远的黑暗。人生怎能逃出同样的宿命。

太平坐到旦的身边。

太平：（看一动不动的旦）是父皇在演吗？

旦不置可否地朝她笑笑。

台后，贺兰似乎忘却了是在演戏，面色绯红。幕布上的皮影捂住了郎君的嘴，他们的身体相距咫尺，有片刻的静默，俩人相望着对方，几乎停住手中的动作，渐渐地，贺兰氏开始说话，话语中增添了几分调情的隐喻，代表了她此时的心情。

贺兰氏：（眼盯着李治）快快住嘴吧，你这大胆的罪人，你虽貌似天神，心却比铁石还要坚硬，双目比天池还要幽深。看鲜花缠绵，我比它们还要柔弱；看野蝶迎风飞舞，我比它们还要纷忙迷乱。看在上天的分上，别再开启你那饱满生动的双唇，哪怕再有一丝你那呼吸间的微风，我也要跌入你的深渊，快快走远吧，别再把我这个可怜的女子纠缠……

太平懵懂地听着戏文。

旁白：我并不明白，为什么韩国夫人看到父皇和贺兰姐姐演戏不高兴，我也不懂戏中说的意思。但是，我感到父皇和贺兰姐姐都演得十分投入，好像他们真是那两相恩爱的情人。在我长大之后的日子里，当我也有了爱情的经历之后，我回忆起那天的情形，才体味到父皇和贺兰姐姐的戏词中，倾诉了他们之间的爱恋之情，以及父皇心中的苦闷和哀怨。我才知道他们在偷偷地相爱。这种危险关系威胁到了母亲以及姨妈韩国夫人……

李治：看野花缠绵，我比它们还要渴望缠绵；看野蝶迎风飞舞，我的心也同样为你纷忙迷乱。任什么衣锦还乡，任什么荣耀故里，任什么结发夫妻，任什么神明责罚。它们加起来也抵不上你的娇躯轻轻一颤。随我远行吧，离开这满目伤心的地方，它让你我双双经受磨难……

李治用灼热的目光注视着贺兰氏，口中不断地重复着：随我走吧……

戏演不下去了，李治把手中的皮影交给了旁边的太监，抓住了贺兰氏的手，贺兰氏激动而又羞怯地听从着摆布。他们朝后面的小门走去。

台上的皮影消失了，太平惊奇地站起来。

太平：怎么了？人怎么都摔倒了？父皇呢？

说着朝后面跑去。

后面，太监嗳声嗳气地继续着下面的戏文。李治和贺兰氏的身影消失在门外。

太平：父皇，你们去哪儿？贺兰姐姐，你们去哪儿？

8. 韩国夫人寝宫　白天　内景

韩国夫人病倒了。她满面憔悴，斜倚在床上。李治坐在她的身边，桌上放着一只药盅，他们相对无言。

韩国夫人凝视李治，眼眶里渐渐有了泪水。

韩国夫人：（酸楚地）贺兰昨夜伺候得还好吗？

李治稍许显得慌张，他望着韩国夫人，知道秘密已经不在了。

李治：还好……

韩国夫人：能得到皇上的宠幸，也算是贺兰修来的福分。她年纪还小，不谙世事，还请皇上别怪罪。

李治欲言又止。

韩国夫人：自从正德二年入宫，算来已经有十年了。十年来，承蒙皇上体恤爱护，臣妾自是感激不尽。现在看来，我陪伴您左右的时间已经不多了。

李治：别胡思乱想，你只不过是偶染风寒，静养几天，应无大碍。

韩国夫人：我自己的病，心里最清楚，您就别再宽慰我了。今后皇上一定要多保重。您的头疼病最忌思虑过度，现在朝中的事已经够多了，千万别再徒增烦恼。

李治：（动情地）后宫粉黛三千，知我心意的只有你一人。

李治拿过药盅，轻吹了几下，递给韩国夫人。

韩国夫人：（抿了一口，放下药盅）我十八岁嫁人，二十七岁改嫁，前两个丈夫都是薄情寡义之徒，而皇上您儒雅温柔，让我体验了从未有过的幸福与快慰。十年了，知道您心中有我，就从未有过其他非分之想。现在，希望皇上一定要答应我惟一的请求。

李治：你说吧！

韩国夫人：我死后，务必命贺兰扶我灵柩回并州老家。我知道皇上您喜欢她，您要真的喜欢她，就不要把她留在身边。

李治面露疑惑与不悦之色。

韩国夫人：父亲早逝，我自小与妹妹相依为命。她的性情没有人比我更清楚。我现在时日不多，有些话不得不说了。媚娘自幼争强好胜，又城府极深。记得小时候，父亲送了我一瓶玫瑰香精。妹妹知道以后，哭了一整夜，第二天我把香精送给她。她说姐姐的心爱之物妹妹不能要。我们相持不下，最后她说既然姐姐也不肯收回，那么就都别要了。她竟然把香精打得粉碎……

韩国夫人剧烈地咳嗽起来。

李治低下头。

韩国夫人：（缓和一些）我只有这么一个女儿，她又缺少几分心机。这些年来，我一直蒙皇上宠幸，妹妹不是不知道。她是个绝顶聪明的人，一切都在她的眼中，我想她对皇上是一片忠心，对我也是非常忍让的。她为皇上日理万机，不论后宫朝堂，事事都为皇上分忧解难，满朝上下无人不服。说来也很不容易了。就她的性格，是不会容忍我们的。媚娘的心思有时候真让人猜不透。真不敢设想，我一旦不在，会有什么样的事情发生。皇上，您要是真的喜欢贺兰，就千万不要让萧淑妃的惨剧降临在她的身上。

李治：你太多虑了，我一定会照顾好贺兰的。

韩国夫人还想说什么，但满腔忧思，却被剧烈的干咳打断了。

9. 议事殿　白天　内景

上官仪及几位老臣一见李治，都齐齐跪下，且皆面色凝重，神情庄重得令李治略显诧异。

李治：上官大人，出什么事了？

上官仪：臣有一密折相奏！

李治：(不解地笑)奏折？明天呈不行吗？干吗这么急急火火的？

上官仪：二圣临朝，堂上不是事事都能讲的，且此事事关大唐江山社稷，如皇上不当机立断，则后患无穷，悔之晚矣！

李治：这么严重？

上官仪：臣主张立即废后，事不宜迟，以防江山旁落。

李治听罢一愣，心中立刻翻滚起来。

上官仪：臣已连夜联络了几位老臣，拟好废后诏书，就等皇上的御玺了！

李治惊异地看着眼前跪拜的重臣们，一时不知何以回答。但很快便意识到了事态的严重，他左右打量了一下，身旁只站着王伏胜及一位年轻的太监。

李治：伏胜，这儿用不着你们了，下去吧！

王伏胜及年轻太监转身下。但到门口，王伏胜却突然站住，看着小太监走出寝宫。

李治：伏胜，怎么回事，我让你下去！

王伏胜转身，跪在重臣旁边。

王伏胜：皇上，废后诏书我也参与了。

李治：(惊讶)怎么？你们……开什么玩笑！

上官仪：臣等绝无心情开玩笑！皇上最近龙体欠安，又恰逢韩国夫人病重，内忧外患，眼睛就疏忽了，对许多事也没了戒心；而臣等却看在眼里，心急如焚，殚精竭虑，为社稷安稳寝食不安！

李治：你们看见什么？

上官仪："病龙不长久，朝堂飞凤凰。日月当空照，终究是明月！"皇上恐怕是第一次听此歪诗，这已经成了最近京城市井最脍炙人口的歌谣了！

10. 武则天寝宫　白天　内景

武则天与道士郭行真面对面相坐，周围墙上挂着八卦图，四处飘着画有道符的黑色长纱。

武则天：（看着眼前的郭行真，笑）没想到那个二十年前并州清平观的小孤儿，眉清目秀的，如今也得道成仙了！

郭行真：得道成仙不敢讲，但二十年潜心读经，耳听目染，的确长大了不少，粗略明了些事理！

武则天：我是喝仙业河水长大的，血里蕴藏的是并州的禀性，记得那年就是全真道长送我入的宫。宫中几十年风雨，出门有人抬，入门有人侍，耳边尽是"千岁，万岁"的呼声，鸟声就被冲淡了，和家乡一起渐渐没了踪影，梦一样，只是被人像仙一样供着，心里总有些不安，很想做点什么，不知道这二十年的所作所为是否对得起道长的一番语重心长！是否对得起大唐子民的心思指望？！

武则天的语气逐渐深沉，心事就沉重地流了出来。

郭行真：皇后，臣一路行来，眼见天下太平，人民安康；家家夜不闭户，人人路不拾遗；啸聚山林的响马盗贼尽被剿灭。一路赏心悦目，无所用心，只做了一场清梦，等一睁眼，就到了长安。不过，臣做的这场大梦却颇为有趣。臣梦见百鸟竟会人言，争相对我诉说他们的离情别绪、喜怒哀乐。我问这些鸟儿，跟我说些什么？它们说：望真人在凤凰面前为我们美言。可见大唐国运昌盛，皇后功不可没。连鸟兽都知道您的美意，渴望在您的翅膀下得到庇护。

武则天：（笑）你的梦做得果真漂亮伶俐。但愿现实真如此，也就没亏待我几十年的精气神儿……

武则天抬眼，看见一个小太监站在门口，神情慌张似有话说。

武则天：你进来吧。

小太监（与王伏胜同在李治处的），轻步上前，在武则天耳边耳语，武则天脸色陡变，半天没出声。

武则天：……知道了，你下去吧！

11. 议事殿　白天　外景

李治明显比刚才烦躁不安，来回踱步。

李治：就这么几句狗屁不通的顺口溜，能把朝廷搅到哪儿去？上官大人过虑了吧！

上官仪：那就请皇上微服出宫，当下满街流行《病龙歌》，公开叫嚣皇后篡位，连孩子都朗朗上口。

李治：胡闹！传我的旨，凡唱此歌传此谣者，杀无赦！

上官仪：皇上，屠杀百姓无济于事，这不是个办法！

这时，老臣裴贞进言。

裴贞：臣有一重要物证呈皇上过目。

李治接过绢帕。

裴贞：皇上请看此绢帕纹理细腻，经纬呈米字交叉，是内务府专供后宫的上等羽纱，而所谓《病龙歌》文字粗浅，华靡不实，颇似宫内下流小调的曲风韵脚！

李治：这么说歌谣是由后宫炮制，然后传入市井的？

裴贞：皇上明察！您还记得贞观末，有太白星昼现，当时众星官皆云是"女主昌"的征兆，民间又有妖书《秘记》流传，称唐三世之后，异姓女王主有天下，当时，长安城术士云集，人人皆设坛作法，妖言惑众。

李治：记得，不都给杀了吗？当时城里一时血雨腥风，现在想起来，还心有余悸！

裴贞：您记得当时的太史令李淳风进言说，这妖主已进入太宗皇帝的内宫，可不知为什么后来就没有追查下去。

李治：先帝认为那些低微的才人宫娥没有翻天动地的能量。

上官仪：可是今非昔比，时势造人啊！如今城里又出现了一批妖言惑众的魇胜术士，又拾起贞观末年的老调子！

李治用手抚颜，看出他的头疼病又犯了。

李治：她的性格禀赋，所作所为我都很清楚。可是，这么多年的风风雨雨患难与共……

裴贞：现在城中术士再次云集，无风不起浪……

上官仪：这些妖言必有主使，否则成不了这样的声势！

李治：亲情与社稷，孰轻孰重，我还是能够分清的。

李治心中充满矛盾，他对武则天的心情是复杂的，因此他难以决断。

王伏胜：圣上，最近皇后那来了个道士，神神秘秘的，连贴身宫女太监都近不了身，您看……

李治：（小声嘟囔）媚娘……媚娘……你们要我怎么样？！

王伏胜：（小心地）您看是查，还是……

李治终于爆发了。

李治：（大喊）去查呀！给我查！

他的声音陷入绝望，随即更用力地揉着额头。

李治：我的头疼病最忌思虑，这么多年的血亲相残，让我实在……你们应该体谅我的心思，这件事就交给你们了，王子犯法与庶民同罪，该怎么样就怎么样吧！

上官仪：皇上还是痛下决断的好，否则臣下们更加为难。

王伏胜拉了拉上官仪的衣袖。

王伏胜：圣上的意思我们都领会了，一定不会辜负您的信任。

14. 武则天寝宫　白天　内景

武则天当堂正襟危坐,盘腿于蒲团上,双目微合,全身素白,不施脂粉,头发披散。

道士郭行真手持一个装满花叶的竹编笸箩,手扬撒着篮中败叶。口中念念有词,一时间武则天头上肩上都歇着零星的花叶,宛如处子静立于腐花秋叶之中,很美。

小太监疾步而入,话说得断断续续。

小太监：皇后……皇后,上官大人他们来了！一伙子人,正急急地往您这走呢！

武则天：（镇定）还有谁？

小太监：还有……皇上！皇上也来了,带着王伏胜,王师傅！

武则天：知道了……你下去吧！……行真,继续。

15. 后宫甬道　白天　外景

李治身后跟着王伏胜,上官仪及几位心腹大臣,走得气势汹汹,个个峨冠博带,神色威严,全然不理两侧纷纷跪拜的宫内侍从。

16. 武则天寝宫　白天　内景

武则天：行真,兴许明天我就和你一起回并州了。回去以后,我就买几亩地,日出而作,日落而息,就住在观里,粗茶淡饭,潜心读经……

郭行真：皇后过不了这样的日子,您的命与淡泊相冲,我倒是看见您眉间紫气冲天,预示着您的命数才刚刚开始！

武则天：你怕吗？行真。

郭行真：皇后忘了吗？臣是道行中人,得知世事纷杂凶险,是为常情。

应付世界，贵有一定之规，以不变应万变，如湍流中的一片孤叶，几经沉浮，终能化险为夷。况且贫道是并州人，生下来就已经成了恐怖的敌人……

17. 后宫甬道　白天　外景

李治走着，走着，脚步就慢下来了，后面的人也跟着压下脚步，面面相觑渐露焦急，李治轻抚额头，干脆停下了脚步。

王伏胜：皇上头又疼了？

李治：有点儿……现在是什么年？

王伏胜：麟德元年。

李治：麟德元年……十九年，算来媚娘与我有十九年了……伏胜，你肯，肯定皇后……

王伏胜：臣肯定。

上官仪：当断不断，遗患无穷，皇上，去晚了恐怕那道士就要溜了。

李治：（打断）走吧！

一行人纷杳而行，很急的样子。

18. 武则天寝宫　白天　内景/外景

小太监：皇后，皇上已经过了牡丹园，中途停了一会儿，好像头疼病又犯了！皇后，您赶快拿个主意，最好让郭道士避一避，免得给人口实。

武则天：你先下去，就在院子里等着，别动！

武则天深呼一口气，睁开了眼睛，脸上突然有了游戏的神情。

武则天：行真，还记得家乡的《花儿》吗？唱一首给我听听，就唱《彩云飞》吧！

郭行真先是一愣，然后清了清喉咙。

郭行真：（唱）……左边的黄河右边的崖，山头口里（哈）有一朵朵彩云……

　　武则天陶醉地听，不自觉地和着唱起来。

　　武则天：（唱）云彩搭桥你过来，心上的花儿（哈）请慢慢来……

　　李治一行此时已进院子，听到歌声，略迟疑了一下，李治皱紧了眉头。

　　武则天和郭行真看见了满脸怒容的李治，连忙收敛了歌声。

　　武则天：（笑容宜人）皇上……

　　郭行真：贫道郭行真叩见圣上！

　　李治不容分说，劈头盖脸一通责难。

　　李治：魇——胜——之——术！贞观末年，长安城内妖气纵横，术士集结，借祈福占卜的名义大行不义，纷纷设坛作法，搅得民心恍惚，民智钝结。先皇谓此术颠倒天地正气，张扬魔界渊薮，遂下旨明令禁止魇胜繁衍，并列入唐律，持续至今。法典清明，难道皇后认为大唐法律只对平民，对您就可以熟视无睹，无动于衷吗？！

　　武则天收了笑容，神情异常庄重，慢慢起身。

　　武则天：皇上想废我，随手就可以拈来种种理由，干吗非得捏造罪名？！皇上还记得我跟您说过的清平观，那个叫郭行真的孤儿吗？就是他，今天已经长大成人了。

　　武则天回敬的一番话让李治摸不着头脑，如同干柴掺水，点不着火星。

　　武则天：我最近噩梦缠身，心智烦乱，就从老家寻来一个道士，一为祛魔，二来为了听听久违的乡音，怎么我连这点自由都没有吗？难道家里来个道士，还远非术士，就成了大搞魇胜之术，就罪大恶极，如贞观末年的妖术之灾了？！

　　李治一时语塞，他转脸望着上官仪。

　　武则天：其实我知道皇上早晚会来，只是没想到还带着这么多人。您贵为天子，立后废后，理当易如反掌，如拂去袖上的微尘，何必劳动众多老臣陪驾。其实，我早已备好了行囊，就准备明天一早同郭道士衣锦还乡，安稳地过我的并州小女子的清贫日子。

沉默。怒气由于没有遇到抵抗而显得无的放矢，沉重地僵在那儿，压得每一个人说不出话来。只有上官仪干咳了两声。

武则天：上官大人，您一向慈眉善目，今天怎么也竖起了眉头？真是奇怪了，难道这宫里果真如郭道士说的，有股子邪气？

　　上官仪振作精神，开始陈述。

上官仪：立后废后不像皇后说的那么简单。虽为皇上家事，但关系着社稷利益，皇后可知道近日流行于长安市井的……

武则天：（掏出一绢帕）大人指的可是这首《病龙歌》吗？如果大人非要把废后扯为国事，要为我出宫找个理由，那我就不得不理论，省得出了宫还留个骂名！王伏胜……

王伏胜：（心头一惊）臣在。

武则天：我平日待你如何？

王伏胜：皇后向来待我不薄，这是有目共睹的。

武则天：那你为何以冤相报，以仇相答？

王伏胜：我不懂皇后的意思！

武则天：不懂？得利，你进来。

　　小太监入，不敢看王伏胜的眼睛。王伏胜汗如雨下。

武则天：得利，你把实话说给皇上和上官大人听。

小太监：（跪下）皇上，这诗是师傅差人写的，后来流传出宫，满世界都是了，写诗的人也是太监，师傅把他送走了，再也没见过他。

　　李治怒视王伏胜。

李治：王伏胜，这可是真的？

　　王伏胜低头不语，李治和众人都感到受了愚弄，面面相觑。气氛顿然紧张而尴尬。

裴贞：这不可能……

上官仪：王伏胜，你……

王伏胜：（爬至李治脚下）皇上恕罪！饶命！王伏胜……

李治把所有的恼怒、窘迫和受人摆弄的怨气发泄在王伏胜身上。

李治：把他给我拉下去。

王伏胜叫嚷着被拖走了，所有人没了声音。局面急转直下，武则天占了上风。

武则天：皇上，我同意上官大人的观点，立后废后虽为家事，亦为国事。皇上毕竟天子之身，婚丧嫁娶也就不能儿戏相对。我这个皇后是否称职，自己无权断言，标准在皇上那儿！但是，我惟一敢断言的是自己毕竟正在为做一个称职的皇后而努力。如果我与皇上有时意见相左、甚至相冲，那是因为我除了作为皇妻，也是朝中之臣，论纲议政是我的责任，也是一个称职皇后的责任。如果皇上借此希望我从此对朝政缄口不言，那我实在做不到，也不符合我的禀性。请皇上现在就废了我！

李治一时不知说什么好，竟向身后退了一步，看着跪下的武则天。

武则天：算来我服侍皇上已经十九年，就这么走了，于心不甘……

武则天的眼泪在眼中打转，强笑，李治心软了，上前扶起武则天。

李治：媚娘，都是误会，你这么……

武则天起身，她开始发起进攻。她转身对上官仪微笑。

武则天：上官大人手里拿的是什么？

上官仪：……没什么，新近作的一篇文章而已，不足挂齿。

武则天重又恢复了和善。犹如在欣赏一出表演。

李治对窗背手而立，似乎没勇气转过身来。

武则天：早听说上官大人学富五车，思如泉涌，是当朝少有的儒雅才子。太平也经常在我面前夸赞您讲课博古通今，妙趣横生。早就想见识您的飞扬文采，今天可算有了机会。上官大人能不能赏我个面子，让我也领略拜读一下您新作的文章？

说着，把手伸向了上官仪。

上官仪最后瞟了一眼李治，看到的依旧是一个背影。他无奈地苦笑了，然后，反而镇定了。

上官仪：皇后，我入宫时为贞观二十三年，当时任河北道宣慰安抚特使，七品，芝麻大的小官儿。那年，太宗驾崩，高宗即位登基，我有幸荣临登基大典，空前盛景至今不敢忘，一切皆历历在目。我清晰地记得当时山呼万岁的心情，觉得能生于如此辉煌的时代，如此昌裕威宏的国度，实属三生有幸。这点心绪至今未改，整整陪了我十五年。我出生望族名门，自幼自视清高，自然就也得罪过不少官场对手。然而我有幸十五年来宦海只浮不沉，仕途畅通，除如皇后所言，得益于学富五车、思如泉涌，也幸亏我大唐政体康健，识得真英雄！我始终认为这天下无数俊杰才子，能与我相匹者凤毛麟角。因此，钦佩是从来不属于我的感情。而今天，我不得不破了我几十年的规矩，说一句话：皇后，我佩服您。尽管我始终坚持认为您是天下最成熟阴险的野心家，李姓王朝最危险的敌人。这不是您的过失，您生就如此……（递过诏书）您拿去看吧！

太平不知什么时候进来，站在人后，目睹所发生的一切。

武则天：上官大人果真出口成章，这最后一句还欠斟酌。不过，我已经无所谓了，自打入宫就被人这么说，都大同小异，但您是第一位当面说的。我佩服您的胆量，也算回报您对我的钦佩……太平，来，别那么傻站着，过来，今天我考考你的学问。这是你老师新作的文章，念给我听听！

谁也没有料到武则天这一手，连李治都不禁转过身去。

太平傻傻地接过诏书……

太平：可……我好多字还没学过呢！

武则天：没关系，不识的字就空过去，好文章不在于一两处晦涩费解的字词。太平，念吧！

太平：诏……曰，皇后武则天，出身寒微低……贱，本是商家之女，全无淑什么风范，深受商人见利忘……义，薄情……寡义之恶习什么染。……野心勃然昭彰，施淫威于内宫，搅……国政于朝野，致使朝纲混乱，人心思变……

上官仪知道一切都完了。太平稚嫩的声音，冗长的陈词如一把利剑，本是为武则天准备的却刺向了自己，一切都显得悲壮而无奈。上官仪仰天长叹。

李治：（终于忍不住，大声呵斥）别再念了！

武则天：（平静地）念，太平！念下去！

太平：（害怕地）伪临朝武氏，性非温顺，地实寒微。掩袖工什么，什么媚惑主……妈妈，我不认识。

武则天：（强压怒火）平儿，就念最后一句吧！

太平：神人之所同嫉，天地之所不容。朕谓此书，痛定思痛；忍痛割爱，废后悦天……啊！妈妈，父皇真的要废你？

武则天没有回答，接过诏书，反复看着。

武则天：文章果真写得好，不愧是一代文豪！辛辣刺骨，意犹未尽。上官大人看来是有点儿恨我了，皇上！

武则天看着李治，眼中有了泪水。

武则天：皇上，您是明天上朝宣旨，还是现在就算宣了？

李治无地自容，他愤怒地看着上官仪、裴贞，痛恨他们把自己置于这种境地。

李治甩袖而去。

武则天笑对上官仪等。

武则天：上官大人还有什么事吗？

武则天话音刚落，一队武装的侍卫已冲了进来……

19. 大明宫勤政殿　白天　内景

李治与武则天一左一右正襟危坐，太平坐在武则天身后。她透过帘子向下看着，目光一一扫过群臣。

今天的朝堂气氛森严，无人说话。寂静的大殿，如同静默的反抗。

突然，太平的声音显得特别响亮。

太平：上官仪？父皇，上官老师怎么今天没来？

李治的脸色一下变得异常难看。群臣们都心头一紧，无人敢正视此时的李治。

太平：（轻声）母后，上官老师怎么了，是不是病了？我想去看看他。

武则天流露了一丝微笑，马上严肃起来。

武则天：（声音沉静，铁一般坚决）上官仪被你父皇派到很远的地方去了。

太平：为什么？

武则天：因为他不听话，我告诉过你很多次，朝廷是一个有规矩的地方，不该你说话的时候，你就不许说话。比如说现在，你要是再这样不守规矩，有一天也会被送到很远的地方去。

太平被武则天言语中的寒意震慑，不敢出声，似懂非懂地看着面色威严的母亲。

群臣依旧站在那儿，望着李治。

李治：（烦躁）你们如果没有什么要议，就散朝！

旁白：多少年后，我的敌人仍把上官仪的流放算做我的罪过，都是因为那一纸废后诏书。想起来好笑，我当时连字都认不全。母亲终没被废掉，从那以后，父亲也就再也没动过那样的心思。据你奶奶后来讲，她一生由衷钦佩两个文人，一个是上官仪，另一个就是后来的骆宾王。只可惜两人都决意与她作对。王伏胜自杀了，那年秋天，韩国夫人也病死了，父亲就一下子衰老了许多……

第 五 集

旁白：你从未见过弘，我的哥哥……很久没有见他了，即使在梦里。他是那样一个男人，活得隆重而典雅，并且时刻都在动员一切热情来呈现一个帝国太子所应有的骄傲与风采。然而不知为什么，我却似乎永远在担心他会突然失声痛哭。因为我分明感到那隐蔽在他优雅眼神深处的一丝挥之不去的忐忑与尴尬。弘是悲伤的，他内心荡漾着一种与生俱来的类似秋水般深刻的孤独，这观感源自一个女人天生的直觉。弘当了太子，终日履行着新的身份所规定的繁忙。我们很少再见面，但我想他……

1. 弘的寝宫　白天　内景

弘庄重地端坐于妆台前，身后是书童合欢。镜子很大，可以全面地看见身后的情景，包括正后方半掩着的门。

弘正襟危坐，面无表情，合着眼睛，静谧得仿佛仍在熟睡。合欢正在一侧静静地为他梳头，口中含着发卡，他目光明亮清澈，专注地看着自己长长的手指鱼一样俏皮地出没于手中的乌发。他不时地瞟一眼镜中的弘，风情在光滑的镜面上蔓延。弘睁开眼睛，望着镜中合欢热辣的眼神，目光有一丝迟疑。

　　弘：合欢，帮我修修鬓角吧！

　　合欢：（抚摸着弘的鬓角，眼神始终没有离开镜子）前天才剪过，今天就这么长了，而且长得没什么规矩，荒草一样。

　　弘：（笑）长得确实欠规矩，但也不至于像荒草，我还没那么老！

2. 弘的寝宫　　白天　　外景

　　太平和韦氏捂着嘴，强忍着笑从半掩的门口向里窥视。

　　韦氏：（小声地）看他们俩的样子，像小夫妻一样。

　　太平：（学合欢）长得没什么规矩，荒草一样！

　　韦氏：嘘！小心他们听见。

3. 弘的寝宫　　白天　　内景

　　合欢仔细地为弘修剪鬓角，弘依然闭着眼睛。合欢将头俯向弘的脸，试图吹去粘在弘面颊上的发梢。弘感觉着合欢浓郁的鼻息沉重地迫近……

4. 弘的寝宫　　白天　　外景

　　太平和韦氏的眼睛睁得奇大，困惑惊异地看着俯在弘身旁的合欢的背影。于是忘记了半掩的门……

5. 弘的寝宫　　白天　　内景

　　弘听见轻微的门响，警觉地睁开眼。

　　弘：谁？谁在那儿？

合欢触电般站直了身体，惊慌地盯着镜中的门口。

弘：太平，是你吗？出来，我看见你了！

太平和韦氏不情愿地从门口闪出了身，推开门站在门口。

太平：弘哥哥，是我……我，我好久没见你了，在后宫待得又没意思，我想，我想在你这儿住两天！

太平的语气又恢复了顽皮和任性。

弘站起身，转过来盯着太平，眼中渐渐浮出怜爱之意。

弘：你呀你，净出怪点子！来看我就看我吧，还偷偷摸摸儿的，像个小鬼儿。母后知道吗？

太平：知道，她说不让我给你捣乱。说你现在是监国了，伟任在身，再不能像从前那样由着性子玩了……

弘：行了，别耍贫嘴了……合欢，就把渔阳殿收拾出来，腾给太平和韦妹妹住。……我要走了，今天是我第一天做监国，父皇和母后还等着我述政呢！

弘边说边在合欢的伺候下穿朝服。弘走至门口，停下。

弘：太平，我马上就见母后，如果她不知道你来，看我怎么治你！

说完出门，扬长而去。韦氏望着太平，像讨主意。

太平：（用眼睛示意韦氏，小声）快去呀！快点儿！

韦氏尾随出门，屋中只剩下太平及合欢。太平定定地看着低眉垂眼的合欢，笑得很亲密。

太平：你叫什么？

6. 甬道　白天　外景

弘在前面急急地走，韦氏从后面追上来。

韦氏：弘……弘哥哥，等一会儿。

弘：有什么事吗？

第 五 集

韦氏：也没什么……有，我就想和你说，嗯，嗯，我和太平来东宫，皇后其实不知道。不过，你可千万别和太平说是我告诉你的，反正你要见皇后，早晚会知道……

弘：（站住）这孩子！我就知道母亲不知道……不过，没关系，我会和母亲讲的，你们来小住几天，躲躲后宫的无聊日子，母亲想必不会怪罪的。不过，你告诉太平，别指望我有时间陪你们玩儿。我现在是监国，政务繁忙！谢谢你告诉我，韦妹妹！……还有事吗？

韦氏：没，没有了……这个给你！作为你当监国的礼物！

韦氏递给弘一个香囊，之后含羞转身欲跑。

弘：韦妹妹！……这是显的吧？……这可不兴随便送人，我三弟喜欢你，这香囊可是他送你的信物，哪有随便送人的道理？不仅不应送人，你还应精心地保存好，这样才对得起显对你的一片心意！你还是自己留着吧，别让显伤心！

弘微笑着把香囊塞给韦氏。韦氏怔怔地望着他走远……

7. 弘的寝宫　白天　内景

太平坐在梳妆台前，合欢为她梳头。太平挑逗般含笑盯着镜子里专心梳头的合欢，弄得他有些不好意思。

太平：帮我修修鬓角吧，合欢！

合欢：公主别拿我开玩笑了，女孩子家哪儿有鬓角儿。

太平：那你呢？你是男孩子，怎么也没有鬓角儿？……给我看看那把梳子……哎！奇怪，这梳子怎么一半儿，另一半儿呢？

合欢：这叫鸳鸯梳，公主，要只当梳子，就只能一半儿着用，要是对上了另一半儿，就不再是梳子了。

合欢说得挺动感情。

太平：那对齐了，会是什么？

合欢刚要说话，韦氏气势汹汹地进来，重重地甩上门，两眼死死地盯着合欢的背影。太平和合欢同时望着镜子中盛怒的韦氏。

太平：怎么啦？弘哥哥没要吧！我猜就是，我不是说了吗，你把显的礼物送给弘，不是明摆着告诉他你正跟显好呢吗！

韦氏全然不理会太平的揶揄，把怒气一气儿撒在合欢身上。

韦氏：你到底是男的还是女的？

合欢：我……当然是男的了！

韦氏：那你为什么女里女气的，还给人梳头？男的哪有给人梳头的？除非你是太监，你是太监吗？

合欢：我也不是太监。我给人梳头是因为我喜欢，谁规定男人就不可以为人梳头了呢？男人就应该整天舞枪弄棒，说话粗声粗气吗？

韦氏：你？反正我看你不顺眼，不男不女，不阴不阳的……

太平窃笑。

太平：别理她……合欢，她……是因为弘不要她的东西……气不过……才把气撒在你身上……

8. 议事殿 白天 内景

议事殿里站着为数不多的几个亲近内阁老臣，还有武则天和李治。惟弘游离于众人之外，眉头紧锁，看得出来好像很紧张。

弘：父皇、母后在上，儿臣自被立太子位以来，深感作为皇储，掌管普天下万民命运的候选人，上苍悲怜关爱的继承者，资质尚嫌鲁钝，离上苍对一国之君当获万民仰慕的期许相去甚远。所以不敢有丝毫疏懒倦怠……

李治大概犯了头疼，左手二指按着双额，他的反应让急于表现、于是就很敏感的弘有些慌张，语气中少了昂扬，多了几分犹豫，他望着武则天，遂被其微笑鼓励的神色振奋了勇气，话又慢慢有了力量。

弘：臣最近通读《春秋》，痛感此书危害极深，通篇尽是君臣猜忌、友朋争斗、兄弟相残的血腥故事，不仅授民尚武之风，且教唆阴谋诡计废礼忘爱，堪称厚黑之模本典范，臣请求父皇母后诏命天下，立即废止武庙，毁禁《春秋》，防民风败坏于蔚然，扬凛然正气于即刻。

弘长舒了一口气，看见母亲依然笑眯眯的，一脸慈祥。父亲的目光则有些晦疑莫测，似乎在洞察自己的内心。没有人讲话，弘有些茫然，不知所措地舔了舔干燥的嘴唇，笑得很勉强，手习惯性地、有些神经质地抚弄着手中的一把梳子。

武则天：完了？

弘：完了。

武则天：说得不错！你看呢，皇上？

李治始终忧虑地看着弘。

李治：你手里拿的什么？

弘：噢，一把梳子！

李治：呈上来我看看。

弘略显迟疑，但还是呈了上去。李治眼睛不好，把梳子拿得离眼睛很近，然后，定定地看着弘，眼神依然晦疑莫测，似有弦外之音。弘被看得很不舒服，躲闪着，不敢与父亲对视。

李治：怎么只一半，另一半呢？

弘：另一半儿，在……东宫里。

李治：在东宫里？这梳子总一半儿着用，有什么讲头吗？

弘眼睛有些紧张，他似乎已经感觉到身后的窃窃私语及投射在自己背上的众人芒刺般的目光。他的头于是垂得更低，脸上也见了汗。

弘：没……没什么讲头儿，只是一半儿着用惯了，居然忘了还有另一半儿！

李治：弘儿今年多大了？

弘：到九月满十八！

李治：十八……十八，到了该成婚的年龄了。右卫将军裴居道之女，为人贤惠，人又长得漂亮……

弘：儿臣刚被立为太子，没心情考虑儿女情长。请父皇体谅儿臣心境，暂将婚娶的事往后推延！

李治：这谈不上儿女情长！男大当婚，女大当嫁，这是人生的规律。我十八岁时都已做了父亲。我已下诏宴请裴将军父女，争取能早日结了这门亲事，也了了我们一桩挂念。

弘：儿臣诚恐不能从命，父亲的要求实在让我恐慌不安，自古有多少才高志远的伟人被男女私情缚住手脚，终落得才情远逝，宏愿落空。儿实不想重蹈其覆辙，此为一。其二，儿近日读孔子，深悟贤贤易色的道理，自古圣贤，皆洁身自好……

李治：不错，自古圣贤，皆洁身自好！弘儿，你做到这一点了吗？

弘：……这要看怎么说，圣贤有异，对此准则也有所不同。

弘回答得很艰难。

李治：那就依你的标准，你做到了吗？

弘：我想……我做到了！

声音低得几乎只有他自己可以听清。

李治：……你宫里是否有叫合欢的书童！

弘：……是有这个人！

李治：我听说他常和你同行同宿？

弘的脸立刻绯红，无地自容。

武则天：(急急地打断李治的话，似乎为了缓解弘在众臣面前明显的窘境)皇上，弘长大了，有些事就让他自己拿主意吧！李义甫——

李义甫：臣在！

武则天：你们都是朝廷重臣，洞明世事，不要被世俗琐见所左右，弘已经是太子监国了，你们以后多向他请示，多听他的意见，只要太子能做主的，就不要事事向我们请示了。我看弘对圣人的教诲领悟颇深，对治国的道理也有自己的见地，一个孩子，能有如此的眼光，在历朝历代的太子中，都算是难得的了。你们先下去吧！

众臣陆续下，屋中很快就只剩下一家三口。弘依然低着头，但他知道父亲的眼神始终没有离开过他。

李治：弘儿，你是我最寄予厚望的孩子，因此你的一言一行都让我很惦念。最近，我听到一些令我很不愉快的流言。我希望那只是流言。都是有关你和那个叫什么合欢的，……我很失望。对此，你有什么可说的吗？

弘：我……不知道父亲都听到了些什么，合欢跟随我多年，对我的生活习性了如指掌，因此照顾得格外细致周到。另外，他为人喜善单纯，虽为男儿，心思却精细得不让任何女子，我生活中确实不能没有他。我倒希望父皇能……

李治：好了好了……你只管记住，你是皇子，现在又是太子，时刻提醒自己的一言一行要符合一个高尚尊贵之人的规范。至于同合欢的关系，他……毕竟是个男人……

李治起身，对弘欲言又止，拂袖而去。

弘看着鬓发已经斑白的父亲，有些激动，似乎冲动着想要说些什么，嘴唇嚅动了几下，终于无言以对地望着父亲走出门。

殿中现在就只剩下望着空落的门发呆的弘和对面似乎永远洞察一切的武则天。

弘丢了魂似的望着武则天。

弘：母亲，您也认为我现在真的需要一门婚事？婚姻于我就那么重要吗？

武则天：弘儿，你必须明白一个道理，对于你，一个太子，未来的皇帝，你个人需要与否，并不重要，重要的是我们是否需要？我们是谁？我们是你的父皇母后，是你的朝中大臣，乃至你的国家、百姓及脚下的山河。我们目前需要你的婚姻，那它就必须成为你个人的需要。因为我们想看到的太子是一个男人。一个稳重、踏实,有责任感的男人。这就是你现在身份的实质。只有这样,我们才会放心,才会心甘情愿地任你牵引着步入前途。而婚姻则是一个男人成人的仪式,是他真正成熟的标志。

弘:我……懂了!然而对于那些被我们忽视,可却真正需要婚姻的人,母亲以为我们是否应该成全她们呢?

武则天:当然应该!一个真正需要婚姻的人实际上追求的是幸福,而福祉是永远被成全的。

弘:那我恳请母后将禁苑中的红、白莲公主嫁出去!她们才是真正需要婚姻的人!

武则天一怔,表情明显地阴暗下去。

武则天:我以为她们已得到了幸福!你知道我为什么让她们待在那里吗?她们在为大唐抚育红、白莲花,替李唐王室代万民祈求佛国的福祉。

弘:是的,但同时她们也在为自己母亲的错误接受惩罚。宫里每个人都知道她们是萧淑妃、王皇后的女儿。上辈的恩怨纠葛不应该再延续到她们身上。她们已经年近三十了,无辜的青春被毒液般的孤寂与绝望销蚀,美丽的面庞正被条条早衰的皱纹撕咬。母亲,都已经过去二十年了,你的敌人早在地下为她们的罪过遭受吞噬与腐烂。这已是最严厉的惩罚,请您放过我的两位姐姐吧!活人为死人承担罪责是有违上天仁爱本性的。作为一国之母,万民仰慕的神明皇后,您更应该不计前嫌,赐予她们女人应得的归宿,弘恳求母亲深思。

武则天看着激动而面孔绯红的弘,压抑住怒气,严厉的目光缓慢地转向平静。

武则天:人的归宿都是上天注定的,身为大唐皇室的女儿,她们从未被我们忽视,而她真正需要的不是婚姻,却恰恰是她们正在履行的责任!

弘:如果她们的需要就是牺牲青春为大唐的国运祈求佛国降临,那身为皇子,负担着万民的重托,更应该奉献一切。我愿意代替她们抚育佛花，这也许更符合我的心境和……才能。

两人对视着，弘似乎有些控制不住自己被压抑的激情，脸色越来越苍白，手指轻微地痉挛着。

9. 猎场　白天　外景

贤和高丽王子威立于马上，隔着一段距离。两侧分别站着侍从，手中提着被射落的鹌鹑。只是高丽王子的战利品要明显多于贤。贤一侧的侍从只孤零零地提着一只猎物。

树林中几个小卫士打开鸟笼，于是树林上空腾地升起一片飞鸟，张着羽翼惊慌地往云里躲。贤的目光敏锐地捕到一只，搭箭的手加了劲儿，追寻着它飞行的轨迹。所有人都紧张地等待着他出手，然而鸟却越飞越高，渐渐地几乎没了影子。贤懊恼地扔了弓。

在一旁的高丽王子哈哈大笑。

高丽王子：我看今天你是输定了，你压根儿就没有赢的心情！

贤：心情？我现在哪里还谈得上心情！……我就不明白，我哪里比不上弘？

高丽王子：问题恰恰出在这儿，你哪里都比得上弘！

贤：那为什么，为什么是我在这里打猎，在这里消磨时光？

高丽王子：雍王应该明白，自古集大权者绝非强者，心计才是取胜的关键！你哪里都同你母亲如出一辙，惟心计上还略欠一筹！

贤：母亲，母亲，怎么什么都是母亲，这是谁的天下？难道母亲真成了主宰一切的神不成？

高丽王子：你母亲自然不是神，但她是一位非凡的人。她虽谈不上主宰一切，但却着实掌握着太子的命运，弘的境况正在验证着这一点。

贤：我听说大哥在宫里的情况不是很好。

高丽王子：的确，弘最近接连发布政命，大施仁政，朝野上下已渐露非议。他召先朝老臣长孙无忌的孙子长孙侯主编《丛台玉览》，重修历史，为一些已经定义了的逝臣正名。初衷自然无所非议，但却恰恰重了仁义而轻了利害。而当今朝廷人事何为利害，恰恰是您母亲！

贤：这正是令我寝食难安的症结。难道大唐乏人，只有皇后才能成全它的命运吗？

高丽王子：您母亲早已不是一般意义上的皇后了。时下她的好恶取向决定着人事沉浮，已是朝内不争的事实。木已成舟，可悲与否，暂且不论。君子先识利害而后行大义，弘却不懂这道理，一意孤行，太急于发出自己的声音，却不知自己的地位犹如砂器，一触即倒，而这正是您应吸取的教训。

贤默默策马前行，若有所思。迎面一匹马疾行而来，转眼到了跟前。

报官：宣二皇子贤入后宫听旨，钦此。皇后手谕！

贤与二皇子相视而笑。

高丽王子：恭喜二皇子！您机会来了！

10. 武则天寝宫　白天　内景

武则天和贤坐在上首，中间是垂手侍立、低头不语的李义甫。

武则天：李大人，呈子已转到我手里了！我不明白，您干得好好的，也算得上是政绩斐然，怎么突然就决定要辞官回家了呢？

李义甫：我最近身体不是很好，又突然觉得自己不够聪明，跟不上别人的思路，与其如此，还不如告老还乡，也算保了个晚节！

武则天：您觉得近日跟不上谁的思路了？

李义甫：我……哎呀，皇后还是准了我的呈子，放我回家种田算了！

贤：母亲，我看我还是先走的好，李大人怕是有难言之隐。

武则天：不，留下，贤儿。我叫你来恰恰为了这事儿，一会儿还想听听你的意见。李大人，你是我信任的人，知道我的脾气，我最讨厌文人的那一套虚与委蛇，你有话就尽管直说，别再绕圈子了！

李义甫从袖间取出一沓文书，呈放在武则天面前。

李义甫：（展开第一份文书）皇后请想，假设有这样一个君主，他把自己的口粮赐予伙食不佳的士卒。（又展开第二份文书）半年之后，三次大赦两都狱中关押的罪犯。（又展开第三份文书）当他刚刚开始执政，就想为先帝钦定的逆臣平反、昭雪、修墓冢。他除了在表现自己的仁爱，还在干什么呢？他在默默谴责将领们玩忽职守、薄待为朝廷效忠的忠勇战士，使他们在士卒眼中陷入不仁不义的境地；他在无声地告诉天下人朝廷属臣、郡府官员的昏庸、无能，在时时制造冤假错案；他在否认先帝的英明决断，使他在天之灵愤怒，无法安息。而一个宰相，身为群臣之首，总处在政治风云动荡的中心，必然首当其冲地承受着天怒人怨，又因为无法保护身后的属臣，而招致同僚们的埋怨，如果再不引咎辞职，那就只能是引颈待屠了。

武则天看着面前的三份文书，不抬眼睑。

武则天：李义甫，看来我要是不准奏，就是在害你了！

李义甫：皇后不会害我。我担心将来有一天，太子的仁义会害了我。

武则天：（转向贤）你说呢，贤，这辞呈我是收还是不收？

贤：这么重要的事儿，儿臣不敢妄言。儿臣没有对宫里事物指手画脚的名分。

武则天：贤儿，你不必顾虑。

贤：如果母亲真想听听我的意见，儿臣以为收与不收并无所谓。在我看来，李大人其实根本就没有辞官的意思，他这样做只不过是为了唤起您对一些事情的警惕。

武则天：哦？那你说说目前有什么事值得警惕呢？

贤：什么是一个帝王的首要美德！

武则天：那你认为什么是帝王的首要美德？

贤：帝王为天子下凡，万民表率，任何美德对他来说都是首要的，只不过因时而异罢了。当战祸纷起时，骁勇善战是他的首要美德；当内忧外困、政务繁忙时，从善如流、任用贤明为其重要；当法纪松弛、人心思变，就应该雷厉风行、威严有加了。管理这么一个庞大、纷乱、繁杂的帝国，需要的是恩威并施，法律严明。最重要的是随机应变，政策随具体情况而定。而如果一味地食古不化，死守惟一虚泛的理念，不仅误臣，也会误主，更会误国。

李义甫：二皇子思路清晰，头脑敏捷，将来必担大任。

武则天面露微笑，颇有欣慰之色。

武则天：道理是不错，只还不知面临实际情况，你会怎么样应对。李大人正好有几件棘手政务，我也颇感为难，正想听听你的意见。第一吗，是关中大旱，兵士的食粮中多掺杂榆皮蓬实。我想让群臣效仿弘的样子，把自己的口粮拿出来与他们分食，你觉得怎么样？

贤：群臣的口粮能救济几个士卒呢？那谁又拿出口粮与群臣分食呢？我想治病治本，才是当务之急。

武则天：现在是清平盛世，人心安定，这都应感谢神明对万民的照拂，我想大赦天下，以体现上天的浩生之德。你认为这符合天意民心吗？

贤：天意民心就是太平安定，太平安定靠的是法制严明。母亲，恕儿臣直言，这随意大赦天下，只是满足妇人之仁；干涉法治，恰恰有违天意民心。

武则天：好，那我再问你，现在你大哥想宽恕长孙无忌的后代，已经把他的孙子长孙侯召进东宫纂修《丛台玉览》，你觉得母亲应该怎么办呢？

贤：（犹豫起来，一时不知怎么回答）这个……

武则天：大胆回答，母亲不会怪罪你的。

贤：大哥可能是受人蒙蔽，一时糊涂，我去劝他把长孙侯逐出京城。

武则天：一个长孙侯能掀起什么风波，我是问你怎么看待弘要为逆臣平反这件事？

贤：（顿了一下，直视武则天）大哥一向严于律己，宽以待人，总习惯于把自己的前途寄托在别人也拥有同他自己相同的优秀品质上。这就如同赌博，运气好了，长孙侯能够以善相报，尽弃前嫌，成为一代忠良；运气不好，也许就引蛇出洞，培养了一个社稷隐患。

武则天：那如果我不愿意冒这个险呢？

贤：那就请母亲下诏，强行胁迫长孙侯出局。

武则天：这不是有损监国的威信，又动摇皇储的根基，给别有用心之徒可乘之机吗？

贤：母亲，责罚子女是为了教育子女。责之越切，爱之越深。我想大哥明白这样的道理。而天下人也明白这样的道理，无从谈起有损威信，动摇根基。只要母亲一心爱护大哥，任何别有用心之徒都难寻可乘之机。

李义甫：二皇子分析事理头头是道，真是不可多得的人才。

11. 魏国夫人寝宫　夜晚　内景

李治看上去很疲惫，苍白的脸上凝固着一种含义不明的颓丧表情。他半倚在贺兰氏精致的木榻上，本来就已模糊的视线被贺兰氏如蝴蝶般翩跹的曼妙舞影播弄得更加恍惚迷离。

魏国夫人的寝宫是她年轻而热烈的内心生活在空间上的表情。房间原本通俗易懂的格局被巧置于房中的许多面镜子演绎得仿佛一座晶莹剔透的迷宫，就像所有情窦初开的少女在第一次轻易地坠入爱情时，都喜好用情调将明白无误的幸福肢解得伤感而沧桑。

此刻正轻缓地和着音乐舞动腰肢的魏国夫人的心境隐晦复杂。

旁白：有很长一段时间，贺兰氏对于我代表着尚显生疏的整个女性世界全部诱人的内涵。那风铃般的歌声，蝶一般轻盈的舞步曾使她成为大明宫所有热切眼神捕捉的尤物，她的存在间隙性地使我父亲脸上多了一种陶陶然微醺的神采。她深知赢得天下男人宠爱最直接的本钱就是自己年轻妖娆的身体及鲜活大胆的欲望。弥漫于宫中的男女私情催育了她与生俱来的对于风流韵事的敏感,从而提早使她对于性感有了成熟的领悟。自然,爱情与权力相伴而生正是帝国后宫情爱生活的恒久范式,这令她同时具有了一颗与年龄不相符的危险而隐秘的野心。她运用处于青春期的乖巧而轻浮的智慧缔造了这一场景,指望自己声势浩大的爱情能像镜中折射的那样从四面八方打击这个气弱体虚的中年男人疲惫的心灵,她期望自己的花容月貌能够永远就这样塞满他模糊的视觉,并最终占据他同样模糊的头脑。

于是,她从四面的镜子里焦急地洞察着这个男人脸上凝滞的表情。但她很快意识到他混沌的面目并非如自己所愿的那样出于对美的迷离,而是来自某种程度的心不在焉。最终,她懊恼地停止了舞动的身躯,神情悲戚地从镜中注视着身后的李治。

李治:……怎么了?贺兰,怎么不跳了?

魏国夫人:不跳了,再跳还有什么意思,人家辛辛苦苦从胡姬那里学来的舞,跳了半天,圣上连句话也不讲,脸上也没什么表情,谁知道您是喜欢还是不喜欢啊!

李治:喜欢,当然喜欢。小贺兰做什么我都喜欢,你没看见我连眼皮都没眨一下吗?

李治站起身,走到贺兰的身后,拦腰抱住她。

李治:贺兰就是我的小仙女,永远轻灵灵的,风一样,好像随时都会飞走。

魏国夫人:我哪里飞得走呢?这四海之内,地是您的,天是您的,普天下都是您的猎手。我能飞到哪儿去?皇帝一句话,我不就被人拿了关在笼子里送回来啦!我只怕皇上身边那么多美丽的鸟,飞走一只,您还不愿费心去找呢!

她意识到身后全无反应。

李治定定地望着镜中自己憔悴的面容,像是不得不面对一个令人尴尬的伤口。他于是突然觉得很伤感,怔怔地望着自己一言不发。

魏国夫人:皇上,您……怎么啦?

李治:你看我,是不是很老?

魏国夫人:您怎么会老呢?您是真龙,不是常人。天子是不会老的,我看皇上是累了,看您眼皮下都泛着青,我看您是该好好休息休息了!

李治:(苦笑)你觉得我休息得还不够吗?我现在连年号都不过问了!

说着,转身向床边走。短暂的沉默。

魏国夫人:皇上是不是怕她?

李治:……怕谁?

魏国夫人:怕皇后?

李治:怕皇后?我为什么会怕呢?我是真龙,非常人,我怎么会怕呢?如果要说怕,我只是怕社稷动摇,怕朝廷不稳,怕百姓遭殃……

魏国夫人:我说皇上是怕她,我还觉得皇上应该立刻废了她!

魏国夫人突然变得咄咄逼人,脸上妖媚荡然无存,倒多了几分杀气。李治先是有些吃惊,继而哈哈大笑,像对一个孩子说话。

李治:废她?废了她,然后怎么办呢?

魏国夫人:废了后,自然就要立后。

李治:那你说我应该立谁呢?

魏国夫人:立我!我是上苍派来辅佐皇上建功立业的。

李治笑得不能自持,与魏国夫人的庄严全然不搭调,魏国夫人被笑得有些不知所措。

李治:这话听起来很耳熟,你使我想起一个人,甚至表情都相像。十几年前,也有一个女孩子说过同样的话。我当时年轻,很感动,抱着她哭了一场。真是奇怪,现在再听这话,不仅不感动,反而想笑,看来我真是老了!

李治将手捂住魏国夫人的额头。

李治：贺兰，你看你还不够聪明，当不了皇后。皇后不是人人都可以当的。

魏国夫人：我怎么不够聪明，皇上以为天下只有她最聪明吗？天下智慧分几种，一种阴毒险恶……

李治：贺兰，你听着，知道我为什么最近总来你这里吗？……因为你年轻，简单，于是就很纯洁，我就能忘掉后宫里的事，朝堂上的事，轻轻松松地来做一场白日梦，一场美丽的温柔的清梦。可如果有一天连梦呓都变得有了主意和想念，那我来还有什么意思呢？我又会有多么伤心？贺兰，我只希望你能帮我把梦做得更优美，更完整。那么你贺兰就是我身边最美丽的鸟，永远不会被放走，听清了吗？

李治拉着魏国夫人的手，微笑不语。

此时窗外庭院中的乐班子奏响了华彩，那音乐凄迷高扬，呜咽一般。

12. 东宫　夜晚　内景

显无趣地摆弄着香囊，盯着在屋中来回踱步的弘。旦在一旁悠然抚弄着栖息在宽袖上的鸽子，不时懒洋洋地瞟一眼愈见烦躁的弘。

显：大哥，你……能不能坐下，老这么走来走去的，看得我直心慌！

弘：贤这是什么意思，早早地约我们来，自己又不到。我哪儿赔得起这份工夫，还有那么多政务需要打理！

旦：听说大哥最近正忙着修《丛台玉览》，还主张废了《春秋》改读《礼记》？

弘：是的，《春秋》简直就是罪恶的模本。那里面所列奸行听起来都让人毛骨悚然，说出来就会遭上天报应，再让后人研读，岂不是推波助澜，抑善扬恶！

旦：孔子写《春秋》，义存褒贬，褒善以示范后代；贬恶以警戒来者。

所以刻画得越逼真，揭露得越淋漓，读者才会领悟得越深刻。况且，所举事件无论多么令人发指，都是事实，大哥不会不同意吧！

弘：当然都是事实，但对于一个清明世界，肮脏是应该永远被埋没遗忘的！

旦：埋得越深，发起酵来才会更毒，还不如打开来对着太阳晒，水分干了也就没了活力。

弘：四弟，民智没有你想象的那样成熟，露奸于市，则必有仿效之徒。这犹如传染恶疾，不久就会……

贤：我看大哥是怕，是胆小！

贤应声进屋，还穿着猎装。

贤：如果大哥果真疾恶如仇，那就应该坦然面对。不仅要正视它的面孔，还应该解剖它的躯体，如庖丁解牛，看看病源究竟在什么地方发威。像这样躲着藏着，连看都不敢，那假如有一天奸恶真的找上门儿，大哥何以防范？所以，我说大哥是胆小，是恐惧，是没有勇气面对现实。

弘一时无语。

弘：……这就是你请我来的目的？来告诉我胆小如鼠！

贤：（笑）不，我请几位皇兄弟来，是有事要商量。只是刚才被母后急召进宫，才晚了几步。

弘：母后召你，召你做什么？

贤：李义甫大人要辞官回家，母后召我征求意见，怎么大哥不知道李大人的事儿？

弘：……不知道，怎么我是太子，母后反倒召你入宫议政？

贤：这正是我找众位来的目的。

弘：什么意思？

贤：大哥，当了几日监国，有何感想？

弘：寥寥几日，能有什么感想，只是想着多做些事，别愧对了这称号，心力有些疲惫罢了。

贤：大哥，你有没有想过，如果有一天废了你的太子位，像忠那样，你怎么办？

弘：废我，为……为什么？

贤：别这么看着我，我又不会废你。

弘：那我要探个究竟，弄清楚废我的理由。

贤：找谁去探个究竟？

弘：当然找父亲，父皇，找立我的人。

贤：如果父亲不管呢？

弘：那怎么可能，父亲毕竟还是一国之君……

贤：我说如果。

弘：那，那我就去找母后。

贤：如果母后无法给你一个令人折服的理由，或者说干脆就没有理由，仅仅因为你与臣子政见不同，你怎么办？

弘：那……就不能废我！……再说，这怎么可能呢！太子又不是随便立的。我是她的亲儿子，又是长子，母亲不是这样的人！

贤：而她如果不幸真是这样的人，你怎么办？

弘：我……

弘一时语塞。贤环顾了一下众人，显已听得入神，旦则若有所思。

贤：我再问你，如果明天废了你，而立了我，或是显，或旦，你将如何对待我们？

弘：我……会替你们高兴，毕竟我们是兄弟，谁当太子都是家族的光荣。

贤：如果立了你，显。你怎么办？

显：啊！我，我……哎呀，你开什么玩笑，母亲怎么会选我当太子呢，我自己都不同意。

贤：你呢，旦？

旦：我不好回答，我还没弄清你要说什么！

贤：我要说什么？回想一下我们刚才的谈话吧，你们难道没有意识到一个可悲的现实？我们现在所有的命运成败都集中在母亲一时的心血来潮上，这不可怕吗？母亲早已不仅仅是皇后了，而我们李家呢？难道就应该如此任人操纵？我们现在需要的是什么？是精诚团结，是雄心豪情，是让天下再次听到李家声音的志气，因为这毕竟还是李氏的江山！

旦：我有三个问题，第一，你刚才的一连串如果把母后想象得太可怕了。在我看来，她恰恰是我所见过的最少心血来潮的人，所以至于我们的命运成败系在她身上是否真的那么可怕，现在下结论还嫌太早。第二，关于母后目前是否仅仅是皇后，当然不是。在天下人看来，她是二圣之一，是父皇治国齐家不可或缺的干练助手，这已是不争事实。值得你我庆幸的是，这一切至今还不是她的阴谋而是她的荣誉。第三，二哥以为天下现在听到的是谁家的声音？别姓的声音？况且我以为天下最希望听到的是强壮合理的声音，正义的声音。实话讲，你我任何一个人的声音，无论从道理上还是劲度上都尚难于同母亲抗衡，而气未养好之前就急着发声，只会招致天下人的耻笑。这正是我担心大哥的地方！

旦的一番铿锵语气令在座的人再一次沉默。四兄弟各怀心事，默然无语。

旁白：在大唐所有公开的正式典制礼仪中，哥哥们的定期聚会并不算做是当然的一种。然而这就是宫廷，你所能看到的一切态度，表情，这样、那样的决议都仅仅是结果而已，而原因则隐藏在大明宫中无时无刻不在悄然进行着的会谈及聚会当中。

显：啊！……啊，我得走了，韦妹妹还在药园等我，我都晚了。

三兄弟的目光同时集中在显身上，气愤而惊异。显这才意识到自己的举止多么的不合时宜。

显：（环视着众人的目光，胆怯地）……算了吧！我……就不去了……

弘：你去吧！

显：算了，反正也晚了，再说如果……

弘：（烦躁地）去吧！

显：……那我……就去了，有事再叫我。

显疾步出屋，逃难一般。

弘：（望着显的背影）玩物丧志，朽木不可雕！……贤，旦！

弘伸出手，二兄弟会意地伸手与他握在一起。

弘：不管怎么样，我看有一点二弟是对的。我们兄弟现在最需要的是精诚团结，是耀祖扬威的壮志豪情。来，为了李氏注定的万世江山，我们盟誓：保家卫国，万死不辞！

贤、旦保家卫国，万死不辞。

三只手上又多了一只，显又静悄悄地回来了。誓言自然也迟到，所以听上去似乎有些心虚。

显：保……保家卫国，万死不辞。

显不好意思地望着三个人，笑了，一脸憨厚。

13. 魏国夫人寝宫　白天　内景

武则天焦急地在屋内踱步。御医们围住床上的李治会诊。

武则天：怎么样？

御医：（吞吞吐吐）皇上，嗯……皇上是偶遇风寒……需静养数日……

武则天：什么偶遇风寒！每次叫你们来都是偶遇风寒，哪有这样厉害的风寒，昏过去这么久。说，说实话！别那么吞吞吐吐的，皇上得的是什么病？

御医：皇上……双目晦暗，印堂发紫，怕是……阳气过损，伤了元气。我看皇上是不能再有房事了，至少需颐养半年。

武则天愤怒地逼视着躲在屋角儿抽泣的魏国夫人，目光寒冷，如剑出鞘。魏国夫人躲避着武则天的眼睛。

武则天：你再说一遍，御医。大声说！

御医：皇上双目晦暗，印堂发紫，这是典型的阳气耗损，伤了元气！

武则天的眼睛始终没有离开魏国夫人。

众皇子鱼贯而入，太平在最后，相继跪倒在床前。

李治略微睁开眼睛，侧过头，眼中一片模糊，只依稀辨得人形。

李治：（嗫嚅）弘，弘……

弘：儿臣在！

说完向前跪了半步。

李治用手轻抚着弘的面庞。

李治：（虚弱）弘，你长大了，真的长大了……你现在是太子，做事要有原则，但还要懂策略，这才是帝王之道。我悟了一辈子，道理虽懂了但还是不能完全做到，现在轮到你了，这李家的宏基伟业怕是就要落到你的身上，你要好自为之，别愧对了我的指望！

李治微弱的声音清晰地撞击着每个人的耳膜。

旁白：贺兰的美丽是我们全家的敌人。母亲常说：一个女人，如果生得美若天仙，就要时刻准备为此付出代价。它可以成为你的财富，但同时也可以成为一切灾祸的源泉。一个女人的天生丽质从一生下来就已经离她远去，被上苍判给了男人。现在想来，贺兰那天软弱的哭声似乎已经提前为她多灾的命运敲响了丧钟！

第 六 集

旁白：我父亲生命真正意义上的衰竭始自那年在魏国夫人寝宫的台阶上黯淡地摔倒。在以后的漫长时日里，他的心情一如他脸上的神色，阴沉晦暗得仿佛一件被锈迹啃噬的前朝铁器，麻木而沉默地应付着眼前流逝的时光。这大概也算是一种毅力吧！恰恰相反，母亲则像一位精干的主妇，在朝堂和后宫释放着她永不衰竭的饱满热情。哥哥们仍在持续着他们例行的聚会，他们作为男人的成熟在我看来似乎仅仅表现于写在他们骄傲面容上的、日益明显的针对母亲的抗拒。我则悄悄长大，迅速得犹如父亲衰老的速度。

1. 李治寝宫　白天　内景

紧闭的窗帘将这间寝室遮掩得幽暗阴潮，床上的李治由于多日未见阳光，面目似乎有些臃肿，浮着一脸病态的苍白。他仔细地看着太监将滚烫的药在两只碗里翻来倒去，似乎不愿漏掉每一个细节。

李治：把窗帘打开吧！
太监：是！

午后和煦的阳光踊跃地流入,房内顿时开朗起来。李治眯起双眼以缓和突然强烈的光线,环顾着四周。他喝了一口中药,含在嘴里。随即发现床头书案上一只瓢虫在暖和的阳光下悠然匍匐前行。

李治用手指着桌面,喉咙中滚动着一种含混的音响,口中依然含着那口中药。太监循指望去,发现了爬虫,忙试图用手去抓,但却被李治的喉音制止。他疑惑地望着连连摆手鼓腮的李治。李治脸上竟浮现出笑意,他随即有节奏地收缩两腮的肌肉,于是水就一股股射向了目标——桌上的那只爬虫。太监惶惑地望着突然之间童趣盎然的圣上……

2. 佛堂　白天　内景

观音像下武则天庄重笔直地跪于蒲团上,神色深沉肃穆,手中正在燃烧的香释放着缕缕青烟。太平悄然立于浑然不觉的母亲身后,注视着母亲消瘦的背影。

太平走到母亲身边,跪下,磕了三个头,然后转过脸望着母亲的侧影,似有话要说。

太平:母亲,弘说今儿晚上就不过来了……

武则天:为什么?

太平:他说《丛台玉览》正忙着收尾,今天晚上他还要在东宫召见几个今年中榜的才子文士。

武则天没有做出什么反应,她只是微微地闭上了眼。片刻。

武则天:太平你猜猜,观音现在在想什么?

武则天仰脸神情专注地望着观音。

太平:不知道……大概,什么也没想吧!

武则天:错了!她只是看上去什么也没想,这正是她的高明之处,其实道理是非都装在她脑子里,她每一分钟都在毫不倦怠地思考着,试图解释眼里看到的,耳中听到的,甚至肌肤感觉到的……这就是为什么人们信奉她。我们永远弄不清她会给你什么，不给你什么，只知道她曾答应过赐予你幸福、如意和吉祥，这就够了……

两行清泪划过武则天的面颊。

太平：（哭）妈妈，爸爸不会死吧？

武则天：别胡说！你父亲怎么会死呢！我从侍候你爷爷起，见过无数男人。你父亲是我所认识的最仁义的权力中人。他的心很软，甚至脆弱，我至今仍记得那年在感业寺，他紧紧地抱住我，像抱住一个失踪多年的孩子，再也不愿撒手的样子。作为女人，那就是幸福，一个妇人能感受到的最完全的快乐和感动。

太平：妈妈，我害怕，我怕父亲一旦遭遇不幸，就再也没有人会像他那样紧紧地抱住我们，保护我们，你说过，这宫里只有我们两个女人……

武则天像是从回忆中突然醒来，呈现于脸上的是犹如男子般的坚毅。她郑重地转过头，扶住太平的肩膀。

武则天：是的，我说过这宫里只有我们两个女人，而且永远只能有我们两个女人。记住，这大明宫，包括这巍峨恢宏的大唐王朝，只有男人是当然的主子，而作为女人，特别是一个不甘寂寞的、有心气儿的女人就会很难。有一个男人像树那样供你休养固然好，但如果有一天树倒了，你却不能倒，要学会扎根，长出自己的枝叶，真正像一棵树那样坚韧倔强地生长，有时甚至不惜付出冷酷的代价，这就是我们这种女人生存的全部秘密。而她就是我们不动声色的典范。（武则天举手示意头顶的观音）……你放心，只要有妈妈在，你就永远是万人景仰的太平公主，永远是大唐美丽的骄傲！

太平望着武则天一脸严肃。

旁白：直到现在我仍清晰地记得咸亨元年我与你祖母在佛龛前的那场对话，母亲坚决果断的语气和她当时的一脸凝重令我感受到了某种仪式化的庄严。那是我接受的第一次关于女人和生存的启蒙。尽管对于它的内容我当时还有些似懂非懂，然而我却分明感受到了某种力量，那是澎湃在母亲血液中无坚不摧的意志的力量。

一个太监急急跑入，上气不接下气。

太监：（喜形于色）皇后……皇上……他……他下地啦！

3. 李治寝宫　白天　内景

李治依窗而立，沐浴在夕阳中的面孔居然见了红润，眼中也似乎有了神采。

武则天一进门就看见伫立在寝宫窗前的李治。齐腰的窗户敞开着。二人就这样注视着久违的对方，脸上随即荡漾开令人感动的深沉笑容。

4. 李治寝宫　夜晚　内景

李治倚在床上，武则天给他喂药。

武则天：我昨儿个在感业寺为您求了个签儿，上上大吉，皇上有菩萨保佑，康复只是时间的事……

李治：我也去过感业寺了。

武则天：真的？什么时候？

李治：在梦里。

武则天：是吗！皇上梦的什么？

李治：我梦见与媚娘相拥而泣，我们抱得紧紧的，生怕丢了对方似的，可后来，不知怎么还是分开了。手里扎扎的难受，低头一看，抓的全是媚娘的头发，再看你，头发都脱光了，再后来，我就惊醒了……

武则天：（突然眼里有了泪花，颇为感伤）皇上怕是嫌我老了，丑了，连做梦都把我想得那么难看。不过皇上毕竟梦里还有我，这就足够了。

我每天佛堂里算没白去……

李治：可梦醒了见着媚娘，发现她还是那么年轻，漂亮，而且（李治用手捂住媚娘的前额）……依旧那么聪明，心里就觉得很庆幸……

武则天：皇上真会拿话哄我。

李治：人一病，心思就容易变得很精细，我最近每天在想，想我们以前的日子，年轻时的岁月，我还是那句话，媚娘，能娶你是我这辈子无论做男人、还是做皇上的福分……我知道前些日子成天泡在偏妃那儿，你不高兴，以前年轻气盛，总嫌你，可现在想想，什么是好女人？能进你梦里的就是好女人，就是你命中注定的女人。媚娘，我……我对不住你……我这病，一旦好了，就专宠你，天天和你在一起，同先前那样……

武则天哭得很伤心。

李治：媚娘，你该过生日了吧！今年一定要好好庆祝……

武则天：皇上快别惦记那么多了，您现在只管养病，闲的事就不用去管它。再说，过个什么生日，五十的人了，生日对我简直就是上刑，强行着让我知道自己有多老。

李治：不，一定要过！要好好庆祝！我刚才已经吩咐他们去办了，我早想好了，今年皇后生日我们只和孩子们一起。一来，我好久不见孩子们了，很想见见他们！二来，我听说最近太子和贤同你似乎不很和睦，正好趁这个机会融洽融洽。

武则天：那就多谢圣上挂念！

李治：（沉吟片刻）媚娘，该给的我都给你了，所剩的，你也就别再惦记了！

武则天凝视着李治，没有言语。

5. 庭院　白天　外景

显手里捧着个香囊，宝贝似的。他一进院门，便喊个不停。

显：太平，太平！你在吗？

院中放着个大箱子，崭新的。

太平：显哥哥，有事儿吗？

显捧着香囊，一脸神秘。

显：这是我送给母亲的生日礼物，叫"梦天骄"。取的是娄兰沙漠中的仙人掌、吐蕃雪山巅的雪莲精心配成的。我在药园待了三天，督着他们熬成的。你帮我闻闻，告诉我母亲会不会喜欢！

太平：不闻不闻，我最怕香精的味道。

显：哎呀，求求你了，你喜欢，母亲一定喜欢，闻闻！

太平：那好吧！

太平勉强接过香瓶，缓缓打开盖子，显在一旁紧张地看着，太平将鼻子送至瓶口，深深吸了一口，之后表情木木的，一言不发。

显：怎么样，说说啊，怎么样？

太平依然一言不发，目光平视，片刻像一根树那样倒向显。

显：(慌张，扶着太平)哎呀，太平你怎么啦？你怎么……来人哪……(说着背起太平) 太平……你醒醒，醒醒啊……御医，御医！

6. 甬道　白天　外景

显背着太平在甬道上狂奔，眼里已见了泪水。

太平在他背上，渐渐睁开了眼睛。

太平：(耳语) 显哥哥，你的香清馨异常，沁人心脾，母后一定喜欢，我保证！

显闻言停在半路，转悲为喜，笑时还挂着泪。他放下太平。

显：真的？那就多谢皇妹！

说完扔下太平，撒欢儿跑远……

7. 熏风殿外庭院　白天　外景

院子里乐师正在演奏祝寿的欢乐曲子，一座黄金雕塑静立于案台上，雕塑后是并坐的武则天和李治。

贤站在像前，娓娓道来。

贤：雕刻此像黄金称"镦金"，选自龙州，此地景色奇美。"碧溪飞白鸟，红叶映青林"，堪称人间仙境。龙州产的金，质地沉实，光泽耀眼，且坚若磐石。刻像艺人来自大食，刀法精致细腻、巧夺天工，与大唐传统大相径庭，讲究凸凹有致，追求形容逼真，母亲请看此像以谁为摹本？

武则天端详着雕像，微笑着摇摇头，转身望着李治。

武则天：皇上您看呢？

李治弓身曲背，给雕像相面一般。

李治：这眉眼倒是像你母亲，可这神志表情却出离凡尘，有几分烟火不食的神仙意味。像你母亲每天供奉的菩萨！

贤：还是父亲一语中的，所以儿将此像命名为"国母像"。儿臣心目中的大唐之母既有母亲之明眸皓齿，表情却如佛祖永远豁达深沉；既有母亲的干练果断，心情却如佛祖静如止水。儿以此像献予母亲，祝母后能观如其形，青春常驻；实如其质，雍容高贵；思如其神，淡泊清宁。从而寿比南山，福及四海！

李治：真是知母莫过于子，贤儿这是礼重人意更重！一番祝福说得我都有点忌妒你母亲了！

武则天：多谢二皇子，做母亲的能得到这样一份礼物，真可以心满意足了。

贤退至旁席，坐下。李治好像兴致大增。

李治：（大声地）显儿，该你了，你带的是什么礼物啊？

贤精心设计的礼物和意气风发的陈述令显有点自惭形秽，他开始对自己有些不自信。

显：我……我带的是……其实也没什么！

李治：怎么，你忘带礼物了？

显：没有，只是我的礼物……没那么大，也没那么贵重……

武则天：礼物不在大小，更不在贵贱，关键在于你是否独具匠心，是否巧妙。

显：我……也没那么巧妙。

显的声音越来越低，似乎是在说给自己听。

武则天：没关系，显儿，拿出来看看，没有人会笑话你！

于是显怯手怯脚地走到案前，手里提着个木盒。

显：此盒木质为阿迦卢，选材自天竺国，沉香则由此提炼而出，香气蓬勃，清神醒脑（显打开大盒子，拿出一中号盒子）……这盒子木质紫藤，取自婆罗门，香质似酒，欲盖弥彰，能驱邪避恶（显又从紫藤盒中拿出一小号盒子）……这盒子由橄榄木打制，由南昭传入。榄香似剑，劲足势猛，有诗云：红露想倾延命酒，素烟思蒸降真香。

显又打开小盒子……武则天与李治对视，不约而同地笑了，一脸无奈，显取出一精致小瓶，状如鹿颈，玲珑小巧。

李治：你手里拿的是个什么东西？

显：这就是儿送给母亲的礼物，此香呈液状，称"梦天骄"。由生长于娄兰沙漠的状如云母的仙人掌及吐蕃雪山巅色若冰雪的雪莲，精心混制而成。此香不仅气味奇美且有异功，除综合了前述诸香之功用外，还可当补品，滋神醒脑，活血舒筋。儿看母亲最近政务繁忙，日理万机，身心皆需滋养，所以贡献此香。母亲疲惫时闻此香，则劳顿全无；困倦时闻此香，则如长梦方醒，耳聪目明……

武则天：看来显最现实，早已看透了我的奔波命，连解乏药都选好了……拿来我闻闻！

武则天拧开盖子，将瓶子捧到鼻尖处。显似乎又想起了太平的一幕，手足无措地伸长脖子，观察母亲的表情。武则天深吸一口，闭上眼睛，然后缓缓地吐了一口气。

武则天：果然好香！真是人精一道，我看显儿现在可以当半个炼香士了！谢谢你，显！

显如释重负，退到座位上拭着满头大汗。

李治：太平、弘和旦怎么还没来？

立在一侧的太监俯耳，轻声说：其实四皇子第一个就来了，只是二圣没看见。

李治：（左右巡视）噢？在哪儿？

太监随即示意李治和武则天望乐队方向看，旦怀箫坐在乐班的最后一排，专注而投入地演奏，此时合奏渐弱，转为旦的独奏，曲调悠远华美。

武则天：这是我们并州的民歌，《彩云飞》……好久没听见这旋律了，恰似故乡的秋水长云，古道西风……

一曲古乐代表了旦的心境，他微微地张翕着唇，陶醉其中。

武则天：这孩子从小有心计，沉静安宁宛如一潭春水，却总能猜到母亲的心思……

几个太监扛着个大箱子进入庭院。

太监：启禀二圣，这是太平公主遣我们送来的贺礼！

李治：这孩子怎么越大越不懂孝道！她自己怎么不来？

太监：公主说这礼物非同寻常。

武则天望了望李治。

武则天：这孩子，不知道又在玩什么花样！

太监：公主还说一定请皇后亲自开启箱盖。

武则天离座走向箱子，打开后就愣愣地说不出话来。从箱子里站起来太平，望着武则天惊诧的表情，甜蜜地笑着，她转向李治。

太平：父皇，我把我自己送来了，作为献给母亲的生日最昂贵的礼物。母亲给予我的最珍贵的礼物就是把我生到这世上来，而我能回报给母亲的是把自己交还给妈妈！

8. 通往熏风殿的甬道　白天　外景

弘疾行,大义凛然的样子,满脸悲怆愤懑,丝毫不见祝贺生日的喜庆。

9. 熏风殿庭院　白天　外景

弘已出现在门口。他缓缓地走向父母,强压住内心某种强烈的情绪,穿过两侧关注的目光。所有人都预感到将要出现的某种不和谐,气氛就紧张起来,甚至连音乐都停了下来,四周一片寂静。

弘此时已行至父母面前,跪倒。

弘:父皇,母后,请原谅儿子不孝,未能如期赶到。

武则天:没关系,来了就好。

李治:弘儿,你脸色很难看,出什么事了?

弘:没出什么事!儿只是感到心如刀绞。我曾试图说服自己像一个崇孝的儿子应该表现的那样欢乐喜庆。然而责任、良心及伴随而来的愧疚,却如巨石将我的心境坠入沉痛的漩涡,不能自拔。

李治:(不耐烦)你就直说吧,弘儿,出了什么事?

弘拿出一个红色锦盒。

弘:这是孩儿送与母亲的礼物,请母后过目。

武则天接过锦盒,打开,里面并列着两束略显斑白的头发。

武则天:这是什么?

弘:如母后所见,这是两束过早就已斑白的头发,代表着两位正值青春妙龄的皇家公主,提早衰竭惨淡的心情。

武则天顿时释然,她把锦盒交与李治。

武则天:怎么,两位公主的婚后生活不尽如人意?

弘:两位公主早已不是公主,她们的生活甚至不如一个平民的女儿。她们不仅要忍受自己崇高血统所无法想象的落魄与贫穷;还要忍受每夜她们的丈夫运用世间最庸俗的智慧构思的恶意侮辱，运用男人最粗糙的心灵酿造的冷落与孤独。她们的面容由于命运的不公而写满了对于生活的恐惧和惶惑。而那上面惟一的饰品仅仅是丈夫酒后的殴痕。儿臣始终不明白，母后，如果您嫁出红、白莲公主真如人们所愿，是为了解救两颗无辜受虐的心灵，为什么将她们嫁给两位血统低贱、目不识丁的门卫？

李治：弘儿……你不知道今天是什么日子吗？

弘：知道，今天是母亲的生日。而作为儿子能向母亲展示一片坚持原则的孝心与忠心，是我能够设想的最完美的礼物。

武则天：的确，弘儿一番慷慨陈词实在是我今天收到的一份最严肃的礼物，只是这礼物只有一半儿。弘儿，那你认为我能为二位公主的命运做点儿什么呢？

弘：下诏废了她们不幸的婚姻！接她们回宫休养，然后另选门当户对的夫家，择良辰吉日，明媒正娶。这是展示您宽容大度、不计前嫌的最好时机！我以我尊贵的太子地位、李家的高贵血统担保，您为她们一手铸造的幸福绝对不会成为她们为前辈复仇的起点！我想，如果王皇后和萧淑妃天上有灵，也会原谅……

李治：（暴怒）你给我闭嘴！满口胡言乱语！

武则天沉默片刻，两眼死死地盯着弘。

武则天：皇上您错了！弘儿从来不会胡言乱语。他说什么，做什么，从来都是经过一番深思苦想的！

10. 马场　白天　外景

一匹红鬃烈马正在木围的栅栏内狂躁的奔突，栏外武则天和李治坐在正中，两侧分立着公主与皇子们。

武则天：这匹马是著名的突厥草原马，生性暴烈刚强，从不言输，而一旦驯服，则能与主人同生共死，肝胆相照。在突厥能驯此马者皆为全国最优秀的骑手,并时常被冠以将军称号。而驯马高手,往往智勇双全。带你们来这儿,是你们父皇的主意,此马自敬献给大唐,已近一年,无人能驯服它。今天,我倒要问问你们的主意!……贤,你以为怎么才能驯服它!

贤:饿!一切性格禀性都只不过是一个饱满胃腹的装饰品。我饿它三天三夜,它也就没力气坚持刚强耿直了。然后喂它,同时尝试着骑它,这如同治人之道,先施以彻底的苦,然后再循序渐进地给予恩慈,它就会有时间充分意识到甜的来源,于是就会有忠诚。

武则天:(轻轻点头)你的意思呢,旦儿?

旦:母亲有没有注意,当我们注视着它,寻思着如何驯服它时,它正以同样的方式望着我们。儿每每看到策马飞驰的俊秀骑手,往往有一种莫名的感动。最令我感动的恰恰是骑手那如马一般的飞扬神态,如马一般的狂放心情。人马实际上早已合二为一,成就了一种全新的生灵。所以,驯马其实不是人马相互较量,驯马者首先要放弃人的姿态,而随时准备着被马感动,同它一样思想,因此是谁在驯谁,这才是首要的问题!

李治和武则天对视,脸上浮出笑容。李治随即转向自己身侧的显、弘及太平。

李治:你说呢,显?

显:啊!我……我不喜欢马,也……没想过怎么驯它。再说,今天是母亲的生日,驯马做什么?

太平:(紧接着)这还不简单,我如果驯不了它,就找一个能驯它的人,比如说母亲,这世界上没母亲做不成的事!

武则天:该你了,弘儿!

弘:母后,我想起了上官老师为我讲的一则关于您的事,太宗皇上也曾经问过您同样的问题,您的回答是一只铁锤、一支鞭子和一条铁锁链。据说答案很令太宗赏识。在天下枭雄四起的战争年代,征服是全部行为的目的。因此,胆魄、坚决和冷酷是成功的钥匙。而这正是您性格中令人叹为观止的一面。然而现在是和平年月，安宁稳定是大唐的期盼。因此怀柔仁慈才是制胜的法宝。我理解父母此刻心情，想借驯马来考考我们为人处事的智慧和风格。马是畜生，不可理喻，但它同时是生灵，就有感情。儿闻冀县名马师王世格，每次驯马，就将自己手足束于马缰，然后命人以鞭策马，于是马拖着他奔驰数里，但最终总能止步，并以唇舌舔其伤口。王世格的策略便是以情取胜，以善抑恶，而非锤之鞭之、以恶对恶。他失去的是身体康健，得到的却是感动，乃至最终的忠诚。治人治国，不出此理。君主仁善，则子民温和，君主赐民以滴水之恩，百姓则每每以涌泉相报。儿想趁母后生日大喜之日，奏一私折！

弘的执着令众人结舌，都担心地望着他。

弘：（跪下）近日儿臣编修《丛台玉览》，识得少见人才，此人是先朝元老长孙无忌的孙子，长孙侯。然而由于前辈政坛一时失足，导致长孙氏族报国无门，连每年的殿试都被削去了资格，我知道长孙大人与母后有怨，但这与朝事无关，更不可殃及子孙，况且当年长孙大人反对立您为后，也是出于江山利益而非个人恩怨，要说错误，他也仅仅是一时站错了立场。然而母后几十年所作所为早已证实了父皇当年的英明决断。这是大唐的福祉，也是母亲您的荣誉。如今时过境迁，往事已成烟云，您何不借此机会为长孙大人正名，向世人展示您的王者风范！所以，儿臣请母后下旨重修长孙祠堂，并在唐史中赐予长孙家族应得的评价！

所有人都沉默不语，只留下弘在当中长跪不起。

李治：弘儿，如此重要的事何不在朝堂上提，偏偏拣母亲的生日……

弘：儿以为此事不宜当着重臣的面讨论，那样做无疑在众目睽睽之下为母亲规定了答案。而如果母亲真在生日之际下诏，不仅让朝臣子民分享了国母大寿的快乐，还体会到了二圣的无边恩泽。

李治：（不耐烦）行了，行了，起来吧！我准了！……回宫吧，我累了！

武则天望着李治，一副不可置信的神情。

望着父母离去的背影，弘依然跪着没有起来。

第 六 集

弘：多谢二圣，多谢母后，祝母后生日快乐！

武则天慢慢转过头，望着弘。

武则天：你刚才说的那个冀县名马师叫什么来着？

弘：王世格。

武则天：噢！他死了。（弘的身体哆嗦了一下，仰脸望着母亲）……他就是驯这匹马时死的，肠子、肚子拉了一地，惨不忍睹，你要是真可惜他，就杀了这匹马……起来吧！

弘望着母亲离去的背影，竟一时忘了起身。

所有的孩子都有些愣，傻傻地望着母亲离去的背影出神。

贤：你……完了！只有一句话能概括你今天的行为，迂腐，迂腐之极！难道我们以前说的话于你都是废纸一张，难道我们的盟誓都……唉！算了吧，你好自为之！

贤扬长而去，显紧跟其后，突然像想起了什么，又转回身。

显：大哥，你也真是，没的说就别说，你看你，你今天是真让母亲生气啦，我看她的手直哆嗦！

说完，追着贤而去。

旦：大哥，当了太子，但你还是母亲的儿子。做儿子就有最简单的道理可循。比方说，在母亲快乐的时候，同她一起快乐，而不是像你那样替她尽早结束快乐，这就叫不孝！不论她做了什么你不喜欢的事，不要穷追不舍，要给她做母亲的脸面，这是最基本的为人处世的准则，而你今天却令她真正很伤心！

旦离去，就只剩下太平怔怔地望着弘，弘全然懵了，望着太平一笑，很苦，很无奈，眼里荡漾着泪花。

旁白：你叔叔是一个真正狂热的理想主义者。于是，他就总感到委屈，搞不清自己究竟错在什么地方！这正是他的悲剧。他内心蕴藏着的丰富连绵的爱意，永远表现得顽固笨拙、不合时宜，由此最终蜕变为一件武器，在伤害他人的同时，也结束了自己的命运。当然，他似乎本来就不属于这个讲求效率和策略的世界……

11. 太液池　白天　外景

阳光很和善，一叶小舟轻泛于太液池温暖平静的水面上，船头坐着太平与韦氏，两个人的脚伸进水里，激起一股持续的白色浪花。

韦氏：听说弘哥哥跟皇后吵架啦？

太平：嗯，母亲生日时，弘哥哥说了好多不着边际的话，母亲很生气，他后来也很伤心……

韦氏：你发现没有，弘最近总一夜一夜不睡觉，天天两眼通红的，人也瘦了，怪吓人的样子。

太平：都是太子弄的，好好的非当太子，人都变了……

韦氏发现太平直视前方的眼睛直直的，顺着她的视线望去。

对面款款地划来一只船，船上有伞，魏国夫人坐在伞下。船头旁有几个健美的娈童在为其吹乐助兴。她穿一件露肩的衣服，头发被风轻轻撩起，浑身上下每一寸肌肤似乎都荡漾着风情，两船相错时，她懒懒地甩过一个眼神，一丝笑意挂在嘴角，仿佛美仅仅是她买断的专利。

太平和韦氏不自觉地转过头去，甚至连船夫都放慢了划桨的速度。

太平突然意识到自己的失态。

太平：（对船夫）看什么？快划呀！

12. 武则天寝宫庭院　白天　外景

太平袒肩露背地进入，头发也是全新的样式。她微仰着脸，带着同魏国夫人相似的骄娇表情。

弘神色黯淡地从武则天寝宫出来，低着头急急地走。

太平：弘哥哥！你看我今天这套新衣服……

弘只淡淡一笑。

太平：哎呀，弘哥哥，你眼睛怎么这么红，昨天又没睡觉吧？

弘：没什么，有点累，我得走了……

太平疑惑地望着匆匆而去的弘。

13. 武则天寝宫　白天　内景

武则天背门而立，她的手有些微微颤抖，焦躁地来回翻弄着弘遗忘的半把梳子，她长舒了一口气，似乎想让自己平静下来。

太平入门，端详着母亲的背影。

太平：您……同弘哥哥吵架了吗？他又惹您生气啦？

武则天：没有，没有吵架，但他确实让我很生气。

武则天强作笑脸，在放梳子的同时碰倒了茶杯，水洒了一桌。

太平：母亲，您怎么了？

武则天这才转过脸来，带着勉强的笑，但一看到太平的装束，又收敛了笑意。

武则天：你……穿的是，这叫什么？

太平：（害怕）这叫……叫……我让女红坊做的新衣服，以为您会喜欢……如果母亲不喜欢，我可以……

太平局促地扭来扭去，试图用手盖住裸露的部分。

武则天：（注视着太平）你把手放下来……站直……走走……让我看看后面……转过来我看看……

太平在武则天的调度下像在做一场时装表演。

武则天：（微笑）不错嘛！窈窕婀娜，露而不浮，把我女儿衬托得如花似玉，谁给你做的？我兴许也学着做一件呢！

太平：（惊喜）真的？妈妈，你真的也想做一件？告诉你吧！这是我自己设计的！我这就去叫女红坊……

说着转身跑出，又回来，拾起桌上弘的梳子。

太平：这是弘的梳子吧？我一会儿去还给他！

说完，飞一般跑走。

15. 东宫　白天　内景

合欢正在为弘梳头，手中还是那半只梳子。他关切地望着镜中面色苍白、嘴唇微微颤动的弘。

合欢：太子，您太累了，应该好好地休息，我看《丛台玉览》的事是不是缓缓再……

弘猛地张开眼睛，满腔怨怒随即奔涌而出。

弘：不，《丛台玉览》，树天地之正义，匡扶人间真情，这书的修编绝对不能停，而且还要编好，要广采人间英词丽句，广纳民间挚意真情。这将成为帝国百姓行为之本，大唐的国政指南。编这样一本好书，错在何处？难道仅仅因为我用了长孙侯，就要遭如此非难！难道大唐的胸怀就真的这么狭窄吗？

弘腾地站起身，在屋中烦躁地来回奔走。

弘：……我们看过了太多的同室操戈，太多的友朋相残，这不仅是百姓的悲哀，更是王族统治的耻辱。子不孝，父之过，民不仁，官之患。我们如果不是罪恶的成就者，至少也是阴暗的守陵人。

合欢倾慕地望着弘，脸上掠过一丝委屈的神情。

合欢：我……只不过随便说说，您最近太爱动肝火，这样不好，很伤身体的……

弘望着愣愣地站在那儿不知所指的合欢，这才意识到自己刚才的怨气似乎没什么来由。他终于第一次鼓足勇气长久地注视着合欢，他冲动地走过去，握住他的手。

第 六 集

弘：合欢，答应我一件事……

合欢：什么？

弘：今天晚上就走，回家去！

合欢：（惊异地）为什么？

弘：因为我正在把自己抛入一场战争，尽管这很可能将是一次以卵击石的尝试，然而，它却值得我不惜一切代价去争取那哪怕是注定的失败。因为那是我对于自己教养及血统从儿时就有的承诺，但我却没有资格胁迫任何人同我一起忍受即将来临的苦难，我宁可选择孤独，而不愿与愧疚共眠。

合欢：您把我理解得太简单了，其实我早已把自己投入了一场更为持久的战争，我连敌人的仇恨都无缘享受，得到的仅仅是唾液和鄙夷，并且永无胜机。但是，我明白世上只有一样东西甚至比胜利更加美好，那就是……爱情！不论是遭受了伤害，还是伤害他人，只要是以爱情的名义，并且真诚，就已经是崇高而尊贵的了。原谅与否从来不是爱情的话题。您刚才所表现出的令人感动的宽宏，倒令我怀疑起您对于我的感情。弘，把你的一半儿梳子给我！

弘深情地望着合欢，手习惯地摸向腰间，然而却一无所获。他突然变得异常神经质。

弘：梳子，我的梳子呢？我的那一半儿呢？

弘完全失控地胡乱抓自己的衣服，几乎在瞬息间剥光了自己。合欢惊恐万状地拦阻他，两人厮缠在一起。

弘：我的梳子……不！梳子，她拿了我的梳子！

合欢意识到弘的混乱来自母后的压力。

合欢：弘，我在这儿，你安静一下，安静……梳子不会丢的……

合欢温柔地把弘揽在自己怀中，弘颤抖地哀鸣。

弘：他们为什么不理解我？！我不结婚！

合欢感动，眼眶湿润了。

合欢：我懂你，我答应你，今晚就离开……

弘：（猛地抓住合欢的手）不！我不要你走……

合欢：你的压力太多了，你这样是会垮的，让我们分开吧。为了你，为了我们……

弘：你要把我一个人留下？在这偌大的东宫，让我一个人……

合欢：（捂住了弘的嘴）你不会是一个人……

两人都含泪相视。许久，弘突然转向镜前，看着里面的自己，非常亢奋，满脸潮红。

合欢焦虑地望着他。

弘：如果把民风民智比做水，那么学问教养则为渠。知书方可达理，知理才可育人。我们需要的是一个什么样的世道？期盼的又是一个什么样的大唐山河？我需要我们的人民敬爱他们的父母，善待他们的友人，珍视他们的妻小，看到我们的大臣……

弘突然不语，他僵直地立在那儿，像一具瞬间被冷冻的尸体，一股血从他的嘴里缓缓流出。

合欢：弘，弘，你怎么啦？！

一口鲜血如泉一样喷涌而出，弘猝然倒地。

这时，正值太平来到门外，手里握着那半把梳子，惊异地目睹了这里发生的一切！

太平尖叫着，回身跑去。她凄厉的声音穿透了后宫的寂静。

太平：来人呀！快来救人呀！弘哥哥死了……

旁白：弘的猝死始终是宫里的一个谜，很多人说是母亲害死的，就像你听到的那样，然而我却不相信，而且永远也不会相信。但死亡，寒冷的死亡，却以弘为形式第一次真切地闯入我的视野。大明宫从此再也不是我所认识的那片无牵挂的乐土，它由于弘的灵魂而开始变得如迷宫一般含义深刻，只有一条路可以通向生存。

第 六 集

第 七 集

黑暗中只有细雨伴随着一个凄郁、舒缓的声音念诵祭文。

画外音：永徽三年，高宗皇帝登基伊始，万象更新、百废待兴。恰当其时又喜得贵子，遂取名弘，以喻大唐之前程弘远。太庙中高宗大帝面对列祖列宗信誓旦旦，誓以呵护婴儿之精细打理社稷。二十年寒暑春秋，似水流年，如今国业终如所愿，蒸蒸日上，国力充足富强，如婴儿长成精壮少年。然人有旦夕祸福，命运无常，当年之婴儿却不幸英华早逝，撒手人寰，于国事人气欣欣向荣之际。追怀往事，感念斯言，悲泣哽咽，难以自持。

1.宫中甬道　夜晚　外景

（伴随着祭文的画外音）合欢身着孝服，秀发披散。本来生动的脸颊由于极度悲伤而失去了颜色和内容，只一双眼依然炯炯有神。他走得沉稳庄重，全然不顾时缓时急的雨水打击。

2.议事殿　夜晚　内景

李治、武则天及几位老臣正聆听祭文。李治痛不欲生，双手掩面，泪水纵横，佝偻着身体不住地摇头叹气。武则天面容肃穆，与沉浸在悲哀和无奈中的众人相比，倒显得相对平静。

　　画外音：当大地善降甘露，举国欢庆丰收；当战祸远去数载，百姓共享和平，是什么像阴霾的天色笼罩千万人的心情？是什么样的哀愁令普天下沉浸于悲痛？呜呼，皇太子弘，英年早逝，虽宏图未展，却一应上苍召唤，追随永逝流星。皇太子弘，处理政务，勤勉不辍，通宵达旦，夜以继日。常日出而眠，浅梦未稳，又要为国操劳，日累月积，内忧外困，终积劳成疾……

　　武则天：（打断）停！这句不好，拿掉它……

　　李治和大臣们皆不可思议地盯着武则天，目光中甚至有一丝愤怒。

　　武则天：……改做：太子虽身患恶疾，依然鞠躬尽瘁，勤勉不辍。繁星有知，夜夜陪伴其孤灯只影；晓日无情，朝朝打断其未酣晨梦。其打理国政之诚心挚意，情深意切，当感动天地；如苍天有眼，实应补其早逝康健，偿其未尽长眠。

　　李治重又低头，哭得更伤心。

　　武则天：加上了吗？继续……

　　画外音：太子一生勤俭，并以身示则。常洞开府仓，救济贫穷。太子坚信，仁义为治国之本，良善为做人守则。其随身之物，惟一卷《尚书》，自弱冠之年立太子，终日相伴，须臾不离，直至最后时光，如忠诚挚友，默默相送。太子常与近臣谈及身为帝王，应以《尚书》为鉴，每日研读，当可省身正己，感悟天理公义。当此人神共泣之时，人亡而书在，页页如铭文丰碑，见证逝者之德……行……昭……彰。

　　这时合欢从容走入，站在门口，脚下很快就积了一摊雨水。议事殿里的视线都齐齐地投向他。

　　合欢的目光牢牢地抓住李治及武则天，然后径直地走近。脸上大无畏的神情震慑了所有人。卫士以手扶剑，欲上前阻止，武则天抬手止住。合欢走至近前，跪下。

合欢：弘临终有一遗言托臣禀报二圣！

武则天：你是谁？

合欢：弘的书童合欢！

武则天：……你不知道这是朝堂圣地，闲杂人等不可入内吗？

李治：你就是合欢？

合欢勇敢地直视李治的眼睛，大义凛然。

李治：太子走前说了什么？

合欢：太子说他死得冤枉，太子托我问二圣一个问题，为什么要他死，为什么？

沉默。

李治：太子死时你在他身边？

合欢：只有合欢一人伴其左右。

李治：告诉我……当时的……情景！

合欢：太子的鲜血沾满了前襟，比狂风中即将凋残的牡丹还要哀愁。太子的面孔无比苍白，似乎世事的冷酷无常令他内心失望而彻底冰冷。太子的眼睛正视苍天，好像有无穷的诘问、悲凉与冤情要诉诸神明，太子的双手剧烈地抽搐、挣扎，把我的胳膊抓出条条瘀血，仿佛在抓住那能挽救生命的稻草，又似乎要抓住暗中施暴的黑手……

李治：（悲恸地）别说了！……别说了，你……下去吧！

合欢：（失声地）我不能下去，皇上，皇后，您们是他的生身父母，难道就不为自己的骨肉不明不白的惨死动容吗？您们拟写几条祭文，用表面华丽的辞藻装点他的灵魂，不觉得心虚吗？他的灵魂在九泉之下痛哭流涕，在恳求您们给予他一个答复，一慰自己，二慰天下……

武则天：（不悦地）合欢，我们是他生身父母，你是他什么人？

合欢：我是太子的仆人，又不仅是他的仆人，我还是他的……爱人！

所有人都惊异地重新审视合欢。

合欢：你们不必这样看着我，其实这在宫里已是心照不宣的事实，只不过没有人挑明而已。是的，我是他的爱人，我今天要让所有人知道这个事实！皇后是否记得，十五年前，是您把我从将被施宫刑的太监堆里挑出来，赐予了弘。而您可曾料到当年的那个少不更事的俊俏少年现已出落成人，并且把自己的所有心情都彻底交付给了您儿子。太子的生命就是我生存的全部理由，太子的凤愿即是我终日的向往。是爱情神圣的力量支撑着我跪在这里，以了却太子临终的遗愿……我想这已是世上最充实的理由，皇后还以为我没资格吗？

合欢盯着武则天的眼睛，居然令武则天的目光有些游移，转向别处。

李治：（悲愤得目瞪口呆）……你，你给我下去！……

合欢：圣上，不给合欢一个满意的答复，合欢是不会罢休的。

李治：（明显烦躁）你太过分了！

武则天：合欢，你如果再不从命就不能怪我们不通人情了……

合欢的眼神自始至终没有离开李治，即使是在武则天说话时。

合欢：（淡淡一笑）皇后是想处置合欢吗？合欢正有一愿相求，请圣上恩准！

李治：抬起头来！

合欢：请皇上赐我一死，并将我与太子合葬……世上没有了所爱，没有了太子弘的性灵，再活下去每一天都将是对灵肉的煎熬。既然我活着无法与太子名正言顺，至少死了也希望能光明正大地同他躺在一起！请圣上赐我一死，恩准我的请求！

李治：这……把他拉下去！

卫士强行拉起合欢向外走。合欢大声哭叫。

合欢：皇上，皇上，请准了合欢的请求吧！皇上！

合欢挣脱了卫士又重新跪在李治面前。

合欢：皇上，您就忍心太子他孤独一人，远离人间，他如何安眠？如何膳食……严冬酷暑，孤苦伶仃……让合欢与太子为伴……就算是皇上和皇后对太子的恩典吧……

李治被说得泪流满面，泣不成声。

武则天：（眼泪也夺眶而出）我恳请皇上开恩成全他，不管怎样，让弘儿不致寂寞……

合欢第一次正视武则天，似乎有些吃惊。

李治：我准了……

合欢随即被拉出去。

合欢：谢二圣恩准！

随后合欢开怀大笑，声音极其凄惨、空旷。

武则天：（平静下来）接着念祭文吧！

画外音：故皇太子弘，有德有行，克勤克俭……

李治突然感到眼前的一切模糊起来，随即变成漆黑一片。

李治：（大叫）眼睛，我的眼睛！我什么也看不见了，快叫御医，御医！

3. 东宫　白天　内景

东宫已是一片萧条，尽管一切依旧，家具摆设也被合欢临走前擦得窗明几净，但由于人去楼空，物件摆设似乎少了灵魂，失去了往日的活气和神采。院子里熙熙攘攘，太监们正忙碌地往出抬东西，整理弘的遗物。太平坐在庞大的妆台前，望着镜子出神，手中端详着那半只梳子，上面还挂着弘的几缕头发。她从身上拿出来准备送还给弘的另外半把梳子，对上去拼成了完整的一把。

旁白：合欢终被赐死，如愿同弘一起上了天堂。这是我亲眼目睹的第一次真正的爱情。真希望他们在那里能够堂堂正正地生活。因为我相信他们的感情真诚而高贵，你知道，我一生都在寻找这样一种爱情，现在才意识到只有弘最终得到了它。在爱情上，弘是幸运的……

4. 旦寝宫庭院　白天　外景

一群白鸽正伴着鸽哨展翅翱翔。

旁白：弘的去世仿佛更疏远了我们兄弟之间的感情。宫中的日子尽管平静，但却变得更为无聊，人们的脸色也似乎由此变得更加深不可测。作为次子的贤理所当然地成为了新一任太子，但愿他不会重复弘哥哥的悲剧。旦终日沉醉于自己的迷恋，鸽子似乎成为了他最亲近的朋友。

鸽子飞回来，落在旦周围，旦专心地喂鸽子，太平也伸着手在一旁等着鸽子落下。

太平：你说鸽子到底能飞多高？

旦：（眯起眼睛，看着蓝天深处）很高，有时高到我们看不见的地方。

太平：它们为什么要飞那么高呢？

旦：它们可能是想看见天堂！

太平：它们看见了吗？

旦：没有。它们如果看见了，就再也不会回来了。但我想，最终它们都会看见的。

太平：你不难过吗？你再也见不着它们了！

旦：我替它们高兴，天堂是世界上最美丽的地方，是所有人都想去的地方。其实，它们每一只都会回到我的梦里，告诉我天堂的样子，我为什么要难过呢？

太平：那弘为什么不回梦里看我，告诉我天堂的日子，难道他已经把咱们都忘了？

旦：这个地方可能让他太伤心了，再也不想回来了。

太平：你说，他为什么会伤心呢？他太子当得好好的，怎么又会突然就死了呢？

旦：因为他总想把天堂搬到人间来，这是不可能的，天堂只能有一个。

太平：所以他一难过就走了。可他就不想想，我们会有多伤心，尤其是父亲，眼睛都哭得看不见了！

旦：其实弘有很多机会可以活下来，但你知道生死不是由人决定的，尤其是我们这些皇室的子弟。上天给所有的生灵都安排了自己的命运。好像这些鸽子，它们的命运就是飞，日复一日，年复一年地飞，直到精疲力尽，直到有一天飞得心老了，力竭了，才罢手，在地上死去。它们永远没有权利选择不飞，弘就像这些鸽子。

这时鸽子转过檐角，消失在远天。

5. 药房　白天　内景

屋中光线黯淡，只有一缕阳光从很高的天窗照进来，反射在五光十色的药瓶子上，给屋中的幽静气氛增添了几分迷彩。显与韦氏在一排排的架子之间边走边谈。

显：这个架子上摆放的都是海外进献的奇香。你闻闻这个，是不是有一种海底幽深气息在香味里弥漫，让你有宁静深远之感。我把这种香献给母亲，每当政务繁忙的时候，如果点上一支，就会很快克服紧张、焦躁，安然入梦。这叫大抹香，产在大海之南的国度里，听说是土人们用鲸鱼脑子里的红宝石磨成粉制成的。

韦氏：（接过来闻了一下）听说他们在整理弘的物品时发现了一封褚遂良给弘的遗书，里面列举了皇后的好多罪状，还劝他和贤联合起来，别让江山落在外姓手中……

显佯装听不见，走到另一个架子前，逐一打开上面的罐子，闻着里面的香味。韦氏跟过来，还想说什么，显的话把她打断。

显：这些都是龙脑香。这是从扶桑和安南的右旋樟脑树脂里提炼出来的。这是从婆罗洲的左旋樟脑树脂里提炼出来的。这个其实不是龙脑香，是用蜂蜜、紫荆花、薄荷配合玫瑰、桃花和香茅配制的,但是气息却很近似,不是行家,难辨真假。

韦氏:你说这封信会不会和弘的死有关呀?弘临死前的那段日子总和皇后对着干,还有许多老臣总偷偷出入东宫,贤去的次数也挺多,贤刚刚被立为太子,就有那么多人被贬出京了,这是不是皇后在警告贤呢?我看贤的地位也不稳……

显转身对着另一个架子。

显:这些都是沉香,别看沉香在我们大唐最普通,最流行,其实配制起来学问最大。沉香木病变坏死以后,就能饱含香木的树脂,也就形成了沉香。沉香的形状不同香味也就不同。最名贵的美人香,天然形成窈窕淑女体形,其香能够刺激情欲,是百年难得的上上品。市场上最流行的是鸡骨和马蹄,只能熏衣去臭,再普通不过了。

韦氏:贤一进东宫就养了好多门客,天天有使刀弄剑的江湖游侠前去投靠,听说他还在命人秘密追查弘的死因,我看他还不如弘听话呢!

显:但是鸡骨和红牡丹香精混合就是香中的上品,能经久不散……

韦氏:(有些气恼)真不知道你这个皇子是怎么当的,怎么还这么没心没肺的?

显终于按捺不住,把香罐重重一放,正色面对韦氏。

显:我的心肺全都沉入这一瓶瓶奇香之中了。它们是我心血和精华的凝聚,是我作为大唐皇子向天下人呈现的善意和祝福。它们魂游天国的神奇、感悟仙境的美妙、体验生活的美好,全都是有我的一缕心香和魂魄做伴。当太子无非是为了治理国家,建立文功武绩,成为后世称颂的贤君明主。而我以自己的方式流芳百年,我这样做一点儿都不觉得辱没我的血统和门第。难道当皇子就一定要像野兽追逐猎物那样窥伺太子的地位吗?

韦氏愣愣地看着显,一时不知说什么是好。

6. 牡丹园　白天　外景

风很大，整个花园如麦田，此起彼伏。李治坐在大躺椅中，面对着竞开的百花。已见斑白的头发在风中瑟瑟抖动。他目光浑浊，望着眼前的一片模糊一言不发。贤恭立于李治身旁，身后是内侍及卫士们。

一太监摘下一朵牡丹，递与李治。李治闻了闻，用手抚摸着花瓣儿。

李治：小多了！我记得儿时的牡丹，都大如芭蕉，且香气劲壮，逆风都能传及四里。如今这花不仅小了，香气也淡了……

李治一片片扯下花瓣儿，撒落尘土。

贤：恐怕来年还会更小，连香味都没了。

李治：你真这么看？

贤：父皇应该看看蔷薇的长势，铺天盖地，来年会更猛，面目还会更张扬，土壤里的肥都被抢光了。其实父亲如果早下决心，几只蔷薇拔了也就拔了，不至于现在成了灾。如果父亲现在决定拔，还为时不晚，儿可助您一臂之力……

李治：我试过，可没想到蔷薇和牡丹的根早已长在一起，拔了它，牡丹会受牵连，也会很痛。

贤：那父皇难道就任其疯长，乃至有一天淹没了牡丹？

李治：弘曾想规定它的长势，如今你又想拔了它，你们犯的都是同一个错误，就是早早地把蔷薇树成了敌人，蔷薇的习性我最了解，你越想铲除它，它越倔强，非长出个样给你看，兴许一颗种子，就能生出满园的子孙。其实，要说缺点，蔷薇至多不过是好出个风头而已。

贤：可万一有一天蔷薇真的长邪了，非要同牡丹争个高低呢？

李治：万绿丛中一点红，你放心，红色永远是最抢眼的，旁边绿得越茂盛，红色就越是你眼里的要点。牡丹命好，天生就被赋予红色。一生下来就赢了……况且，像我说过的，连土壤都是我的，如真的闹了灾，一把火烧了它也不迟！

贤沉默。

李治：贤儿，要记住弘的教训，为人处世要先弄清对方是你的敌人还是朋友，然后再决定是杀他还是爱他。即使决定要杀他，也要先摸清他的脾气禀性才行，懂了吗？

贤欲言又止。

贤：懂了，父皇。

7. 议事殿　白天　内景

贤手捧奏章，大声宣读庆功大典的名单。武则天坐在龙椅上。

贤：……安阳王李思敬；淮南王李圭；亨山王李承庆；扶风王李峤；纪王李桢；汝南王李炜；鄱阳公爵李湮；并州侯武元庆；知州侯武元爽；敬晖侯武惟良；应安侯武惟运；中书令李义甫；门下侍中许敬宗；尚书令韦月将；英国公李震嗣；胡国公秦艺；左翊卫大将军徐世祖；右翊卫大将军窦建威；太子太保裴炎；太子给事张说；高丽王子黑齿常之；天官尚书邓玄挺；纳言张光辅；魏国夫人贺兰氏。

武则天：（抬起眼睛）完了？谁来主持大典？

贤：（不假思索地）儿臣已是太子监国……

武则天：我有件事还想向你请教。母亲，不像你们，自幼就跟朝中的鸿儒大贤学习圣人法度，我真不明白为什么女人就不能参加这样的活动。圣人们是怎么解释的呢？

贤：兵为阳，所以男主战事，这是天经地义的。女主内，相夫教子，侍奉夫君，也自有上天为她们规定的义务。男女各有其尽职的场所，是不应该混杂的。（看着武则天皱紧的眉头，顿了一下，思索着转换话题）再说，胜利庆典，满朝文武，数以万计的得胜将士聚集一堂，到处充斥着张扬暴戾的阳刚之气，是会有损柔美娴雅的女性淑仪的。而且远征归来，九死一生，庆幸不已，将士们未免会狂歌豪饮，形骸放浪，实在不适合

第七集

后宫女性入目。我想……先皇们制定这样的规矩,无非是出于上述原因。

武则天:那魏国夫人的名字为什么在列,你就不怕皇上治你玩忽职守、破坏典制的罪?

贤:魏国夫人参加正是父亲的旨意。

武则天:那我现在也下一道旨意,我要让太平参加。不仅要让太平参加,还要让她主持大典。我要让普天下知道现在四海之内有一个多么伟大、辉煌的皇族出现,她不仅英勇善战、血气方刚,还妩媚动人、柔情似水!

贤不知所措地注视着武则天,不知何时触怒了她。

8. 大典场面　白天　外景

旌旗飘扬,高大的庆典台下,广场上众将士甲胄分明,气宇轩昂。台阶上站着满朝文武,一个个翘首以待。李治和武则天端坐在庆典台上,身后是众皇子。

这时候太平头披面纱,穿着那件自己设计的新衣,仪态万方地缓缓走上台阶,微风吹得她衣袂飘飘,秀发如旗招展。众人睁大眼睛,屏住呼吸,偌大广场鸦雀无声。太平看着这宏大的场面,一时不知道说什么了,她回头看着母亲。武则天点点头,微笑示意。

太平:我……我感谢你们……

她有些紧张,回头再一次寻找母亲的目光,武则天微笑着鼓励她。太平现在完全恢复了自信。

太平:我的父皇母后也感谢你们……

太平清纯的面容由于激动而泛着动人的光泽。徐徐展开的轻松笑容暗示着她逐渐舒展的心情。

旁白:权力,我平生第一次直觉地感受到权力,那君临于万众之上的迷人感觉……我凝视着广场上凯旋的战士们那一张张还隐隐浮动着战争烟云的刚强面孔，聆听着自己嘹亮的喉音如展翅腾飞的云雀刺穿头顶瓦蓝的天空。我终于开始领悟到我的哥哥，父亲，包括我的母亲那永远晦疑莫测的表情之后深刻的背景，开始理解这让世人前仆后继，宁可舍去生命亲情也要夺取的绝对幸福。权力，这是你我生命中的永恒主题，是隐藏在你高贵血统之中挥之不去的神的印记！

太平：我以我上苍赋予的美丽祝福你们，大唐无畏的将士，我们锦绣山河永远的守护神！

台下中外来宾中突厥王子望着太平的倩影，一脸痴迷。

9. 皇帝寝宫　夜晚　内景

李治端坐在屋正中的龙椅上，头压得很低，似乎在打瞌睡。身边一太监正为其轻轻地摇着扇子，屋内出奇的静，魏国夫人推门而入，穿着不合时宜的礼服，站在门口望着李治，满脸泪水，李治听见声音，抬头判断。

魏国夫人走到李治跟前，跪下，泪水不住地流。李治用手抚着她的面颊，摸到她的眼泪，一言不发。

魏国夫人：皇上看见什么啦？

李治：（苦笑）我还能看见什么，我什么也看不见！

魏国夫人：亏得皇上看不见，否则见到我这身打扮，一定笑话我。

李治：怎么，你今天穿得很丑？

魏国夫人：恰恰相反，这是我平生最美的一件衣服，也是令我备感羞辱的一件衣服。承蒙圣上的恩慈，贺兰伴着孤灯亲手设计缝制了三天三夜，就是为能在凯旋大典上一展风采，以答谢圣上的器重之情……

李治：我明白了，这就是你为什么这么伤心，哭得像个泪人儿，原来是怨我在大典上忽视了你，贺兰，你的心意我领了，可你想想，大典上满朝文武，再说我这眼睛……

魏国夫人：（呜咽）皇上，我……根本就没参加大典……

李治：……怎么？为什么？是我亲自让贤准的你呀！

魏国夫人：可皇后又把我的名字删去了！

李治：（不悦地）是吗？怎么会这样……

魏国夫人：皇上，我今天来早已抱定了将死的心愿，作为一个疼爱您的女人，我尽管没有什么名分，但却有一些非分的想法不得不说。请问皇上，大唐是谁的天下？难道圣上的旨意就可以被她这样随随便便地违抗，篡改？难道神圣庄严的庆功大典仅仅由于她对于女儿的宠爱而史无前例地由公主主持？难道……

李治：贺兰，你说得太多了，想要的东西也太多了，一点儿也不像你的母亲。太平毕竟是公主，你应该知道自己的身份，无论从哪个角度讲，你都没法和别人争什么。

魏国夫人：我倒觉得皇上您不想要的东西太多了。太平是公主，毕竟是您的女儿，姨妈是皇后，毕竟还是您的妻子。可是现在，您的权力让别人来行使，您的光辉让别人获得荣耀，您最钟爱的女人都无法得到和她的主子相匹配的地位，连个名分都没有……我当然不像我的母亲，因为母亲是这宫里人事最悲哀的例子。魏国夫人，韩国夫人，多可笑的名字，连个昭仪都不如。巍巍大唐居然没有她们的栖身之地，只能隐姓埋名，做一个提心吊胆、偷情鸳鸯一般的挂名夫人。魏国夫人，难道这咒语一般的名号将注定使她像她可怜的母亲那样，终身忍辱负重、委曲求全地抑郁而终吗？

李治：……贺兰，你长大了，长大有时是一件危险的事情。

魏国夫人：就像弘那样，大唐赠予他成人的厚礼是一腔喷涌而出的热血！

李治：我再说一遍，你说得太多了……你还记得我给你讲过关于鸟儿的道理吗？鸟儿如果安于自己的命运，安于它主子的宠爱和呵护，就会平稳、优裕地度过一生。可一旦它有猛禽的理想，甚至想当凤凰，那就如同死期将至，连它的主人也无能为力！

10. 湖心岛　白天　外景

　　风和日丽，湖心岛上，聚集在一张丰盛的餐桌旁的一群盛装男女。酒意正酣。武则天坐在桌首，荣国夫人坐在旁边。两侧依次坐着惟良、惟运及诸位武氏宗亲。欢声笑语不时飘来，一派欢乐祥和的家宴情景。

　　荣国夫人：（小声地）你看惟良和惟运现在那个得意劲儿，还不是依着你的势，原来他们是什么，不就是个樵夫吗？大字不识，现在可好了，沾了咱家的光，也成了皇亲国戚了。成天价逢人便吹，说他妈虽是武家小老婆，却温文贤惠，从小还教你读经识礼；说你有今天，他母亲功不可没。最可气的是说我当年如何刁蛮，连饭都不给他们吃饱，他们大字不识，全是我给耽误的，你说说，他们良心何在？

　　武则天：他们说的倒是实话，我有今天，也确实多亏了姨娘的一番启蒙。至于说你不给他们吃饱，虽有些过分，但你确实也常留着藏着，生怕人抢了似的。

　　荣国夫人：哎，你这孩子，我留着藏着，不都是省下来喂你吗！这妈还真没法子当了，连自己的女儿都怪罪！反正，这俩小子没少编瞎话，说兄妹几个中他们待你最好……

　　武则天：（付之一笑）是吗？……

　　在长桌下首，魏国夫人喝多了酒，传来放肆的笑声。众人都转头去看她。

　　魏国夫人：我喜欢这种酒，再给我斟满。

　　宫女看太监，太监又向武则天这边看。

　　魏国夫人：你们怎么站着不动？斟酒啊！

第七集

在说笑的人都止住了，担心魏国夫人的言行越轨，触犯了武则天。

太监：（小心翼翼地）魏国夫人，这酒是皇后最喜欢的……

魏国夫人：（没等说完，接过话茬）我再喝一杯，就一杯……

荣国夫人见贺兰氏执意要喝，怕得罪了武则天，便过来圆场。

荣国夫人：贺兰，你不能再喝了，这酒劲很大……

魏国夫人：我今天高兴，我想喝……姨妈，我再喝一杯行吗？

武则天：（微笑着）当然。一家人难得在一起，高兴怎样就怎样……

宫女把酒给魏国夫人满上。她竟一口喝干，再次要斟酒。

桌上的气氛由于魏国夫人的放肆，有点紧张起来。

武则天：把我的酒给兰儿送过去，让她今天畅快……

站在武则天身后的宫女捧酒向魏国夫人那边走去。

荣国夫人和各位都显出很怕出事的样子，诚惶诚恐。

武则天不看魏国夫人，故意招呼大家吃饭。还特意为荣国夫人夹了菜。荣国夫人受宠若惊，失手把筷子掉在地上。慌乱一阵后，荣国夫人偷窥着武则天的表情。

荣国夫人：（小心、谨慎地）你千万别跟她一般计较，贺兰还小，不懂事……

武则天：（微笑着）年轻嘛，气盛！

魏国夫人看宫女给自己斟满了酒，她没有马上端起来喝，而是突然站起来，脸色变得冷漠。

魏国夫人：我不喝了，我有些不舒服，先回宫去了，失陪了。

说完，没等任何人做出反应，她已经款款地离开了桌子。径直向岛边泊船走去。

荣国夫人吃惊地看着她，连太平都觉得不可思议，魏国夫人竟然如此目中无人。大家都回头看武则天。

武则天倒极为平静，从她脸上看不到更多的情绪变化。她依然在细嚼慢咽。

武则天：（抬起头）大家不要扫了兴，吃啊！我们一家已有多少年没有在一起吃过饭了？

众人都回过神来，慌忙应允着。

荣国夫人：真的，大概有三四年了吧……

11. 渡船　白天　外景

魏国夫人上船。

船夫撑船离岸。

魏国夫人：（看了他一眼）我怎么没见过你？

侍卫：我是刚刚入宫当差的。

魏国夫人的脚在船头绊了一下，侍卫扶住她。

侍卫：夫人当心。

魏国夫人甩开他的手，发泄着怨气。

魏国夫人：我自会当心！

12. 湖心岛　白天　外景

桌上又有了欢声笑语。只有太平在关注着魏国夫人的渡船。船渐渐远离了湖心岛。

13. 水上　白天　外景

船驶入湖心，魏国夫人不知何故突然伤心起来，低下头小声哭起来。人完全不像刚才那样傲慢，变得柔弱而胆怯。

这时候桨声停止了。突然，她听到身后"咕咚"一声水响。她回过头来，船夫已经不见了。魏国夫人正纳闷，猛然发现河水正迅速地从船底透进来，很快浸湿了她的裙子下摆。水在迅速蔓延。

魏国夫人：（惊呼）快来救我，快来救我……

14. 湖心岛　白天　外景

湖心岛的人都听见了，太平第一个站起来，指着远处。

太平：快看，贺兰姐姐！

湖面上，魏国夫人亮丽的衣裙渐渐沉入水中。

大家惊慌起来，只有武则天十分冷静，似带微笑。

几条船向那边划去，但是已经晚了。

太平回过头，看着母亲。武则天感觉到她的凝视，面无表情地低头。

旁白：这是宫中第二个在我眼前消失的人。我凝视着那丝似乎永远挂在母亲唇边的混沌笑意，第一次感觉到彻骨的寒冷。母亲，我不可思议的母亲，为什么总能在别人遭受灭顶之灾时充当那次劫难沉默的见证人？

（伴随着旁白）水下，魏国夫人的艳丽衣裙像百合一样盛开，头发飘散，仿佛梦境中才能降临的女神，美艳而不祥。

第 八 集

旁白：我生平第一次有意疏远母亲。确切地讲，有意疏远宫里的一切人。我突然觉得自己应该作为一个秘密存在，那仿佛在一夜之间突然具有的丰富缠绵的想象和梦境，赋予了我身体发育上每一种令人不安的尴尬和多愁善感的形式。我必须远离众人，我需要时间来发掘与成长相伴而来的略嫌恐惧的神秘。我尝遍了几乎所有形式的噩梦，终日诚惶诚恐地站在镜前，回味着昨夜那令人胆战心惊的情节。一个女人的成熟往往是局促而慌张的，她由于最浪漫的期待和害怕心愿落空的疑惧而终日被噩梦缠绕。

1. 水下　白天　外景

魏国夫人如绽放的百合一般缓缓下沉，魔幻身影突然之间具有了向上的活力。她轻轻摆动着双臂，由于衣袖的宽大看上去像是一只美人鱼正在舞动着柔软的鳍。她突然睁开眼睛，依然光彩照人，她说话时缕缕气泡缓缓上升，仿佛特意为她造的声势。她的声音由于水的阻力而浑浊不清。

魏国夫人：你们都嫉妒我，太平，还包括你的母亲，因为我有花一般的姣好面容，柳枝一样的柔软身材。最重要的是，我还有如鹿一般轻巧的智慧。而你呢，太平，活像一只还未成型的鸭子，即使与我的身体相比，你也差之千里，丑陋得还不及我的脚趾。

2. 武则天寝宫　夜晚　内景

梦境。
夜风强劲，吹得武则天凤榻四周的纱帏呼呼作响，如海上鼓动的帆，飘摇动荡。太平穿着白色的绸睡衣，怀抱着枕头，望着正在熟睡着的母亲。她全身着黑，被同样黑暗的夜隐去了身形，只一张脸清晰可见，如夜的面容。太平抽泣着，满脸委屈的泪水，母亲睁开眼睛。

武则天：怎么了，太平！
太平爬上床，哭得更伤心。
太平：我刚刚看见贺兰姐姐，她为什么总与我作对，说我丑，丑得还不如她的脚趾美丽，为什么？妈妈，我真的那么难看吗？
武则天轻抚着怀中太平潮湿的面容。
武则天：魏国夫人死了，你忘了吗？她已被埋在太液池最深的湖底，现在恐怕早就被鱼吃光了！你是我的女儿，怎么会丑呢？你是大唐春天最美的一朵玫瑰……哎呀，你脸上长的是什么，快让我看看……
武则天捧起太平的面颊，对着月光。
武则天：你现在怎么变成这样了？满脸全是红红的疙瘩，真的很丑！你太让我伤心了，你这个样子怎么还能主持大典……（武则天的脸突然变得寒冷）……而且我不喜欢你的眼神，我讨厌有时你看我的样子，妖气森森的，和魏国夫人没什么两样！别这么看着我……
武则天掐住太平脖子的手开始加劲儿，太平惊恐地睁大眼睛。
武则天：别这么看着我！……你知道吗？妈妈这样做是为了你好，

妈妈爱你，真的很爱你……

太平惊恐地挣扎，试图摆脱母亲钳子一般的手。

3. 太平寝宫　夜晚　内景

太平在床上辗转反侧，终于惊坐起来。她惊恐地环顾四周，空无一人，一片死寂。她意识到刚才仅仅是梦，长舒了一口气，继而真的伤心地抽泣起来。太平突然觉得手指间黏黏的不是滋味，她抬起手，借着月光观察着……太平发出一声惨烈的惊叫，她看见自己的手上鲜血斑斑，身下也已被血浸湿一片。

5. 温泉　夜晚　外景/内景

太平和衣浸在水中，脸上头发都湿湿的，哭得依然很伤心。

太监：哎哟公主，您快上来吧，泡了快半个时辰了，您要着了病，我怎么向皇后交代呀！……

这时，武则天一行人疾行而入。

太监：皇后，您看公主就是不出来……

太平远远地看见母亲，想躲，情急之下把头一猛子扎进水里。

武则天走到池边，望着飘浮在水面上的太平乌黑的头发。

武则天：太平，是我！我是来祝贺你的，你长大了，是个姑娘啦，这让妈妈真的很高兴！……

6. 水下　夜晚　内景

太平在水下努力憋住气，任凭母亲喋喋不休，一串串气泡升起。

武则天：（瓮声瓮气的声音）……每一个女人都会有这第一次，妈妈也有过，这又不是什么难以启齿的事，有什么怕羞的呀！……

7. 温泉　夜晚　外景/内景

太平终于憋不住，蹿出水面，大口喘着粗气，水溅了侧坐在池边的武则天一脸一身。太平望着一脸慈祥笑意的母亲。

太平：（喊）你也走，我再也不愿见你了！都是因为你，说我丑，还吓唬我！

武则天：我什么时候说过你丑啊？你是我女儿，我怎么会……

太平：说了说了，就刚才说的，在我梦里……

武则天：（饶有兴味）那讲给我听听！

太平：你说我难看，说我满脸都是红疙瘩，让你失望。你，你还要杀我！……

武则天的脸一下子黯淡下去，笑容僵滞在脸上，内心的疼痛再一次复发。

太平：……你用手掐住我的脖子，就这样……然后一点点儿用劲儿，还说你那样是为我好，因为爱我……

武则天：你住嘴！住嘴！（武则天竭力使自己平静，但语调依然微微颤抖）……你……真是越来越没规矩了，哪有这么和我讲话的！这就是你第一天长大送给我的礼物吗？

太平：（委屈地）我说的是实话……

武则天：我们都走！你愿意待在这儿，就自己留在这儿吧！我们都走，谁也不管你，你自己也正好仔细想想刚才说的话！……

武则天愤怒地站起身，带着内侍们向外走去。太平被母亲的盛怒吓傻了，呆呆地望着母亲走远，到了月亮门口，武则天止步。

武则天：你们留下几个人，远远地看着她，小心别出事！

武则天的眼里居然有些模糊。

8. 议事殿　白天　内景

屋中上首坐着李治、武则天，两侧是李义甫及贤。气氛沉闷，三个人的目光都瞄准了武则天，而她则望着窗外发呆，心事很重。

李义甫：皇后……突厥王朝雄踞大唐北部边陲，滋扰大唐是有传统的，从未诚心归顺。突厥虽国力无法与大唐相匹，但游牧民族来去无踪，居无定所，无牵无挂，又精通游击战略。从太宗时代起就为我国边陲安睦的一大隐患，每年都要耗费朝廷大量财力、人力，负担很重。自从裴行俭将军大破突厥，已历时十四年。如今突厥人早已换了主子，新可汗阿努卢术为四皇子，本与王位无缘，但此人城府极深又能言善辩，先监国后摄政最终占了王位。自继位以来，在国内大兴尚武之风，人人皆兵，把全国的牧马皆驯成了战马，且训练了一支强悍的军队。其野心和实力不可小视。突厥人犯境无非是贪图钱财。他们对土地毫无兴趣。如今天赐良机，他的二皇子看上了公主的花容月貌，这实在是大唐与其修好的绝好时机。嫁了公主再送一批贵重嫁妆，换来的会是至少五十年的安定和平……

武则天：行了，我懂了！皇室之间联姻以图安定，这不是什么了不得的策略，先人树过不少成功典范，只是突厥国穷山恶水，人多刁蛮生猛，公主生性倔强，怕是嫁过去受委屈。

贤：母亲，我与突厥王子堪称知己，此人自幼长在长安，崇拜大唐文化，深识汉礼，颇有教养。不仅长得英俊潇洒，且文韬武略，写得一手好诗，还练得一手好字。我想公主嫁他，谈不上什么受委屈……

武则天：（讽刺）听太子这么说倒也轻松，假如你是女儿身，愿意嫁去那么遥远的地方吗？

武则天说得意味深长。

贤：母亲错了，公主幸福与否，也是做哥哥的惦念，我与太平从小一同长大，情真意切，珍爱她毫不逊于珍爱我这个太子位。但我同时珍爱大唐江山，自会权衡利弊，若有两全其美的方法当然乐不可支。母亲放心，如太平真的受了委屈，我将是第一个率兵闯敌阵的壮士！

　　李治：（打圆场）嗯……我看这样，改日我赐宴，把这个汉化了的突厥王子请来，也和太平先见见面，看看他们自己怎么说。

　　贤和李义甫退下。

　　李治：太平呢？还住在温泉吗？

　　武则天：嗯，到今儿已经有五天了……

　　李治：这孩子，脾气性格越来越像你，真是娘儿俩！……这么任性，怎么看也不像给人当媳妇儿的人……你也是，跟一个孩子怄什么气！我看还是尽快把她弄回来，老住在温泉算怎么回事！

　　武则天望着窗外愣愣地出神。

　　武则天：皇上真觉得太平越来越像我吗？

　　李治：……够像的！也有那么一股子不达目的誓不罢休的拧劲儿，她认准的事，两头牛也拉不回！尤其她说话时的表情语气，和你简直如出一辙！

　　武则天：这……正是我担心的地方！

　　李治：什么？因为像你？那不挺好吗！媚娘巾帼不让须眉，是天下公认的女中豪杰，如太平果真像你，我看这世上所有女人的福气和精气就都修在我们李家了。连我们李姓都恐怕要跟着光荣！

　　武则天：皇上真会讲话！其实巾帼哪里斗得过须眉！所谓一两个女中豪杰，只不过是男人为了满足宽容大度的好心情说着好听罢了。我媚娘能有今天，八成靠运气，加上遇上的男人也大都心情不错，哪儿称得上什么豪杰，也确实没什么骄傲的，庆幸倒是有几分！所以我担心太平！我希望她能活得像个真正的女人，有个真心爱她的丈夫，哪怕普普通通，却像花儿那样被男人捧着……

　　李治默默地听着，尽量体会着妻子此刻的心情。

　　武则天：皇上还记得太平出生时占卜师的话吗？她十四岁是个命坎

儿，度过去了就一生平安，否则……我最近格外担心，总怕她出什么事儿，对这门亲事我就更敏感……

李治：太平的出生救了大唐，兴许太平的出嫁也能成为国运的吉星！

武则天：皇上，太平首先是你我的女儿，然后才是大唐公主。她可不是一件用来扭转乾坤的武器或用以克敌制胜的法宝！

李治怔怔地望着武则天。

10. 温泉　白天　外景/内景

温泉边两棵树之间多了一张吊床，风一吹，便轻灵地左右摇摆，把夏日浓郁热情的景色点缀得很悠闲。太平与韦氏坐在池边，脚踢打着池水。太平的脸色恢复了平静。

韦氏：你打算什么时候搬回宫住啊？

太平：我才不想呢！这儿挺好的，晚上睡觉前有满树的鸟唱着歌哄你，我从来没听过这么多种鸟一起叫，那声音美极了，胜过宫里任何的丝竹班子。要是睡不着呢？我就爬下来和水撒欢儿，你知道吗？半夜，水流的声音和白天一点儿都不一样。听上去娇滴滴的，像个婴儿！早晨呢，我是宫里第一个看见太阳的人，就在墙那边儿，红红地升起来……

韦氏：那冬天呢？冬天你怎么办？

太平：我就让他们给我生一盆火，暖洋洋的，但身上还盖着雪……

韦氏：你就一点儿也不想你母后，还有……

太平：想她？我才不呢！谁让她说我丑的，还吓唬我！

韦氏：哎呀，怎么梦里的话你也相信！你呀，是和皇后赌气，怕羞！

太平：可最近我觉得自己真的很丑。

韦氏：怎么会呢？连花匠都在背后偷偷议论你有多漂亮。

太平：真的？！……可他们也都知道我那天……流了好多血，看我的眼神都变了。

韦氏：这有什么！我早就流过了。流得比你可多，整个床都红了，可吓人了！女孩子都要这样……

太平：他们知道吗，你……流血？

韦氏：不知道！我偷偷地把床单就这么一卷，扔了！

太平：扔在哪儿啦？

韦氏：扔在……外面。

太平：外面？

太平一脸疑惑。韦氏诡秘地用手指着宫墙外，一副洋洋自得的样子。

韦氏：对！……外面。

太平：真的！可你怎么出去的？

韦氏：我自有办法！外面可有意思啦！比宫里强百倍，我从来没见过那么多人挤在一起，还有外国人。波斯人，回鹘人，大食国人，在东市卖他们的宝贝，他们的香囊比显给我的漂亮好多。噢！还有胡姬，眼睛蓝蓝的，在戏园子里跳舞，周围全是咱们大唐的少爷们，个个长得英俊潇洒，挥金如土。饿了，你就去西市的食街，那儿全是饭馆儿，比御膳房的还好吃……

太平：（按捺不住激动）我也去，你带我也出去一次！

韦氏：那可不行，皇后知道了，非杀了我不可！

太平：没关系，有我呢！你就带我出去吧。就一次！

韦氏看着太平焦急的神情，似乎在下决心。

韦氏：好吧！今天是上元灯节，东市要彻夜狂欢，还有大戏看。但你得答应我，万一皇后知道了，你一定救我！

太平：那当然，你就放心吧！……可这么多人看着我，我怎么出去呀？

韦氏：我自有办法，走！

两人一阵风一般往出跑，远远地内侍们怔怔地望着她们。

春提着食盒望着她们的背影。

12. 宫门口　白天　外景

太平和韦氏并排走着,看上去像两个小太监。望着宫门口威严的卫士,太平越来越心虚,脚步也慢了下来。

太平:(小声)我有点儿害怕,你看他们盯着咱们呢!

韦氏:别怕,就当他们是木头人。脚步千万别慢,慢了就等于招他们注意你!就装作没事儿的样子。记住,别看他们的眼睛!

太平:他们要问我们是谁,怎么办?

韦氏:不会的,一般出宫不会被盘问!高兴点儿,别看他们……

说着,两人已行至门口,太平头压得低低的,紧张地用余光打量着左右,卫士们目光平视,挺拔着身体,果真如木头。太平和韦氏安全地过了门卫。

太平:(抑制不住欣喜)我出来了,……出来了,我们出来了!

韦氏:别太高兴了,他们很可能看着我们……照原样儿走,过了那亭子就彻底没事儿了……好了,太平,跑!

两人嬉笑着跑,好像笼中刚被放飞的两只云雀。

旁白:我出生于长安,却在将近十四岁时才第一次真正看见它的面容。我像一个纯粹的陌生人,畏首畏尾地逡巡于那晚长安城狂放情趣的边缘,慌张地面对市井呈予我的声势浩大的热情。我那在宫里称得上蓬勃的想象力第一次遭受了惊讶,因为现实已超越了想象使它变得乏味而苍白。我的子民们隐藏在各式动人的面具下像对待邻家的女孩儿那样友善地同他们的公主开着亲切的玩笑。

13. 长安街景　夜晚　外景

(伴随着旁白)太平紧紧拉着韦氏的手,激动地张望着人群的每一个细节。

太平与韦氏浏览于街头,旁边叫卖的商贩吸引着她们。最终,太平拉着韦氏来到一处卖面具的摊位前,桌上放着各式各样色彩鲜艳的面具。太平翻着它们,爱不释手,还不时试着戴一戴。

太平:这是什么面具?面黑如锅底,鼻子这么宽……

摊主:小姐不知,这叫昆仑奴面具,大海盗王世杰刚刚从海那边贩回来一批昆仑奴,个个体壮如牛,身高越丈,却性情温良,踏实肯干,一到长安就被贵族豪门瓜分殆尽。如今,上街能带两个昆仑奴保镖,是世家少爷们最时兴的玩意儿!小姐何不趁过节也买两个面具,赶赶时髦?

15. 街景　夜晚　外景

太平站在人流中,戴着面具。没有人注意她,人群水一样从她身边流过。她来去回着头,好像在找什么人。

太平摘下面具,眼里已见了泪,她委屈地喊出了声。

太平:韦姐姐,韦姐姐,你在哪儿?

太平泪流满面地在一张张面具中穿行,终于,她看见前方出现一张昆仑奴的面具,她欣喜地扒开人群,不顾一切地冲过去。

太平:你跑哪儿去了,吓死我啦!

说完掀开了面具。后面是一张陌生的脸。太平慌张地松开手,跑开了。

在人群中,太平急不可待地揭开一张张昆仑奴面具,叫着"韦姐姐"。但一次又一次地失望,任何面具后面都不是韦氏。

这时,又有一个戴昆仑奴面具的人出现在太平面前,正朝她走来。太平几乎没有了希望,犹豫了一下,还是上前,揭开面具。面具下的薛绍惊异地望着她。

旁白:我从未见过如此明亮的面孔,以及在他刚毅面颊上徐徐绽放的柔和笑容。我十四年的生命所孕育的全部朦胧的向往终于第一次拥有了一个清晰可见的形象。我目瞪口呆,仿佛面对的是整个幽深的男人世界。他就是薛绍,我的第一任丈夫。

薛绍被眼前这个一脸泪花、似乎突然患了失语症的女孩子逗笑了。

薛绍:您……是不是在找人?

太平:是……我在找昆仑奴。

薛绍:昆仑奴仅仅是一张面具,面具后面的人脸通常是不同的,所以您是认错人了!您手里不是也拿着一副昆仑奴的面具吗?

太平低头看着自己手上的面具,抬起脸时一脸羞涩。

薛绍:……我可以走了吗?

太平傻傻地点点头。

薛绍擦身而过,太平呆立在那里,片刻才想起应该回头再看一眼。薛绍也恰巧回头看她,依旧一脸清澈的笑容。太平望着他重又戴上面具,消失在人群中。

韦氏出现在太平身后,俏皮地拍了一下她的肩膀,见太平没什么反应,干脆绕到前头。

韦氏:找什么呢?我在这儿呢……你猜刚才我去哪儿了?

16. 馄饨摊　夜晚　外景

馄饨摊儿边,韦氏正津津有味地吃馄饨,嘴中喋喋不休。

韦氏:……然后他说,你知道我是谁吗?我是赫赫有名的欧阳成都大少爷,我父亲是欧阳阁,正谏大夫,三品从下,你要是跟了我,保你这辈子荣华富贵。我就问他,你怎么看出我是女的?他说天下哪有这么秀气亮丽的男人……你怎么了,怎么心神不定的?

太平望着一个空洞的方向出神。韦氏吃完馄饨。

韦氏：走吧！……哎呀，糟糕，我忘了我们没有钱！

太平：……我的玉佩没有了，拿你的吧！

韦氏：那怎么行，这是显送给我的礼物，哪能随便就换了馄饨吃！

太平：那我们就坐在这里，等皇后来接我们。

韦氏：……那好吧，你到时帮我跟显解释，不是我故意弄丢的！

太平：放心，我会说的。

韦氏：（递过玉佩）能不能……用这个换！

摊主看着玉佩，顿时转怒为喜，伸手去拿。

摊主：能，能，太能了！

韦氏将手从半空抽回。

韦氏：慢着，你说说，我这玉佩能换多少碗馄饨？

摊主：这儿馄饨都是您的，您全都端走！

这时远处高高地驰来一队人马，一看就是官里人。人群纷纷躲避，太平眼尖，首先洞察。

太平：那你就招呼人来吃馄饨，有多少碗就招呼多少人，我请客！

韦氏诧异地望着太平。

太平：快把面具戴上，低头。

摊主：哎，众位，今儿你们碰上贵人了，请你们来我这儿吃馄饨！有饿的就坐过来，僧多粥少啊！

一时间馄饨摊前大乱，一会儿就坐满了人。

太平和韦氏紧张地低着头，对着空碗做吃状。

官里来的人马很快围住了馄饨摊儿，像是捉拿要犯。所有人都紧张地住了碗筷，摊主更是吓得说不出话来，呆呆地看着为首的翻身下马，冲太平她们走来。

太平看见来人的脚出现在视野内，知道大势已去。来人跪下。

卫士长：奉旨接太平公主回宫！

馄饨摊主闻讯惊讶万分，慌忙跪下。众人一齐跪倒在地。

摊主：（递回玉佩）公主饶命……

太平没有接摊主手中的玉佩，恼怒地摘下面具，拉着韦氏在众人的注视下走向迎候的马车。

旁白：我的第一次"胜利逃亡"就如此惨淡而难为情地草草收场。可那是我一生中最重要的一次旅行，它使我像一个真正的女人那样拥有了那种诱人的被称做梦断思连的甜蜜心情。我爱这座城市，因为他的存在。我望着窗外长安城的车水马龙，彻底地将灵魂交与了它。

太平望着车窗外的繁华夜景，一语不发。

第 九 集

旁白：你现在长大了，应该明白为什么你十四岁那年偷偷溜出太平府，去东市回来后挨的那顿痛罚。我第一次偷跑出宫时就不懂，不就是进一趟城吗，况且长安还是我们大唐的都城。那儿理应如圣人们所说的遍街充斥着敬慕热爱我们的子民，母亲何必要劳驾整个后宫甚至军队，像取经那样兴师动众地把我找回来！我现在明白了，天下在某种意义上讲是皇室最大的敌人。这就是为什么神策军总是要挑选世间最健壮骁勇的武士。因为我们手中有传统赋予的绝对权力，掌握着天下人的命运及幸福。

1. 宫内甬道　夜晚　外景

太平的车辇所经沿途全是依次跪拜的内官侍从，皆面色惶恐，嘴中唠叨着：公主受惊了，公主受惊了……

太平和韦氏透过车窗望着外面小题大做的松明火把，互相交换了一下儿眼神，开始意识到事态的严重，紧张起来。她们随即远远地看见甬道尽头站着一小队御医，后面站着捧着叠得整整齐齐的干净衣裤的宫女。

2. 浴室　夜晚　内景

两个宫女抬着一特大木桶,将水一股脑儿地倾泻在太平的身上,太平大口吸气,应付激烈的水流突然的刺激。

3. 御医房　夜晚　内景

太平与韦氏先后进入,俩人头发都湿淋淋的,贴在头上。身上裹着白布,一脸茫然无奈。俩人刚刚坐下,各自身边就聚集了一群人。一御医开始为太平把脉,查目……后面一宫女仔细扒开太平的头发,好像在找虱子。

御医:疼吗?……这儿呢?……这儿?……呼气……吸气……
太平不住地摇头。
御医:公主吃东西了吗?
太平:吃了!
御医:吃的什么?
太平:馄饨。
御医:几个?
太平:……忘了!
御医:在哪家吃的?
太平:……忘了!韦姐姐,咱们在哪家吃的?
太平望着坐在自己一侧不远,同样被众人包围的韦氏。

4. 甬道　夜晚　外景

御医主管在前,太平及韦氏紧随其后,俩人已改头换面,披散着湿湿的头发,一脸一身的鲜亮馨香。但看得出心情却忐忑不安。

韦氏：这下完了，捅大娄子了，我说不带你去吧……怎么办啊，你一定救我！

太平：你放心，我会和母后解释的，别害怕！

5. 武则天寝宫　夜晚　内景

屋中已跪了一群人。春、三宝，以及温泉的宫女，太监及守门的卫士及卫士长。

武则天坐在正前方的龙椅上，一脸铁青，屋内一片死寂。

俩人在主管御医的带领下怯怯地进入。御医进屋后，径直走向武则天。

御医：禀皇后，都查过了，只有公主的脚轻微浮肿，可能因为从未走过这么远的路！另外，公主说在西市吃了点儿馄饨，吃了几个已想不起来了！其他就没什么了……

武则天：知道了！你下去吧！……你们俩玩儿得还高兴？

太平：……高兴。今天是上元灯节，城里四处点灯，五彩缤纷！人们都戴着面具，女儿和韦姐姐也买了两个，叫昆仑奴面具。母亲，你看，就是这张……（太平望着母亲毫无反应的铁青面孔，有些心虚）……这当然还要感谢母亲恩准我们出宫……

武则天：谢我干吗？我不记得恩准了你们出宫！你应该谢你自己，长了个这么大的胆儿。

太平低头不语。

武则天：看见下面这些跪着的人吗？

太平：看……看见了！

武则天：他们马上就要被斩！

太平：为什么？

武则天：因为你们！

太平：（惊讶地）为什么？这不关他们的事，他们又不知道我们出去！

武则天：问题就在这儿，他们本应知道你们在哪儿。我跟你讲过，朝廷是一个很有规矩的地方。他们的规矩就是要看住你，而你的规矩就是要听从我，你破了规矩，他们也就破了。所以他们就要受罚！

太平：那母后，是他们在上，还是我在上？

武则天：当然是你在上！

太平：所以在下面的就要听从在上面的？

武则天：当然！

太平：那我反倒应该感谢他们，因为我非要出去，他们就很听话，放了我出去。他们应该是听从的典范！

武则天：太平你错了，不论谁在上，谁在下，规矩法律在最上，连皇上都要听规矩怎么讲，否则这宫里洋洋千人，如果每个人都能随便给下面定规矩，下面又都是听从的典范，那不早就乱了？你当然可以感谢他们，因为他们是在冒着杀头的危险听从你破坏规矩！

太平还想和武则天争辩。

武则天的眼睛死死盯着韦氏，韦氏吓得低了头。

武则天：你们出宫是谁的主意？

太平：是……是我的主意！

武则天：（指着韦氏）我没问你，我在问她！

韦氏：是……是（跪），请皇后恕罪！

太平：母亲，我说过是我的主意！

武则天：是吗？三宝，你说说是谁的主意？

三宝：皇后，是韦娘吩咐我备的行头。以前韦娘出宫穿的也都是我备的衣裳！

武则天：韦娘，你还有什么可说？

太平：（情急）妈妈，这不公平！凭什么仅仅因为我是您的女儿，反倒没了游览自己皇都的权利？母亲为什么不问问我今天的收获是什么？感受到了什么？母亲可知道女儿今天有多么快活，如果今天没有韦姐姐冒死带我出去，我怎么会真正体会到自己生活在一个多么伟大富足的国家，意识到自己拥有多么良善聪丽的人民，难道母亲以为我聪明到仅从那些象牙塔中的故纸堆，圣人们晦涩干瘪的教诲中就能获得这些发自内心的骄傲吗？母亲常跟我提起您儿时在乡野嬉戏的乐趣，但您是否想到我在聆听时内心倾慕而悲哀的感受？如果母亲治韦姐姐的罪，就等于夺走了女儿惟一的知心伙伴。如果母亲要治他们的罪，就等于为我安上了杀人犯的罪名，令我今世永远承担罪孽，而我何罪之有？我至多不过是犯了一个任性的错误，至多不过是太想做一个普普通通的女孩子，甚至仅仅是一天足矣！

李治：我看太平说得有道理……

不知何时李治默默地出现在门口，这正好解救了被太平的一番话语说得竟一时语塞的武则天的尴尬。

李治：……我从未想到我的公主有如此丰富的心智，如此博大的胸怀和爱心，父皇真的很高兴！……太平，你在西市看到那口几百年的老井了吗？

太平：没有。

李治：可惜了，高祖时代父皇曾带我微服私访长安，我在那里偷喝过一口井水，结果回来后腹泻三天，瘦得都没了模样……皇后，我看这次就依了太平，饶了他们吧，下不为例！

武则天：……好吧，你们今天走运，都先下去吧！

众人：（舒了一口气）谢主隆恩！

李治：别谢我，你们应该谢公主！

众人：谢公主！

太平甜甜地笑了，众人下。韦氏在最后，刚要出门。

武则天：韦娘，你先留下！……你要明白自己的身份，挑你来为公主做伴儿，是看你聪明伶俐，人又算是老实，可你最近好像是越来越不守规矩了。回去要闭门思过，近日就别再来找太平了！

太平：母后……

武则天：从今天起,你哪儿也别去,就住在我这儿,收收心!（对韦氏）就这样,你下去吧!

韦氏出,太平俏皮地冲她伸了个舌头。

太平：谢谢父皇,您眼睛好啦?

李治：好点儿了,但还是模糊一片,将能分辨出哪棵是树,哪个是人。不过我耳朵特灵,老远就听见公主在这里演讲……哎,太平,馄饨好吃吗?

太平：好吃!今儿出门没带钱,把玉佩都换给了人家,可没吃完就被抓了回来……母后,我饿了!还有莲子汤吗?

武则天嗔怒地望着太平,忍不住笑了。

6. 武则天寝宫　夜晚　内景

武则天爱怜地望着太平狼吞虎咽地喝完最后一口汤。

武则天：还要吗?

太平：饱了!

母女俩相视而笑,太平拿起桌上的面具,罩在脸上,望着母亲。

武则天：丑死了!买个面具还不挑个好看的,非要这个丑八怪!

太平：这叫昆仑奴,是城里现在最时兴的玩意儿,再说,它一点儿也不丑,因为下面……的脸……可漂亮了!（太平似乎别有用意）……妈妈,你小时候也玩儿面具吗?

武则天：玩过,我自己还做过呢!……把它摘了吧,我看你也累了!

太平摘下面具。

太平：我不累,一点儿也不!妈妈,咱们……说会儿话吧!

武则天：（笑）你不生我气啦?

太平：（不好意思）我从没生过您的气,只是……有点儿难为情,不好意思见您,妈妈,给我讲个故事吧!

武则天：讲故事？你想听什么样的故事啊？

太平：您的故事，比如说……您跟父皇的故事，你们怎么遇上的？

武则天：你不是知道吗，在感业寺。

太平：不是，不是，是第一次遇上时……

武则天：第一次？第一次……噢，对了，那时啊，我还是你爷爷的才人。后宫有粉黛三千，哪儿轮得上你侍候皇上啊。于是，日子就过得很无聊，才人们那时创了好多游戏，其中有一种叫"瞎子认人"。就是用一块红绸子蒙住你眼睛，然后拼命地原地打转儿，直到人说停，你才可以站住不动，然后从你四周一圈儿站着的人中挑一个，过去摸她的脸，猜她是谁。有一天，我们正玩得高兴，轮着我摸，你父皇就来了，我傻傻地转，就没注意周围的动静，等我停了，其实别人早都跪了。我还以为她们逗我玩儿，就冲着一个方向摸过去，恰恰摸着了你父亲，我就开始摸他的脸，就这样（武则天摸太平的脸）……你知道，男人的脸和女人的脸一摸就能辨出来，我这才知道出事了，忙住了手，一把揭了绸布，你父亲就站在我对面，咫尺之遥。他那时帅极了，浓眉凤目，鼻子挺挺的，两片厚厚的嘴唇像涂了膏，泛着健康的光泽。我当时都看傻了，愣在那儿连跪都忘了。你想嘛，一个女孩子突然同那么一个俊秀男人面对面站在一起……你父皇就笑了，他说：小姐可能认错人了！我的脸当时红得像手里的绸布……

太平听得入神，眼睛亮亮地瞪着母亲发呆。

太平：父皇说的第一句话真是小姐可能认错人了？

武则天：是的，我记得清楚极了！

太平：太怪了，他今天也这样跟我讲！

武则天：他？他是谁？

太平：他，他就是……我今天碰到的一个人！

武则天：谁啊？

太平：我也不知道，我们没说话……他也长得很帅，母亲，你说我的哥哥们长得好看吗？

武则天：……好看呀！

太平：他比哥哥中的任何一个都好看千倍。他，他有弘哥哥的鼻子，高高的，直直的，好像山的脊梁，眼睛特像贤，不仅很大，还长长的，像一池深水，他眉毛可漂亮了，是那种剑眉，透着英气。噢，对了，还有嘴，像显，不，更像旦，厚厚的嘴，嘴角还微微上扬，下巴上还有一道儿，就在这儿，很威武的样子。噢，我知道了，是牙，牙更像显，雪白整齐，泛着轻轻的品色……他笑起来的样子啊，好像春天里最亮丽的一束阳光。

武则天：嚄！真是个美男子！我都想见见他，怕是你梦里的吧？

太平：（着急）真的，真的！他就在东市，峨冠博带，可能还是个世家子弟！

武则天：太平，你真的长大了！……有一件事，我本来想明天再说，看你精神这么好，今天就告诉你吧……突厥国来提亲了，他们的二皇子相中了你，想娶你！

太平：娶我？为什么？

武则天：（笑）为什么，人家是看上了你，想讨你做媳妇儿，回家过日子，像我跟你父亲这样。你将来呀，就是突厥王国的公主，兴许还会当突厥皇后……

太平：不去，不可能！突厥，那是个什么鬼地方！穷山恶水，再说，他们那儿的人我见过，那些俘虏，一个个长得很凶的样子。再说，我，我也舍不得离开你呀！

武则天：那你也不能跟我过一辈子呀？女孩子长大了都要嫁人，做人家的媳妇儿。据说，这看上你的皇子是贤哥哥的挚友，听说人长得很帅的……

太平：那能帅到哪儿去！再帅也漂亮不过他！……我早想好了，如果非要嫁人就嫁他那样的人，不仅漂亮，人还厚道……

武则天：一面之交，你怎么知道他的为人……

第九集

太平：感觉！我能感觉到……反正我是不嫁什么突厥王子！

武则天：嫁与不嫁，我也不强求，但你父亲已经赐了突厥王子宴，到时你一定要来的！

太平：我不去！

武则天：你必须去！……这是大唐的门面，去不去不是你可以做主的。

太平：那我要做出什么事，你可别拦我！

7. 熏风殿　白天　内景

条案状的餐桌上摆着各式丰盛悦目的食品，餐具皆光洁耀眼，显示着皇家精致豪华的气派。有乐声隐隐传来，丝丝入耳，音量适中，如阳光的态度，舒适而慵懒。餐桌两头端坐着李治和武则天，一侧分别坐着贤、显、旦。另一侧正中坐着突厥王子，两侧分坐着李义甫及其他两位老臣。突厥王子对面的座位空着，显然太平还没到。

李治：本来今天是相亲的日子，理当吉祥喜庆，本不是谈论国事的时机。但我刚刚听说一件事，犹如风和日丽之际突然刮起的一小股旋风，虽危害不足挂齿，却也着实掀起了一片风沙，搅了我的心境。所以，不得不请教王子，寻个结果。

王子：圣上只管讲，我如果有幸知道答案，一定如实回答！

李治：李义甫，说吧！

李义甫：上月上元灯节，正当我大唐边陲五郡和平居民举家团圆、喜迎佳节之际，于正午时分遭遇北部邻国突厥骑兵骚扰。当时正值我国边陲驻军换防，同时大部分将士又都思乡心切，因此警备较平时松懈，致使突厥骑兵长驱直入，在城内大肆烧杀抢掠，洗劫一空后扬长而去。一如十余年的通例为大唐留下又一批孤儿寡母，又一批残破的家庭及被悲伤压弯脊背的父母。整个入侵持续将近五个时辰，突厥人于日落十分满载而归，留下五座悲情城市在肆虐的大火及纵横的泪水中哀号颤抖。

李治：而这一切发生在你我两个王朝正紧锣密鼓地联姻之际，这倒不得不使我怀疑起阁下及贵国的诚意了！

突厥王子稍稍停顿了片刻。

王子：如果这就是陛下要问的问题，那我可以不假思索地轻松回答。请陛下及皇后尽管放心我对于这门婚事之诚意。它犹如突厥谚语所言雄鹰之于苍天的向往，请陛下及皇后切勿将我视作一满腹外交智慧的邻国王子，而能施恩首先将我看做一位普普通通然而却不幸陷入未知爱情的痴迷青年。自从凯旋大典上一见钟情于君临头顶的贵国公主雍容高贵的美丽身影，我已同无数屡见不鲜的爱情故事中忧郁的男主角毫无二致，终日茶饭不思心情忐忑地等待爱情之神的裁决！至于我国对于和平的诚意，我想其浓烈也不亚于我对于公主的爱情！

武则天：那王子如何解释李大人复述的不幸战事？

王子：我只能在此表示深深的遗憾及歉意！我自幼旅居长安，对于本国朝政业已生疏。我能做的惟一解释在于，如诸位所知，突厥属游牧民族，各部落皆流动游移，所结联邦虽对外号称统一，但实际仍政构松散，甚至各自为政，不像大唐帝国四海归一，中央集权，长安的旨意可一贯而下达至海角天涯。因此，一两个部落的唐突不义之举，远不足以代表可汗的真实旨意。贵国得以富甲天下，得以威震四海，要点在于政体结构紧凑合理，这是我多年寄居贵国的心得，也是我学成归国、重兴国业的要义！

武则天：如果你成功了，是否意味着大唐又多了一个更为强大的敌人？

王子：贵国待我如慈母恩师，知恩必报，礼尚往来。皇后不知，承蒙贵国多年教化，我已经成为一个不折不扣的儒学弟子了！

武则天：说得不错！其实刚才只提了提问题，答案早就有了……你左边坐的薛文德将军就是上月平定突厥入侵的功臣，贵国那一两个不法部落的可汗首级早已成了薛将军马前的饰品了，所以战争永远是侵犯与复仇，结果只能是两败俱伤，受苦的是两国的子民……

太监：太平公主到！

王子忙起身，垂手而立。太平款款走来，穿得捉襟见肘宛如乞丐。武则天皱了皱眉头。太平入座，一脸做作的轻浮表情，哥哥们都惊异地打量着太平的奇异装束。

武则天：这位就是突厥王朝的二皇子阿莫皆立。

太平起身，微笑着面对王子。王子这才敢抬眼，眼神自下而上的发现令他也备感疑惑。

太平：你怎么不敢看我，不喜欢我的衣服？

王子：不敢，只是公主着装与上次大相径庭，有些不习惯……

太平：这叫乞丐服，是我亲自设计的，取材于街头流浪汉。

王子：什么衣服穿在公主身上都别有风韵，并且公主对于自己的美丽欲擒故纵的态度也着实富有情趣！

武则天：你们坐下吧！

大家坐定，开始进餐。贤小声问太平。

贤：你怎么穿得这么破破烂烂，太有辱皇家风范了！

太平：我是想考考这位王子的诚意！

太平随即发觉王子偷偷往这边看，便堆了个明媚的笑脸。

王子被太平含情脉脉的盯视弄得手足无措，早就走了神儿。

突厥厨师：太子，羊烤好了！

王子：献上来！……陛下，皇后，这叫烤全羊，突厥特色，我特意从朝中请来御厨为您精心烹制，而且吃时要讲究刀工，必须用突厥短马刀切割。在下愿为诸位演示刀法，见笑了！

王子说着从腰间拔出短刀，娴熟地切下烤肉呈予皇帝与皇后。

武则天：果然味道不凡，皇上，您以为如何？

李治：不错！但烤得略嫌过火。记得小时候高祖宴请突厥可汗，也有全羊，但还带着星点血丝，口感似乎更好！

王子：是我的错！我是想汉人喜食熟食，才吩咐御厨……

太平：我可以看看你的刀吗？

王子：……当然！（王子将刀递与太平）这把刀跟随我多年了，是在我国最出色的武器行拣最精良的生铁打制而成，公主请看刀柄上还刻着我的名字！

太平摆弄着短刀。

王子：公主要真喜欢，在下就权当礼物，送与公主！

太平：谢谢！我可以试试吗？

王子：当然，刀是公主的了！你随便！（转向李治）……我曾听祖父讲过那次宫宴，那次烤羊的御厨就是刚才您见到的御厨的父亲……

王子讲话时不用眼睛瞟对面的太平，他的发现令他大吃一惊。太平正用刀微笑着仔细割自己的手指。顷刻间血就染红了她的袖管儿……

王子：父亲跟我说那次宴会，他……也……在……场，啊！

王子失声惨叫了出来，他怔怔地望着太平割下手指后拿着一截儿冲着自己招摇。王子的喊声令所有人的目光都瞄准了太平，于是众人皆大惊失色，没了言语。

太平：（掐着手指）我最喜欢吃我自己的身体，没关系，吃完了他们还会再长出来，很好吃的，你吃吗？

王子连连摇头，瞪着惊呆的眼睛。

太平：那我自己吃！

说着把"手指"放进嘴里，大嚼特嚼。王子望着，几近呕吐，他慌忙闭上眼睛，起身离座，逃一般地向外走……

太平看王子走了，这才从袖口里掏出一颗料包，攥得"血"流得满桌都是。

太平：哈哈，指头是面做的！像吗？

众人恍然大悟，舒了口气。

贤：（愤然起身）你，你太不像话了！

说着追出去找王子。

李治：（极为不悦）太平，你太过分了!

餐桌上的气氛立刻变得沉闷起来。太平坐在那儿噘着嘴。

贤一脸气愤地又回来。

贤：太平，你为什么这样做?!太不懂事了!

太平：我……我说过我不嫁人嘛!……

贤：那你也不能当着客人割自己"手指"啊!

最先是李治再也憋不住笑声，继而一脸盛怒的贤也忍不住笑了，于是，笑像传染病，一时间笑声大作，每个人包括周边侍从都笑得喘不过气来……

旁白：突厥王子就这样被我吓跑了，其实他是一个不错的人，长得也标致……命运真是一切人间戏剧最成熟、最具匠心的设计师，多少年之后，他真的当了突厥可汗，他的女儿也鬼使神差地运用同样的机智吓跑了大唐的一位"王子"，于是就爆发了两国之间最惨烈、最持久的一场战争……

8. 李治寝宫　夜晚　内景

武则天和李治躺在床上，望着天花板发呆。

武则天：……我最近越来越担心太平了。我小时候太宠她了……我总琢磨着她今年这道坎儿……

李治：是福是祸，现在还不知道。这孩子心越来越野，不定出什么乱子呢!

武则天：是啊，所以这总待在宫里也不是个办法……而且那天她出宫，好像碰上了不知哪位少爷，心就被降得服服帖帖的。当母亲的一眼就能看出来。

李治：这是好事啊!你不是不想让她像你吗，最好的法子就是把她嫁出去，哪怕是普通人家。其实普通人家更好，离这宫廷越远，是非就越少，她就越能当个完完全全的女人，像你希望的那样。记得我的岳阳姨妈吗？她就嫁了微臣薛炳义，一直到现在……

武则天：可眼下怎么办呢？总不能张榜招驸马吧，再说像她那么个脾气，谁敢娶呀？

李治：……有一个办法，送她去寺里，像你当年那样，寺里宁静祥和，也许佛法潜移默化能陶冶她的情操心智。

武则天：这倒是个好主意！

10. 太平寝宫庭院　白天　外景

院子里放的全是大大小小的箱子，太监们忙碌地为太平准备行囊。

11. 太平寝宫　白天　内景

太平与韦氏道别，身边是春整装待发，太平怀里紧紧抱着那张面具。

韦氏：你总抱着它干吗？放在箱子里多好！

太平：我怕压坏了，还是拿着安全！

韦氏：……你，还在想他呢吧？

太平腼腆地笑了。

韦氏：我真羡慕你，这么一折腾还就真出了宫！我呢，还不知要在这里待多久！

太平：显不是在嘛，你俩在一起玩儿得多好！

韦氏：哼，显！育香都快成精了，成天一身的迷香气，我真后悔怎么看上了他，哪有你好，有那么个标致俊秀的少年等你！

太平：瞎说，我连他叫什么都不知道。

韦氏：我保证你能再见到他，只要出了宫，就有希望啦！

太监：公主，咱们该动身了！

太平：好！……为什么这箱子皮影没带上？

太监：公主，东西太多了，怕装不下！

太平：那就想办法，我还要给尼姑们演戏呢！

太监：是！

12. 太平寝宫庭院　白天　外景

两个太监抬着那箱子皮影往出走，嘴里小声嘟囔着。

太监：这哪儿像出家呀，东西带的比去突厥成亲还多！

旁白：我终于出宫啦！我注视着被武士及他们闪亮的兵器肃穆包围着的家园渐渐离我而去，默默憧憬着我将遇上怎样的快乐和幸福。只有我知道那撒满离家之路的甜蜜想念的来源，知道那张明亮的面孔或许正挂着那轮醉人的柔软微笑缓缓迫近。我出宫啦！从此带着浪漫的心情踏上另一条优美的征程！

13. 内宫城外　白天　外景

太平倚在车窗上望着神情庄重的神策军卫士关上大明宫那扇沉重的彩门，渐渐地从视野中隐去了影子。

第 十 集

1. 感业寺庭院　白天　外景

在主殿前的台阶上站着静慧师太、武则天。殿前空场上已经堆满了大大小小的锦盒缎箱,还有太监招呼着往里搬。静慧师太皱了皱眉。

静慧师太:媚娘……不,皇后,这都是太平公主的细软?

武则天:是的!……师太,还是叫我媚娘吧!……真是时过境迁,还记得当年我来时的情景,您也是站在这儿,捻着佛珠。一晃二十五年了,而您举止神态却依然健壮矍铄,神采奕奕!

静慧师太:这还要托福于菩萨保佑,其实媚娘的举止神态也依然如故。感业寺能扶持过皇后,也算是修来的洪福!

太平跑进院子,远远地喊。

太平:母后,我看见您原来住的房间了,母亲当年住在米仓里呀!我再去后院看看……

说着又没了身影。

静慧师太:……太平公主无论长相还是气派,都与当年的媚娘如出一辙,看了叫人怀疑自己的眼睛!

武则天：是啊，人说母子连心，可我这个女儿的心思与我当年却天地之别。我当年在此为先皇守陵，空有一腔抱负无的放矢。眼见着青春水一样流走，可谓心急如焚，可如今太平呢？从小被全大唐惯着，又生得如花似玉，哪知道世上还有哀愁二字。

静慧师太：那皇后把她放在我这儿，是想让她学会哀愁呢？还是像你当年那样，虽然表面文弱绢秀，实则坚韧刚强、雄心勃勃？

武则天：这正是当妈的难处，我担心的恰恰是我希望她拥有的。哪有做母亲的盼望女儿哀愁，怕只怕有一天哀愁冷不防来了，她还傻傻的敞开胸怀当作幸福去拥抱，对于女人，没有理想抱负，反倒是个优点。有了它只能使你的路途更凶险，前程更难测。我只想她这辈子能当个完完全全、普普通通的女人，一个同我截然不同的女人！

静慧师太：这是上天的旨意，不是俗人可以改变的。我惟一能帮您的是为她储备一颗心灵，一种能应付世事无常、时运变迁的平和心境。

武则天：……我想您说的，大概就是我想要的！……噢，对了，等太平住进来，无论如何不许她出这院门一步。师傅无论做什么，都已经是我的旨意。

2. 感业寺后院祠堂　白天　外景／内景

　　后院破落杂乱，墙角屋檐由于好久未见打扫，遍积灰尘，挂满蛛网。阳光被前院高大的屋檐和院中的一棵古树隔得很远。于是这儿就更幽深潮冷，透着神秘。太平扒在窗台上，好奇地向祠堂内窥视。发现几乎发霉的蒲团上端坐着一个僧人。布衣褴褛，背上披着一头斑白如枯草一般的枯发。由于是背影，所以不辨男女。太平刚一探头，就被僧人的背影发现。

僧人：贵客驾到，有失远迎，还望太平公主恕不敬之罪！

太平：（左右看）你怎么知道是我？

僧人：我识得公主的芳香，熟悉您轻灵的脚步。

太平：胡说！你又不是神仙！

僧人：我是不是神仙，连神仙都不清楚！但我确实可以预知命运、占卜未来，公主想进来让我看看相吗？

太平：……不想！

僧人：（笑）公主手里拿的可是昆仑奴面具？

太平：（惊异）你……怎么知道？

太平一时被他弄得摸不着头脑。

僧人：……你父皇的眼睛好了吗？

太平：你怎么知道？你……你是谁？

僧人：我是谁并不重要！公主你看脚下倒数第三级台阶，上面有一块干燥树皮，里面是我为您父皇的失明献的一剂药方，请转交给大唐皇后！

太平按他的指示捡起树皮，疑惑地跑走。

3.感业寺主殿　白天　内景

武则天祈祷完站起身。

武则天：那，太平就交给您了！

静慧师太：你把太平交给了菩萨，静慧只代她守护而已，一定尽职尽心，请皇后只管放心。

太平风风火火地跑入，进门就喊。

太平：母后，我刚才看见一个疯子……其实也不疯……反正挺神的一个人，在后院！

静慧师太：噢，太平怕指的是清远法师？此人是洛阳恩重寺方丈、我师兄静能法师的弟子。顺德三年，恩重寺被一场大火毁于一旦，清远是惟一生还的人，可却被烧得没了样子。我看他可怜，就收留了他，没

第十集

想到一入寺第二年就走火入魔，整天疯言疯语的还自称开了天眼，通治百病。不过他确实曾师从静能法师，精通医道，深得其药学真髓。我也就容了他，让他做做杂活，为徒弟们看看病。

太平：他还让我转交这个……

武则天接过树皮。

武则天：这是什么？

太平：他说这方子能治好父皇的失明症！

武则天：他怎么知道皇上的病？

静慧师太：皇后在天下广集良方，召四方名医进宫会诊，声势这么大，恐怕连长安的孩子们都知道了！我看皇后不妨一试，万一要治好了呢？清远的医术也算有了大用处！

武则天：……好吧！太平，以后离他远点儿，毕竟是个疯人！……那我先回宫了，师太！请记住我的话……

静慧师太：我还有一事相求，请把太平的闲杂用品都搬回宫吧！

太平：为什么？

静慧师太：佛门清静之地，避讳珠光宝气！入乡随俗，当时皇后来寺里时，随身带的也不过只是几件薄衫，没什么排场！

静慧说得语词坚定，不容置疑。武则天望着她，沉思片刻。

武则天：师太说得有道理，太平，你要记住这儿不是皇宫，你也不是那个少不更事的小公主了，应该学着过清淡的生活。

太平：那把皮影给我留下！

静慧师太：那可以，就依了公主吧！

4. 感业寺内太平居所　夜晚　内景

太平望着斜上方的一轮圆月，若有所失。

旁白：这难道就是我所期盼的宫外生活？那令我朝思暮想的、被嘹亮的歌声和欢悦的面孔装饰起来的长安夜景，现在似乎变得更加遥不可及，那曾令我身心战抖的离家出走的激情，被周围海一般绵延的枯燥与孤寂嘲弄得体无完肤。

5. 感业寺主殿　白天　内景

众尼姑正在诵经。静慧师太面对众人打坐。最后一排的一个小尼姑似乎有些心神不定，眼神便左右游移起来。她发现大殿的纸窗外突然神奇地出现了个小人儿，之后又有一个探了头，似乎是一男一女，俩人在窗上轻灵地来回走动，真人一般，做起戏来。她逐渐看得入了神儿，然后示意给身边静坐的僧友看。于是，很快地，下面轻微地躁动起来，大家饶有兴味地指指点点。

静慧师太睁了一下眼睛，之后又闭上。

静慧师太：其实我早就看到了。但我依然能静坐不动，形神不走。出家人读经讲求清心寡欲，清静无为。只有这样，经书上博大精深的内容和要义才会丝丝缕缕地渗透到你的头脑、精神、甚至血液里。然而宁静寡欲从来不是一种天生自然的心境，它其实是一种胶着的状态，一场欲念与理智相持不下的斗法。这犹如拔河时绳正中的缎标，双方越势均力敌，它的地位就越稳固，韧度就越强。

众人听罢，忙又低下头。

太平的脸从窗棂中浮出，发现僧尼不为所动，令她大为不悦。

6. 感业寺主殿庭外　白天　外景

太平恼怒地扔掉手中的皮影，冲殿里喊。

太平：你们做人真没趣味，我走了啊！去城里，一会儿就回来。

7. 甬道　白天　外景

太平在前疾走如飞，后面跟着春。隔不远的后面跟着静慧师太及几位尼姑。太平故意调整自己的速度，忽慢忽快，有时干脆站着不动。于是后面的人也做着相应的调整。渐渐地，太平居然玩上了瘾，脸上挂着戏谑的笑容！太平终于行至门口，见到的却是一把锁。

太平回头，盛气凌人。

太平：打开！

静慧师太：不可以！

太平：为什么？

静慧师太：因为我在尽我的职责！

太平：我是大唐公主，我命令你打开！

静慧师太：我是寺里主持，在这儿你应该听我的！

太平被气得说不出话，她灵机一动，指着春。

太平：我不出去，她可以出去吗？

静慧师太：……她可以！

太平：那好，春，你出去买只鸡回来，我要吃肉！鸡，我母亲没告诉你不让我吃吧？

静慧师太：当然没有，公主毕竟还是俗身！

8. 感业寺斋堂　白天　内景

别人都在食素，清汤白水。惟太平的盘子中放着一只颜色油亮的烤鸡。太平正吃鸡腿，刻意做出吃得很开心的样子，她转头问身边的人。

太平：你上次吃肉是什么时候呀？

小僧尼摇摇头没回答，依然低下头喝汤。餐桌四周的人皆低眉顺眼，惟恐看见太平大吃特吃的样子，大概如师太所言，正在培养着庞大的理智。

太平却依然兴致勃勃。

  太平：鸡肉真好吃！不仅肉质鲜美，而且颜色也很漂亮！我真替你们可惜……你想吃吗？……给！

  太平发现坐在对面桌尾的明清远正愣愣地看着自己手中的鸡腿出神，明清远眼睛下系着一块方巾，遮住脸的大半部，只露出一双眼睛在外，所以就格外显眼。太平扯下一只翅膀，冲明清远伸出手……

9. 太平居所　夜晚　内景

  一缕月光抹在太平熟睡的脸上，她睡得很香，怀里依然宝贝般抱着那张昆仑奴的面具。

10. 梦境

  黑色背景。从不同角度看见的同一个揭脸的动作，周而复始。面具下全是薛绍微笑的明亮面孔。

  薛绍：小姐可能是认错人了？

  这个声音连续不断地出现在太平梦中。

11. 太平居所　夜晚　内景

  太平睁开眼，坐直身，呼吸急促，面颊潮红，她抚着手中的面具，脸上似乎还印着梦中的欣喜。太平重又躺下身，大睁着眼睛出神，嘴中念叨着。

  太平：清远……清远……明清远！

  她猛地坐起身，似乎意识到了什么！

第　十　集

12. 感业寺后院祠堂　夜晚　内景

蒲团上空无一人，供台上香火未灭，释放出缕缕青烟。太平悄悄走入，四处张望。

太平：清远师傅，你在哪儿呢？清远，清远，明清远！

13. 感业寺后院　夜晚　外景

太平站在院中，始终没有找到明清远，有些失望地往回走，突然听见有人叫她的名字。

明清远：太平，你在找我？

太平：是我！……你在哪儿呢？

太平四下张望，依然空无一人，心里就更纳闷儿。

明清远：我在这儿，在你头顶上！

太平抬头，这才发现明清远坐在屋脊上，披着斗篷，头顶便是斗大的圆月。他头发依然披散着，随着风轻微鼓动，被月光镶了一条银边。他脸上依然遮着那块围布。太平被眼前的情景惊呆了。明清远打坐完，大鹏鸟一般落在地上，庞大的斗篷如翅膀，太平呆呆地望着这一切，嘴依然惊得合不拢来。

明清远：我在上面就看见你了。公主有什么事？

太平先点头，之后又摇头，神情似乎仍在梦里。

太平：……我……给你送鸡来了！

14. 明清远居所　夜晚　内景／外景

桌上一盏油灯发出惨淡微弱的光，房间内陈设简陋。太平怔怔地望着明清远狼吞虎咽地掀开一点儿围布吃鸡，边微微侧着身，生怕太平看见他的脸。他吃完，抹了抹嘴。

太平：好吃吗？

明清远：好吃！好久没吃肉了！

太平：你干吗总围着布，怕人看吗？

明清远：脸烧得没了样儿，怕吓着人家！

太平：烧成什么样了？

明清远：（作摘巾状）公主想看看？

太平：（慌张）算了……算了，还是戴着吧！

明清远：谢谢公主惦念！您，还有事儿吗？

太平：我……我想让你给我看看手相。

说罢把手伸过去，明清远接过手，将油灯移得更近。

明清远：公主掌中纹路如凤尾悠长婉转，再看您凤颜龙颈，真是伏羲之相……

太平：（怀疑地）你果然识命吗？

明清远：我不仅可以预知未来，还可以看见你的过去！

太平：那你说说看！

明清远：公主过去住在凤阳阁，院中有一棵参天古树，树干上刻着高祖的名篇《阳春赋》。出凤阳阁向左是咸阳殿，往右过御花园是清宁宫，是您母后的寝宫。顺斜阳道下去是凌烟阁，太子学就设在那里，凌烟阁外是一池春水，叫太液池，池中养花，碧波青莲，莲下有鱼，赤尾银身，嬉戏成趣。于池中泛舟，舟借水势，水就风势，破浪徐行。天气好的时候，雾霭穷尽，能窥见东宫宫墙一隅，缀满青苔，太子居于东宫，常有朋友小聚，把酒当歌……

明清远说着说着居然动了感情，语调中杂着浓情挚意。整个人陷入到一种深沉的情绪中。

太平：哇！你真了不得，说得一丝不差，你怎么猜到的？

明清远忙把思绪从冥想中拉回，语气又恢复了平常。

明清远：不是我猜到的，是我看到的。我说过我胜过神仙！而且……我还从公主脸上读到了一层新的想念！

太平：真的？是……什么？

明清远：公主爱上了一个人！

太平：（害羞，躲闪着他的目光）瞎说……我才没有呢！

明清远：有没有，公主自己心明如镜！

太平：那你说说，这个人长的什么样子？

明清远：他有着晓日般明亮的面孔，泉水般甜美的笑容，这些都真切地印在您清澈的眸子里！

太平羞怯地低下头，双颊绯红。

太平：我……该回去了！多谢清远师傅指教！

明清远：多谢公主的烤鸡！

太平默默地走到院中站住，从怀里掏出面具，默默端详着。之后像下了很大决心转身回去。她站在门口，望着明清远灯下的背影。

太平：那你说，他会爱我吗？

明清远：天下任何一个男人都会爱上公主无双的美貌，都会一见钟情于公主秀丽的容颜。

太平：那你说，我会再见到他吗？

明清远转过身，注视着太平，目光深切。

明清远：公主要想知道这个问题的答案，必须先答应我一个请求。

太平：（急切）我答应！

明清远：（笑）公主还没有问我是什么请求！

太平：噢……你说吧！

明清远：公主喜欢住在这里吗？

太平：我……不喜欢！可母后下了旨，绝对不允许我出去。算命先生说我今年有劫数，当闭门静养，远离尘世！

明清远：这绝对是庸人自扰，肯定是哪个意欲争宠的江湖术士在您母后面前妄下的断言！我看公主倒是面呈吉相，今年有大利可图！

太平：那你跟我母亲说呀！

明清远：那全靠公主为我引见。

太平：怎么引见？

明清远从怀里掏出一尺白绢。

明清远：把这尺白绢交与您母后！我保证公主能从这儿出去！

太平：那……我能再见到他吗？

明清远：如果公主从这里出去了，就一定能见到他！

15. 感业寺主殿　白天　内景

武则天和静慧师太坐在大堂上首，太平垂手站在两人面前。

武则天：师太，最近太平在这里表现怎么样，还算是听话吗？

静慧师太：只吃过一次鸡，演过一次皮影，还试过一次不成功的逃跑，其他就没什么了！

武则天：太平，我应该高兴呢，还是生气？

太平：母后，那都是女儿刚来时不能适应寺里的清静乏味，一时冲动犯下的过错。不过女儿最近潜心读经，倒也多少体会了一些佛教禅学要义，再看周围事理，确实不再如从前那样浮躁偏颇，多了几分冷静成熟。并且，我……还拜了个师傅。

武则天：是吗？太平从的是哪位师傅啊？

太平：就是上次我跟您讲过的那位清远师傅。

武则天：清远师傅？你指的是上次为圣上献方的那位？

太平：正是他！

武则天：（脸沉下来）我正要找他呢！

太平：他正在祠堂恭候！并且让我把这个交给您！

武则天接过白绢，打开，上面用草体写了一个龙飞凤舞的"垦"字，

第 十 集

武则天微皱了一下眉。

武则天：这是他写的？

太平：是！

武则天：带我去见他！

16. 感业寺后院　白天　外景

武则天坐在院中，身后站着静慧师太和太平，两侧站着神策军卫士。明清远跪在武则天面前，脸上依旧围着布。武则天冷冷地看着脚下的明清远，目光寒冷。

武则天：你就是明清远？

明清远：正是贫僧。

武则天：把你脸上的围布摘下来，让我看看你长得什么样？

明清远：摘下来皇后也看不出个模样，只是一团被烈火焦化的皮肉，怕是要玷污了您的眼睛！再说，天长地久，布质已经与皮肉长在一起，如水乳相交，再难分开了！

武则天：你知道吗，我现在就可以杀了你！

明清远：不知道，但贫僧清楚皇后不是随便杀人的昏主。

武则天：把他给我绑起来！

太平在身后惊得睁大眼睛，静慧师太也有些惊讶，眉皱起来。

太平：母亲，为什么？

武则天头也不回。一卫士上来将明清远结实地绑牢。

武则天：你犯了欺君之罪，你自己可明白？

明清远：（镇定）欺君之罪，贫僧一点儿不明白皇后的意思。

武则天：你是医士吗？

明清远：我首先是僧人，勤勉修行以悲怀感世、普度众生。二才是医士，救死扶伤，积德行善，为惨遇病魔之士驱疾避患。至于医术，我看医士二字低估了我的水准。我师从静能法师学医近十载，深得中华五族十派医学药理精髓。所以，与其仅仅称我医士，不如谓我医圣。

武则天：你倒是满自信的！上次你献给皇上的药方可是你配的？

明清远：是我博采众家之长，自行研制的明目药方。

武则天：那为什么皇上服了不但不见好转，反而连原来眼里的影子都没了踪影，只剩下晦暗一片？

明清远：皇后可读了药方？记得方子注明的疗程？

武则天：当然！不差一分一毫！

明清远：那我就放心了，只要剂量及原料严循处方，皇后只管静候佳音。

武则天：你如若欺君是要问斩的！（拿出一绢，展开）这绢上的字是你的笔迹？

明清远：正是贫僧拙作。

武则天：这字念什么？

明清远：念照！

武则天：什么照？

明清远：皇后，明日当空，抚爱世人的是什么？是照！让温暖普降大地；皓月高悬，安慰世人的是什么？是照！让清凉遍及阡陌。博大世界，万物万生，只有日、月的光辉能将它们笼罩，还有什么字比读做照更伟大，更高贵，更传扬神明的气息和声音呢？日为阳，自古象征着帝王的辉煌与荣耀。月为阴，以其皎洁与清亮向世人昭示皇后的淑仪与贤惠。我昨夜梦见它们同时运行在空中，在惊异于这难于置信的美景的同时，也明白了一个天启的预示。它告诉我若干年后，一个美丽的女人将担负起这个世界。她有着男人的英明与果敢，也有着女性的善良与睿智。她将创造一个连自然都无法比拟的奇妙而瑰丽的人间奇迹。她将以这上天赐予的符号作为自己的名字，作为自己与神灵的护佑相互指认的标志，它将带着这个名字跻身于列代伟大天子的行列，享受世人万年的敬仰与祭典。

第 十 集

而我想以此名字献与您，作为您运道的指南！

武则天望着他一语不发，周围静得出奇。

武则天：……多谢你一番美意……师太，我想把他带回宫里，真的试一试他的医道，您看如何？

静慧师太：我听从皇后的旨意，清远如能到宫里施展他的医术，也算是我感业寺献上的厚礼。

武则天：多谢师太！……把他松了吧！

武则天说罢，起身。

太平：（焦急地）师傅，我的事儿呢？

明清远：噢！皇后，我还有一事相求，所谓公主命里有劫数，纯属无稽之谈，请不要把她当笼中鸟禁锢起来，那反而……

武则天：既然你这么说……好吧，师太，从现在起，准太平每周出去一次，其余时间继续在寺里潜心修行！

太平：（大喜）谢谢母后！谢谢你清远师傅！

旁白：明清远被母亲带回了宫，从而成为了大明宫最旖旎的一道风景。在大唐浩瀚繁复的人事历史中，明清远始终是一个善恶相间的谜，诡秘地占据着属于自己的一页写满背叛与忠诚、阴谋与毁灭的文字。

17. 戏院　白天　内景／外景

一出抵角戏演得正激烈。扮虎的角斗士逼真的表演令看台上达官显贵们唏嘘一片。韦氏和太平凭栏而立，看得正激动。

韦氏：我赌白虎肯定会赢！

太平：不对，我觉得是青虎赢！

韦氏：看，看，啊，我赢啦！……你输我什么，太平？

太平：我还没输呢，我们三局两胜！

后台。

一队神策军悄悄地进入，在首领的指挥下不动声色地包围了场子。两位正换装的角斗士被突然闯入的一队真枪实棒的武士吓得说不出话来。

士兵：奉命捉拿钦犯，你们只管接着演，像什么事也没发生，明白吗？

俩人慌张地点了点头，披上虎皮上场。于是，看台上的观众聚向栏杆，嘴里发出喝彩声。

太平：父皇的眼睛好了吗？

韦氏：好多了，你推荐的那位神医果真不凡。皇上在他的调理下身体明显好了许多，连神色都渐渐有了光泽。皇后可高兴了，给他封了个五品御医！

太平：可在感业寺，母亲差点杀了他，多亏他巧舌如簧……

她发现韦氏盯着一个方向出神，全然没理会自己。

太平：韦姐姐，你看什么呢？

韦氏用手指着台的另一侧。

韦氏：你看那个人，往这儿走的那个……

太平循指望去，目光找了一圈，却惊奇地发现了薛绍。她简直不敢相信自己的眼睛，情不自禁地站起身来，似乎想绕到他的正面。

突然，楼下大乱，有人惊呼：着火啦！于是看台上乱作一团，人流逆着神策军的队伍向外跑。太平也被裹挟在其中。楼下已见了浓烟……疯狂的人群，叫喊声混作一片。

18. 戏院出口　白天　外景

太平在人群中向出跑，突然被一盆冰水浇得精透。太平张大嘴吸了一口气。然而就在她被水浇得懵懂之时，在她身边，另外一个男子也遭到了同样的打击。他就是薛绍，可俩人谁也没看见谁，只顾着抖落自己被打湿的衣衫。猛然，太平首先发觉了薛绍，愣愣地望着他。薛绍终于感觉到旁边专注的目光，转过头看了一眼太平，敷衍地笑笑，继续拧他的袖管儿。

太平：……是你！

薛绍这才定睛看太平。

薛绍：小姐认错人了……噢，是你，你就是那位认错人的小姐，真太凑巧了！

太平：你是谁？叫什么名字？

重逢的喜悦令太平忘了一切礼仪。她甚至在说出口之后还没有意识到自己问题的唐突。薛绍被她脸上的神态逗乐了，但还是大方地做了回答。

薛绍：（行抱拳礼）在下薛绍！

旁白：我终于见到了他！这一切曾经是那么艰难，而这一刻来得又是那么轻易。我们俩当时都是一脸一身的冷水，而我的心却软软地融化在某种醉人的温暖里。我当时在想：这一刻意味着什么？是梦醒了，还是梦刚刚开始……你能理解吗？

第十一集

旁白：生活，这就是我的生活！我第一次自觉地对命运发出如此任性的旨意。这一次的任性是由于我早已钦定的爱人失而复得，如同正午的阳光那样热烈充实，并且势不可挡。我怀揣着飞蛾扑火一般的莽撞坠入爱情。薛绍等于快乐，等于我的生活，在重逢后的日子里，我动用全部智慧和想象在脑中反复演绎着这个迷人公式，直到那一天，我确认这就是关于大唐公主的命运的真理。那曾经漫无目的的浮艳生活从此将具有沉实的走向，从而真正与我的幸福发生情感上的联系。

1. 通往勤政殿的甬道　白天　外景

明白无误地写在太平脸上的幸福以及她激越的脚步，竟令道旁林立的普通士卒都无法把持他们脸上惯有的无动于衷。他们惊异地望着第一次着朝服的太平像一只快乐的羚羊从眼前匆匆掠过。

2. 勤政殿　白天　内景

一大臣正在陈述。太平昂扬的声音打断了他。

大臣：突厥商人大放高利贷一事最近有所收敛，这多亏了……

太平：母亲！……

太平欣喜的喊声先于身体急急地闯入大殿，为堂中例行公事的沉闷气氛亮亮地扯开一个口子。所有人看着太平款款而入，殿内鸦雀无声，只有太平的心情洋溢于空气中。太平走到殿前。

太平：父亲，女儿有一事禀奏……

李治：（不悦）跪下！这里是朝堂，只有天子和皇后，怎么还那么不懂规矩……

太平跪下。

太平：请圣上恕儿臣一时被心情所累，忘了纲常！

李治：有什么样的心情非要到朝堂上舒展，这里是宫廷重地，国事当先！

太平：儿臣有一折相奏，并且事关重大！

在一旁的武则天发话了。

武则天：你说吧！

太平：请二圣赐女儿一个驸马！

李治：什么？这算什么折子！

太平：儿臣以为此事关系重大，它意味着大唐公主的终身大事、今世幸福。听上去至少总比今年大食献的雄狮又吃掉朝廷多少只活鸡、多少尾牛犊更切合帝国的利益。况且，儿臣在此表白心迹，也正是希望众臣能分享女儿此刻无尽的欢愉。

武则天闻之脸色凝重起来。

李治也一时意想不到对太平这突如其来的请求该如何回答。他下意识地转头看武则天。武则天没有给李治任何态度。

李治觉得在大庭广众之下谈及这类家庭话题，略欠严肃。于是探出身子，压低声调。

李治：驸马又不是什么物件，哪能说要就要！太平，别胡闹，赶快退下。

太平：女儿并非胡闹，女儿心中已有意中人！

李治：谁？

太平：薛绍，长安人氏！

武则天脸上流露出一丝难以察觉的失意。她仿佛意识到了一件长久被奉为至宝的心爱之物即将弃她而去。

3.议事殿　白天　内景

武则天临窗而立，似乎显得心事重重。

李治在屋中来回踱步。李义甫凝立一侧。

李义甫：臣以为太平公主年少无知，兴许是一时冲动……

李治：你既然知道薛绍已是有妇之夫，为什么在朝上不直言，好让太平死心？

李义甫：婚事乃终身大事，臣不便当众直言，恐怕伤害公主……

李治缄默。

武则天转过身来，脸上变得十分平静。

武则天：李大人，传旨。召薛绍进宫，我要见见这位未来的女婿。

李义甫和李治都惊异地看着武则天。

李治：媚娘……薛绍已有原配慧娘，而且从小青梅竹马……我看这门婚事不可能成真，你……

武则天淡淡微笑。

武则天：李大人，你去安排吧。

李义甫欲言又止，怏怏而下。

屋中只剩下李治和武则天。

武则天：(感慨地)……女儿果然已经长大了，再怎么都不可能留住的。我想通了。能帮助女儿心想事成，尽可能满足她的愿望，是我们为父为母为她做的所有……

李治看着武则天,似乎从她的话中意识到了些什么。

李治:(略感不安地)媚娘,你肯定这样对太平有好处?

武则天:皇上没见太平在殿上欢天喜地的样子?身为女人和母亲,自然一眼就能看透她的心思!我们不都正盼着太平能做个普普通通的女人吗?皇上还记得您说过的话吗?薛家虽称不上普通人家,但到了这辈儿上也算是远离了朝内的是非人情,薛绍知书识礼,也能武善文,太平如若能变个活法儿,这姻缘正是个好机会。我们也省了一桩惦念!

李治:当然,如一切都能事从人愿,那真是求之不得的好事!可是不知薛绍的为人。一个有家室的男人……

武则天避而不谈对薛绍已有的婚姻如何处置。

武则天:能与皇室攀亲,不论对于什么样的男人,都可以称得上是飞来的福气;加上太平生得那么乖巧伶俐,感业寺的日子又使她的脾气少了不少棱角,日显温柔可人。皇上大可不必对男人有什么过高的估价,男人毕竟是男人,例外总是少数,我倒是担心太平有一天不能理解我们现在这样做的苦心……

李治:话虽如此,人也终归有例外,可我还是不明白……

武则天:好了皇上,我主意已定,您就别挂念了。我只求皇上不要在女儿面前提及薛绍的家室。(对外)叫太平进来吧!

太平站在父母面前,面庞羞红。

武则天非常郑重地看了一会儿太平。

武则天:你真的要嫁给他?

太平:我一定要嫁给他!

武则天:你肯定薛绍就是你想要的夫君?那个同你相伴终身、白头到老的意中人?

太平:是的,从见他的第一面起,女儿就暗暗许下了心愿,非他不嫁!母亲还记得上元灯节那天晚上,我为您描述的我对薛公子的感觉和心情吗?

武则天会意地笑了笑。

武则天：（看着李治）就请皇上准了太平的请求吧。

李治：好吧！我准了！

太平：（惊喜）谢二圣隆恩！……你们是天底下最好的父母！

太平说完兴奋地跑出殿门。武则天和李治望着太平消失的背影，都沉默着不说话，百感交集的武则天闭上了眼睛……

武则天：佛祖保佑！保佑我们女儿幸福！……

4. 武则天寝宫　白天　内景

只有武则天一人召见薛绍。

武则天长久无言地端详着面前跪着的薛绍。

薛绍始终低着头，但强烈感觉到头顶那双炽热的目光。

武则天：薛绍，抬起脸来。

薛绍迟缓地抬起头。

武则天这才看清薛绍的面容。一张确实令人心动的面容。武则天欣然地微笑着。

武则天：知道为什么宣你进宫吗？

薛绍：在下不知。

武则天：薛公子可曾进过宫？

薛绍：在下是第一次进宫。

武则天停顿片刻。每一次停顿都增加了室内几分紧张气氛。

武则天：薛绍，你官有几品？

薛绍：七品。

武则天：家有封地多少顷？

薛绍：五百顷。

武则天：家宅多少？

薛绍：(略显迟疑)……贫宅……约有百间。

武则天表情莫测地点了点头。示意立在一旁的侍从。

侍从展开御旨，开始宣读。

宣旨官：圣上手谕。故德张大将军薛绍德嫡孙薛绍，忠孝有加，礼义兼备。三代忠勇效国，有家风传世，福泽荫及子孙。故绍文采不凡，武略出众，逐成栖凤之材。今封左金吾卫大将军，世袭万安侯。钦此。

薛绍被这突如其来的封官晋爵弄得不知所措。

宣旨官收起御旨。

薛绍：(慌忙跪下)谢二圣隆恩。

武则天微笑不语地看着薛绍。

武则天：恭喜左金吾卫大将军。

5. 绍德府　白天　外景

薛绍一入院，就看到院中站着许多陌生人。对于他的到来皆表现得毕恭毕敬，并施以大礼。

众人：薛公子驾到！薛公子驾到！

6. 堂屋　白天　内景

薛父、薛母端坐在堂中，面色凝重。见薛绍进来后都垂了眼帘，好像怕正视他的眼睛。

薛绍：父亲，母亲，外面来的什么人？

薛父：……你看不出来吗，都是宫里的人！

薛绍：宫里的人？怎么，哥哥出事儿了？

薛父、薛母缄默。

薛绍：怎么了，怎么都不说话？出什么事了？

画外音：圣旨到！

一行人疾步而入，为首的是宣旨官，声到人到。薛家人赶忙跪下接旨。

宣旨官：赐左金吾卫将军薛绍府地一千顷，房宅三百间，绫绸五百匹，玉带一百，骏马五十匹，黄驼二百峰，家奴一百，钦此。

薛绍：……谢主隆恩！

一行人风一样转了出去。留下薛绍仍跪在那儿怔怔地看着他们出院，不知所以。薛父母已站起身，返回座位。薛绍回头，挂着一脸疑惑的笑容。

薛绍：今天这是怎么了？哥哥打了胜仗？……父亲，您怎么了？你们怎么都不说话？

薛父：你被宣进宫有何事？

薛绍：是封官，无由地封了三品左金吾卫将军，这究竟是怎么回事？

薛父：没有再提别的事？

薛绍：没有。

薛父长叹一口气。

薛父：这已经是今天第二道旨了！

薛绍：那第一道旨是什么？

薛母终于忍不住抽泣起来。

薛父：第一道旨是婚旨！太平公主看上了你，要你当驸马！

薛绍：驸马？……开什么玩笑！我与大唐公主素不相识，她与我连面儿都没见过，怎么会看上我！再说，我已是有家室的人了，我当驸马，那慧娘怎么办？

薛母哭得更伤心，薛父在一旁烦躁不安。

薛父：(对薛母) 你别哭了，哭有什么用！

薛绍疑惑地望着伤感的父母，视线终于落在了桌上的一条白绫上。他冲过去，抓住白绫。

薛绍：这是什么？……这不可能！这不可能！慧娘呢？慧娘在哪儿？……

7. 厢房　白天　内景

薛绍拖扯着白绫，冲动地跑进来，嘴里喊着慧娘的名字。他一把抓住正要往出迎的慧娘。

薛绍：慧娘，慧娘，你还在这儿！太好了，太好了！我不会答应的，我哪儿也不去，你别走……

薛绍由于突袭的恐惧而语无伦次，只是抱着慧娘不住地唠叨。慧娘反倒显得相对镇静，完全不像一个将死的人。她伏在薛绍的肩头，脸上还挂着一丝勉强而疲惫的笑意，话也说得从容。

慧娘：嘘！我在这儿，我哪儿也不去，我还在这儿……你别吓了孩子，咱们儿子刚才又踢我了，好像他也有话要说似的……

她拉着薛绍的手向床边走去。薛绍已经泣不成声，像个被母亲牵着手的孩子。

薛绍：这不可能……不可能……这是为什么……为什么看上我……我从来没见过她！

慧娘抚着趴在自己腿上哭泣的丈夫的面颊。

慧娘：这有什么不可能的，这世间一切都是可能的。她虽然没看见过你，兴许她梦见过你，就把魂交给了你。她可是大唐的公主啊！天底下最骄傲、最美丽的公主，你应该高兴才是！

薛绍：不！她是公主，与我有什么相干，她凭什么干涉我的生活……我们走，我们离开这儿，我们跑得远远的，再也不回长安！

薛绍说着开始翻箱倒柜，胡乱地扯出一些衣服……

慧娘：（语调有一丝威严）公子，你听我说……薛绍！你住手，你怎么像个孩子！你去哪儿？抗旨吗！你有没有想过你的父母，你全家人的命运？还有我的家人，他们怎么办？不但我们最终逃脱不了，他们也会为我们成为刀下冤魂！你薛绍难道就自私无情到这种地步？！为了自己一时的冲动而置全家人的性命于不顾吗？！

薛绍：这不是冲动，是爱情！你是我全部的生命，天底下惟一真爱的人，我们有太多的愿望没有实现，有太多太多的本应属于自己的美好和甜蜜没有体验，我们为什么要俯首就擒，屈从于他人的摆布？

慧娘：我们是在听从命运的摆布！也许，这就是你我的缘分！

薛绍：如果这就是我的命运，那我薛绍与它势不两立！我只听从心目中爱情的驱使，那就是长相守，就是永远与慧娘在一起，履行我们相遇时的誓言！

慧娘：可我们也说过要时刻为对方带来快乐，时刻准备着为对方的幸福而牺牲自己的一切，甚至包括……爱情！

薛绍：慧娘，如果你屈服是想以牺牲自己来成全我的幸福，那你错了！慧娘，你是我生命中快乐与幸福的源泉，是我活到今天最大的成就！我决心已定，如果真如你所讲，我们活着在一起为命运所不容，那我们就一起死，在坟墓中兑现我们的誓言！

慧娘：你不能死！你为什么就这么糊涂……

慧娘被一阵剧烈的腹痛打击，痛苦地弯下腰，眼里终于第一次见了泪！薛绍冲过去抱住她……

慧娘：（含泪微笑）他又在踢我了，在问我这个世界究竟是什么模样？……可惜，如果我能再多活几天，把他生下来，我也就可以瞑目了！

薛绍：（心如刀绞）所以你不能死！我们的儿子怎么办？他是我们共同的精髓，我们爱情的延续。你没有权利把他带走……

这番话强烈地打击着慧娘，她泪如雨下，冲垮了憔悴的容颜以及内心本来坚强的意志。

慧娘：现在……只有这个娇小的生命是我无限的牵挂……

慧娘泣不成声。

慧娘：……让我生下他吧，让我把他留给你……他是我生命的延续……

丫鬟小红这时出现在门口，望着这令人心痛的一幕，泪水在眼里固执地不落下来。

第十一集

小红坚定地走到慧娘和薛绍面前,"扑通"双膝跪下。

慧娘:小红,你怎么来了?

小红:奴婢有一个办法能使夫人得救。

薛绍:什么办法,快说!

小红:让我代慧姐姐去死!

慧娘大惊失色。

慧娘:胡说!小红你在说什么呀?

小红:(语气坚决)我主意已定,慧姐姐,我代你去死!慧姐姐,您还记得十年前那个在饥饿和寒冷中向老天乞求生存的女孩子吗?她幼小的心灵曾经充满仇恨,发誓一旦活下来就要做这个世界最邪恶的敌人!因为她遭受了太多的为富不仁的伤害。是您用您的善良从死神那里换来了我的生命,让我有足够的时间来领略上苍的公平。如今我很满足,并且欣喜地看到上苍赋予我一个报答主人的机会。慧姐姐,我的生命由于您的慷慨和正义得以延续,现在是我把自己交还给您的时候了!

慧娘:小红,你的心意已经报答了我的良心,我感激涕零,可这不关你的事……

小红:我去意已定,只希望您能告诉小少爷,他……曾有过……一个……知恩必报的……姨娘!

一口鲜血从小红的嘴角细细地坠下来。

慧娘:小红,小红!

薛绍:不,不可能,这不是真的,不——

8.厢房外　白天　外景

薛家老小聚在庭院,听见薛绍撕心裂肺的吼声。薛母瘫在丈夫的怀里,老泪纵横。

官里的差人冷漠地站在他们的身后,无动于衷。院中一片难耐的寂静。

厢房的门终于开了，薛绍怀里抱着小红，一条白绫覆盖在她的脸上和身上，她纤弱而苍白的臂膀垂落在身体一侧，晃动着。

薛绍脸色凝重。

9. 薛府门口　白天　外景

尸体放入棺材，要被抬走。车就要启动，薛绍失了魂儿似的守在一旁，目光呆滞。

验尸官：对不起了，驸马，您节哀！我们把人抬回去复命……

验尸官做好盖棺的准备，薛家父母互相搀扶着走过来，脚步踉跄。

薛母：等等，等等，让我再看孩子一眼……

老人站在灵柩前。

薛父：打开！

尸布被霍地掀开，里面躺的竟然是小红，穿着慧娘的衣裳。薛母一看，无法接受这令人恐惧的事实以及欺君的内涵，立刻便昏了过去。薛父瞪着惊恐的眼睛，难以置信地望着薛绍，薛绍望着父亲，目光坚决。

10. 大明宫门口　白天　外景

同样是门口，这里却处处洋溢着被艳丽的色彩装饰一新的气派豪华的喜庆。

薛绍一身新郎打扮，恭敬地站在紧闭的宫门口，身后是迎候新娘的彩车。门内传来鼓乐声声，渐渐迫近。门霍然打开，通道上走来武则天和李治，身后则是盛装之下的太平。她由两个侍女扶着，头盖红绸，款款而行，薛绍以无法平静的心情迎接着这一切。

薛绍：（跪下）微臣薛绍叩见二圣！

武则天：平身吧！驸马，抬起头来！

第十一集

薛绍抬起头。

武则天目光寒冷地注视着他的眼睛,片刻。

武则天:太平,见过你的夫君吧!

太平的盖头被缓缓掀开……薛绍无法相信自己的眼睛,眼前竟是曾被水浇湿的那张聪敏调皮的笑脸,尽管此时笑得很羞涩。

太平转过身,在二圣前跪下。

太平:父皇,母后,我走了!

李治:走吧,好好地做人家的媳妇。

武则天的眼睛始终没有离开薛绍。

武则天:薛将军,你知道太平公主对我意味着什么吗?

薛绍:(跪下)还请皇后请教。

武则天:公主是我一生的精血,除大唐社稷之外全部的想念。公主是我最珍爱的骨肉,是我在这个世界上最不希望见到她受委屈的人,你懂吗?

薛绍:微臣明白。

武则天:你现在是朝廷命官,又是驸马,你能保证对她好吗?

薛绍全然没有勇气回答。

武则天:(又强调地)你能保证吗?

薛绍:(违心地)我能保证……

只有薛绍知道目前自己内心处境的艰难。

武则天:看着我的眼睛!

薛绍:我保证!皇后!

武则天:(语气缓和地)好好待她,你能给予她我所不能给予的,不要让我失望!

鼓乐大作,太平被小心翼翼地扶上车,难以掩饰她发自内心的狂喜。薛绍翻身上马。武则天望着他们走远,眼里像所有送嫁的母亲那样有了泪水。

旁白：我凝视着我的丈夫，甜蜜地畅想着这场虽有些草率但却由我坚决启动的婚姻生活……全长安城都在注视着他们骄傲的公主就这样张扬着被一个男人引入了自己沉默的生活，悄悄谈论着这个被幸运之神光顾的男人，议论他获取的无上财富与光荣。我不喜欢那天母亲对待薛绍的眼神以及谈话的语气。她让我觉得我的出嫁好像是我丈夫不得不背负起的一个额外沉重的包袱……

（伴随着旁白）太平凝视着策马而行的薛绍的侧影。

11. 薛府膳房　白天　内景／外景

太监刺耳的叫声：赐宴——

薛家老小齐刷刷地跪倒在地。院中缓缓地送进了大小食盒，摆上餐桌。桌子逐渐琳琅满目，被摆得满满的。一太监操着尖利的嗓音念着手中的菜单。官内侍从依菜名上菜。

太监：玉树临风……踏雪无痕……绿珠垂帘……鸳鸯戏水……彩蝶飞舞……翡翠玉龙……春雨沐笋……雁歌萧萧……桃花满枝……

桌旁跪拜的薛家人忙着叩首，答谢隆恩浩荡！

太监念完菜谱，立于一旁。众侍从伺候着薛绍一家用膳。

在众目睽睽之下，薛家父母机械地拾起筷子，见薛绍依然无动于衷，薛母用腕捅了捅他，然后冲太平敷衍地笑笑。

宴会开始得鸦雀无声。

太平：好吃吗？

薛父：（唯唯诺诺）鲜美之极，鲜美之极……

太平放下筷子，佯装愤怒。

太平：我可要怪罪父母大人了……

薛家二老皆一惊，薛父的筷子僵在半空，菜"吧嗒"掉在桌上。

太平：二老有什么难言之隐？

薛父：没……没有，没有！

太平：那就是嫌我未尽礼仪？

薛父：也没有，只这福分来得浩荡突然，一时不知如何应付……

太平：二老以为家里来的什么人？皇上指派的钦差大臣？还是凤台阁遣下的履行公务的办案官员？……我是您家的媳妇儿，从见到您公子的第一面起，我就早已不是公主，而是长安城中一位心有所系、梦有所牵的普通女子，她仅仅是借了公主的衣冠，心急火燎地随了心愿……我是真心实意地来做您家媳妇儿的！来，我敬二老一杯，祝……

薛绍突然闷闷地发了话，语调昂越，依附着明显空洞过火的热情，他站起身。

薛绍：我先敬！我敬二圣隆恩，微臣不才，承蒙不弃。敬他们虽贵为国父国母，却仍能为女儿幸福不倦操劳的心境！

说完仰脖而尽，然后挑衅地看着太平。

太平微笑，也一饮而尽。

薛绍：这第二杯，我敬老父老母，虽屡承儿子的不孝，却始终能忍让迁就。为不孝子的命运殚精竭虑，痛心疾首！

薛绍言语流露着切齿之痛，又一饮而尽。

太平照例也一饮而尽。她确是因为终于盼来了丈夫来之不易的热情。而薛家父母却由于祝词之中危险的内涵而更加紧张起来。

薛绍：这第三杯，我敬太平，我的……新娘！敬她对爱情不仅心血来潮，却仍能不屈不挠，锲而不舍！

太平再次随之一口饮下了烈酒，红晕升上了面颊。

薛绍：我再敬我自己，敬我一时糊涂……

薛母终于按捺不住，生怕薛绍道出真言，慌忙起立，拦住薛绍，泪水已不自觉地在眼眶中转动。

薛母：绍儿，你……你不要再喝了……

大明宫词

太平不明缘由地怂恿。

太平：母亲，让我替夫君喝下这杯吧……

说完仰面而进。太平已微醉，飘飘然，只是这是一厢情愿的快乐。

太平：你刚才说什么？一时糊涂，怎么样呢？

薛绍：敬我一时糊涂，将自己抛入漩涡……幸福的漩涡！我再敬那张吸引您尊贵的目光，从而给我带来"好运"的昆仑奴面具……我敬戏园子的那场大火，它虽放走了十恶不赦的罪犯，却锁住了你我自由的灵魂……我敬我曾经拥有的平淡生活……敬我眼下……的心情……

薛绍坐下，双手捂面，再也说不下去。

薛绍每说到一个内容，太平就喝下一杯酒。这样连续地喝着，人已然漂浮起来。

太平：完了？……我真的幸福了，太高兴了……爸爸，妈妈，我还没给您讲我们相遇时的情景……

太平已经完全醉了，丈夫的滔滔不绝令她忘乎所以，然而心情的走向却与丈夫南辕北辙……

薛家父母望着这两个被两种截然相反的情绪打击而语无伦次的无辜的年轻人，忍受着来自心灵深处的疼痛。

太平：他当时带着昆仑奴的面具，就这张，哎？面具呢？……春，春，去把面具拿来……我就这么一掀，就掀到了我的丈夫……然后我们去看戏，我远远地望着他，有这么远……我正往他那儿走，火就起来了……浇得我们一身的冷水，我一侧头，哈，又是你！……他说。

太平连说带笑，每句话语都撕扯着薛绍和其他人的心。她轻盈风铃般的笑声在席间荡漾，像严冬凛冽的寒风，令薛家老小战栗。

薛绍再也忍不住了，霍地站起身来。惊得二老慌忙抓住他，像二位押解犯人的狱吏。

薛绍：（只得按捺地，和缓了语气）太平你该回房休息了。扶公主回房！

春上前扶起不能自持的太平。

太平：不，夫君，我的故事还，还没讲完呢！……后来，他说，小姐你认错人了……

薛绍：(语气愈发强硬地) 娘子，请回房休息吧！

太平：你叫我什么？娘子，哈哈……娘子，多好听的名字！娘子……再叫一次……叫啊……那我们一起回房吧。我们一起休息！

薛绍侧过头去，不至看到太平失态的样子。

薛绍：你先回去，我还有事同父母商量！

太平：怎么可以，母亲说洞房花烛，是两个人的夜晚，你不可以不来！

薛绍：我一会儿就到。夫妻新婚尽欢前，丈夫要同父母叙旧，以谢养育之恩，你不懂这个规矩吗？

太平：真的？真有这样的规矩？……那好吧，我先走，你快来啊！……我们走，扶着我……

太平在春的搀扶下跌跌撞撞地走出房门。她的笑声不断传过来。

太平：哇！今天月亮真圆，花好月圆……夫君……你快点儿来啊！我等着你……

屋子里再一次陷入沉默。薛父扶在桌子上的手瑟瑟颤抖，看得出他在尽量压抑某种情绪。

薛父：(平静地) 薛绍……跪下……看着我的眼睛！

薛绍从命，跪下望着父亲的眼睛。薛父扬起手，重重地抽了薛绍一个嘴巴。

薛父：你这个大逆不孝的孽子！

薛绍：请父亲宽恕为儿不孝，犯下了欺骗之罪！

薛父：欺骗？你这是在坑害全家！……你知道你做了什么？！欺君！那是死罪，是要被满门抄斩的！……你看着你母亲，你就忍心为了自己而把她逼上绝路？你好大的胆子！

薛绍：为我自己？慧娘腹中怀的是我们薛家的骨肉！我现在最痛恨的是自己的软弱和乏力。慧娘何罪之有？我难道忍心看着自己青梅竹马的恋人，因为我而撒手人寰？难道我儿在还没有见到他亲娘的面、没见到这个世界就要惨死腹中吗？！二老不是也一直把慧娘当作自己亲生的女儿？我这样做正是牢记了您的谆谆教导，尽一个正人君子应有的耿直和仁义！

薛父：不错，慧娘同我们确实情同亲生骨肉，可你还记得你叔叔被赐死前你祖父说过的话吗？生活在这个世界上，你必须学会把灾难都当作荣幸，因为连你自己的性命都是别人的恩赐，你还有什么权利争取愿望中的自由？

薛绍：这不公平！那孩子呢？我的孩子、您未出世的孙儿，有什么错注定要同样承受命运的残酷，刚看见生命的亮色就要被推入万劫不复的黑暗谷底？

薛母：这真是造孽呀！绍儿，你瞒得了今天，可明天怎么办？老爷，现在当务之急是应付眼前的危急，所幸的是现在还没人知道慧娘还活着！绍儿，你把慧娘藏在哪儿了？

12. 洞房　夜晚　内景

太平正玩着两张面具，自言自语，醉意仍酣，春侍立于一旁。

太平：我当时戴着这张面具……他呢！戴的是这张（换面具）……然后我就这么一掀！你猜他当时说的第一句话是什么？……你猜啊！……噢，我都忘了，你不会说话……他说，小姐是不是认错人了？（学薛绍）还这么令人感动地笑着……我当时的心啊！痒痒的，你理解吗？……你当然不知道，你又没有丈夫……后来在戏园子……我的盖头呢？怎么没有了？春妈妈！把红桌布拿下来……（太平用桌布当盖头）……春妈妈，你看我好看吗？（春微笑点头）……妈妈说她们家乡的新娘子都蒙这个……我就这么蒙着，一会儿让他来掀……（掀开盖头）春妈妈，你这么看着我干吗？我看上去很奇怪吗？我是太高兴啦！真的，打心眼儿里高兴！你理解吗？（春使劲点头，有些感动，眼眶中充满泪水）……他怎么还不来？……（蒙上盖头）我就这么蒙着，等他来掀……

13. 膳房　夜晚　内景

薛绍僵立在那儿不动，父亲焦急地来回奔走。
薛父：我怎么，怎么养了你这么个不孝的孩子，你是想把我们逼死啊！
满眼是泪的母亲站起身。
薛母：绍儿，我……给你跪下了！我们已是年过半百的人了，我们的性命事小，可这薛府上下几十条性命，如今都掌握在你手里啊！
薛绍：……母亲！
薛绍也冲动地跪在母亲对面。
薛母：儿子，告诉娘，慧娘在哪儿！说出来我们共同想办法，兴许还有辙！
薛绍：我说……我说，她，她就藏在后院儿的阁楼里！
薛父：什么？在……阁楼里？你，你，你真是胆大包天！

14. 洞房　夜晚　内景

屋内很静，太平静谧地坐在那儿，酒好像醒了不少。
太平：（掀开盖头）怎么还不来？他们在干吗？灯点着呢吗？
春凭窗张望，之后点头！
太平：那怎么还不过来！生我的气啦！春，我刚才做错了什么事？
春又点头，又摆手。
太平：或是出丑了？让人讨厌了？
春摆手。
太平：（欲哭）哎呀，你说话呀，告诉我刚才吃饭时都做了什么？我……

我怎么什么都想不起来了,太丢人啦!我应该怎么办?就这么在这儿坐着等吗?

春用哑语示意太平不用着急,自己去外面察看。随即神色焦急地出屋。

15. 膳房　夜晚　内景

屋中一片死寂,各人坚持着自己的态度,仍处在僵局中。
一仆人跌撞闯入。

仆人:(气喘吁吁)不,不好了,慧娘,她,她要生了。

屋内顿时乱作一团,薛绍欲往出跑。

薛父:(镇定)站住……不能让慧娘把孩子生在家里,孩子一哭就全完了!

薛母:(瘫在椅子上)造孽啊,真是造孽啊!

薛绍:父亲,你……你们谁也别管我!必须要让慧娘把孩子生下来!

说着,薛绍向外冲去。

薛父:(沉思片刻)……快,找一只大箱子,我们连夜把慧娘送出城,从后门走!

16. 后门口　夜晚　外景

一只大箱子被抬出去,薛母焦急地对着箱子低语。

薛母:慧娘,坚持住,出了城就好了!千万别出声儿,忍着点儿,太疼了就咬住自己的衣襟,多保重!

薛父:见着城门口的侍卫就说去给祖父守陵,箱子里放的是陪葬的衣物。他们不会查的。快走吧!

薛绍来不及多说,跟随抬箱的家佣上了路。

17. 洞房　夜晚　内景

春进屋，一脸的迷惑。她用手语告诉太平谁都不在了。
太平霍地站起，把盖头甩在床上。
太平：他们……（突然又缓和下来，变得柔弱无助）……我知道了，春妈妈，你回房睡吧！我在这儿等，他可能……有事儿，会回来的！
太平重又披上红红的盖头，在床沿上正襟危坐，好像成心与自己赌气。

18. 长安街头　夜晚　外景

薛绍扶着箱子，一行人行色匆匆。
薛绍：轻点。（低头对箱中的慧娘）慧娘，要过城门了，坚持住，千万别出声儿！出了城，就一切都好了！
城门卫士：什么人，站住！
一队人打着灯笼向马车谨慎地走来。

19. 城门口　夜晚　外景

武承嗣围着箱子转，不时用手敲敲箱面儿，说话时依然一脸笑容。
武承嗣：驸马，怎么洞房花烛夜倒想起给祖宗上坟了？
薛绍：这是薛家的传统，雷打不动，历经数年了，为的是告慰祖宗在天之灵，与祖父同享孙儿新婚之喜，以尽孝道！
武承嗣望着薛绍，笑得含义叵测。
武承嗣：放行！……驸马，您走好！
薛绍长舒了一口气。
武承嗣：今儿奇了，先是皇子们深更半夜出城打猎，前后着脚驸马又要出城给祖父上坟！回宫，我得给皇后念叨念叨！

20.山路　夜晚　外景

佣人抬着箱子狂奔，薛绍在一旁催促。
薛绍：快，快点儿！慧娘，就到了，你忍住，就到了……（发现有液体顺着箱底的缝儿滴答下来）停，停一下……（薛绍用手摸了摸箱底儿，发现满手血迹）……慧娘，慧娘你怎么了，说话呀！
慧娘：（微弱的声音）孩子就要生了，我不行了……
薛绍：你坚持住，慧娘！马上就要到了，再坚持一会儿……
说着茫然四顾，可满眼尽是山野的荒凉。
老年家佣：公子，从前面向左拐顺山路下去有一家寺院，我们先去那儿吧……
薛绍：快，去寺院！挑起来，快走！……慧娘，你再坚持一会儿，马上就到了……
一行人疾走如飞，脚下留下一路断续的血迹。

21.洞房　夜晚　内景

太平顶着盖头歪在床上睡着了。
烛火已燃至尽头，烛泪垂满了蜡台。
太平新婚之夜显得如此孤寂。她全然没有精神准备。

22.寺院内的小屋　夜晚　内景

一盏将尽的油灯发出惨淡的微光。慧娘躺在简陋的床上。由于大量失血，她的脸色异常苍白，神志恍惚，已处于弥留之际。
薛绍来到床边，坐下，轻轻地握住慧娘的手。
慧娘感觉到了，嘴角流露出游丝般的微笑。

第十一集

住持示意围在床边的众僧人离开。所有的人轻声地出了门。

小和尚抱走了被血水浸红的瓦盆。

薛绍此时精神濒于崩溃。但他强迫自己镇定。他想让慧娘得到最后一刻的安宁。

薛绍：慧娘，孩子生下来了！是个男孩儿！

慧娘：（虚弱地）太……好了！老天爷公……平……

薛绍点头，嘴角苦涩地抽搐着，挤出一丝微笑。

慧娘：……有……名字了……吗？

薛绍：就叫慧娘起的名字，"薛崇谏"。

慧娘转过脸来，艰难而又深情地注视着薛绍。

慧娘：……只可惜……他生下来……就是……逆……臣之子，不能姓薛……

薛绍打断慧娘的话。

薛绍：他是我们的儿子……

慧娘：（拼尽全力）……公子……答应我……好好抚养我们的儿子，让……他长成一个大丈夫，像他父亲一样坚定耿直……的好男人！告诉他……他的母亲为他……所经受的痛苦，让他永远……记住……还有，也是最让我放心……不下的……你一定要好好活下去……能答应……我吗？……

薛绍：（点头）我答应。慧娘……

慧娘：你对天发誓……

慧娘正说着，一阵疼痛袭来，她晕了过去。

薛绍失声呼唤。

薛绍：慧娘……慧娘……

住持闻讯进来，从小和尚手里接过一瓶药水，在慧娘鼻下轻轻扇动，慧娘渐渐清醒过来。

住持：薛公子，不要让她太多说话了……

慧娘：我累了，真……累……了……我想……睡一会……儿……就一会……儿……握紧……我的手……给我……讲个……故事……你小时……候最……爱讲……的……

薛绍轻轻握紧慧娘的手，心疼地安慰她。

薛绍：我讲，我讲……你睡吧……

薛绍说这番话时，声音已有点颤抖。他意识到那最终的时刻就要来临。

薛绍：……很早以前，有一个很老的老奶奶，她没有儿女，生活得非常寂寞。有一天，她用泥捏了一个孩子，一半是男孩儿，另一半是女孩儿。他们都非常喜欢老奶奶，每天都一起和老奶奶下地种田，晚上听不同的故事，数天上的星星。日子长了，男孩和女孩长大了。他们一个要在家织布，另一个要上山砍柴……

慧娘慢慢闭上了眼睛，一行泪水沿着她的面颊静静地流出来。她笑了，艰难虚弱地笑……

薛绍：(颤抖地)可是他们的身体无法分开。看着愈来愈年迈体衰的老奶奶，他们决心用锯子将血肉之躯分开……

薛绍感觉到慧娘的手在渐渐松开，没有了力气。他全然不理会，依然讲着故事，如同无法停止的乐曲。

薛绍：为了不让奶奶伤心，他们晚上分开，织布劈柴，白天再用针线把身体缝上……

慧娘的脸沉沉地歪向一边……

住持：(轻声地)公子，人……已去了……

薛绍浑然不觉，还在继续。

薛绍：就这样，他们陪伴老奶奶直到她死去。临终之前，老奶奶说，孩子们，你们再也不要分开了……

薛绍的眼泪扑簌簌地淌下来。

24. 寺院门口　夜晚　外景

住持抱着刚降世的婴儿，薛绍告别。

薛绍：师傅，孩子的性命就交给您了！他是我和他母亲生命的延续，是我们的感情惟一的纪念，尽管他从一生下来就已被这世道判做了违法之徒！

住持：公子尽管放心，佛法无边，慈悲为怀，在菩萨眼里，世间万物都有它健康存活的理由，她会保佑这孩子今世的幸福！

薛绍：那就多谢住持了！

薛绍端详着孩子通红的脸，在他额头上印了一个深情的吻。

25. 野外篝火旁　夜晚　外景

蹿动的火苗鼓动着皇子们脸上那如风雨之夜幽深动荡的神色。旦和显盘腿安静地坐在篝火旁，惟贤焦躁地逡巡于火堆四周，滔滔不绝的激越言词和着柴火的噼啪声，在空气中干燥地响起。

贤：我从我的命运中看到了弘的影子。看来这是你我兄弟共同的宿命。我们拥有一个太过强大的母亲，在她眼里，我们要么是不更事的无知小子，要么是心怀叵测的野心家！我为大唐社稷悲哀，为我们父亲软弱的性格而痛心疾首！而你们，我的两个兄弟，却把持着令人作呕的矜持无动于衷，等待着时运像狗那样自觉而谄媚地舔食你的掌心！而我不，我是太子贤，李姓血统的精华。我选择战斗，即使是挣扎，即使得不到我同胞手足的帮助，哪怕是星点的同情！我不会像大哥那样怀着极大的耐性和理性坐以待毙，我要培养年轻的李家势力，让那些别有用心的人，不管是谁，再次领略那曾经所向披靡令天下人齿寒的李姓锋利暴烈的剑刃……你们怎么了。怎么不说话？难道你们不愿加入到这令人热血沸腾的宣战中吗？难道你们就没有激情？

旦：……贤，你看这火苗，由于对风的威力过于敏感而拼命燃烧，结果呢？这样做只能加快自己灭亡的速度，成为一则风所讲述的最得意的笑话，这恐怕就是你目前所谓激情的写照！

26. 洞房　早晨　内景

太平醒来，头上还盖着那片红绸巾。她望着窗外那被红巾过滤的红色世界。

旁白：这就是属于我的洞房花烛夜，与传说中的甜蜜温存毫无关联。它犹如盖头下那红彤彤的朦胧世界，虽然美好却仅仅只是酒后醉人的夫妻游戏，随着酒精的挥发而没了踪影。我连日来蓄意积攒的全部自信和成熟被眼前的现实无情地肢解。我重新成为那个对于感情一窍不通的无知幼儿。这难道就是我的爱人为我献上的第一份礼物？

27. 膳房　白天　内景

薛家父母正在用早餐，安静，只有餐具相互碰撞的声音。太平走进，没施脂粉，一脸憔悴。薛家父母忙站起身，一脸愧疚地望着太平。太平在他们惶恐的注视下有些不好意思，她勉强笑笑。

太平：父亲，母亲，早！
薛父母：你早！
三个人默默地吃早餐。
太平：薛公子……今天回来吗？
薛父：回，回，当然要回。
薛母：昨天很不凑巧，乡下家里发生了一点儿变故，他今天肯定回来……

院门被沉重地推开，薛绍大步流星地走入，悲怆与愤懑写在脸上。

薛母最先觉察到形势不对，慌忙迎出去。

薛母：怎么样？……一切都好吗？

薛绍全然不顾母亲含义明显的追问，径直地走进屋，视线像鹰一般抓住太平，坐在太平的对面。太平被盯得有些发慌，强颜欢笑。

薛绍：（一字一句地）你知道什么是爱情吗？……

太平：……我……不知道！

太平一时被问得发了蒙，眼巴巴望着薛绍，身子微微后倾，躲避着薛绍如炬的目光。

薛绍：（穷追不舍）那你为什么嫁我？

太平：因为……我喜欢你！

薛绍：你知道爱情意味着什么？

太平怯怯地支吾着。

薛绍：爱情意味着长相守，意味着两个人永远在一起，不论是活着，还是死去，就像峭壁上两棵纠缠在一起的长青藤，共同生长，繁茂，共同经受风雨最恶意的袭击，共同领略阳光最温存的爱抚。最终，共同枯烂，腐败，化作坠入深渊的一缕屑尘。这才是爱情。她需要两股庞大的激情，两颗炙热的心灵，缺一不可。不论她面对的有多么强大、巍然，是神明，还是地狱；爱情是不会屈服的。因为她本身就是天堂，代表着生命最高健全的境界，世间最完美的家园。爱情不会屈服，她无坚不摧！你真正拥有她吗，太平公主？

太平已经被薛绍逼得紧紧地靠在椅背上，满眼是泪，她不明白何以这样美好的言辞却被表达得如此绝望，然而她毕竟很感动……

太平：（怯怯地）我……拥有！这恰恰是我对你的感情！

薛绍意想不到太平的回答，怔怔地望着太平。片刻，起身拂袖而去。太平伏在桌上委屈地痛哭。

旁白：我不明白为什么这第一次关于爱情真谛的启蒙长着这样一副愤世嫉俗、甚至歇斯底里的面孔。它本身应是优美而深情的，伴随着温暖的体温和柔软的鼻息……我丈夫脸上那令我陷入爱情的谜一般的诱人神采，从此一去不复返，取而代之的是一种绝对属于男性残酷的冷漠。我不清楚这是否就是婚姻的含义。总之，我生命中那个青春迷幻的时期就这样提前冰冷地结束了。

第十二集

旁白：明清远成了宫里最荣幸的宠臣，他起源于我之于他的造化，成就于自己高超的医术和永远机智敏锐的言谈。他那被一头枯发和一块方巾装饰起来的神秘身影，像一个幽灵，终日伴随在母后的左右，令父亲阴影下本已动摇的宫廷生活又平添了几分魔幻的异彩。你奶奶后来对我讲，他那令许多人望而生畏的眼神其实隐藏着善良而忧郁的深沉底蕴，令人不得不想探个究竟……

1. 议事殿　白天　内景

武则天坐在一扇绢画屏风的前面，神色安详地端视三个儿子，旦、显、贤坐在她的一侧。每个人都因为自己不同的处境而在面容上稍稍流露出内心的不同内容。贤面色苍白，眼睛闪烁着迷乱而偏执的光泽。

明清远独立于屏风的后面。聆听着外面的谈话，并从屏风的缝隙中窥视着三个皇子。

武则天：我最近忙于朝政，很长时间也没有见到你们了，也不知道你们都在干些什么？

显和贤都紧张起来，开始思索着武则天的用意。

武则天：别紧张，好像我总给你们出难题似的。弄得我有时候真不知道你们是我的儿子还是我的臣仆，我有那么厉害吗？

看着两个哥哥，旦首先开始说话。

旦：做帝王的孩子，从来就是一件辛苦的事情。从懂事起就有无数的规矩和礼仪在时刻提醒着、告诫着我们。我们不仅是您的儿子，也是您的臣仆。我们的一举一动都要符合自己特殊的身份和地位。简单、直率而坦诚的母子关系是一个皇子的非分之想，我们也许只有在午夜的迷梦里，借助梦呓，实现普通人再普通不过的情怀。这已经是异常瑰丽而美好的奇迹了。母亲应该理解我和哥哥们此时诚惶诚恐的心情。

武则天：我理解你们诚惶诚恐的心情，但道理却不是你说的那么简单。你说呢，贤？母亲真有那么厉害吗？

贤：母亲对敌人严厉，对亲人友善，这是天下人皆知的事实。使我们深感庆幸的是我们是您的亲人而不是敌人。

武则天：说得好。只要你们明白这个道理，很多自寻烦恼的事就会迎刃而解。

贤：不过有您这样一位睿智、聪慧而伟大的母亲，我们只能时刻以诚惶诚恐的心情去面对。因为我们的心智和才华在您面前总显得低下而鲁钝，我们必须以十二分的努力和专注来聆听您的教诲，哪怕回答您最细枝末节的一个问题。为了您不同凡响的心灵不会对我们失望，也为了向您学习权力的智慧，更为了让您高贵的母爱不会因我们的无能而蒙受玷污，我们必须诚惶诚恐。

武则天：显，你哥哥说了那么多，你觉得他有道理吗？

显：我，我，反正我挺羡慕太平的，有时候觉得当皇子太累了，真想变成您的女儿。

武则天：（哈哈大笑）你们总是想方设法揣摩我的心思，不过话要是说得太聪明了，就会适得其反。还是显能让我高兴。告诉你们一个做人

第十二集

的道理，在你不知道应该说什么的时候，说实话往往是最聪明的选择。

显连忙擦汗，露出因意外受宠而欢喜的表情。贤眉头紧缩了一下，苍白的脸色泛起一道因过于紧张而现出的潮红。旦担心地看了二哥一眼，把视线转到绢绣的屏风上，似乎在欣赏上面的画面。

武则天：显，告诉母亲，你最近都在做些什么，又配制了什么香呀？

显：（神色飞扬起来，不再结巴）我最近不配香了，正跟摩揭陀来的和药方士那迩婆婆罗学习培植延年益寿的药。

武则天：这种药有什么奇效吗？

显：这种药最初只生长在天竺国深山里的一种石臼中，药性十分猛烈，能够融化肌肤、草木和金铁，只能盛放在骆驼的骷髅之内，然后再转而落入千年的葫芦当中，才能喝下去。凡是有这种药水的地方都有石像守护，如果山里人把药的秘密泄露给陌生人，就会在梦中死去。

贤：母亲问你药的效果，你啰里啰嗦说这么多干吗？

武则天：贤你总是这么性急，让你弟弟讲完。

显：（不安地看了一眼贤）这种药能让人多活五十年。

武则天：倒是有些意思，你相信吗，旦？

旦：延年益寿自古有两条途径，金石、补药、寻求长生不老仙丹是一种；静心修养，清心寡欲，思悟天人合一是一种。我倒从未听说谁因此而成仙得道的。不过两条路殊途同归，都是让人感悟天地造化，认清自身的渺小软弱，从而更加珍惜生命光阴，最终由彼及人，爱护天下众生。

武则天：这倒不失为一种帝王之道。母亲想把这个那迩婆什么罗请进宫中，（转向贤）你觉得怎么样呢？

贤：以离奇故事混淆视听，以诡秘传闻蛊惑贵胄子弟，这明明是江湖骗子的惯用伎俩。（这时贤看见屏风下面一双微微抖动的僧鞋，神色微变）不过母亲把他请入宫中，也正好可以请宫中的有道之士识破其嘴脸，为世间除一妖孽。

显：母亲，那迩婆婆罗师傅不是妖孽，更不是江湖骗子。我亲眼见过他的起死回生之术，神奇极了，你可别听哥哥瞎说。

武则天：瞎说不瞎说，见了就知道了。（看了一眼心事重重、死盯着屏风的贤）旦，你最近在做什么呢？

旦：我在给每只鸽子起名字，鸽子每天带着我的心情飞上蓝天，俯瞰大唐的锦绣山河，使我神驰在广阔的天地之间。它们比最好的朋友还要知心，我用这种方式表达我的尊敬和谢意。

武则天：如果能和鸽子一齐俯视大唐的锦绣山川，肯定会深深体验到李唐王室一员的光荣与神圣。（沉思着闭上了眼睛）我真羡慕你有这样的心境，我也想让你的鸽子因为你而深感庆幸……贤，传我的旨意，从今往后鸽子为我大唐的国鸟，禁止射猎捕杀，违者重罚。

贤：（从走神状态中被惊醒，急忙起身施礼）遵命！

武则天：好了，今天就聊到这儿吧，我看你们也有些神思恍惚，旦一定在惦念他的鸽子了。显，你恐怕是研习药术而不能安心吧？你们都回去吧。

几个人起身告辞，武则天叫住贤。

武则天：你还没告诉我你最近做些什么呀？

贤：我不能像弟弟们一样整天玩耍，有无数的太子政务要处理。

武则天：和那些江湖游侠、亡命政客厮混也算做太子政务吗？

贤：（极为紧张）……我从来不认为他们是什么亡命政客。来我府上的都是一些青年俊杰……

武则天：是吗？如果真的是俊杰，就把名单呈上来，我给他们官做。但是你以后尽量少跟这些人来往，免得给不知情的人留下话柄。

贤允诺着退下。

明清远从屏风后面走出来。

武则天：看来这个那迩婆婆罗的骗术越来越高明了。太宗时代他就诡称能炼制出长生不老药，骗取了宫中的大量财物，后来被驱逐出宫，现在又来迷惑皇子。

明清远：这也在所难免。有福之人总有江湖异类伴其左右。这是因为他们希图托庇于权力的荫泽下，以隐藏自身的邪气和晦气。依我看，显有大福大贵之相，不会被其所害，反倒福及了这些小鬼。要让皇室稳定，显是最合适的人选。

武则天：那贤的面相又怎么样？

明清远：剑眉过重，目角带有刀斧之气。贤的面相杀气太重，尖利有余，厚重不足，恐怕将来会损己而伤人。

武则天：旦呢？

明清远：四皇子面目纹理如浮云流水，尽呈祥和之气，却又变化不定，有隐隐风雨之势，这是化外散仙的面相，极为罕见，臣也拿捏不准。不过看他眉心有一剑纹，如果将来成仙，也要遭受刀剑之苦，正所谓兵解。天后不必为他担心，但齐家治国看来不是他的本性。

武则天：……其实，我最想让你看看太平，也不知道她婚后生活怎样了。

2. 贤的寝宫　夜晚　内景

贤来回在屋中走动着，看得出他的不安已经达到了忍耐的极限。

贤：母亲今天为什么要召见我们呢？母亲为什么要召见我们呢？

他似在自言自语又似在征求旦的意见。旦看着他的神色，担心而又无奈地轻轻摇头。

贤：她绝对是有目的，绝对不是心血来潮，绝对不是突然关心起我们的日常生活。对，她是在关心我们，关心我们的所思所想，是要关心我们对她有没有异志。旦，我今天是不是有些失常，我今天有没有引起她怀疑的举止？旦，你洞悉世事，明察秋毫，你得帮我！

旦：二哥，你别这么紧张。乱由心生，不管发生什么，你只要保持镇静，祸事就去了一半。再说会发生什么呢？母亲不是也说了，只要我们真心做人，一切烦恼都会迎刃而解吗？

贤：对，是这么说了。她还说了好多别的，你没听出来吗？句句都是弦外之音，似在威逼我。

旦：母亲不会对自己的孩子使那么多诡计的。我们是她的亲人。她怎么忍心这样冷酷地戏弄你呢？你只要不做什么错事，以母亲的英明，错误的惩罚是不会降临到你身上的。

贤：你是太不了解她了。不，你是太不了解权力了，权力就像一个陷阱，不管什么掉在里面，都没法逃脱，甚至亲情。亲情是这个世界上最脆弱，最需要精心保护的东西。它一旦落入陷阱，一旦被权力的毒刺扎伤，最先坏死的就是亲情。

旦：我不了解母亲那边发生了什么，我倒担心你的亲情是否已经中毒了。

贤：你当然不了解，你走了以后母亲盘问我门客的事情。她的眼睛是那么犀利，闪烁着比我手下任何一个剑客的凶器都要寒冷的光泽。你真没发现什么迹象吗？你没看见屏风后面的那双僧鞋吗？这还不能让你理解我的处境吗？

旦：二哥，我还是那句话，临事不乱，危险已经远去了一半。

贤：但是现在，危险增加了一半。我知道母亲现在的弄臣明清远就是僧人。他专门为母亲占卜凶吉，谈论时运天象，然后借机进谗言。他躲在屏风后面干什么呢？他为什么要观察我们呢？他肯定是在偷窥我的心事，这个妖孽，大唐又多了一个祸星！他肯定已经用妖法扰乱了我的心智，让我丧失为李姓恢复光荣的雄心和气势。看来我不能再忍耐了，我要先杀了这个妖孽！

旦：你想好了吗？

贤：我想好了吗？我当然想好了！

旦：那你是在引火烧身，你是在用一个小人物的狠毒点燃你身边的危险之火。我想母亲还不至于被一个术士的几句无稽之谈引入歧途。

贤：怎么不会？她搞过魇胜之术，她对那迩娑婆罗满怀兴趣，这是太宗时期臭名远扬的江湖术士。她崇信无聊妇人津津乐道的参佛礼拜，她怎么就不会听信明清远的谗言？明清远的出现加大了我的危险，也增加了我与她宣战的决心，我绝对不能让以理智、冷静著称的李唐王朝受妇人心血来潮的左右。我绝不能让李家的子民丢掉礼义仁爱的儒教传统，而被无稽的妖道神佛愚弄。我要杀了他，我必须杀了他，你说我应该不应该杀他？

贤茫然无助地看着夜空。他与其说在问旦，不如说是在问上苍，问神秘不可知的命运。

3. 薛府膳房　夜晚　内景

桌上已摆好饭菜，明清远和太平相对而坐，薛绍的座位上依然空着，太平尴尬地冲明清远笑笑。

太平：清远师傅，要不然我们先吃吧！

明清远：不，还是再等一等驸马，我毕竟还是客人嘛！驸马每天都回来这么晚吗？

太平：……不是，偶尔而已，驸马最近很忙，城里最近据说不安宁！……师傅干吗这样看着我？

明清远：师傅应该怎么样看着你呢？我这满脸就只剩下这一双眼睛，这和被看的人心情有关。有时越怕别人看，就觉得眼睛正那样盯着你，所以，师傅就总遭人误解甚至遭人仇恨……

太平：师傅还是那么伶牙俐齿，我只随便问了个问题，就得了师傅这么一大通表白，都不敢和您说话了……其实，我有什么害怕的？我才不介意别人怎么看我呢！

明清远：太平，你，高兴吗？

太平：现在？当然高兴了，师傅好久没来看我了，我自然喜不自胜……

明清远：太平，你高兴吗？你知道我在问什么！

太平：……问什么？……噢！高……兴呀！新婚燕尔，嫁了我中意的人，夫家公婆又拿我当亲女儿待，我哪儿还有什么不高兴呢！……我高兴，当然高兴，像……我所……愿望的……那样……高兴！

太平明显说得越来越不自信，但却依然勉强坚持着兴奋的情绪。明清远仍含义深刻地盯着做戏一般的太平。

明清远：……公主高兴就好！记住，您是大唐公主，理应获得世间最快乐的生活……别委屈了自己！

太平：我不委屈，我才不会让自己委屈呢！……

薛绍适时赶到，依旧穿着朝服。他进屋后发现有明清远，怔怔地站在那里。

太平：公子回来啦！……这位就是我跟你提过的感业寺明清远师傅，就是给我算命，说我们肯定会见面的那位……

明清远：贫僧拜见驸马！

薛绍：（冷冷地）幸会……你们谈，我先休息了……

太平：公子不吃饭了吗？我们在这儿候你多时了……

薛绍：你们先吃吧，还等个什么！再说，我也不饿……

太平：哪有不吃饭的道理……

太平刻意做出很亲热的样子，拉住薛绍的手，像是给明清远看。

太平：……公子入席吧！

薛绍只得与太平就座。

太平：再说，我早就想介绍你们认识了。我师傅可是个了不起的人，不仅会治病还会相面，预知未来。最可称绝的是他一眼能看出你现在想的是什么！父皇的眼睛就是清远师傅治好的！

明清远：我哪有那么神，只是观察事物人色较之一般人更仔细罢了！

薛绍：师傅请自便，我就不客气了……

说着薛绍操起碗筷自顾自吃起来。太平尽量做得语调轻松，试图活跃一下略微沉闷的气氛。

太平：薛公子就是这么一个人，平日里沉默寡言，好像没什么话，其实心里却永远热情似火，只不善表露而已。是吧，公子？

薛绍继续吃饭，不置可否。

太平：(有些尴尬) 师傅，请用吧！

三个人默默地用餐，各怀心事，餐桌上出现一阵难堪的沉默。

太平：公子，莲子汤好喝吗？

薛绍：嗯。

太平：是我亲自下厨做的！

薛绍：多谢公主！

太平：我还有一道菜献上，公子猜猜是什么？

薛绍：不知道，那哪猜得中。

太平：我现在就为您烹制，公子，把您的佩刀给我！

薛绍：佩刀？……

薛绍这才抬头，望着太平。太平冲他诡秘地微笑。薛绍会意，从腰间解下佩刀，放在桌上，有些不耐烦的样子。

太平捡起刀，眼睛盯着明清远，故技重演，不动声色地割下她的"手指"。明清远不知内情，先有些吃惊……

明清远：(惊叫) 公主，你……

薛绍：师傅不用担心，她经常这样……

明清远这才意识到"指头"是面做的，太平切下手指。

太平：我最喜欢吃我自己的身体，吃完了又能长回来……公子，你吃吗？

薛绍接过手指，干脆地放进嘴里，津津有味儿地嚼，头甚至都没抬。太平愣愣地看着薛绍，眼里竟然涌动了泪水。

4. 陵园　白天　外景

刻碑人：您刻什么碑文呢？这么好的一块碑，总不能空着吧？

薛绍：……就刻"长相守"吧！

刻碑人：长相守？是人名？

薛绍：不是……我欠您多少钱？

刻碑人：公子您不是……差人付过了吗？

薛绍：（惊异）付过了？什么人付的？

刻碑人：是个女人，头戴面纱，看不清长什么样子。但猜得出，一定面若桃花，正值妙龄……怎么，她不是公子派来的？

5. 武则天寝宫　白天　内景

薛绍跪在武则天脚下。

武则天：平身吧！

薛绍：谢皇后！

武则天站起身，背起双手，围绕着薛绍来回走动。薛绍于是很被动，眼睛不知落在何处。

武则天：知道我为什么召你进宫吗？

薛绍：不知道。

武则天：再想想！

薛绍：臣实在不知。

武则天：薛公子，你是一个聪明人。

薛绍：聪明或者愚蠢，这都是别人下的定义，自己不敢断言！再说，臣从未把做绝顶聪明的人当作为人处事的标准，臣只想做一个诚实的人。

武则天：那也不错！当诚实的人首先要说实话，不论面对谁，这道理对吗？

薛绍：当然！

武则天：那好，从现在起，你我不论谈什么，都必须做到绝对的诚实，你同意吗？

薛绍：同意！

武则天：那么我问你，你为什么突然就成了大唐命官，并且身居高位？

薛绍：因为我娶了您的女儿，做了您的驸马，就必须有个名分，不能仅仅是一介平民。

武则天：官儿当得还舒心？

薛绍：能为大唐尽力，自然身心舒畅。

武则天：但我现在却很后悔当时给你这个官。

薛绍：我不明白……

武则天：因为你就有理由天天早出晚归，甚至误了晚膳；就有理由让新婚的妻子独守空房……我问你，我女儿算不算个好媳妇儿？

薛绍：太平聪慧贤淑，温文尔雅，是不可多得的好妻子……

武则天：我认为这是一句谎话，有违你做人的原则！

薛绍：可太平确实……

武则天：你跟她一起讨论过前辈遗留下的旷世诗篇？还是一起作过画，下过棋？你跟她一起逛过集市？还是曾经相伴着出游赏春？

薛绍：都……没有！

武则天：那她何以聪慧，哪儿来的贤淑，温文尔雅又从何谈起？可见，你在用优美的言辞糊弄我，所以就谈不上是个老实人。我再问你，你是不是个好丈夫？

薛绍：……不是！

武则天：为什么，是不会还是不想？

薛绍：臣可能是不会……不，我是不想！

武则天的咄咄逼人反而使薛绍振作了精神，连日的愤懑也终于有了宣泄的出口。尽管他知道眼前这个人所意味的慑人威力、于股掌间操纵着自己的生死，然而他明白这是自己终究要直面的艰难时刻，选择一个强大的敌人总比郁郁寡欢更符合一个英雄的心情。薛绍脸上逐渐显露出某种大无畏的坚强，他决定就此抓住这次表白的机缘，甚至期盼着最悲惨的结局——死亡!

武则天：好，你终于开始说实话了，为什么？

薛绍：因为我只能是一个妻子的好丈夫。

武则天：哪一个妻子？

薛绍：被您赐死的慧娘！

武则天：所以你怨我？

薛绍：是的，我怨您，怨您为了自己女儿的幸福而剥夺他人幸福的权利。

武则天：所以你决定不给我女儿幸福，甚至用冷落嘲弄她以实行你对于她母亲的怨恨？

薛绍：是……是的！

武则天：你认为这符合一个大丈夫为人的道德，一个老实人做事的原则吗？

薛绍：这……不符合。

武则天：可你为什么还是这样做？

薛绍：因为您是皇后，具有天赋的权力，连神明都仰慕您的威仪。

武则天：所以你这样做是因为恐惧，你因为恐惧强大而把愤怒转嫁到软弱的比你还要无能为力的人身上，并完全忽视她无辜受虐的心灵，这公平吗？

薛绍：……不公平！

武则天：这不仅不公平，而且卑鄙！

薛绍：我难道就注定是爱情可耻的背叛者，惨遭不幸命运的捉弄？

武则天：正像你所说的，首先击败你的是神明都仰慕的威仪，因此你的失败不足挂齿。你还没有糊涂到同神明决斗的可笑地步。况且，你应该感到幸运，我毕竟还在同情你悲痛的心情。你过去没有背叛爱情，可敬可贺。你现在却在背叛。你在嘲弄另一个女子赤诚的爱情，这甚至比背叛还要可耻！一个人遭遇不幸，通常有两条路，生才有可能使命运重新滑入幸运的轨道，并且令他人也分享你的欣喜；死则使命运跌入更不幸的深渊，并且把他人也强行拉入为你陪葬的行列。驸马，一个男人，如果他以折磨一个女人的方式缅怀另一个女人，那他连世上最刻薄的妇人都不如，更称不上一个诚实的人。一个男人，要拿得起放得下，要学会遗忘！

　　薛绍怔怔地望着武则天，内心壮烈的情绪一时找不到出口。

　　武则天：我跟你讲过太平对我意味着什么，我坚信她不仅值得我珍爱，而且值得世界上任何一个人珍爱。记住！我不允许任何一个人慢待她，不管他以什么样的名义！……回家去吧，好好待她……

6. 薛府庭院　　白天　　外景

　　薛绍正在院中舞剑，本来优美怡然的姿态被舞者内心的焦躁与矛盾剥夺一空，平添了几分令人望而生畏却又漫无目的的杀气与威风。太平在一侧偷偷望着自己一脸铁青的丈夫怒气冲冲地与空气为敌。

　　太平手持一把木剑，小心翼翼地向丈夫走过去。

　　太平：你……能教我剑术吗？

　　薛绍停剑，望着太平。

　　薛绍：（轻蔑，沉思了片刻）……你真想学？

　　太平点头。

　　薛绍：……好，把剑举起来。

　　太平双手握剑，骑马蹲裆式，薛绍在一旁，态度动作都有些粗暴。

　　薛绍：脚……分开，再分，不够……（用脚踢开太平分立的腿）好，好……背挺直，再直（用手拍打太平脊背）……平视……胳膊抬起来点，虎口挺住剑把儿……

　　薛绍逼视着端正地摆好姿势的太平，太平恢复了固有的调皮，可爱地微笑起来。

薛绍：别笑！练剑最忌嬉笑，练剑如悟道，要心静如水，懂吗？……（举起手中的剑）我问你，世上有神吗？……

太平：什么？……

太平不理解丈夫为什么突然气势汹汹，不合时宜地提出这样一个问题。

薛绍：回答我，世上有神吗？

太平：（摇头）我不知道……

"啪"地剑被挑掉，太平被吓了一跳，怔怔地望着薛绍。春默默地把剑捡回来。

薛绍：还学吗？

太平点了点头，重又摆好姿势。

薛绍：握好了吗？

太平：握好了。

"啪"地剑再一次被挑掉，两个人对视。

春又要去捡剑。

薛绍：要学就自己去捡。

太平把剑拾回，脸上也见了熟识的倔强。她感到委屈，意识到这早已超过了习剑的内涵，内心只有一个愿望，坚持下去，作为同丈夫交流的一种特别的方式。

薛绍把心中的积郁凝聚在剑上，又一次挥过去。

太平手中的剑"啪"地再次飞走。

旁白：我终于体会到作为一个女人最切肤的悲痛，那就是你所爱的人并不爱你，这一点明白无误地写在我丈夫令人心意寒冷的眼神中。这是为什么？我握剑的手甚至都在哭泣！然而我却第一次感觉到自己血液中那同母亲如出一辙的坚强，我必须就这样倔强地站着，像接受考验那样向我丈夫表明我永不言败的立场！

（伴随着旁白）春望着远处的剑被太平一次一次捡回来，又一次次被挑走，面露关切之色。

太平握住剑，沉默地等待着再一次被挑走，眼里已见泪花。

薛绍：你不高兴？

太平这一次肯定地点点头，泪就落了下来。

太平：我怎么了，做错了什么？……你为什么讨厌我？……你告诉我，我会改的……

7. 酒楼　夜晚　内景

薛绍一脸鄙夷，望着酒桌对面的一中年男人。

薛绍：富贵，你找我有什么事？

富贵：一来是想跟您坐坐，叙叙旧，您家中遭遇了如此不幸，又接踵来了让世人瞩目的幸运，我这从小在薛府长大的老家丁还没来得及捎上一份贺礼……

薛绍：你知道我不愿意见你！我薛府上至惨淡起家的列祖列宗，下至家中的伙夫、园丁，个个都可谓是良孝耿直的正人君子，惟独出了你这个不告而辞又操起拉皮条的罪恶行当的逆子，实在是有辱家风！

富贵：公子尽管骂我。我富贵从一个流浪长安街头的小偷能有今天，多亏了薛家上下，特别是您……逝去的……爱妻的恩宠教化，公子再怎么骂我，我也哑口无言，可人各有志……

薛绍：行了，行了。你低贱的唇舌再没有资格提起她的名字！直说吧，你找我干吗，就为了说这几句话？

富贵：我想为公子引荐一个人……

薛绍：什么人？

富贵：我的新婚妻子，也是我牡丹阁新引进的一朵牡丹……

薛绍：你开什么玩笑，笑话！你以为我薛绍也是那种寻花问柳、花天酒地的纨绔吗？

富贵：公子跟他们不同。他们自己来，而公子需要上门来请。

薛绍：富贵，你真是昏了头，你以为上门来请就能……

富贵：公子必须见她，因为你们是亲戚！

8.牡丹阁　夜晚　内景

这是一间歌舞妓院，楼内丝竹绕耳，彩灯霓裳，充斥着浮华浅薄的欢声笑语。薛绍在富贵的牵领下穿过大堂。薛绍低眉垂手，好像满楼的目光都集中到他一人身上。俩人来到楼上的一间客房，富贵为他拉开门，屋内有一个年轻女人倚窗而立，从背影看酷似慧娘。

富贵：娘子，客人给您带来了……

瑾娘：我从窗里看见了，公子果真当了官儿，连走路都透着威风气派，同先前大不相同了……

说着，她微笑着转过身。

薛绍：瑾娘，怎么是你？！你不是……富贵！

富贵：奴才在！

薛绍：这就是你新婚的妻子？

富贵：奴才不才，正是！

薛绍：你好大的胆子！

说着扬手给了他一记耳光。

瑾娘：姐夫，您不该打他。

薛绍：你，你好糊涂！怎么嫁给他这样一个无用的东西，让我怎么向你姐姐交代！

瑾娘：他无用？在众人眼里，他是无用，甚至是垃圾。可他却有勇气娶一个因为莫须有的罪名流放边陲的罪臣的女儿。并且冒着杀头的危险在判官的鼻子底下呵护她的安全。而你呢，驸马，公众眼里的幸运儿、伟丈夫，却眼见着我的姐姐，一位文弱纤细、只懂爱情的良家女子，因为爱你而命丧黄泉！我看你倒是应该考虑如何面对姐姐，如何表白你现在和美幸福的驸马生活！

薛绍：幸福？我哪里来的什么幸福？你以为和杀害爱妻的仇人的女儿共眠是一种幸福？你以为只有在梦里才能同你原先的爱人相处，感受她那曾经属于我肌肤的温存爱抚，那曾经属于我耳膜的湿润耳语是一种幸福？妹妹，你错了，我现在终日生活在怀念里，被无尽的愧疚煎熬，这才是我表面幸福的实质！

瑾娘：姐夫，你看着我……你知道我看见了什么？我看见了恐惧！这是原来甚至在您的想象中都无法容忍的事物。您怕的是什么？既然你度日如年，生活在痛苦的边缘，为什么不就此将想念付诸行动？

薛绍：我能怎么办，去死？苍天有眼，我现在苟且偷生的惟一理由是不愿舍弃我们年幼的儿子，及薛家近百口无辜的性命。

瑾娘：承担所有苦难的不该是您，而是剥夺您所爱的人，和她自负刚愎的母亲！

薛绍：可她是无辜的。她并不知道自己爱情所犯的罪孽，更不知道自己实际上生活在仇恨的视野里。而她的母亲，却具有着天赋的权力和凌驾于善恶之上的威仪。

瑾娘：你错了！她的家庭早就给予了她罪犯的气质。她挑选丈夫的那种异想天开的张扬，是这一切发生的根源，她必须为此付出代价！至于她的母亲，只不过是一个身处权力巅峰的木材商的女儿，她能有今天，全靠着诡辩和一副天生的、恐怕连自己都不愿面对的狠毒心肠。姐夫，她并不是神明！而我的姐姐才是真正无辜的人。我正颠沛在流放路上的家人，他们才是真正无辜的人！我们全家被扫地出门，纯粹是因为有人恐惧自己的罪恶可能招致的复仇。而我却偏偏要留下来，宁愿隐姓埋名寄居在这烟花楼上，我要亲眼看着杀害我姐姐的仇人最终接收噩运的报应!

薛绍：她们能得到什么样的报应？相反，她们永远是幸运的宠儿。

瑾娘：让她得不到爱情！至少从你身上，这就是报应！那正是权力永远无法购买的东西。现在我对于姐姐的热爱，惟一的方式就是充当她现世的眼睛，充当你所表白的你们崇高爱情的眼睛。这一切取决于你的态度，如果你因为怜悯无辜而再一次施舍爱情，那你就是谋杀我姐姐的同谋，会招致我同样的鄙夷和报复！

薛绍：我哪有什么爱情可以施舍？爱情于我只有一次，它早已做了慧娘的陪葬。

瑾娘：……所以你把慧娘的碑修得光可鉴人，并以"长相守"为墓志铭？

薛绍：你去过墓地了？……碑钱是你付的？

瑾娘：我一个孤苦的逃犯哪有那样的财富，这多亏了我的丈夫。

薛绍：……多谢你，富贵，好好保护她。她留下来是很危险的！

富贵：公子请放心，我既然收留她，并且斗胆爱上了瑾娘，就早已把生死置之度外，发誓用生命保护她，这也算是对薛家恩泽的回报！

9. 梦境

黑色背影。太平从不同角度看见的同一个揭脸的动作，然而这次面具下却不再是薛绍，而永远是另一张面具。

10. 太平及薛绍卧室　夜晚　内景

太平惊醒，半坐起来望着仍在熟睡的薛绍。一滴泪滴在他的面颊上，薛绍睁开眼，没有说话。

太平：我做了一个梦……梦见我再也找不到你了，面具一张张揭开，可后面却不再是你的脸……

薛绍翻过身躺正，两眼直直地望着天花板。太平趴在他胸上。

太平：你不会离开我吧？……你会离开我吗？

薛绍没有反应。太平用肘支起身体，正视着薛绍，手轻抚着他的面颊。

太平：你说话呀？你不会离开我的，说呀……你不会离开我，你离开了我，我就什么也没有了……

薛绍：（定定地望着她）太平……你有过最最珍爱的东西吗？

太平：有……就是你，你是我最珍爱的！

薛绍：如果你珍爱的东西被人拿走了呢？

太平：我就杀了那个强盗，然后再杀死我自己！

有更多的话堵在薛绍的心口，说不出来。他面对太平的无辜极为无奈。

薛绍：……睡吧！

俩人平躺下，都依然睁着眼睛，太平侧头望着薛绍。

太平：我真高兴！那只不过是个噩梦……你不会离开我吧？

薛绍：……不会！

薛绍又背过身去。

旁白：我曾经以为薛绍的笑容就是整个世界的面孔。而我则是在它上空升起、被它映红的一片轻灵的云彩，得意地凝视着自己的一小片阴影愉快地游历那上面的每一处风景。后来我才意识到，我其实是这张面孔不得不面对的一块沉重的乌云，离它越近就越使它远离了阳光，最终彻底地改变了颜色。于是在这世界上的所有面孔中，我惟独见不到的是薛绍的笑容。

11. 寺院　白天　内景

薛绍心急火燎地跑进寺门。

薛绍：住持，住持，他在哪儿，我的儿子在哪儿？

一乡野医士正在为孩子诊脉，薛绍在一旁焦急地观望。

薛绍：怎么样，我儿子怎么样？说话呀，他不会死吧？

医士：……现在还不好说，这么热，怕是孩子挺不过去，看他的命了……

薛绍：一定要救活他，请你救活他，他不能死！求求你了……

夜，薛绍孤独地坐在孩子对面，凝视着他病弱的面容哽咽，泣不成声。

第十三集

旁白：我是宫里第三个知道明清远秘密的人。母亲曾深情地向我描述过他与我皇叔的感情，极其惊心动魄，热烈程度甚至超过合欢与弘。父皇一向处事暧昧，惟独对这件事发动了声势浩大的攻势。于是就有两个人永远不原谅他，一位是我师傅，另一位则是我的皇叔。奇怪的是几乎每一代皇室都会孕育这样一出情感，宛如盛开在皇家情史上的一朵经久不衰的奇葩。那次后宫密谈，你奶奶对明清远产生了恐惧的感觉。她说一个为复仇不惜改头换面、苦等三十八年的人，其意志是惊人而可怕的，而这是无论任何一个当权者都无法容忍的品德。无论他有多么能干谨慎……明清远真正的作用是唤起了母亲对于权力自觉的渴望，但同时也为自己埋下了致命的祸根。明清远还是性情中人，并且不够聪明……

1. 庭院　夜晚　外景

无边的寂静，仿佛月亮布下的陷阱。院当中有一人盘腿静坐，头发挽一个髻，身披亮丽鲜艳的长衫，与周围冰冷的黑暗宣战。他微笑着凝视头顶幽远的星辰，面色苍白如冬天的第一场雪，莹亮而皎洁，令人心痛的优美。

2. 明清远寝室　夜晚　内景

　　熟睡的"明清远"冲里侧卧,被子外照例只剩下一头病态的枯发,杂乱而蓬勃。门闩被静悄悄地拨开,挤进两个黑衣刺客,皆蒙着面,携着惨淡的月光及满脸的杀气。俩人迫近熟睡的"明清远",迈着厄运所惯有的静谧脚步,两把剑在"明清远"身上悬起,闪电般插入身体的同一个部位,血洇出来……

3. 庭院　夜晚　外景

　　两行清泪顺着月光下清朗的面颊滚落,犹如结在面容上的露水……

4. 武则天寝宫　白天　内景

　　明清远跪在武则天脚下,手中捧着一件叠得方正的血衣及两把剑。
　　武则天:你手里是什么?
　　明清远:臣昨夜就寝时穿的睡衣,还有您杀我时忘在我身上的两把剑……
　　武则天:(难以置信)你……开什么玩笑?清远,你说谁要杀你?!
　　明清远:臣没开玩笑,臣讲的句句都是实话!
　　武则天这才严肃起来,将信将疑地吩咐太监。
　　武则天:打开我看看……
　　明清远:谢皇后!
　　太监将血衣打开,胸口处有两个洞。
　　明清远:刺客是高手,扎的是心脏,并且不差丝毫!皇后再看剑柄上的"内卫"二字，分明指着是您派的人。

武则天的脸终于阴沉下来，她冷冷地注视着散开的血衣。

武则天：如果真有刺客，你现在怎么还站在这儿？

明清远：刺客捅错了人，两刀要了我厨娘的命！她长着一头同我一样凄惨的枯发！

武则天：睡在你床上？

明清远：她很不幸！

武则天：那你呢？

明清远：我已经十年不睡觉了，刺客不了解我的品性！

武则天：（怀疑）……让一个厨娘睡在你的床上？

明清远：她命不好，昨天刚赏她睡在我床上！

武则天：为什么？

明清远：因为她前天想杀我，往我汤里下了毒。

武则天：你凭什么让我相信你？

明清远：因为我没有必要在这件事上撒谎，屡遭暗算不是一件光荣的事。况且，一切物证我都已经留下。那碗汤还摆在我桌上，上面浮着一层不知好歹的苍蝇。几天前从凌烟阁上掉下来的那块石头，我也没让人搬走。

武则天：这么说，最近一直有人要杀你？

明清远：皇后明鉴！可这位总打着您的名义的刺客不了解，明清远很难被杀死，但他还在不知疲倦地尽力试着……

武则天：为什么不早告诉我？

明清远：我一直认为，杀我是一件微不足道的小事，不值一提。况且，正像我说的，杀死我很难，但没想到他杀上了瘾……

武则天腾地站起身。

武则天：查！给我从上到下地查！先查出这把剑是谁的。

明清远：不用查了，我知道是谁。

武则天：谁?

明清远：臣不敢说!

武则天：(会意)你们都先下去吧!

众人退下。

武则天：告诉我,谁?

明清远：太子!

武则天：太子?……为什么?

明清远：因为您宠我,所以我必进谗言,这是太子的逻辑。自从上次为皇子们看完相,太子就恨上了我!

武则天：贤最近是不大让我高兴,可说话要有真凭实据。再说,他杀你干什么?

明清远：太子其实很聪明,知道自己的命道,只不过还不甘心,把恼怒撒在替神宣道的人身上,以为我也在神面前进了谗言!

武则天：你言重了,贤毕竟还只是个孩子……

明清远：太子早已不是孩子了,您如果不当机立断,那么很可能会危及您的安危!贤已经在东宫计划废后的步骤了!

武则天：你怎么知道?

明清远：因为我是东宫定期聚会的一员,并且在与会的众多抱负远大的才子中被奉为上宾!

武则天：你……给我跪下!竟敢如此明目张胆地嘲弄我!

明清远：皇后息怒,您不知道吗?我其实还长着另外一副面孔!

明清远当即把脸上的遮布扯掉,不见伤痕,却秀丽得近乎完美,正是那个月下人!

武则天：(惊恐)你……你是谁?

明清远：皇后忘了吗?请用您尊贵的目光抚去我脸上岁月的风尘,您还记得三十八年前那个因为性别的大逆不道的爱情,被当今圣上判了死罪的无知书童吗?那个如同葵花追逐阳光般执着的浪漫少年,他无可挽回地坠入同您皇兄艰难的爱情,在圣上登基的熏风殿,为他所爱的人——圣上借权力打败的哥哥,大胆鸣冤喊屈的那个莽撞情人。为了至高无上的圣洁爱情,他被当作一条病变的狗,拉到西市去斩首。恰恰又被圣上,李家最可笑的幸运儿,当作一份毫无创造力的厚礼献给了僧院,以表明他那被善良伪装、实际却混沌乏味的道德需要!对于那个年轻人的处决引发了一场在他倡导下的对于真正爱情的大规模诽谤……

武则天:长生……长生……天啊!原来是你……

明清远:所以您应该理解我三十八年后在感业寺再见到您时的心情。您从静慧师太那儿把我要来,使我想起三十八年前,您在刑场上向圣上求情恩准我做您太监的情形。我清楚地记得您当时的眼神,那里面分明写着一个女人对于一切真诚爱情的善良悟性及给予保护的直觉……

武则天:你既然跑了,为什么现在又要回来?

明清远:我跑是因为这个地方太让我伤心,但我却没有一天忘记您对我的恩情。我曾经试图依靠时间来淡忘这场刻骨铭心的爱恋,结果却恰恰相反,我反倒日益增强了为爱而复仇的激情!

武则天:复仇?你想怎么样复仇呢?

明清远:我记得您的皇兄李泰,我暂且再次斗胆称他为爱人,他在与当今圣上围绕权力所进行的斗争失利时,对我说:一个王朝最大的悲哀莫过于被一个昏庸的好人统治。它会像一位慢性病人那样,最终不知不觉地遍体鳞伤,甚至没有挽救的可能。圣上就是这样一位昏庸的好人,他的一切优点都建筑于不善思考,循规蹈矩,明哲保身。几十年来如果没有您的心智,大唐朝廷恐怕早已沦为和事佬的会堂,从而彻底让老百姓丧失信心和感情。能让当今圣上亲眼看见李氏王朝败于他自己的古板、乏味和缺乏激情,这是我多年的心愿。是他,葬送并侮辱了我和我全部青春缔造的爱情。这也是为什么我要拼命治好他的眼睛,我要让他亲眼目睹自己那不可挽回的一败涂地……

武则天:你为什么跟我讲这些?……你就不怕我把你交给圣上?

明清远：从您眼睛里我看到了一种统治者的悟性，这大概是您与三十八年前的那个武昭仪惟一的区别。我之所以用日、月和天空创造一个新字献给您，不只是源于我的祝福，还因为您将成为上天钦定的主持天下的新一届使者。不论您现在是否意识到，能在您庇护下尽我的一份微薄力量，是长生的责任，也是长生对您救命之恩最深沉的谢意！况且，即使您真的将我交与皇帝，等待我的至多不过是本应属于我的迟到了三十八年的死讯！

武则天：好了！你说得太多了！我可以保持你身世的秘密，既然我救过你，就不会在三十八年之后把你推回同样的危险。但对于你为我树立的野心，我却不敢苟同，也不感兴趣。你现在有两条路，要么出宫，要么留在我身边，帮助我成为一个更贤明的皇后，更合格的妻子和母亲，你选择哪条路呢？

明清远：……当然是第二条！

武则天：那好！关于贤，他毕竟是太子，圣上名正言顺的接班人，如果没有充分的理由……

明清远：我有一计，他既然想杀我，就让他的目的得以暴露。皇后知道今年上元灯节角抵戏由我主演吗？我会动员他在那天的大庭广众之下刺杀我。所有人都知道我是您的机要属臣，如果皇后能在众目睽睽之下抓住他谋杀的证据，也就抓住了他与您成心作对的把柄，这样连皇上都无话可说，废他自然是最合理的结论，皇后以为如何？

武则天：你这不是主动请死吗？为什么一定要用这样的苦肉计？

明清远：皇后放心，我是不会死的。我所练的功，可以刀枪不入，全身只有一处死穴……（明清远用手示意喉咙）不命中这儿，则如搔痒。死而复活对我来说易如反掌。等废了贤，我摘下这可恶的面巾。没有人认识我，圣上的视力也不足以辨认出我……

武则天：（莫测一笑）告诉我，你这些年都做了什么？

第十三集　　　　　　223

5. 薛府庭院　白天　外景

旁白：我的生活依然以其惯性悄然进行着。如果说它最初的缺乏激情曾经伤害到我，那么现在它却成功地与时间联手教会了我忍耐，教会了我如何从抵达极限的无趣中，一厢情愿地寻找希望的苗头。我尽量把理智放在一边，反而充满感情地把这一切认作是我丈夫内敛沉默的性格。我依然爱他，甚至不可救药地与日俱增。因为他身上那永不消失的谜一样的特质和我内心不可遏制的探险的欲望，难分难解地纠缠在一起……

薛绍的鹦鹉在阳光下活泼地抖动着翅膀，它总能在落入太平手掌中的最后一刻轻巧地逃离，勾引着太平和春气喘吁吁地从卧房的屋檐下一直追到走廊，然后到后院的葡萄架旁。最终它悠然地降落在后院阁楼的窗台上，向楼下一脸大汗的太平示威。

太平推开阁楼被尘土封锁的破败的门，战战兢兢地沿着吱呀作响的古旧楼梯爬向顶屋。她蹑手蹑脚地同春穿过顶层陈旧的景致，成功地从背后俘虏了全然不知的鹦鹉。她抚着鸟儿鲜艳光亮的羽毛，这才有时间环视这个从未光顾的被弃忘的角落。

房中堆满了大大小小的箱子，都上了锁。房角结着蜘蛛网，可以想见往日荣华被阴暗和长久的忽视伤害，面目晦暗，不见了光彩。

太平发现屋角的一把古琴，她走上前把它搬至窗下，试图借日光端详它的面目。太平吹去琴面上的尘土，被灰尘迷了眼睛。

6. 阁楼下的花园　白天　外景

来自阁楼的一阵琴声逐渐连续，最初生涩的音调也逐渐有了旋律，那旋律竟然越来越有韵味，最终激扬喧闹起来。连绵的琴声穿过午后寂静的薛府，在院落的上空荡漾。

7. 薛府堂屋　白天　内景

薛家父母正饮茶，薛母最先捕捉到飘然而至的琴声。

薛母：……你听！

琴声清晰起来，薛父不自觉地哆嗦了一下，茶杯险些掉在地上。

薛母：（恐惧）这……这是慧娘的琴……

薛父站起身，两人不自觉地随声疾步走出屋，向后院去。

8. 阁楼下的花园　白天　外景

阁楼下已聚集了很多薛府的家丁，个个睁大了眼睛，望着楼顶的窗口。薛家父母急急赶到，分开众人站在最前排仰望。

薛绍不知何时出现在众人身后，他仰视楼顶，面容苍茫迷幻，迈着梦呓般的步子。所有的人都转而注视着失魂的薛绍。薛家父母脸上又逐渐堆积出惯性的慌张。

薛母：绍儿，绍儿……

薛绍全然不理会母亲急促的轻声劝阻，梦游一般缓缓地向阁楼走去。

11. 阁楼　白天　内景

薛绍站在楼梯口，心神专注地盯着太平抚琴的背影。曲子恰巧收尾，余韵绕耳，片刻的沉默。太平转过身，一脸笑容。

太平：公子，我弹得好吗？

沉默，薛绍一脸木然，只怔怔地望着太平。

太平：（笑）好久没摸琴了，指法已经生疏了许多。公子知道这首曲子吗？

薛绍：这是《柳絮纷飞》……

太平：公子对这曲子很熟悉？

薛绍：……很熟悉！……犹如婴孩耳中，母亲的催眠曲……

太平：让您说对了！《柳絮纷飞》，正是宫里的丝竹班子在我儿时每夜就寝前，伴着夜色奏响的催眠曲，后来还是母亲教会我弹奏的……这琴是您的？

薛绍：……曾经是！

太平：现在不是了？（翻过琴，念琴背面刻的诗）……永夜抛人何处去？绝来音。香阁掩，蛾眉敛，月将沉。争忍不相寻？怨孤衾。换我心为你心，始知相忆深……这首情深意切的爱情诗，也曾经属于您？

薛绍本想阻止太平念这首只属于他和慧娘的诗句，但已晚了。他无法回避这一时刻的到来。他知道隐瞒是无效的。何况他有太多的积怨，太多的心绪无法倾泻。他不加思考地向太平流露了他的秘密，一个被他演绎的秘密。

薛绍：……不，它曾经属于一个世界上最幸福的爱人……

太平：公子认识他？

薛绍：（迟疑片刻）不认识，只听说过……这就是为什么我从市上买了这把琴，为了这首诗，也为了它背后美满的爱情故事……

太平：能给我讲讲这美满的爱情故事吗？

薛绍：你……真想听？

太平：我喜欢听一切有关爱情的故事。

薛绍：……有两个孩子，他们从小一同长大。他们做同样的游戏，唱相同的歌谣，经历着同样的四季风雨，宛如一棵树上同时结出的两颗饱满的果实。当青春像嘹亮清灵的鸽哨唤醒他们稚嫩无知的少年梦境，他们才意识到彼此已经陷入深沉的爱情。于是，他们结婚，从名义上正式获取了其实早已属于两个人的生活。惟一的不同是他们发誓从此相牵的手将永远不再分开，直至死亡。

太平：（见薛绍突然沉默）后来呢，后来他们怎么样？

薛绍在太平的一再追问下，继续想象他演绎的故事。

薛绍：他们以替人采集珍贵药草为生。他们的身影遍布于自然之中，连山间的鸟儿都熟悉他们午夜纠缠交错的酣睡声，连林中的昆虫都认识他们齐整划一的足迹。有一天，他们终于看到一朵高山的雪莲。然而那座雪山综合了厄运全部的狰狞面目。在山脚下他们爆发了生平第一场争吵，谁都想先试探头顶的危途。最后是丈夫争取了主动。他在妻子之上攀爬陡峭的悬崖。一切如意，妻子注视着丈夫上方伸手可及的幸福，然而悲剧发生了，一块松动的岩石使丈夫一脚落空，他绝望地呼喊着坠向脚下的山谷。妻子目睹着丈夫滑向死亡，爱情赋予了她惊人的勇气，当他下坠的身体划过自己身边时，她勇敢地伸手相抱，凭借的只是长相守的誓言，俩人就如此相拥着坠入谷底，像两片粘在一起的枯叶。他们远离了唾手可得的幸福，拥有的却是永恒的爱情……

太平：（泪水潮湿了眼睛）他们……死了吗？

薛绍：粉身碎骨！他们喷涌的鲜血像一朵朵血红的玫瑰，猝然盛开于山脚下的岩石上。他们终如所愿，合而为一，骨屑不分你我，随风扬洒于四方的山林。他们全部的财产及遗物仅为山下陋室中一把高贵的古琴，在那上面妻子定期为丈夫疲惫的身心拨响悠扬的乐曲。

太平：是这首吗？

《长相守》的旋律在太平指尖缓缓流动，只弹了两个小节，被薛绍打断。

薛绍：（惊异）你怎么会的？

太平：……公子忘了？您把谱子也随琴买来了，就藏在琴箱的暗盒儿里。

说罢，太平含泪弹奏。

薛绍：（冲动）别弹了！……别弹了……

太平：（哽咽）我知道公子是感叹自己没有获得过如此深切的爱情。我也没有……然而公子却让我更深地领悟了爱情的真谛，其实它始终隐藏在我对您的感情里，只不过因为我公主的身份而模糊了面容。公子，如果需要的话，我也可以选择为您而死，这就是我对于您最真实的感情……

太平的一席话令薛绍眼中的泪水终于夺眶而出，只有他自己知道这心酸的真实来源。太平也在哭，而她的伤感却来源于对爱情单纯的感动。

旁白：我欣喜地发现我丈夫的冷漠只在表面，在他心底澎湃着浩荡的激情。一个能如此生动地讲述情感的男人不可能不懂爱情。我们婚后生活的平淡或许仅仅是因为我们萍水相逢，以及我来得鲁莽的激情。毕竟，我们缺乏故事中那份源于两小无猜的深沉依恋。我决定再一次全面下放公主的身份，像一个最普通的女孩子那样纯朴地争取爱情，而真诚则是我拥有的全部资源。

14. 庭院　白天　外景

宣旨官：左今武卫大将军，当朝驸马薛绍及大唐公主太平听旨！
薛绍一家人匆匆地从屋中赶到庭院里，跪下。
宣旨官：圣母皇后则天手谕：宣左今武卫大将军，驸马薛绍及大唐公主太平共同于上元灯节进宫赏戏，与家人同享天伦之乐，与官民共庆四宇安靖，钦此！
太平：太平公主及驸马敬谢二圣隆恩！
薛绍在一旁面色凝重。

15. "长相守"墓碑前　白天　外景

薛绍跪在墓前，碑上放着一束新采的鲜花。
薛绍：慧娘，我来看你，你最近过得怎么样？日子还算舒心？……真快啊……崇谏长大了，真如你所说的，相貌像我，只是那眼神儿让我陌生。这可怜的孩子到现在还不知道自己的身世，以为自己是住持的教子……慧娘，我现在不仅被对你的怀念和爱恋折磨得寝食不安，还要负担另外一场炽热的、然而却是强加的爱情。我该怎么办？直接告诉她我不爱她，也不可能爱她？真无法想象那对她年轻的生命将会是一种什么样的打击！她还只是个孩子。我有时甚至可怜她，无辜地担负起别人的罪恶。瑾娘也恨我……我该怎么办？慧娘，我身边有一个急于复仇的朋友和一个不知所以、仍盲目铸造爱巢的无辜的敌人。我真后悔当初答应你活下来。对我们来讲，只有死亡是最圆满最崇高的结局。而生存却只能成就遗憾！……慧娘，我想你，你为什么好久不来看我，为我的梦境注入你的一袭馨香，为我的思念提供一张更生动的凭据。我想你的声音，你的眼神，你的气息……那构成我生命的一切……慧娘，答应我，回来看我，就今天晚上，我等你……

薛绍伏在墓碑上，以泪洗面。

16. 宫中角抵戏场　　白天　　内景

彩灯高悬，鼓乐声声。戏场内的一切被装饰得亮丽浮艳，炫耀着宫廷特有的华而不实和张扬。皇亲国戚们都来了。韦氏、显、旦、刘氏（旦的妻子）、贤、太平、薛绍……他们此刻正围坐在一起，看着旦新生的儿子李隆基在中间困惑地爬来爬去。望着四周被喜悦装点的一张张笑脸，他爬得全无规则，于是惹来周围一阵阵叫喊及笑声。

哟哟，去他爸爸那儿去了……噫，不对，不对，又回来了……找显去了……不对，是冲贤去了……

在这堆喜悦的人中，惟独贤脸上挂着明显不合时宜的凝重和焦虑。李隆基却偏偏趴在地上，扬着大大的脑袋与他对视。贤这才注意到周围的目光都集中在自己身上，并且变得很安静。

看贤呢……这孩子……

喜欢太子呗……

贤这才意识到自己的严肃对一个七八个月的婴儿显得有些滑稽。他勉强挤出一丝笑意，并笨拙地摆了个相抱的姿势，李隆基却一转身朝别的方向爬去。贤尴尬地笑笑，然后分开众人向自己位子上走去。

太平把这一切都看在眼里，望着人堆外正襟危坐的贤皱着眉头。这时感觉袖子被什么东西扯动，她低下头，看到李隆基正冲着自己笑呢。

韦氏：哈哈，孩子最喜欢太平。

显：四弟，你这当爸的心里不吃醋？

刘氏：……哪儿的话，甭说孩子了，连大人见了太平，不也人见人爱吗！

韦氏：刘氏真会讲话，太平如果人见人爱，那不气坏了驸马？

一片笑声。

17. 角抵戏场后台　白天　内景

明清远蒙着面，盘腿与另一个角斗士、自己的对手相对而坐。两人皆披着虎皮，一脸庄严，目光寒冷。

明清远：你要杀我？

角斗士：是的！

明清远：你杀不成我！

角斗士：我肯定杀死你！

明清远：（笑）你多大了？

角斗士：二十。

明清远：可惜了，干吗为太子卖命？

角斗士：我不为任何人卖命。只知道今天要杀死你！

明清远：要杀不了我呢？

角斗士：（反而笑了）那你就杀了我！

明清远：我杀不了你，我用的是木剑。不过你今天也得死，有人会杀你！

角斗士：那就看结果吧，清远师傅！

18. 角抵戏场　白天　内景

太平怀里抱着李隆基，眼睛却盯着不远处的贤。他仍心神不定，手神经质地搓着椅背儿……

太平：旦哥哥，太子今天怎么了，神色这么不好？

旦：从你走后，他神色一直这样。好了，反而是例外。

太监：皇后到——

武则天雍容华贵地走入，目光一一扫过下拜的儿女们，她走到自己的座位上，坐稳。

武则天：都平身吧！皇上让我问你们好，他头疼，就不来了……我很高兴，家中好久没有这样的聚会了，做母亲的看见你们都长大成人，心里自然由衷地快慰！所以就更要来，宁愿不陪皇上……况且，今天家里还来了位贵客，驸马这是第一次同皇室宗亲聚会吧？！

薛绍：……是。承蒙皇后恩宠。

武则天：最近你们日子过得怎么样？

薛绍：（看了看太平）我想还好！

武则天：（笑）这次我信了你……太平，把隆基给我抱过来！（从太平手中接过孩子）

武则天突然转头对薛绍和太平。

武则天：你们什么时候得子啊？

太平脸色红红地看着薛绍。

武则天又转向贤。

武则天：……这孩子，生得鼻直口方，方额广颐，真是相貌堂堂……太子，你总盯着我看什么？有事禀奏？

武则天甚至都没看贤,依旧逗着孩子。
贤:……没有……什么事!
武则天:我记得显小时候胖,太平小时候最能吃,且最晚一个说话……弘最爱哭,而贤,你知道你小时候最怎么样?
贤:儿不知!
武则天:最爱咬你奶娘的乳头!
众人乐。贤显得十分窘迫,目光游移不定地四处飘移。

19. 角抵戏场　白天　内景

众人注视着明清远及对手上场。他们先拜了皇后,然后披上了虎皮,紧张地坐直了身子。
角抵戏开始,俩人打得难分难解,明清远竭尽全力拼斗,似乎他知道死期已至。贤不知是入戏了,还是生性紧张,不停地咬着手指甲。
突然,白虎一剑刺穿了明清远的喉咙,血流如注……
看台上的人们都惊慌了,哗然。
太平慌忙捂住李隆基的眼睛。
那只白虎脱掉虎皮朝着贤的方向,拱了拱手,然后横剑自刎,也死在了台上。
贤木讷地坐在座位上,所有人的目光都投向他。
武则天腾地站起身,盯视着早已瘫在椅子上的贤,之后拂袖而去……
贤垂头丧气的面孔。

旁白:这是你在宫里亲历的第一起谋杀。尽管我当时捂着你的眼睛,但你应该看到了那一幕血腥的场面,以及贤惊慌失措的目光。明清远毕竟是性情中人,并且不够聪明,他想借助权力来补偿自己失落三十八年的爱情,其结果必定是迟到的灭亡。母亲说她当年挽救的是善良和纯洁,而三十八年的漂流却令他遗忘了他得以存活的高贵品质。所以他同一个平凡的野心家没有任何区别。这件事的真正意义在于促使母亲正式启动了她那辆权力的战车……

第十四集

1. 贤寝宫　夜晚　内景

　　贤已经完全崩溃了。他瘫坐在椅子上，目光呆滞，门客们静立在贤的面前，似乎在等候贤发布命令。

　　贤：你们都看着我干吗？我一个将死的人……

　　贤站起身，走至窗前，望着外面朦胧的夜色。他虽然面色平稳，然而看得出正动用全身的意志压抑某种一触即发的情绪，他下垂的右手痉挛般地抖动，把持茶杯的左手在逐渐加强着力度，"啪"地茶杯被生生捏碎。贤下意识地收回左手，见了血，缓缓地往袖管里滑……

　　门客：太子，您的手……

　　贤：（终于爆发）别叫我太子！你们都给我滚，滚！……

　　众人面面相觑。贤转过身来，脸神经质地抽动，他毫无理性地大发雷霆。

　　贤：……你们都是叛徒，都在出卖我！坦白吧，我不会治你们的罪。反正我也是将死的太子了，一文不值，但你们要让我死个明白！说，还有谁是母后的人，你是吗？……

贤随手抓住一个人的前襟。

门客：不是！

贤把他推开，右手又抓起一个人。

贤：那你呢？

门客：不是！

贤：你呢？……你呢？……（贤已经完全丧失了理智）哈哈，你们都说不是，其实你们都是！这宫里每一个人都是皇后的探子，每一个人都是太子的敌人！因为他自不量力，他野心勃勃，他竟敢逆着潮流同威仪的皇后作对！他是大明宫里最完整的笑话！随你们的便！去到皇后那儿摇尾乞食吧，讨个一官半职，这已是如今天下最时髦的游戏……可我不怕！你们听清了吗？我不怕！我是太子最可信赖的同盟，只有我永远不会背叛太子的理想，你们都滚吧！我将留下来独自战斗！……还愣着干什么，走啊，带着你们发酵的良心和全部沦丧的德行，我鄙视你们，讨厌你们！

门客：太子……请您冷静一点儿！太子对我们恩重如山，我们全部的良心就是辅佐您的基业，保卫您的安全！我们最高尚的德行就是对您毫无保留的忠诚。太子，请相信我们！

门客跪下，其他人皆纷纷跪下。

众人：请太子相信我们！……

贤望着自己四周跪拜的众门客，神情转为悲痛。

贤：信任你们？让我怎么信任你们？连何三儿都在骗我，我最器重和最相信的敢死壮士都在关键时刻出卖我，叫我怎么信任你们？……现在谈这些还有什么用？全大明宫都知道是我谋杀了明清远，我这个太子是当不成了，连命都掌握在皇后一时的心境上……你们走吧！省得受牵连，就当一时心血来潮，跟错了主子！

门客：太子太小看我们了！倘若真像您说的，我们一时心血来潮，跟错了主子，但既然跟了，就跟到底，这才是君子的做派和风范！太子如果被贬，我们还会跟随您以图东山再起，但要有人想杀您，不论他是谁，恐怕就要问问我们手中的剑了！

　　他说完剑已出鞘，刺入地上。一时间屋内剑光闪烁，放眼望去，像一片杀气腾腾的树林。贤稍稍恢复了理智，他望着脚下壮士们悲凄诚恳的目光。

　　贤：但愿我这次没有看错人！……都起来吧！也不知道宫里现在有什么动作。黑齿兄还没回来吗？

　　内侍：高丽王子黑齿常之到！

　　贤及所有人的目光都齐齐地投向门口。高丽王子从容地穿过人群，向贤阔步走来。

　　贤：怎么样，宫里有什么动静？

　　高丽王子：情况不是很好，皇后已经掌握了我们所有人的名单，看来随时都有可能动手！

　　贤：（长叹）……我命休矣！……混蛋王八蛋，给我掘地三尺，把何三儿给我挖出来，我亲手扒了他的皮做鼓……

　　高丽王子：事已至此，即使把他分了尸也无济于事，一个死了的人……其实我们还有办法！

　　贤：说！

　　高丽王子：光凭何三儿临死前的拱手礼，并不能够说明是太子的指使，证据并不充分！太子应该主动为明清远的死向皇后讨个说法儿。我这里有一件重要物证，能够证明谋害明清远是皇后所为，只是矛头直接指向了您的母亲……

　　贤：什么物证？拿出来！

　　高丽王子从怀里拿出一块绸布，递与贤。

　　高丽王子：还记得那天我也在后台吗？明清远临死前割了一段袍袖，塞在了我手里，上面有字，请太子查阅……

　　贤接过断袖，打开，上面有一行字：皇后要杀我，太子救命！

贤：……奇怪，明清远一向同我为敌，为什么在这关键时刻倒想起了我？

高丽王子：狗急跳墙，明清远是一介弄臣，知道自己是如今宫内两派权力争斗的靶子。哪一方先动手，另一方就是他的朋友。可能何三儿嘴松，备场时说漏了谁是自己真正的主子，让明清远抓住了把柄，临死前，反咬主子一口，权做最后的挣扎。这种人从来不会有坚定的立场！

贤：我看没那么简单，只怕又是母后施的计，把我往刀尖儿上顶……

高丽王子：也有可能是计！但这片断袖却千真万确，谁也无法抵赖。现在关键问题是搞清楚明清远是否真正死了，假如真死了，这袖子就有了非凡的意义，可以助您反败为胜，起码保全太子的位置！

贤：……有道理！……开棺验尸，看看他是否真死了！……顾全真！顾全真！

门客：顾壮士去德州了，您忘了，是您派他去联络淮王的！

贤：噢！……该死！现在才最需要他！

2. 墓场　夜晚　外景

刮着很大的风，呼啸着掠过黑暗中的墓地。远远地看见几个人，举着狂躁蹿动的火把，衣袖在风中扑啦作响，成为这黑风冷月的夜中一道不祥而诡秘的景致。一口棺材从墓穴中被缓缓提起。

贤：打开吧！

明清远躺在棺中，显然是草草地埋了。衣服上还遍布着斑驳的血迹。一位医士模样的人仔细地验尸。

医士：太子，他死定了……

贤脸上有一丝一闪即过的笑意。

贤：放回去吧！……（看着棺木下降）等等！抬上来，我有用处！

3. 李治寝宫　夜晚　内景

李治已渐显老态，这个身居权力之巅的男人如今反而有着宫中最清闲的头脑和心情。当然，病魔缠身是公认的理由，然而只有他清楚，在某种意义上他甚至是在利用自己衰败的健康纵容业已怠倦的智慧。他深知权力在无可挽回地离他而去，在无可奈何之余，他居然感到某种程度的身心舒畅。明清远的死使他可怜的视力没了指望。他眼下几近失明，但仍颇有兴味地同贴身太监演皮影戏。没有幕布，桌子即是表演台。皮影在桌面上表演。

李治：……看这一江春水，看这满树桃花，看这如黛青山，都没有丝毫改变。看对面来的是谁家女子，生得春光满面，美丽非凡。这位姑娘，请你停下美丽的脚步，你可知自己犯下了怎样的错误？

太监：这位官人，明明是……

李治：等会儿！……拿来我看看！

李治拿着太监的皮影，把眼睛凑得很近，与其说看，不如说在用手摸……

李治：……不用这张，换木兰女，羊皮做的那张……

太监在满案子之上的皮影中挑出一张女角儿，递给李治。

太监：是这张吗，皇上？

李治：……嗯，对！……该你的词儿了！

太监：这位官人，明明是你的马蹄踢翻了我的竹篮，你看这宽阔的道路直通蓝天，你却非让这可恶的畜生溅起我满裙污点，怎么反倒……

这时，太监看见李治身后径直走进来的武则天，赶紧停下戏词。

太监：参见皇后！

李治没有回头，只沉默了片刻。

李治：……你继续！

太监：你却非让这可恶的畜生溅起我满裙的污点……

李治：怎么没有一点感情？她是高兴呢？还是生气？继续，要有感情！

太监：（突然有了感情，做作而滑稽）怎么反倒怪罪起我的错误？

李治：你的错误就是美若天仙，你婀娜的身姿让我的手不听使唤，你蓬松的乌发……

武则天：皇上，明清远死了！

李治沉默，然后又拾起了兴致。

李治：……你蓬松的乌发涨满了我的眼帘，看不见道路山川，只有漆黑一片……

武则天：太子杀死了他！

片刻沉默，李治继续选择不予理会。

李治：……你明艳的面颊让我胯下的这头畜生神魂颠倒，忘记了他的主人是多么威严……

武则天：你们先下去吧！皇上累了。

太监们下，屋中只剩下李治及武则天。李治依然没有回头，手中握着皮影怅然若失。

武则天：皇上，贤杀死了御医明清远！

李治：……知道了，贤早晨刚走，他说是你杀的！

武则天：皇上信谁？明清远是我带进宫的！

李治：谁都不信！王伏胜也是你带进宫的……现在只麻烦你再找个人，治我的眼睛！

武则天终于按捺不住激动，绕到李治的对面。

武则天：皇上您怎么了？怎么突然对任何事都无动于衷？您难道忘了您是大唐的天子？是众臣行事的指南，判断是非曲直的准绳？

李治：（自我解嘲地笑）是吗？那现在我的妻子和我的儿子在互相指责对方是杀害自己丈夫和父亲钦定御医的凶手！我想正义能做的惟一选择是寒心和缄默。

第十四集

武则天：皇上错了！父亲和丈夫可以选择沉默和逃避，正义不可以！

李治：那你说正义应该选择杀子还是休妻？！

　　武则天片刻地震惊，因为在她的印象中，李治很少有这样的冲动。而且"休妻"这个字眼，听起来那么刺耳。

武则天：选择公正！一国之君的正义就是能够维护社稷的利益。贤的急不可待已经成为宫中的一大隐患，圣上知道吗？东宫早已聚集了一大批盛气凌人的年轻人，不论他们风发的意气来源于报国的雄心，还是窃国的野心，都有一点令朝野一目了然。太子性格中的急躁、轻信和脆弱是他们得以实现其内心良莠不齐的欲望所需要的最尖利和安全的武器。身为太子，不论他有多么非凡的才能，适当的性情才是成就大业的首要，我担心贤……

李治：（烦躁）你要废他就废他，不用跟我讲这么多。这跟正义也没多大关系！……

　　李治扔掉手中把玩的皮影。

　　武则天缄默了。她知道这对李治是艰难的选择。

李治：（降低语调，悲怆无奈地）……不论怎么样，他是你的儿子，别杀他就行！

4. 湖心岛　白天　外景

　　湖心岛上聚集着皇室成员，气氛轻松和谐，其乐融融。每个人的脸上都挂着如此刻天色般的美好笑颜。

　　韦氏和显的爱情已不是秘密，俩人在湖边凉亭窃窃私语。侍者正穿梭奔走，往条案上摆放佳肴。

　　武则天坐在条案的一端，膝上抱着年幼的李隆基，太平坐在她身边。旦的琴声悠扬，安抚着每个人的心情，还有这个来之不易的假日。

武则天：（望着韦氏与显的方向）太平，你说韦氏对于显合适吗？显最近好像着了魔，一离了韦氏就心神不定，眼巴巴地找她讨主意！

太平：母亲，我和韦氏两小无猜，情如姐妹。韦姐姐外刚内柔，虽表面泼辣武断，内心却极为细致，洞察秋毫。三哥倾心于韦姐姐也算是有历史了，可谓情意绵长。如果母亲能恩准了他们的恋情，不仅成就了显哥哥一桩多年的心愿，也为女儿的挚友找了一个美好的归宿。

武则天：给皇子娶亲不像为女儿招驸马。爱情固然重要，但从来不是首当其冲的理由。再说，嫁了皇子也未见得是一个美好的归宿，皇子的命运就如浮萍，总漂在水面上，既要享受风和日丽，也得经受风吹雨打，其实反而比常人活得更周折……这孩子，劲儿这么大……不知怎么的，韦氏的眼神从小就让我觉得不大安生，总那么活络灵巧，透着过分的机灵……我记得你跟我说过，她好像更喜欢弘……

凉亭中的韦氏和显。显紧张地闻着香囊，照例一副六神无主的样子。

韦氏：快去呀！

显：这……合适吗？家中好不容易有这么一天的安宁，我又去扯这些不愉快的事……

韦氏：有什么不愉快？身为皇子，能为母亲分担一些不论是国事还是家事上的忧虑，能让她在决策时有个哪怕微不足道的帮手，这能让谁不愉快？况且，显，你现在应该明白了，不论你多么淡泊功利，多么自认才疏，摆在你面前的只有两条路，要么像你的哥哥们，集中起你全部的智慧和心情，担起太子的重任；要么继续做天底下血统最尊贵的育香人，最终让李家的姓氏同香气一起挥发，成为过眼烟云。我看上你，是由于你憨厚纯朴。但一个男人，如果他胸无大志，那其他的一切优点都只不过是平庸可笑的装饰！我但愿你不是这样的人！

显：我，我说什么了，惹得你这么一大通义正词严，我去不就完了！

条案旁。

武则天：你父皇最近情况不大好，视力越来越可怜了……

太平：贤为什么要杀明清远师傅？

武则天：谁跟你讲是贤杀的？

太平：宫里都这么说！

武则天：我看他是自杀，他跟我进宫就已经抱定了死的愿望！其实很多人看上去被人杀了，实际上都是自己在找死！

太平：为什么？我师傅为什么想死……

武则天：你问得太多了，太平！我把你嫁出去，很大一部分原因是想让你远离这些是非，你不该自找烦恼！……你还没有告诉我，最近日子过得怎么样啊？

太平：……挺好的……

武则天：共同生活往往不是爱情最理想的结果。生活需要耐性，而爱情却是最急躁的一种情感。太平，既然你选择了婚姻作为爱情的形式，就必须学会忍耐……我告诉你一个诀窍，尽快为薛绍生个孩子……

显不知何时出现在武则天身边，强行振作的表情仍掩盖不住一丝唯诺。

显：母后！

武则天：显？有事吗？

显：有……有事，我（清了清喉咙），我建议母后废了贤的太子位！

一向不问政事的显一反常态令武则天略感惊讶。

武则天：噢？……为什么？

显：我知道母后此刻一定很惊讶。我虽然很少问津朝政，一心侍香，并且自知才疏学浅，比不上其他皇兄，但这并不表明我对时事没有看法。我与二哥自小最好，也一向钦佩他的聪颖好学，豪爽大气。曾衷心地祝福他荣冠太子，并就此一路坦途，成为一代盖世名主。然而，自贤被立太子以来，所作所为却令我失望沮丧。他虽不乏操劳，不倦激情，却缺乏一心向主的挚意诚心。而这一点是辅政的太子首要的德行。贤在东宫大聚门客，对时政高谈阔论，或褒或贬，即使心无恶意，也足以造成太子与二圣政见相左的错觉，动摇当朝众臣稳定的心智，也为阴谋家和野心家炮制了口实,特别是上元灯节,戏场惨案……

武则天:太子来了,你跟他理论吧!

显回头,看见湖面上驶来一叶孤舟,贤当船而立,神色沉重阴郁。船上放着一口木棺,旁边站着两个卫士。船靠岸,贤下船阔步疾行,卫士挑着木棺紧随其后。显明显慌张,脸上立即见了汗,望望凉亭中的韦氏。

贤:参见母后!

武则天:你来了,来得正好,我和显正在讨论你的事儿呢!……显,把你刚才的建议跟贤说说吧!

显:……建议?什么……建议?

武则天:哟,这么会儿就忘了?你刚才那一大通话都是逗我玩儿的吗?

显:(艰难地)我……建议母后……废了贤的……太子位!

贤这才注意到显,目光中带着轻蔑。

贤:为什么?

显似乎没有勇气正视贤,只自顾自地嘟囔,声音越来越低。

显:戏场血案,二哥你做得实在太过分了!你杀明清远,不是明摆着告诉天下你跟母后……有怨?

贤的嘴角浮出一丝笑意,他缓慢地把目光从显身上移开。显始终胆怯地低着头,被贤的笑容羞辱,无地自容。

贤:母后,我正是为这事儿而来。儿臣身后是明清远被残害的尸首,我恳请母亲查出暗害他的凶手!

武则天:费这么大周折,还把尸体挖了出来,你怎么突然为明清远的死喊起冤来了?

贤:儿臣不是为他喊冤,而是在为自己喊冤。老实说,明清远死活与我无关,可他是您的宠臣,现在朝廷上下盛传是我杀了他,意在与母后抗衡,就像我三弟所言那样(贤看了一眼显,显忙又低下头),儿臣实在冤枉!

武则天：明清远不是何三儿杀的吗？这是明摆着的事实。

贤：可所有人说是我指使的，儿臣正想让母亲查出这幕后真正的指使者。

武则天：不是你指使的？

贤：不是，一万个不是！我有一件重要证物呈上，请母亲查阅。

贤从怀里掏出断袖，欲呈上。

武则天：不必了！我知道不是你指使的！

贤：……什么？

贤有些吃惊，愣愣地望着母亲，没想到她这么容易就被击败。

武则天：我也知道是谁指使的。

贤：……谁？

武则天：我！我指派何三儿杀死他……

所有人的目光惊异地望着武则天。

贤：为……为什么？

武则天：为帮助你啊，你不是一直恨他吗？恨他总在我面前进关于东宫的谗言。你不也正计划着要杀他吗？直到我杀他前才改了主意！

贤：没有的事，绝对没有！我从未想要杀他！

武则天：你不仅想要杀他，按你的话讲，这只是第一步。第二步你就要废了我这个妖后，让天下重新姓李，这也是你东宫的原话……

贤：无稽之谈！滑稽透顶！母亲这是听哪个离间小人讲的胡言乱语，这怎么可能呢？儿臣愿与此人当面对质，让他看着我的眼睛说话！

武则天：人你不是已经带来了吗？

贤：……谁？我不明白母后的意思。

武则天：明清远啊，只不过他再也睁不开眼睛而已。

贤：（释然）母亲怎么能听信一个同我从未说过三句话以上的人的污蔑？

武则天：不对吧，据我所知，他天天与你交谈，并且是你宫里公认推崇的才子俊杰！

贤：（苦笑）母亲您真是糊涂了，他一个江湖医生，怎么可能……

武则天：（突然之间声色俱厉）我一点儿也不糊涂！（站起身）把棺材打开！……（卫士打开棺盖）……把脸上的围布取下来……太子，对质吧，这不是你的盟友、东宫壮士顾全真吗？废我的宣言不也是他起草的吗？

贤被惊呆了，面色苍白得说不出话来。周围一片死寂，所有人都被眼前的情景惊得目瞪口呆。

武则天：（恢复了平静）所以，我杀的不是明清远，而是这位教唆你背叛我，同时又在出卖你的顾全真义士！杀了他，明清远也就死了。这于你于我不正两全其美吗？太子？……

贤的眼里见了泪，悲愤而屈辱的泪。

贤：（万念俱灰）……母亲，我错了！我辱没了家风，也辱没了你我的智慧，我知罪认输，静候母亲发落……

贤向岸边走去，步履沉重。

武则天：……把你的盟友也带走吧，厚葬他。他毕竟对你我都有过帮助！……旦，怎么不弹了？

琴声又起，但不见了悠扬，变得紊乱而张皇。

贤一行人来到岸边，一船夫过来引路。

船夫：太子，请！

贤：……我怎么没见过你？

船夫：我是刚刚入宫当差的。

贤在上船时在船头绊了一下，船夫扶住他。

船夫：太子当心！

太平远远地望着这一切，突然想起魏国夫人死前的一幕。她转过头怔怔地望着母亲，武则天正逗李隆基玩儿，仿佛什么也没发生过。太平跑向岸边，目送着船向对岸驶去，耳边萦绕的是旦高扬的琴声。

旁白：贤终被免了太子位，而且被废得极不光彩。他曾经多么热情地相信自己的才华和胆略，多么骄傲地坚持自己的雄心和志趣。然而他终究摆脱不了身败名裂的噩运！因为他在借助阴谋。一个人一旦把自己交给了阴谋，就等于把成败交给了运气那乖张的胃口，没有人能够精细地把握阴谋的走向和脾气。它犹如一头被圈养的猛兽，可以毫不犹豫地咬断一个饲养者的手臂，仅仅因为那条送餐的胳膊没有及时地抽出栅栏，从而被它误认为是在与自己争夺果腹的食粮。一个发动阴谋的人在启动智慧的一刹那，就早已沦为另外一场阴谋最稳妥的猎物。

5. 显寝宫庭院　白天　外景

显边穿衣服边急急地往外走，韦氏追出来，俩人好像刚吵架的样子。俩人边走边说。

韦氏：站住！你去哪儿？

显：去哪儿？去送贤！

韦氏：为什么？

显：为什么？因为他是我哥哥，因为湖心岛我听了你的话，在母亲面前建议废他，因为……

韦氏：你以为贤被废是因为你那天说的话？

显：有那么一点儿……

韦氏：你好糊涂啊，我问你，母后为什么要废他？

显：我不管他为什么被废，我只知道从此我们兄弟将天各一方，不知何时才能相见，他毕竟还是我们的哥哥，你怎么连最起码的礼教与感情都不懂了？

韦氏：我只知道皇子的礼教就是服从政治的规则。一个皇子的感情要随着形势的变化而波动。记住，你很可能是大唐王室内定的接班人。你的一举一动都被朝廷上下注目，都被赋予了政治含义；而送一个因谋反而被废的太子，对他人特别是母后意味着什么？！显，你不能尊崇普通人的伦理道德，不能被普通人的感情冲动奴役。你应该把目光放远点，把你的感情放远点。你现在应该致力于在将来的某一天用你的权力把贤接回来，赐予他你因皇冠而倍显辉煌的兄弟情谊。现在我们能做的，就是默默地祈祷他流放生涯的安全！

6. 长亭　白天　外景

天地间弥漫着一股凄楚的离别之情。贤，旦，太平，默立在长亭外，悲怀之情让他们相对无语。贤的气色已经稍稍好转，也许经过无数个夜晚的恐惧、狂热与挣扎，他终于认清了自己的命运，反倒变得心平气和起来。

贤：好了，你们都回吧！显是不会来了，他是继位的太子，不应该来送我这个因谋反而被废的哥哥——他要是真来了，反倒说明他还没长大，我倒真的要替他的前途担心……

这时远处卷来一阵飞尘，掺杂着急促的马蹄声。

太平：显终于来了。

贤眉头舒展，随即更深地皱在一起。从尘土中浮现出高丽王子为首的一伙东宫死士。众人来到近前，滚鞍落马，跪伏在地。

贤：（满目悲怜地看着仰面凝视他的众人）我问你们，我被废前的最后一道政命是什么？

高丽王子：命我们远走高飞，隐姓埋名，远离追杀与报复。

贤：那你们为什么还留在长安？

高丽王子：因为我们没有忘记向太子发下的誓言！

贤：不要再称我为太子，这个称号除了能够召唤你们的雄心和随之而来的死亡以外，再也唤不起我内心任何的涟漪。也请你们忘记那誓言吧！不管你们曾经带着怎样的热情、忠贞和誓死的决心发过这个誓言，都要把它忘记。如果你们实在无法忘记，就把它珍藏在记忆里。

高丽王子：（站起来）这就是你最后要对我们说的话？

贤：（点点头）是的，回去吧，去做一个温顺、平和的子民，享受生活中比荣誉、权力和地位更长久、更温馨、也更容易得到上天庇佑与祝福的东西。

高丽王子：臣请太子同我们一起念一遍我们一起发下的誓言。

贤：别再强求我了，你们选错了主人。

高丽王子：我们可能选错了主人，但我们没有选错朋友。让我们用这伟大的誓言，再印证一次友谊。

贤：（眼含泪光与众人齐念）刀山火海，誓死相随。

高丽王子：我们一定要把您接回来，把本属于您的王冠重新戴在您的头上。也一定会接您回来，那时候铺展在您面前的大唐锦绣河山会重新恢复您的高傲与英华。

众人抱拳施礼，随后策马绝尘而去。

贤望着众人消失在尘埃深处，回过头，苦笑着。

贤：显是不会来了。（拿起折断的球杆对旦）我本来想把这支折断的球杆，送给你们一人一半，让你们用兄弟的感情把它连接起来，共同捍卫我们李家曾经有过的威严与辉煌。看来，我最后的愿望还是落空了。

说着把它们一半交在太平手里，另一半儿交在旦手里。

贤：你们就各留一半吧，有时候看看它，也许会想起你们志大才疏的哥哥。

旦：（抚摸着球杆）我不看它也会永远想着你。

太平：（把它立在手中，凝视着）你被折断的壮志还会再接上的，母亲会回心转意的。毕竟我们都是她的亲生儿女。

贤：我们都不了解母亲，你只了解她温柔的一面，（对着旦）你只了解她英明的一面，而我，只看见了她的心机与城府。她永远是我们生活里的一个谜。也许千百年后，还会成为历史上被后人争相猜测的一个谜。

你们知道我为什么失败吗？

两人摇头。

贤：因为我是她的儿子，我注定要失败。

抬头看着纷乱的云天，悲从中来。

贤：种瓜黄台下，瓜熟子离离；一摘令瓜好，再摘令瓜稀；三摘犹尚可，四摘抱蔓归……我真不知道父母为什么把我们生到这个世界上来，难道就是为了让我们品尝失败与不幸？

贤翻身上马，远去。

太平望着他的背影渐渐消失在远处，满眼的困惑与伤感。

太平：（对着旦）你说他还会回来吗？

旦：回来干吗呢？他的心已经永远离开了。

太平再一次向贤远去的方向望去，这时一只大雁渐渐出现在她的视野里。

太平：把你的弓箭给我。

旦：南飞的大雁代表着离别。如果你能把它射下来，贤就能回到我们的身边。

太平闭目凝视片刻，似乎在暗中祈祷，然后挽弓发箭，箭呼啸着从大雁身边掠过，把它惊得长鸣了几声，在空中盘旋了两圈，又继续按照自己的路线，进行漫长的空中跋涉。

旁白：望着那只消失在天地之间的大雁，我感到人是那么渺小与孤独。贤随着那只大雁一起走了，再也没有回来。后来我听说了关于那天为他送行的热血男儿的消息。在贤死了一年后，他的墓前突然出现了十几具尸体，他们无一例外地颈插宝剑，神情肃穆，仿佛人人都在向世间讲述着一个有关友谊与忠诚的悲壮故事。

第十五集

1. 薛绍府　白天　外景

薛绍大步流星地穿过回廊,向卧房走去。在他身后紧紧地跟一个家佣。

薛绍:公主得的什么病?

家佣:在下不知,宫里的御医正在诊脉。

薛绍审视地看了一眼家佣。

薛绍:父母大人知道吗?

家佣:二老此时都陪在公主身边。

2. 太平卧房　白天　内景

御医跪在床边,小心地替太平把脉。

床边站着薛家焦虑不安的二老。经过磨难的老人都憔悴了许多。

太平脸色苍白而虚弱。

薛绍匆匆地进了屋,见此番情景,止住了脚步,不被发觉地站在父母身后。

御医松开手指,脸上露出了笑意。

御医：恭喜公主,有喜了。

太平：真的?

太平掩饰不住心中的喜悦,竟然有了泪花,从而情不自禁地把目光投向薛绍。

太平：我们有孩子了!

薛绍得到这个意外的消息,心中增添了几分复杂的感觉,脸上的表情被凝固住。

3. 牡丹阁庭院　白天　内景／外景

歌榭里的乐师弹奏着缠绵的乐曲,三三两两的客人,穿过门廊,和艳丽的歌舞妓打情骂俏。

富贵把两个远道而来的客人送下楼梯。他的脸色与来人一样凝重。来人行色匆匆地拱手告辞。

来人甲：大哥,留步。瑾娘还请您多多关照。

富贵：你们放心吧。路上多加小心。伯父伯母的后事就托付给你们了⋯⋯

来人甲：还请大哥劝慰瑾娘节哀⋯⋯

还没等他们走出大门,就听到楼上有了纷杂而慌乱的脚步声,紧接着传来丫鬟的尖叫,以及呼喊救命的声音。

妓女甲：(冲下楼梯)贵爷,不好了,瑾娘⋯⋯瑾娘上吊了⋯⋯

富贵大惊,返身上楼,后面跟着来人与仆从。

歌榭里的乐师都停下了弹奏,相拥着向楼上望去。

富贵一路呼唤着瑾娘的名字。

4. 瑾娘房间　白天　内景

瑾娘已让人从挂着白绫的梁上解下来，瘫软在富贵怀里，泪水洗面。有人递过一碗水，富贵小心地喂她。

瑾娘把脸侧向一边，回避了所有人的目光，任凭泪水冲刷她残破的心灵。富贵把碗还给仆从。

富贵：你们都下去吧，没事了。

大家陆续离开了屋子。只剩下富贵和瑾娘。

旁白：就在我为腹中的生命一天天长大而喜悦的同时，我丈夫无辜的悲剧命运却在继续蔓延。慧娘娘家人被逐出京城后，在琼州惨遭杀害，噩耗致命地打击了这不幸家庭仅存的一员——瑾娘。从那天开始，仇恨像发了芽的种子，在她心里迅速地滋长膨胀，像一根中了魔法的藤蔓，向我和我的家庭执拗地伸展……

5. 瑾娘房间　白天　内景

一缕缕淡淡的日光投射在瑾娘纤弱的身上，她背向而坐，抚弄着古琴。《长相守》幽怨的曲调催人泪下。

桌上放着冷却的饭菜。

富贵端着茶水进来，愁苦地看着终日不语的瑾娘。

富贵：（放下茶水）瑾娘，你吃点吧，这样下去会伤了身子……

琴声顿挫，幽怨不断。瑾娘脸上静如止水。

富贵：或者我找人来和你说说话？是不是叫薛公子……

琴声猝然高昂起来。富贵止住话，叹息而去。

瑾娘苍白美丽的面孔上落下一滴清泪。

6. 太平卧室　夜晚　内景

太平独守空房，沉睡梦中。孤独的夜像黑色的纱，包裹着她单薄的身体。她在梦中轻轻地抚摸着身边空荡无人的床榻。

7. 薛府院落　夜晚　外景

微风吹过，庭院中闪现出一个白衣女子，她飘动的身影如梦如幻，时而出现在亭台楼榭；时而出现在回廊檐下，最终在太平的卧房前站下。

8. 太平卧室　夜晚　内景

太平依旧在梦中，不安宁地翻动着身子。
窗棂上的人影晃动，而后消失。渐渐地传来一个女人的哭声，幽怨而飘忽不定，渗透到庭院的每一个角落。
太平渐渐被这声音唤醒，恍若梦中。当她彻底醒来，才意识到薛绍尚未归来，偌大的床铺只有自己孤单瘦弱的身形。
一阵风把哭声再次送进室内，垂挂在门口的青纱飞扬着，令太平战栗。
太平：（害怕地）谁？是谁在外面？
门外没有动静。太平下床，向门外移动脚步。

9. 薛府庭院　夜晚　外景

太平在庭院没有看到任何人的踪影。她敲响薛绍父母的房门。
门里传来薛父干枯的咳嗽声。
逐渐有家仆掌灯围过来，大家都被人的哭声惊扰，一脸惶恐地东张西望。
薛父薛母出现在众人面前，薛父的脸上多了几分病容。

第十五集

这时，从阁楼那边又飘来《长相守》的琴声，所有人都愕然地望去。

10. 后院阁楼　夜晚　外景

阁楼上亮着凄凉的灯光，琴声正是从那里传出来的。
薛父蹒跚地走上楼梯，琴声戛然而止。
太平和薛母担忧地望着那扇亮灯的窗棂。
阁楼的房门被轻轻地推开，薛父看到一个男人的身影夺窗而去，一件白色的纱裙飘落在地上。仆人玉祥冲到窗前，举灯张望，人影不知去向。
薛父捡起地上的纱裙，脸色顿时惨白。
太平搀扶着薛母站在门口。
薛母一眼识出慧娘的衣裙，悲凉的眼泪夺眶而出。她上前一把拿过来搂在怀中。

薛母：（哽咽着）慧……（意识到失言，改口）这是为什么？……为什么……还要回来？……
太平疑惑地看着悲伤的薛母。

太平：母亲，谁回来？你认识这个人？
薛父积郁成疾的身体终于崩溃了，他一阵干咳之后吐出一口鲜血。

玉祥：老爷，老爷！
薛母和太平同时扶住薛父。

薛父：（艰难地）把绍儿给我找回来！

11. 薛父卧室　白天　内景

薛父终于垮了，病倒在床。焦黄的面容令人心碎。他颤巍巍地从枕下抽出那件白色衣裙，递给床边的薛绍。

薛父：绍儿，你应该认识这件衣服……

薛绍：慧娘……您从哪儿得来的？

薛父：这是昨晚的那个人丢下的。绍儿，告诉我，这是怎么回事？你有没有什么事瞒着我和你母亲？

薛绍：父亲，我一向心如明镜，你们应该最了解我。

薛父：那会是什么人在和你作对？假扮慧娘？分明是有人想揭穿你和太平之间的隐秘。

薛绍似乎已经明白了事情的原委。他抓起衣裙，起身而去。

12. 牡丹阁厅堂　白天　内景

富贵慌张地从楼上下来，到武承嗣面前施礼。

富贵：武大人，我去问过了，瑾娘今天有客。

武承嗣：(笑)有客？昨天我来，你就说她有客，今天又有客。我问你，我来过几次了？

富贵：三次。

武承嗣：你见过我对谁有过这么大耐心？

富贵：没……没有。

武承嗣：知道为什么吗？

富贵：当然是瑾娘的相貌出众……

武承嗣：相貌出众的女人有的是，我就喜欢这种性情刚烈的……不见？！我看她是没有尝过我的厉害。(对随从)都在下面给我等着。

武承嗣不理会富贵的阻挡，径自朝楼上走去。

随从挡住了追阻的富贵。

13. 瑾娘房间　白天　内景

武承嗣拉开门，端详瑾娘凝立的背影。他缓步走近瑾娘，手刚一碰到她的肩膀，瑾娘闪电般转过身，一把匕首已经顶到了他的喉咙上。武承嗣本能地抓住瑾娘握匕首的手腕。

武承嗣：（狞笑）好一个烈性女子！

瑾娘：（冷峻地）我说过，我有客！

武承嗣：我不正是你等的客吗？！

瑾娘：（抓紧匕首）出去！

武承嗣：（逼近瑾娘）我要是不呢？

瑾娘：那你就死定了！

武承嗣趁瑾娘不备，扬起闲置的左手，凶狠地飞过一记耳光，把瑾娘掀倒在床上，然后上前用身体压住她。

武承嗣：说，你在等什么人？

瑾娘狠狠地盯着武承嗣，不语。

武承嗣又飞过一记耳光。

武承嗣：你说不说？！

瑾娘嘴角已有了一丝血迹。她的犹豫是因为她对薛绍还有一份友情，但很快仇恨占据了她的心灵。

瑾娘：你真想知道吗？

武承嗣像看一个被征服的猎物，脸上浮起狞笑。

武承嗣：说！说出来我听听。

瑾娘：驸马！圣母皇后的女婿……

武承嗣的笑僵持在脸上。

瑾娘欣赏着武承嗣收敛了的嘴脸。

瑾娘：你想我告诉他你来过吗？

武承嗣恼羞成怒，猛抽了瑾娘一记更凶狠的耳光。

武承嗣：你等着，臭婊子！

他扔下瑾娘走出房。

房间里只剩下瑾娘。她依然一动不动地躺在床上，没有泪，也没有更多悲伤的表情。

楼下传来武承嗣砸桌打人的声响。

瑾娘渐渐恢复了平静,坐起身,到梳妆镜前,静静地注视着映在铜镜中苍白的自己,一丝坚毅刻在被血染红的嘴角上。她开始梳妆,重新整理起蓬乱了的头发。她听到富贵在为她挨打,也听到武承嗣在砸牡丹阁,但是,这一切已经无法改变她的决心。

14. 牡丹阁厅堂　白天　内景／外景

武承嗣的人已经撤离,富贵被打过,倒在地上。仆从把他扶起来。

这时,薛绍从门外进来。他神色匆匆,同时感觉到这里刚刚发生过混乱。

薛绍：出了什么事？富贵,你怎么了？

富贵慌忙抹去嘴角的血迹。

富贵：(掩饰地)没什么,(对仆从)你们都别愣着了,干活去！公子,您今天怎么这么早……

薛绍：瑾娘在吗？

富贵：(犹豫了一下)……在,在楼上……

薛绍便不再多说,去了楼上。

富贵担心地注视着他的背影。

15. 瑾娘房间　白天　内景

瑾娘依然在梳妆,刚才和武承嗣撕扯的痕迹已完全抹去。

薛绍进来,站在她身后,把慧娘的衣裙扔在瑾娘的床上。

薛绍：你为什么这样做？为什么？

瑾娘从镜中看到那件白色的衣裙,她平静地继续梳妆。

瑾娘：公子不认识这件衣服了吗？它是我姐姐最喜欢的颜色。

薛绍：不错，但是你却在利用它发泄你的仇恨。你可以报复我，在我已如死灰的心灵上践踏。我的性命不足惜，惟一使我苟且偷生的理由是我的双亲。而你却在他们已经流血的创伤上撒盐，让他们冰冷的心雪上加霜。

瑾娘站起身，回避着薛绍锋利的目光。她走到窗前，竭力掩饰自己内心的悲哀。

瑾娘：在你的双亲还能安居长安城，分享你新一轮圆满心情的时候，我的父母和家人已在九泉下和姐姐团聚了！

瑾娘眼中充满了泪花，她的话说得极其缓慢平静。尽管如此也足以使薛绍震惊。

薛绍：你说什么？

瑾娘：琼州来的消息……

薛绍：是谁杀害了他们？

瑾娘：他们被暴民残害于琼州闹市……（哽咽）我可怜的父母依然自作多情认为那还是大唐的土地。他们忠诚的本性被仇人所利用。于是他们成为了当地最著名的关于迂腐的笑话，成为了暴民革命的替罪羊……然而这一切，这一切都是因为他们的女儿曾经同当朝驸马有过忠贞的爱情……你，他们曾经的乘龙快婿，却正忙着与你高贵的妻子、他们仇人的女儿筹划着另一出幸福……

薛绍：你不能让已有的不幸再继续扩大，毁掉所有的一切！

瑾娘猛地回过头来，狠狠地看着薛绍。

瑾娘：（丧失理智）我不管，她要为她母亲付出代价，正像我的父母为我的姐姐付出代价一样！你还记得我说过的话吗？如果你给予她满足，那你就是我的敌人，我们全家的敌人，你自己曾付出的感情的敌人！……我提醒你，我是我们这个家庭沦落的惟一证人！我不会看着这则由别人编写的关于我们家沉沦的故事由于我的胆怯和忽视，按照他们的意愿发展！我目前生命的全部意义就在于复仇。为此，我宁愿付出违背道德的代价！告诉你的现任妻子及她的母亲，她们从此将不会再有任何形式的安宁！

薛绍：……她是无辜的……你也是！

瑾娘：这个世界上没有无辜的人！你为什么要替她掩饰？就因为她是大唐的公主，因为她有着比我们任何人都高贵的血统？因为你曾向她至高无上的母亲许下过诺言？因为你用我姐姐纯洁的爱情和我父母年迈体弱的灵魂换来的乌纱帽？！收起你道貌岸然的美德吧，不要再用保护家人的幌子欺人盖世了。你虚伪追求的下一个牺牲品将是你自己的家人与双亲……

薛绍目瞪口呆地看着瑾娘。他完全没有想到事情竟然发展到如此惨烈的地步，而且竟然波及到愈来愈多的生命。这完全超出了他个人承受的能力。随即，薛绍感到无限的悲哀，他都没意识到瑾娘是什么时候停止了滔滔不绝的责难，什么时候屋里静得让人透不过气来。

过了片刻，薛绍的眼圈红了。

薛绍：（极为低缓地）没想到我的牺牲竟然如此没有价值……

说完，他转身离去。

16. 慧娘墓地　白天　外景

薛绍跪在墓前，神情悲戚。

薛绍：……都是因为我，慧娘，都是我的错……是我杀了伯父伯母，是我把他们逐到了琼州，而我却依然苟且活在灯红酒绿的长安，如同一具丢掉了灵魂的行尸走肉。慧娘，你能原谅我吗？……不，我不值得原谅，你惩罚我吧，天下人都应该惩罚我，罚我……慧娘，你为什么不说话？哪怕是责备的叫骂也好……

17. 薛绍庭院　夜晚　外景

薛绍喝得酩酊大醉,他跟跟跄跄地向后院阁楼走去。太平和春打着灯笼跟随其后。

薛绍：你们……都回去！跟着我……干什么？

几个家佣也不远不近地尾随着。

太平：你要去哪儿？

薛绍狠狠地甩开太平。

薛绍：（暴躁地）走开！（指着太平）你……别老缠着我,让我一个人……清静……清静……

太平眼中涌出委屈的泪水。她站在原地不再前行。

旁白：我的丈夫并没有因为我的身孕而感到喜悦,看着他日见消瘦憔悴的面容,我预感到,在我们的生活中,在他密闭的心灵中蕴藏着一个巨大的秘密。从他和家人躲闪的目光中,从那个鬼魅的夜晚萦绕在这个家庭上空驱之不去的琴声,以及两位老人惊慌失措的神情中,我明显地感到这个隐秘与我有关……

20. 湖心岛　白天　内景

武三思请来的胡乐班正在为武则天演奏。条案的一头儿是乐队,另一头儿坐着武则天,前呼后拥着太监及宫女们。条案旁分别坐着男宾,女宾。女宾一侧中间是太平,旁边是韦氏及一些不知名的贵族女眷。男宾一侧成了武家的天下,坐着静德王武三思,刑部尚书武承嗣,淮阳王武攸嗣及其他武氏新贵,个个峨冠博带,春风得意。

湖上飘扬着蛊惑人心的胡乐。太平显得心事重重,好像粗俗的胡乐只是眼前飘过的风,完全没有形状。她定定地望着一个空洞的方向,眼里居然有了泪水。韦氏感觉到了太平的伤感及心不在焉，面露关切。

韦氏：太平，太平！你怎么了？

太平：噢，没什么！

泪就滚了下来。

韦氏：哟，好好的哭什么？

太平掩饰地笑着，笑得很苦。

太平：谁哭了！沙子迷了眼……

说着掏出手绢擦眼睛，泪却流得更汹涌。

太平：没什么，真的没什么……

太平擦拭着眼睛。

武则天在条案的另一头注视着这一切，似乎没有漏过每一个细节。

与此同时，在男宾中也有一个人正目不转睛地盯着太平。他就是武攸嗣。太平对此有所察觉，瞟了他一眼，没有理会。

武攸嗣侧过头问武三思。

武攸嗣：她是谁？是太平公主吗？

武三思和武承嗣都笑了。

武三思：怎么，你看上她了？

武攸嗣：她真美。

武三思：女人的美分几种，一种热情似火，就像胡姬摆动的肚皮；一种柔情似水，就像早就喂了鱼的魏国夫人；一种矫情似狐，妖媚惑主，如韦氏。而最高级的恐怕要算是风情万种，缠绕不去，如同我们对面的那种美景……哎，只可惜便宜了薛绍那个木讷之徒，我如果能早受皇后提拔，兴许那美景的守护神就是我静德王了……

太平：（感觉到对面的目光）那个人是谁？怎么总死盯着我看？

韦氏：谁？……戴方巾的那个？……他叫武攸嗣，刚从并州来的，是姓武的远亲，被封了淮阳王。你不知道吗？最近宫里到处都是武姓的人，都被封了爵，升了官儿。

太平：我不喜欢他看我的样子。

韦氏：刚进宫的嘛，准是看着什么都新鲜……太平，听说你有喜了？

太平：你怎么知道？

韦氏：我怎么知道？你也不想想是谁给你诊的脉？宫里的人都知道了……告诉我，感觉怎么样？

太平：没什么感觉……

韦氏：驸马呢，一定很高兴吧！

太平仿佛又被伤了痛处，她掩饰着试图岔开话题。

太平：……还好！……听说，母后准了你和显哥哥的婚事？

韦氏：嗯，就算是吧！

太平：显对你好吗？

韦氏：嘻，别提了，他倒是对我好，整天恨不得把我捧在掌心里，一刻见不着我，就像丢了魂儿似的满宫里找！最近又有了新毛病，天天给我写一首诗，一大早就督着太监在我门口儿念，烦死了！

太平：我……真羡慕你！

韦氏：我有什么好羡慕的，哪儿比得了你，嫁了天下最俊的男人，人又耿直，如今又要喜得贵子，想必驸马一定体贴入微……

太平的脸色愈发阴沉下来。韦氏察觉出这一细微的变化。

韦氏：……怎么，你们吵架了？

太平：……没有，我只是觉得委屈……觉得窝囊……结婚这么久了，总觉得……哪儿不对，可自己又不知道是什么……

武攸嗣无礼的目光为满腹无名怨气的太平找到了宣泄的出口。她突然带着哭腔大喊一声。

太平：武……什么嗣！你总看着我干吗？

所有人都变得鸦雀无声，乐队也停止了演奏。

武则天冷冷地看着太平。

众人这才意识到发生了什么，目光皆齐齐地投向武攸嗣。武攸嗣吓了一跳，结巴起来。

武攸嗣：我，我，我就是觉得您好，好看……

太平：哪儿好看？

武攸嗣：哪儿都，都好看。连哭的样子，都，都好看！

太平：谁哭了？

太平说着站起身，欲走，武则天终于发了话。

武则天：太平，你先别走！……你们都下去吧！

太平不情愿地止住脚步。

武三思：(上前施礼)……皇后，堂弟武攸嗣刚进宫，不知深浅，还请皇后开恩，饶了他……

武则天：三思，往后这种粗俗的乐班不要再引入宫来。下去吧！

太平的行为令自始至终关注着她的母亲心乱如麻。

武则天：承嗣，你也留下来。

武承嗣又坐回原位。

空荡荡的条案旁只剩下太平和武承嗣，还有武则天。

寂静，甚至可以听见身后湖面水波的声响。

武则天：……你怎么了？

太平：我……有点儿不舒服。

武则天：看着我说话！……御医跟我讲，你有喜了？

太平：是的！

武则天：这是好事啊，应该恭喜你！

太平：谢母后！

武则天：你高兴吗？

太平：高兴！

武则天：薛绍呢？

太平：也……高兴！

武则天：可我觉得你很不高兴！抬起头来，太平！……你听着，本

第十五集

来我不想多过问你的生活，但看到你的样子让我很担心。承嗣，你把昨天跟我说的话再跟太平说一遍。

武承嗣一愣，迟疑不决。

武则天：怎么不说了？

武承嗣：在下昨天去牡丹阁查看户口，见到了驸马……

太平愣愣地看着武承嗣。

太平：牡丹阁？牡丹阁是什么地方？

武承嗣支吾不言。

武则天：承嗣，你怎么不说话？

武承嗣：（怯怯地）是……男人常去的地方……

太平：（脱口而出）这不可能！

武则天：承嗣，还有呢？

武承嗣：听牡丹阁的人说，驸马常去那儿……

太平如五雷轰顶。

21. 街道　白天　外景

太平的马车在长安街上急速奔驶。

22. 牡丹阁　白天　内景

牡丹阁内已乱作一团，到处站着诚惶诚恐的歌舞妓及她们面目各异的客人。神色肃穆的神策军士在继续搜索每一间客房。太平身披斗篷站在大堂当中。

侍卫：（依次）没有……没有……没有！

太平并不死心，转身上了楼。富贵等人跟在后面。

24. 瑾娘房间　白天　内景

太平来到二楼，在那间熟悉的房间里见到了瑾娘。瑾娘毫不回避地注视着太平。两人无言地对视。这个既陌生又似乎熟悉的面孔，令太平浮想联翩，但又无言以对。太平转过身问富贵。

太平：有没有一个叫薛绍的人来过？

富贵瞟了一眼瑾娘。

富贵：（隐瞒地）我熟悉每一个客人，从没听说过这个人。

太平将信将疑地盯着富贵。

瑾娘缄默。

旁白：她的目光使我感到一阵寒冷，像一支灵光闪烁的利箭，穿过我的心脏。我庆幸我的丈夫没有成为我捕获的猎物，我甚至在欺骗自己，从母后那里听到的不过是武承嗣嫉妒的谗言。我并没有意识到我的幼稚、我的天真致使我站在秘密的门前却无洞察。它使我轻易地、一次次地和本该更早降临的噩运擦肩而过。

25. 寺院庭院　白天　外景

叶儿正蹲着把一条小狗拴在树上。他突然从下面看到一个女人的脚站在他面前。他抬起头来，看到了太平。

叶儿：你是谁？你来干什么？

太平：（笑了）你不认识我，我来看你。

叶儿：（警惕地）是我姨娘叫你来的吗？

太平：不是。你姨娘是谁？

叶儿：是我妈妈叫你来的吗？

太平：……不是。

叶儿的脸色顿时黯淡下来，用一个树棍逗狗。小狗不舒服地躲避。

太平：你妈妈在哪儿？

叶儿：（不假思索地）死了。

太平：你爸爸呢？

叶儿迟疑了一会儿，突然用树棍抽打起小狗。小狗"哇哇"地叫起来。太平吃惊地看着这个不同寻常的孩子。

叶儿边抽边狠狠地回答。

叶儿：他们说他死了，可姨娘说他没死……

狗的叫声惊动了大殿里的薛绍和住持，他们闻声而出，薛绍意外地发现太平在叶儿身边。他立刻沉下脸。

薛绍一把夺过叶儿手中的树棍，制上了叶儿的暴力，随即转向太平。

薛绍：你在跟踪我！

太平不知所措地望着薛绍。

太平：我……我只是想知道你平时……都去哪儿……

薛绍狠狠地折断了叶儿的树棍。叶儿下意识地躲到太平身后。这一举动让薛绍十分意外。

薛绍：叶儿，过来！

叶儿不理。太平本能地用身体护住他。

太平：这孩子是谁？

薛绍：是我侄子。

太平：为什么把他藏在寺庙？

薛绍语塞。

太平：这是你经常不回家的原因吗？

薛绍：他父母都不在……

突然，叶儿在太平身后发话。

叶儿：你骗人，我爸爸没有死！

薛绍一愣，转脸去看住持。

薛绍：（又转向叶儿）谁告诉你的？

叶儿缄口不答，似乎在遵守某种承诺。

太平：告诉我，他是谁？

薛绍：我说过……他是我的侄子。

太平：不对，他不是。告诉我，他是谁？如果这也是你的一个秘密，那它就是天底下最无聊残忍的秘密，他还只是个孩子！……告诉我，他是谁？总该不会是，如我想象的那么……糟糕吧！

太平抑制住自己的泪水，准备迎接那最坏的答案。

薛绍：……你还记得那把琴吗？

太平：怎么会忘呢？

薛绍在太平不断地追问下，只得随机讲了《长相守》的第二个版本。

薛绍：那把琴的主人我认识，并且是我多年的挚友。他们死后，身后留下的不仅仅是一把古琴，还有一个嗷嗷待哺的婴儿，他们不朽爱情的遗孤！作为他们的挚友，我有责任抚养这个生命，让他茁壮而正直！

太平看着态度真挚的薛绍，心情变得释然。

太平：你为什么不早告诉我？（拉过叶儿）我们把他带回家，像他真正的父母那样爱护他，你看呢？……叶儿，你想跟我住在一起吗？

薛绍：这怎么可以，他的父亲是曾经被通缉的朝廷叛臣……

太平：公子，你忘了吗？你娶了大唐皇帝的女儿……

薛绍望着太平，不知怎么回答。

26. 薛父卧室　白天　内景

叶儿抱着太平的腿，怯怯地望着薛家震惊的父母。薛绍站在一旁，无法左右事态的发展。

薛父艰难地支撑着病体，靠在薛母身上。

太平：叶儿，这是你的爷爷、奶奶，快过去行礼啊！

薛父：这，这是怎么回事？绍儿？

薛绍只得解释。

薛绍：他是我平生挚友的遗子，父亲！

薛母望着自己真正的孙子，泪就再也止不住。她用手爱怜地抚摸着叶儿的五官……

薛母：这孩子……真好看……这眉眼儿，和他母亲一样……你可怜的母亲……

说得热泪盈眶。

薛父：这怎么可能呢……这怎么可能呢……哎，哎——（他抚着叶儿的头）这怎么……可能呢！怎么可能呢！

眼里见了泪，话也有了真实的意义。薛绍的眼里也有了泪光闪动。

一家人目送着太平亲热地拉着叶儿出去。这荒诞的场面一时让薛绍父母说不出话来。

薛父：绍儿，你跟太平说了什么？

薛绍：我只给她讲了一个友人的故事……

薛母：绍儿，听娘一句话，该忘的就忘了吧！我看太平也不容易，她算是个不错的媳妇儿。

薛父：是啊，绍儿，我不管你怎么跟太平讲的，但这结果却真的令我很……感动。如果太平真能对孩子好，也算是这孩子的造化，慧娘天上有知……

薛绍突然抬起头，脸部由于痛苦而扭曲。

薛绍：（一字一句地）你们不要逼我！我忘不了慧娘，明白吗？我不可能忘记，不可能！

27. 太平卧室　白天　内景

太平打开装皮影的箱子，让叶儿过来。

◇ 他们欺负弘哥哥……

◇太平，你也太任性了，知道这有多么危险吗？

◇ 弘哥哥,弘哥哥赢啦!

◇从今往后大唐太子位改为大红色,要红得耀眼,要让他们从小就知道天子至上的尊严!

◇ 你们做人真没趣味，我走了啊！

◇看他们俩的样子，像小夫妻一样。

◇ 这叫鸳鸯梳,公主,要只当梳子,就只能一半儿着用,要是对上了另一半儿,就不再是梳子了。

◇ 因为我正在把自己抛入一场战争！

◇ 权力，我平生第一次直觉地感受到权力，那君临于万众之上的迷人感觉……

◇ 请问皇上,大唐是谁的天下?

◇ 我当然不像我的母亲,因为母亲是这宫里人事最悲哀的例子。

◇ 把你脸上的围布摘下来，让我看看你长得什么样？

◇ 明清远，明清远……

◇公主爱上了一个人！

◇ 太平，见过你的夫君吧！

◇薛绍的鹦鹉在阳光下活泼地抖动着翅膀,它总能在落入太平手掌中的最后一刻轻巧地逃离……

◇ 公子知道这首曲子吗？

◇ 宣左金吾卫大将军、驸马薛绍及大唐公主太平共同于上元灯节进宫赏戏……

◇ 听牡丹阁的人说,驸马常去那儿……

◇它曾经属于一个世界上最幸福的爱人……

◇ 琴坏了，尽管让人心痛，却可以修复，可孩子万一有个闪失……

◇ 都是我的过错……

◇ 你为什么要这样？！为什么不恨我？！

◇ 记下来，立显为太子。

◇ 你是天子,不怒自威、与日月同辉的神明,记住啦?

◇ 你要去哪儿？

◇ 我们离权力太近了。而我们的能力又驾驭不了权力。这是我们身为皇子的悲哀。

◇我没脸再回长安了!

◇ 他们正在把我最亲爱的女儿变成我的敌人,我不允许他们这样做。惟一能制止他们的,就是立即结束这场纷争。所以我必须登基。

◇ 地上的人儿走了,想念就要来了呀,尖刀剜心一样的痛。

◇ 攸嗣，我今天决定嫁给你！

◇ 我跟她讲,长安真好,真好!长安有世上最美、最值得爱恋的事物!公主,我指的就是您!

◇公主肯定有事，回来就好……

◇公主,你一定要告诉我,不对的地方我改,需要我做什么都行,就是别冷着我!

◇ 看看吧！这就是薛绍！全天下最招咱公主爱的人！

◇尽管我们长着相同的脸……现在由我,以新的方式接替他来爱您……

◇ 我望着他熟悉而又陌生的面孔,慌张地预感到自己关于爱情的信念,正在被他微笑着摧毁……

◇ 母亲不可能杀我,母亲不会杀我,她一定会后悔的……

◇我小的时候，就经常和太平公主在这个湖面上泛舟，我也是第一次在这里遇见了你的父亲。

◇ 他就是赫赫有名的张易之！

◇母亲,我喜欢他!

◇母后，我也去看看。

◇天下刚刚太平,您千万不能再凭着自己一时的心血来潮而重演战祸与战乱。

太平：你喜欢吗？

叶儿走过来，迟疑地看了一眼太平。

太平：（鼓励他）以后这都是你的。

叶儿逐渐伸出手，翻弄着奇形怪状的皮影。他固执而沉默地打量着四周这个陌生的、本属于他的家庭。

太平蹲在他的身边，欣赏着叶儿的眉眼，似乎想要通过那双眸子洞察到他父母的心灵，结识她渴望已久的偶像。

太平以她自己的理解和自己的方式向叶儿讲述他父母的故事。

太平：你知道你母亲是什么样的人吗？（她拿起一个皮影比画着）你长得非常像你的母亲。她和你父亲从小青梅竹马，两小无猜。他们手牵手地长大，后来结成了恩爱夫妻。每天一同去采药。晚上回来，用乳汁喂着你……

叶儿听着听着哭了，一行泪扑簌簌地流下来。太平诧异地看着他。

太平：你怎么哭了？

叶儿：这么长时间，我从来没有过妈妈，我也想要一个真的妈妈。

太平一把把他搂进怀里。

太平：那我就是你的妈妈。以后，你就叫我干娘好了……很快你还会有一个小弟弟，或者妹妹……

薛绍在门口看到了这一幕。他心中十分矛盾，并且复杂。

太平望着站在门口的薛绍，俩人第一次长久地深情对视……

旁白：我被感动了，所有的人都被感动了，然而背后却有着迥然不同的背景和立场。我丈夫的感动是疼痛的，他痛苦地意识到自己所进行的一切试图保卫逝去爱情的努力正在逐渐变为另一出爱情的动力。而这两出爱情在道义上却正是彼此的敌人。我丈夫遭受着良心疲惫的折磨。而我的感动却是甜蜜的，我天真地认为自己终于悟到了同薛绍恋爱的语言，然而最终的悲剧才刚刚开始。

第十五集

第十六集

旁白：叶儿有着令他的年龄黯然失色的机智和敏感，他那明亮的黑色眸子似乎永远在洞察别人脸上的表情，那里面流淌着的怀疑的寒流，早已超出一个孩子任性的范畴，我想这大概来自于他一生下来就已经开始的孤独沧桑的记忆。而惟独在看到我时，他是真诚的。那饱含爱意的深沉目光令我提前感受到了作为母亲的满足和幸福。我的妊娠在继续着，遗憾的是伴随我的是来自叶儿的凝视，而不是我丈夫的……

1. 薛府太平卧室　白天　内景

太平正在午睡，未施粉黛的面容因怀孕而显现着自然的粉红色光晕。她的腹部已经微微隆起，身体显示着只有妊娠才会有的慵懒与富态。

叶儿戴着一张昆仑奴的面具走进来。他轻轻地站到床边，久久地凝视着太平。太平醒来，她微笑地摘下叶儿的面具。

叶儿：娘……

他把脸侧俯在太平微耸的腹部，闭上眼睛，仿佛在聆听那微弱的、来自子宫深处的消息……

一切都是那么的祥和。太平轻轻地抚摸着叶儿柔软的黑发。

2. 薛府堂屋　白天　内景

并排站着六七个麻衣女子。她们都拿着各自的字牌，简单的行囊放在她们的脚下，太平逐个从她们面前走过，翻看着每个人的字牌。

瑾娘出人意外地站在她们的行列里，她冷眼旁观太平为叶儿挑选奶娘。

这时候，叶儿站在门口，太平看到了他。

太平：叶儿，过来，你自己选一个可心的奶娘。

叶儿顺从地走过来，站在了一列婢女面前。

瑾娘一直在注视着叶儿。

叶儿仰头看着每一个人，默不作声。他逐一地走过陌生的婢女，最后在瑾娘面前停下了。

太平：是她吗？（她抬头看瑾娘）你……我们在哪儿见过？

瑾娘：（镇定地）是的。和公主在牡丹阁有过一面之缘。

太平想起了那双寒冷的眼睛，心里不由一紧。

太平：（俯身问叶儿）叶儿是看中了她吗？

叶儿不语，只是点头。

太平继而审视瑾娘。

太平：你怎么不在牡丹阁了？

瑾娘：我听信了一个薄情郎的诱惑，他赎了我的身，却又把我逐出家门……

太平同情地看着瑾娘，然后拿过瑾娘手上的字牌。

太平：（把字牌交给玉祥）玉祥，就留下她吧。

玉祥的脸色不易觉察地惊慌起来。

太平：玉祥，怎么了？

玉祥：（低下头）是不是等薛公子回来……或者让二老见过再……

太平：不用了。我自然会告诉他们。把人带下去吧。

太平说完拉着叶儿出门，叶儿回头看瑾娘。

3. 薛府庭院　白天　外景

细雨绵绵，在半空织成一面亮丽的网，笼罩着薛府的安宁。庭院的地面上聚集着大大小小的水洼，上面浮着精巧的纸船，瑾娘、叶儿两人半蹲在地上，注视着纸船的走势，瑾娘注视着叶儿专注的侧脸。

瑾娘：你长得真像你的母亲，笑时也有两个酒窝，甜甜的像两窝新鲜的蜜……

叶儿侧头望了一眼瑾娘，没说话，依旧埋头摆弄纸船。

瑾娘：……她也爱雨，尤其这样的天气，她就会静静地站在雨里，不打伞，任雨水湿了她的脸，还有头发。她还会唱歌，声音美极了，像雨一样细腻，柔软……

瑾娘说得动了情，沉浸在记忆里。

叶儿：姨娘，你说我父亲没有死，他在哪儿？

瑾娘：叶儿，不是告诉过你不要叫我姨娘，怎么又忘了？

6. 太平卧房　白天　内景

太平正在抚琴，一个怀孕的少妇在明媚的朝阳下弹着一首关于爱情的歌曲，这是人类可以构思的关于美好的极限。叶儿走进来，站在太平背后，仿佛被眼前优美的景致打动，睁着乌黑的眼睛安宁地端详着太平。

7. 叶儿和瑾娘的睡房　白天　内景

叶儿不在，薛绍和瑾娘争执起来。

薛绍：你不能在这儿，今天就离开……

瑾娘缝着叶儿的衣服，淡然一笑。

瑾娘：除非你让我把叶儿带走。

薛绍：他是我的儿子，你无权把他带走！

瑾娘咬断线，抬起头。

瑾娘：叶儿不应该生活在谎言中。你既然不承认是他的生父，为什么不把他还给我？你知道叶儿问我什么吗？他在追问，叔叔为什么要欺骗他，说他父亲已经死了！

薛绍：（痛苦地）是你打破了他原本平静的心。你不但背着我到寺院去看他，而且挑拨我们父子的关系，这是你到这里的目的？！你太残忍了，你知道你在干什么吗？你在利用一个幼小的心灵报复我，你竟然对叶儿灌输对他父亲的仇恨来偿还你的不幸！

瑾娘：（强忍悲愤，但泪水已然控制不住）叶儿迟早会知道他的身世和不幸，到那时他不会原谅你！他已经失去了母亲的爱，如若你对我姐姐还有一份感情，如若你有过长相守的誓言，那么，我恳求你告诉他真相吧！这样他还可以得到一个真正父亲的温暖！不然，你将是世界上最残忍的父亲！我姐姐和我的家人所为此付出的代价是多么无谓……你想过这些吗？！

薛绍几乎要被瑾娘的这番话打垮了。他无比冲动地回过头去，把一个留在桌上的昆仑奴面具狠狠地翻过去。

薛绍：（沉重地）你不要再说了……你走吧！不要让我再看到你……你放心，我会把真相告诉叶儿，我答应过慧娘……我没有忘记我向她发过的誓言……你走！走！

瑾娘欲言又止，缓缓站起来，把几件叶儿的衣服整理好，放在床上。而后收拾起自己的行囊，向门口走去。

太平弹奏《长相守》的琴声渐渐从远处传来，瑾娘最后看了一眼薛绍。

8. 太平卧室　白天　内景

太平弹奏，叶儿走到她面前。太平看到叶儿，笑了。

太平：好听吗？

叶儿点点头。

太平：这是你父母最爱唱的歌，他们曾经给泉水唱过，给小鱼唱过，唱给头顶沉睡的星星，唱给清晨笼罩山谷的雾霭，还有……山顶那朵雪莲……当然还有你，在摇篮中熟睡的小叶儿……想学吗？

叶儿欣喜地点点头。

太平：好！……你坐这儿，把身子挺直！……太矮了……你等等，我去给你拿垫子，别动啊！

太平说着离开了。

叶儿已经忍不住，自己往椅子上爬。

叶儿站在椅子上转过身体，脚踩到了衣服的前襟，身子失去重心，连人带琴一起摔在地上。

太平慌忙回头，抱起叶儿，然而压在叶儿身下的琴已经没了形状。太平松开叶儿，心疼地去捡残片，试图把琴拼好，语气里有了埋怨。

太平：你看看，怎么办？这是你父母留给你的惟一遗物，花多少钱都修不好了……

这时，薛绍闻声而来，看到地上破碎的琴，眼里顿时有了可怕的光芒。

薛绍：这是怎么回事？谁干的？谁让你们动这把琴的？！

望着薛绍脸上盛行的可怕怒气，叶儿吓得往太平身后躲，不敢看他。

太平：是我。是我在弹琴……叶儿不过在看……

薛绍：我说过多少次，你为什么还要动它？！这不是你动的东西！

薛绍抓起地上残碎的琴片，眼圈都红了，额头上青筋暴出来。

太平：（害怕地）对不起，我以为你会喜欢……

薛绍突然冲着太平劈头盖脸地怒斥。

薛绍：你以为什么？！你以为你会弹它，就可以拥有长相守？拥有那样的感情？！你太幼稚了，你不配！永远不配拥有这份崇高的情感！你的血脉里流淌的只可能是浅薄无知的水！你可能独领至高无上的风情，却永远触及不到一颗质朴纯真的灵魂！

太平愣住了，眼眶里立即有了泪，她绝无想到薛绍心中对她隐藏着这样强烈的怒火。她震惊了！叶儿从太平身后伸出头，他不忍薛绍如此责怪太平。

叶儿：叔叔，是我摔坏的琴……

叶儿一言刚出，盛怒的薛绍不由分说地蹿上去，把叶儿像夹一个包裹一样拽着胳膊往外走。

太平慌忙拦阻。

太平：放开他，是我让他弹的……

薛绍铁青着脸，一言不发，只顾向外走。太平追出去。

9. 薛府庭院　白天　外景

薛绍把叶儿按在板子上用竹片抽打他。叶儿一声也不哭，眼巴巴地看着太平。每抽一下都让太平感到在抽自己。她的眼泪流下来。

薛绍：……你知道你打碎的是什么吗？你……你为什么不争气！

太平再也忍不住，上前抱住薛绍。

太平：别打了，琴固然珍贵，但你忘了，叶儿父母留下的财富中除了这把琴，还有叶儿无辜纯真的生命，这才是最大的财富，琴坏了，尽管让人心痛，却可以修复，可孩子万一有个闪失，我们怎么向……

薛绍：修复？谁来修复？你？你以为怀念和记忆是可以被修复的？！

太平惊讶不解地望着薛绍。

这时，薛父薛母搀扶着走过来。

薛父：（喘息着，盛怒地对薛绍）你给我住手！

薛绍的手僵住了，继而又向叶儿身上落下。但是，这一次他停住了。因为太平的身体护在了叶儿身上。

薛父：（干咳着，断续地）你……你这个孽子！你再动叶儿一个指头，我就处死你！

太平顺势把叶儿搂进自己的怀里。

薛绍孤立地站在原地。

薛父：你给我跪下。跪下！

薛母：（痛苦地）绍儿，你想把你父亲气死吗？

薛绍屈辱地闭上眼，狠狠地双膝跪地。

太平心痛地看着薛绍，转而向薛父薛母求情。

太平：（跪向二老）父亲，母亲，你们不要惩罚他，都是我的过错……

薛绍的心都要碎了。他此刻甚至痛恨太平的善良。

薛绍：（忍无可忍地呐喊）你为什么要这样？！为什么不恨我？！打我，骂我，杀了我？！为什么这么折磨我？！

太平完全听不懂薛绍的话，懵懵地看着薛绍。

10. 薛绍庭院　夜晚　外景

这场风波最终的受害者竟然是薛绍。这是任何人始料不及的。

薛绍在庭院中长跪不起。此时的薛绍反而十分平静。他对任何可能发生的事情都已不在乎了。

11. 太平卧室　夜晚　内景

太平临窗而立，望着月下薛绍的身影，她掩饰不住内心的痛苦。

12. 薛绍庭院　夜晚　外景

突然叶儿出现在庭院中，他走到薛绍身边，悄然地跪下。
父子两人相对而视，薛绍的眼圈顿时红了，一把将叶儿搂进怀里。

13. 太平卧室　夜晚　内景

太平也被感动了，泪水沿着她的面颊流了下来。

旁白：当时，如果我不那么善良，如果我是一个刁蛮的女人，一个冷酷的悍妇，薛绍也不会这么折磨自己的心灵。我终于不得不面对一个我曾经动用一切花言巧语说服自己不去面对的现实，在我和薛绍之间存在着一个巨大的、被伪装的真相，并且这个真相事关重大，它直接牵动着我这场婚姻悬置的命运！它会是什么呢？值得我丈夫动员自己全部的优秀品德去坚守？然而，就在我望着叶儿的时候，竟然发现他年轻的面容上其实清晰浮动着薛绍的影子。……我不寒而栗！

14. 慧娘墓前　白天　外景

薛绍已经平静许多，他拉着叶儿跪在墓前。
薛绍：叶儿，这就是你娘的墓！
叶儿：长……相守，她叫长相守吗？
薛绍：……不，这是你父母共同的名字！
叶儿：他们都躺在里面吗？
薛绍：……不，只有你母亲。你说得对，你父亲没有死，他还活着。因为你母亲不让他死，让他为你活着，照看你，等你长大好告诉你他们的故事，告诉你曾经有过一个怎样的母亲！

叶儿：那父亲为什么不来看我？

薛绍：……他现在还不能……

叶儿：那他怎么照看我？

薛绍：他一直都在照看你，在你看不见的地方，眼睛一刻也没离开过你，因为他答应过你母亲！

叶儿：是他派干娘来照顾我的吗？

薛绍：不，不是！她照顾你是因为她爱你，她……是个好人！

叶儿：我也爱她！我要让她当我娘！

薛绍：（冲动地）可她不是你娘！……（缓和）你有娘，一个人只有一个娘……

叶儿：可我从来没有见过她！

薛绍：你见过，你还很小很小，刚刚出生……

叶儿：我娘是因为生我死的吗？

薛绍：是的，所以你要永远记住她！因为她用自己的生命换来了你的生命！

叶儿：……干娘也要生小孩了，她也会死吗？我不想让干娘死！

薛绍看着叶儿，怔怔地说不出话来。他转而望着墓碑。

薛绍：慧娘，也许瑾娘是对的，怀念往往要付出违背道德的代价，可我不行，我不能容忍对任何无辜者的伤害，不论她是谁……慧娘，我对不起你……我没想到怀念原来会变得如此艰难……

15. 薛府　白天　外景

一队官里人神色凝重，气势浩大地穿过回廊。

太平意识到可能出现的变故，面容亦凝重起来。她望着跪在自己眼前的太监。

太平：怎么？说，怎么回事？

太监：皇后手谕，请公主回宫，圣上病危！

16. 寺院大殿　白天　内景

薛绍转身望着叶儿。
薛绍：听话，叶儿！……师傅，我先走了……
叶儿十分懂事，拉住薛绍的手。
叶儿：叔叔，说好的，只住几天！
薛绍硬下心肠，点了点头，不敢看叶儿的眼睛。
叶儿：（忍住眼泪）告诉干娘，别想我，我很快就回去！
薛绍再也忍不住泪水，疾步走出大殿。

17. 李治寝宫　白天　内景

烛火幽暗，似乎像床上李治的生命一样，微弱、漂浮。
太平走入，围在殿中的众人给她让出一条通道。太平走到床前，与哥哥们跪在一起，此时李治正在说着胡话。武则天坐在床边，握着他消瘦、干枯的手，满面忧戚之色。
李治：（双目时开时闭，目光时而空，时而清醒，似乎魂魄已经在天外游荡）弘最近怎么样了，他从小身体不好，让他一定注意休息，《从台玉览》还没有编完吧，就别再编了，编了也是枉费心机。（他的眼睛又清晰起来，看了一眼武则天）贤多长时间没回来过了？我忘了，他死了，把他的墓从潞州迁回长安吧，希望他能原谅我们。（他的目光又迷乱起来）贺兰怎么还不来？还在怨我没让她参加庆功大典吗？（武则天伤心地把手抽出来，站起身。李治又清醒过来，看着地上跪着的几个孩子）旦，你过来。（旦跪到李治床边，伸手抓住李治的手）好好养育你的鸽子，我一直都在心里羡慕你，其实几个皇子里面，你最像父亲，当初我也是躲在含元殿里，摆弄西域乐器，躲避权力纷争，获得内心宁静，没想到还是没有逃掉。如果当初……也不会像今天这样……

说着说着声音就微弱下去，御医急忙上前把脉，然后转对十分担心的众人。

御医：皇上又昏过去了。

武则天转身出宫，低头走过地上跪着的众人来到殿外。面对幽远夜空，她流下了伤心的眼泪。

18. 李治寝宫旁边的小殿 白天 内景

众人陆陆续续进入，武则天背对他们。片刻，众人聚齐，她转过身来，泪水已经拭去，恢复了镇静。

武则天：皇上看来是不行了，现在的当务之急是……

老臣邓玄挺：（泪流满面）皇上一息尚存，我们就要尽臣子的一份努力，现在的当务之急是救人，请皇后率皇子与满朝大臣到太庙祈求上苍保佑，助皇上逃过这场病劫。

老臣裴炎：邓大人太迂腐了，人有生死，天命难违，怎么在此关键时刻还存有侥幸心理呢？皇后，国不可一日无君，现在的当务之急是早立太子，以免天下纷乱。

武三思：裴大人说得对。不过，三皇子显与四皇子旦都年幼学浅，仓促迎政，难以服众，恐怕只会引起天下纷乱。臣以为现在的当务之急是早下诏书，诰命天下，请皇后监国主政，待天下平静之后，再慢慢筛选，择明主而立。

邓玄挺与裴炎都露出激怒之色，想要争执。这时御医急入。

御医：皇上又醒过来了，这次恐怕是回光返照。

裴炎：现在是最后时机，一定要请皇上选立新君。

武则天微微点头，率众人疾步出殿。

19. 李治寝宫　白天　内景

李治目光明亮，面色潮红，招手把裴炎叫到床边。

李治：你是我最信任的大臣，二十年前，你还是洛阳县令，不断有人参奏你刚愎自用，触犯皇亲国戚；也有人褒奖你正直清明，忠正不阿，我召见了你，从那时起，我就知道你将是大唐的栋梁之臣。二十年来，你没有让我失望，我希望……（声音又开始微弱，神情又委顿下去）今后……你也不要……让我……失望，不论怎样，你都要……牢记自己的职责和……道义……你要辅佐……

裴炎：皇上，立谁为太子？

李治不断张嘴，但声音微弱，裴炎把耳朵贴在李治嘴边也无法听清，神情焦急地看着武则天。武则天走到李治床前。

武则天：皇上，您就用手指吧。

说着把显与旦招到床前。李治目光地看着两个人，手在他们之间游移不定，一会儿是旦，一会儿是显，神情依然沉浸在病痛的折磨和对于未来的伤感与不安之中，他知道自己的决定将直接关系着这个王朝的命运。最终，手落在显的身上，他无奈地摇摇头。韦氏一直在紧张地看着李治的手指，跪下的身子不由自主地支着，此时长长舒了一口气，身子缩了回去。武则天转身面对书记员。

武则天：记下来，立显为太子。

李治再次睁开眼睛。

李治：你们大家都出去吧。

武则天站在床边，满眼关切与希望，两人对视着。

李治：媚娘……

武则天带着激动与伤痛的表情走上前，李治的目光中出现一丝往日的情怀，但马上又黯淡下来。

李治：……你也出去吧。

武则天走过地下跪着的众人，此刻再也无法顾忌什么，再也无法控制自己，眼泪流了下来。

李治：太平，你留下来。

众人纷纷站起，退下。

李治：他们……都走了？

太平：走了，父亲。

李治：太平，过来！（李治用手抚摸太平的面颊）……好久没见你了，总想你！可现在女儿就在身边，眼睛又看不见了……只能靠手摸了……还是那个小太平，跟我一起看皮影戏的小女孩儿……

太平：（痛哭，把头埋在李治怀里）父亲……

李治抚摸着她的头发。

李治：几个月了？

太平：……七个月。

李治：真快！连我的小女儿都有了孩子……长大一定好看，你们会是世界上最好看的两个人！听说，你最近过得不快乐？

太平：快乐，快乐！……父亲……等我生了，带来看您！

李治用双手将太平挂满泪痕的面庞托起，神情严肃。

李治：太平，你听着，人这一辈子要经历好多好多的不如意，上至天子，下至平民，无一例外，其中有自己的原因，很多时候是别人铸就的，自己一无所知。比如说父亲，我从来没想当皇上，是先帝的选择，于是，就有了以后许许多多的不如意，关键在于你怎么对待它们，是原谅还是不原谅！有的人一辈子都靠原谅生活，比如我，就没什么出息，但内心快乐。有的人一辈子都靠不原谅生活，会很有出息，内心却不安宁！你面临同样的问题，选择时一定要慎重！明白啦？……

太平含泪点头。

李治：……咱们演一段皮影戏吧，《采桑女》，我最喜欢的，你演女的，我去男角儿！

太监把早已准备好的皮影递过来。

大帐内李治与太平演皮影。太平的声音时常被悲痛打断，李治的听上去却饶有兴味，只是声音微弱。

李治：……看这一江春水，看这满树桃花，看这如黛青山，都没有丝毫改变。看对面来的是谁家女子，生得春光满面，美丽非凡，这位姑娘，请你停下美丽的脚步，你可知自己犯下了什么样的错误……

李治的手无力地垂下来，李治最终隐入了周围的寂静。

旁白：永淳二年，你五十六岁的祖父死于大明宫一片潮湿的天色之中，死于对大唐山河不出己愿的漠视之中，身边陪伴的只有他女儿对于《采桑女》浸满泪水的吟诵。我始终认为父亲那同疾病相伴的一生是伤感而困苦的，直到那一刻我目睹了他最后的纯真的欢乐。原谅，这是父亲对世间全部智慧的总结，他依靠这一品格赢来了一生相对平静祥和的心境，但最终也丧失了自家的山河。

第十七集

3. 后院阁楼　夜晚　内景

　　薛绍借着烛光端详那把被叶儿摔坏的琴。琴显然刚刚被修复，重新粘在一起的痕迹历历在目。那首诗句随着烛光渐渐从黑暗中浮现出来。薛绍把烛台放在窗台上，两只手爱抚地在琴面上滑行，仔细得像一位盲人在借助手阅读文字……薛绍的手指抚在琴弦上，缓慢而激动地拨响了第一个音符，琴声悠悠地从指间流出，逐渐进入佳境，正是《长相守》。薛绍双目微合，沉醉在音乐里。然而，"啪"的一声，琴弦再次无情地断裂。一丝绝望的表情浮现在薛绍的脸上。他随后愤怒地将琴彻底掀翻。空气中响彻着残琴寿终正寝的绝响……

　　太平早已站在楼梯口，默默注视着薛绍的背影……

　　太平：这琴恐怕真的再也无法修复了……

　　太平走近薛绍。

　　太平：你还在生我的气吗？……我刚才……我只是害怕，从心底感到害怕。父亲死了，我心里很难过。我平生只爱着两个男人，我父亲和你。我所爱的人一个个离我而去，现在只有你一个人了……而且是我最爱的，最舍不得离开的……我只是害怕你也会走，不辞而别，像他们那样……我觉得孤独，就像站在一个孤岛上，看着水从四面八方涌来，我却无能为力……

薛绍：太平，你真的……爱我吗？

太平：这还用问吗？连这个疑问本身都是对我爱情的侮辱……

薛绍：你说，一个人一辈子能爱几次？

太平：一次！一次就足够了，能圆满地拥有一次爱情，就是一个人一生最大的幸福……我想一个人一生的全部精力也只能承担一次真正刻骨铭心的爱情……

薛绍：如果这仅有的一场爱情……被别人夺走了，你怎么办？

太平盯视着他的眼睛，目光执拗而坚决，又恢复了一个帝国公主凭借与生俱来的权力和血统中坚毅跋扈的秉性而成就的骄傲与霸道，话说得一字一句，掷地有声。

太平：……如果他被夺走，我就会找到那个掠夺者，杀掉她，然后再杀掉那个背叛我爱情的负心人，同爱情彻底决裂！

薛绍：如果那个掠夺者是权力，甚至是神明呢？

太平：那就同神决斗！爱得最深的人本身就是一尊神，并且具有同神明相匹敌的力量，具有一个凡人难以想象的强悍和决心！

俩人在烛光中对视。两个爱情至上的人在心中坚持着同样的强大信念，只不过忠贞的对象南辕北辙。

薛绍：……你是一个懂得爱的人，至少懂得属于公主的那份爱！

太平微笑了，上前把头伏在薛绍的肩背上，望着窗外的月光出神。

太平：你说，人死了会不会真的有灵魂？

薛绍：会的！他们都活在天堂，活在比月亮还高的地方，那里一切都一尘不染，包括人的智慧与感情……

太平：那他们能看见我们活着的人吗？能看见我们在仰视他们的面孔吗？

薛绍：我想能，他们一定能看见我们，甚至在我们熟睡的时候……所以，活着的人一定要记住他们，对得起自己在他们活着的时候发出的誓言，因为他们俩无时无刻不在注视着我们，他们也还有感情……

4. 薛府太平卧房　夜晚　内景

旁白：那天晚上我终于盼来了姗姗来迟的爱情那甜蜜而动情的面孔。在我们五年局促刻板的婚姻生活中，居然第一次出现了短暂的乐趣。我又一次体验到他明媚笑脸上久违了的愉悦。然而那个夜晚，却是我们抑郁伤感的恋情最终的狂欢，最后一次丰盛的晚宴……

5. 显寝宫　白天　内景

韦氏郑重地在镜前为显戴皇冠，整理龙袍。显则一脸被汗水湿透的茫然。

显：我那香好久没人照顾了，告诉药苑，每天给我递一个折子……哎哟，轻点儿，勒死我了……其实旦比我合适，书读得多，对万事又总有自己的见解和主张，父皇当时真不知怎么想的……

显发现韦氏威严的目光，赶忙住了嘴，慌张地笑笑。

显：……多亏了你，要不我还真不知道该怎么应付这一套礼仪……你真美，我发誓永远不纳偏妃，天天跟你在一起……今早的诗你收到了吗？

韦氏一言不发，依然专注地为显的仪表做好最后的装扮。

一切停当，韦氏严肃地打量着显。

韦氏：你是谁？

显：我？……我是显啊，噢，不，是天子！

韦氏：对，你是天子，不怒自威，与日月同辉的神明，记住啦？

显：……当然……

太监步入，跪拜在地。

太监：万岁，朝臣们都到了……

韦氏：(脸上露出一丝微笑，跪倒在地)好了，去吧，万岁！

显：(严肃)平身吧，皇后！

说完随太监出殿。

韦氏目送着显走出，神色刚有点儿缓和，见显又慌慌张张地转了回来。

显：香囊，我的香囊呢？刚才还在这儿的……

韦氏：……给！

显：好，好，我去了……

屋外鼓乐大作，文武百官雄浑的声音伴着音乐在大明宫内回荡。

"皇上万岁，万万岁！"

韦氏的眼睛有些潮湿，她闭上眼，脸上最终浮出一丝满足的微笑，嘴唇嚅动着，好像在祈祷。

6. 湖心岛　白天　外景

武则天邀来太平，同在湖上荡舟。太平的心情似乎有了明显的好转。

武则天：好久没有这么悠闲，这么清静了。和儿孙们在一起真好……(武则天片刻沉默，又情不自禁地)也不知道显登基这些日子怎么样……

李隆基坐在太平膝上，正在往她头上插牡丹花。

李隆基：姑妈真好看！

太平：是吗？那你以后也要娶一个像姑妈一样的妻子。姑妈要是生了女儿就把她嫁给你……

李隆基：什么是妻子？

太平：妻子就是你在世界上最最喜欢的人，就是那个你天天都想往她头上插牡丹花的女人……

李隆基：那我天天想往你头上插花，你就是我妻子了？

太平：（笑）可我已经嫁人了，头上已戴满花儿了……不过，我今天就把头借给你，让你把花插满……

武则天侧脸端详着太平的快乐，也不自觉地流露出欣喜。

李隆基：那我再去给你摘一朵……

李隆基跑远，武则天和太平微笑地望着他的背影。

武则天：这孩子，是个帝王种！昨天还缠着我立他为太子，说他也想当皇上……

湖面上又荡来一条船，下来韦氏和上官婉儿。

武则天上下打量着上官婉儿。

婉儿：上官婉儿拜见圣母皇太后。

武则天：平身吧。

上官婉儿侧立一旁。

武则天：韦氏，你的眼力不错，婉儿果然容貌出众。

韦氏：谢皇太后夸奖。

武则天：婉儿，我怎么听说你不愿意入宫为妃？你是不喜欢我儿子李显，当今的皇上？还是因为你父亲的缘故，对皇室有怨恨？

婉儿：小女不敢。小女已立誓言，今生永不婚嫁。

武则天：是吗？小小年纪竟有这样的决心。太平，你知道婉儿的父亲是谁？

太平：是上官仪大人吗？

武则天：不错。我一向敬重令尊大人的盖世文才。不过，听说婉儿的才华也不逊色于你父亲。婉儿既然不屑于儿女情长，那就留在我身边，做一个帮手，你看怎么样？

婉儿：谢圣母皇太后恩宠。

武则天：好了，起来吧。从今往后你就跟着我，你不愿意嫁男人，我也不可能再嫁人，我们就相互做个伴儿……（转向韦氏）韦氏，说说近来皇上都有哪些政绩？

韦氏明显有些支吾，又躲不开武则天的目光，只好如实陈述。

韦氏：禁……禁了铸造和钱；准建万泉宫和奉天宫……还重建皇室药苑，诏大食国十余育香师进宫；诏……全朝文武百官上殿必口含香片，朝服必以龙脑香熏浸……大殿两侧立香鼎四尊，上奏都必先以香粉扑手……

武则天不禁笑起来。

武则天：这一听就是显儿在做皇帝，恨不得把大明宫都泡在香水里……你继续吧……

韦氏：（犹豫地）没有了……大事就这些……

武则天：（瞟了一眼韦氏）那小事呢？

韦氏：（只得小声说）皇上加封了我父亲韦玄贞为侍中，赐重阳公爵，采邑一千五百亩，绢……

武则天：（打断她）这是你的意思？

韦氏：（垂下眼帘）我曾经跟皇上提过……

武则天：想不到你这么孝敬！

韦氏：（跪下）请圣母皇太后恕罪！

这时候李隆基举着牡丹过来，看到韦氏跪在地上。

李隆基：婶婶衣服上怎么也有凤？我以为只有奶奶能穿凤的……

太平：（慌忙制止）婶婶现在是皇后……

李隆基依然不服。

李隆基：还是奶奶当皇后好，她穿不好看。

韦氏脸色十分难堪。

武则天：行了，起来吧。你们谁都不让我省心，看来我是歇不成了。（起身）婉儿，让船靠岸吧，我要回宫。

韦氏似乎还有话要说，依然跪而不起。

武则天：韦氏，你还有什么事吗？

第十七集

韦氏：儿臣受人之托，给圣母皇太后一封信函……

武则天：什么人的信函？

韦氏：儿臣不知，是从礼部刚刚转到我手上。

武则天：婉儿，你念念。

婉儿接过信函。韦氏不安地看了太平一眼。

婉儿：（念）太后，我没有向您的女儿澄清她婚姻之后的隐秘，这是源于对您深沉母爱的理解和尊敬，作为一个君子应坚守您我之间的允诺。然而我最终决定离开，请恕我触犯您的威仪，但我必须遵循爱情的旨意！请代我抚慰您女儿受伤的心灵，并开恩解释她婚姻的秘密。如果您再次为太平选择夫婿，恭请您忘掉权力，而首先调查驸马心情的底细……

武则天：别念了！迂腐，迂腐之极的狂徒！快去把薛绍找来，我要宣他进宫！快去！

武则天重重地瘫坐在椅子上。太平的脸变得惨白。

10. 牡丹阁　白天　内景

瑾娘在为叶儿打点行装，准备出走的样子。

薛绍突然闯进来，他一眼就看见了叶儿。

薛绍：叶儿，跟我走！

叶儿看着瑾娘，迟疑不决。

瑾娘：（警惕地）你要带叶儿去哪儿？

薛绍：永远离开长安！我要告诉他真相，从此和他生活在一起！

瑾娘：（抱住叶儿）不，现在不能走！

薛绍：为什么？这不正是你所想的吗？

瑾娘：你终于醒悟了，姐姐的在天之灵应该为此感到高兴。但是，你想过没有，残害爱情的凶手得不到报应，你躲到任何地方都不可能安宁，并且会危及到你和叶儿的生命！在这场悲剧中逝去的生命还不够多吗？

薛绍：除了躲开这是非之地，还能怎么样？

瑾娘：我已让富贵去把太平找来，只有她能救你们父子……

薛绍慌乱了。他完全不能想象如何面对太平。

薛绍：你要干什么？！

瑾娘：向她公布事实的真相！诚如公子所讲的，太平是无辜的。这一点我在带叶儿的那几天里明白无误地看在眼里，……我错怪了公主！她确实是在用全部心血爱您，爱之深切不亚于我的姐姐……可悲的是她对自己感情的结局一无所知。像一个落入沼泽的不幸的人，挣扎得越充分，就越接近那最终的灭顶之灾！……应该让她明白，这一切悲剧是由她的母亲、大唐当今伟大的圣母皇太后一手造成的，是她忘乎所以地试图用权力摆布爱情，是她借母爱的崇高名义将自己的女儿推入情感失落的深渊，她应该为这一切负责！应该得到她无辜女儿的憎恨！公主应该明白，她身边并没有什么负心郎，有的只是被权力愚弄的天下最可怜的有情人，这包括你，也包括她自己！

薛绍：你这样做，除了为天下平添一对母女间的怨仇……

瑾娘愤怒转过身，临窗而立。

瑾娘：这正是意义所在！让我们的圣母皇太后亲自体验来自自己骨肉的仇恨！也只有这样，在太平保护之下，武则天才不会再加害你们父子。

薛绍没有因为这样的解释而感到欣慰，他惶恐地拒绝瑾娘。

薛绍：不，不能这样！不要让太平知道这一切！不要让我再看见她……

瑾娘吃惊地回过头去。

瑾娘：为什么？是因为你曾向太后保证过……

薛绍：不，不是。你误会了……

瑾娘突然意识到什么，不安地打量薛绍。

瑾娘：你……你是不是爱上了她……

薛绍：（回避地）叶儿，叶儿过来，我们马上走……

叶儿抬头看瑾娘。瑾娘紧紧地拉住他。

薛绍：叶儿，你不是想知道谁是你父亲吗？过来吧，我就是你的父亲，你的亲生父亲……

叶儿哭了，瑾娘终于松开了双手，她无法阻止叶儿去和父亲相认。叶儿一步步地走向薛绍，最后相拥在一起。

瑾娘目睹了这一幕，她擦去眼泪，看了一眼窗外。

瑾娘：你们走不了啦，太平和刑部的人把这里包围了。

薛绍愣愣地站起来。

薛绍：我们一起走，带着叶儿……

瑾娘：（淡淡一笑）我不会走的，我在这世上孑然一身，事过之后，我自会去找我的家人……

薛绍：不，我已经对不起你们全家了，不能再对不起你……

楼下响起了纷杂的脚步声。

门开了，太平第一个冲进来，随即被眼前的景象震惊了。武承嗣和刑部的卫士也随后进来。

太平绝望地看到薛绍竟然和瑾娘纠缠在一起。

武承嗣在一旁推波助澜。

武承嗣：公主，我没骗您吧？他们早就在一起了……

公主的秉性在太平的血液中渐渐复苏，五年的隐忍和委屈在这样一个毫无光彩和美感的场景面前顷刻间化做一头猛兽。她无法容忍原来自己的丈夫不过是一个长着君子面孔的嫖客。就在武承嗣不备之际，太平突然从他腰间抽出剑来，直指薛绍的咽喉。

瑾娘：（失声地）富贵，快把叶儿带走！

富贵抱走了叶儿，被武承嗣的人拦在门外。

叶儿挣扎着，抓住薛绍的衣角。

叶儿：爸爸……爸爸……

薛绍闭上眼睛，松开叶儿的手指。

听到叶儿撕心裂肺的叫喊，太平愣住了，她没想到在这儿能见到叶儿，更没想到从叶儿口中喊出父亲的名字。太平看了瑾娘一眼，便怒视薛绍。

太平：叶儿是你的儿子？

薛绍不再隐瞒。

薛绍：是的！

太平热泪充盈，剑在手中发抖。

太平：你还记得我跟你说过的话吗？对背叛爱情的负心人，我会杀了他！我不仅有这样的胆魄，我还有这样的能力！

瑾娘：公主，那个不愿背叛爱情的人早已被你母亲赐死，您剑下的恰恰是对爱情忠贞不渝的可怜人……

太平：闭嘴！你这个奸妇！我竟然听信了你的谎言，让你照看你们罪恶的孽子！

瑾娘：叶儿是我的侄子！

太平：你别想再欺骗我，把她带走！

武承嗣让卫士绑走了瑾娘。

瑾娘：（边走边喊）薛绍，告诉她，告诉她真相！

薛绍再也无法隐瞒了，他看着太平的眼睛。

薛绍：她说得对，太平！叶儿是我的儿子，而她是我妻子的妹妹，瑾娘。

太平瞪大了双眸，惊恐不已！她手中的剑在渐渐滑落。薛绍一把抓住剑柄。

薛绍：还记得长相守的故事吗？记得故事中那个罪臣吗？他就是我！我和慧娘虽从未以采药为生，却真正是两小无猜、青梅竹马。我们一同生长在洛阳，后来随荣升的父母来到京都。我们淡泊功名，只盼能手牵着手共度人生。你虽然不是杀死慧娘的直接凶手，但是你的母亲杀死了她……是你的一个突发奇想杀死了她！也杀死了我！你的身份决定了你的残忍……你我的婚嫁之日成了慧娘的忌日。我对太后旨意的抗拒只换得慧娘一天的生命，在城外一座寺庙的小屋里生下了我们的儿子……

太平感到天旋地转，几乎站不住。

太平：这不可能，这不会是真的……你为什么不告诉我？为什么隐瞒我五年……

薛绍：因为薛绍并不是公主想象的那样，是个道德完美的人。薛绍是个软弱的人。为了保全年老体弱的父母，为了家人不致遭受劫难，也为了我们的儿子……

太平：可我是爱你的……

太平说着痛哭起来。

薛绍：这正是我要带叶儿远走天涯的原因。我曾想过让你遭受冷漠，以惩罚你的爱情所犯下的错误，通过折磨你的感情来祭奠慧娘的亡灵……然而我错了，你不是一个我想象中的公主。你不刁蛮，不骄纵，不冷酷，甚至更可怕的是，你忠诚……我担心自己会无法挽回地坠入对你的爱恋，而这种担心已经发生……我爱上了你！我曾用所有的意志抵抗它，但无能为力，我无法抵御纯洁和忠诚！然而我怎么能爱上杀害我妻子的仇人的女儿？！我的良心将会遭受正义怎样的谴责？

太平：(同情渴望地) 饶恕我母亲对你犯下的罪恶，看在你也爱上我的情分上……

薛绍：(摇头) 一个人一生能遇到很多次幸福，但只能对其中一桩幸福付出承诺。太平，我只能选择慧娘的幸福！原谅我，我们来世再见……

薛绍说完，双手握剑，猛地插入自己的胸膛。

太平：(扑上去) 不！

太平抚摸着薛绍的伤口，满手鲜血，痛不欲生！

太平：(近乎癫狂地) 你爱上我了？你已经爱上我了？！

武承嗣和富贵等人都被这一惨状震惊。富贵上去扶住太平。

太平：你们不要动他！他没有死……御医，快去找御医……

11. 殿前大道　白天　外景

满天肆虐的瓢泼大雨，一片苍茫。这条标榜帝王威严及骄傲的帝国大道被铺天盖地的雨雾模糊了面容。

一驾马车孤独地徜徉在道路正中，仿佛漫无目的的一叶小舟，任风雨由着性子摧残颠簸。驾车人虽披着斗篷，但仍抵挡不住风雨持续不断地扑打在脸上。驾车人已是满脸的晶亮。一队神策骑兵远远地跟在后面，默默地，生怕打扰车内深切的悲伤。太平坐在车内，怀里紧紧抱着似乎仍在熟睡的薛绍。

旁白：我第一次紧紧地抱着他，这最终完全属于我爱抚的面孔和躯体，像怀抱着一个无助的新生婴儿……我默默凝视着自己青春时代的理想正一步步丧失着体温，我五年黯淡的婚姻生活正随着他亮丽的灵魂飞上天堂。而这世界上只剩下我，一个执拗地渴求爱情的帝国公主，以及她那以相同的执拗相信权力，并慷慨地把不幸施舍给女儿的母亲……

太平：……公子，其实你不必这样做……你终归还是把我当作了公主……你应该早些告诉我，没有必要这样折磨自己……你更不应告诉我你已经爱上了我……你应该恨我，讨厌我……你为什么要爱上我？……

旦骑着马穿过神策军方阵飞奔而至，他已全然不顾湿透全身的雨水，脸上挂着同风雨一般急迫的焦急，他信马与太平并行。

旦：太平！……是我，旦……我都听说了，人有旦夕祸福，这兴许就是驸马的宿命，不是妹妹可以把握得了的，更不是悲伤可以换回的……请妹妹节哀，请妹妹想想腹中即将临世的婴儿……我们的母亲……

太平突然掀开眼前的珠帘，冲着车夫大喊。

太平：进宫！快，快！……

马车加快速度，向风雨深处疾驰，旦及神策军寸步不离地尾随……

第十八集

1. 武则天寝宫甬道　白天　外景

太平脸上带着令人心疼的哀痛，穿过两侧恭立的侍从，向武则天寝宫走去。她望着迫近的宫门，感受到内心某种可怕的力量正在聚集，接近爆炸的边缘。

2. 武则天寝宫　白天　内景

武则天似乎早已料到太平的到来。她坐卧在寝宫深处的床榻上，艰难地维持着脸上相对沉静的表情，内心却经历着前所未有的起伏。

太平定定地站在宫门口，第一次满目仇恨地盯视着母亲。两个内心同样复杂的人在寒冷中对视，意识到战争正缓缓迫近。

雨水顺着太平身体的轮廓淋漓地下滑……

武则天嘴角嚅动了两下，终于先于太平开口。

武则天：你有身孕，不该淋雨……把御医找来！

一太监急急地向外跑去。

太平置若罔闻地站在天井中的雨地里。

太平：（沉痛）……我丈夫死了！……

武则天：我知道了，我为他悲哀，他很不幸……

太平：（暴怒）是我杀死的，我是凶手！

武则天：（依然语调平稳）你不是，他是自杀……

太平：不！母亲，他本来有着比谁都充足的活下去的理由，是我，是我的到来为他的生活带来了长达五年的噩梦。比这更可悲的是您亲手制造了这一切，而我却一厢情愿地始终认为自己是他一生中拥有的最甜蜜的礼物。五年！整整五年，母后大人，您在使他忍受折磨的同时让自己的女儿也饱经屈辱……

武则天：你……都知道了？

太平：我早该知道！母后，您为什么欺骗我？！

武则天：因为我爱你！因为作为母亲，我不想看到女儿因过早地失去爱情而悲哀！

太平：可是您却剥夺了他人的爱情，甚至性命！也蒙骗了自己女儿第一次的真诚感情！母亲，您是一个没有感情的人！

武则天"腾"地站起身，向太平走来，全然不顾雨水肆无忌惮地浇打。太监们惶恐地打着伞小跑着追在她身后。俩人站得很近，脸对着脸，武则天终于表现得很激动。

武则天：太平，我如果没有感情就不会容忍你丈夫竟敢用一个丫鬟的尸体充当慧娘，明目张胆地欺骗我的眼睛；如果没有感情就不会容忍他一生下来就已经成为罪犯的儿子充当你的什么义子；如果没有感情就不会容忍他的妹妹在长安的一个角落里，用最恶毒的词语诅咒自己的皇后！感情？我想这一切的根源就在于我对你太有感情，太想满足你的心愿……所以，请你不要这样对我讲话，你毕竟还是我的女儿！

太平：如果做您的女儿就意味着上缴自己的命运，甚至宝贵的爱情，那我宁愿不做您的女儿！

武则天：（顿感凄凉地）是吗？你真这么想吗？

武则天回转身向台阶上走去，边走边说，语气又似乎恢复了平和。

武则天：太平，我已经为你的幸福尽了我最大的努力，结果不尽如人意，只得怪人生无常，你和他没有缘分……（武则天坐定）我始终遵循着一个母亲最简单的逻辑，你爱上了一个人，我帮你找到他，你要嫁给他，我让他娶你。在满足女儿心愿上，我与天下其他母亲无异。惟一的区别是，我有能力做得更有效率……

太平：什么样的效率？多么可怕呀！（悲伤地）我的母亲在用权力表达对我的爱！这是一种什么样的爱？！您赋予我的爱是残忍的、血淋淋的爱情！

太平的话无疑深深地刺伤了武则天的心。她强制着自己的激动，闭上了眼睛。

武则天：你想得太多了，太平。薛绍的错误不能由我来承担。他是个好男人，但他不懂得忘却。一个不知道珍惜现实的人，永远生活在过去的人，在这个世界上不会走得太远……

太平：（打断武则天）薛绍当然不会忘却过去，因为那是他仅存的生活理由，惟一的心情来源。我更不会忘记过去，因为我倾心的爱人死在我的剑下，而我的母亲却是那个将他推上剑锋的人！

武则天：不！我没有杀死他，是他的懦弱杀死了他自己！他没有勇气爱你，他害怕！薛绍的不幸在于他太完美！有时候完美是一剂毒药！当他发现自己并不完美，竟然在心里爱上你的时候，他不可能这样活下去！你不要再折磨自己了！这场悲剧该结束了！

太平：我的命运，我一生最重要的开始已经毁在您的手里，不可能就这么结束，这么轻松地挥之而去，母亲……您欠我的！

太平激愤地转身而去。由于过分地悲伤，她突然间瘫倒在台阶上，晕了过去。

武则天惊慌地站起身。

正好赶来的御医和太监七手八脚地拥向太平。

御医：太后，不好了，是孩子……孩子恐怕保不住了……

武则天听后，颓唐地瘫坐在床榻上。

传来太平虚弱的哭声。

太平：不！……我要孩子……孩子！

武则天眼里见了泪水，她轻轻地摇着头，自言自语。

武则天：这一切从一开始就不应该发生……

4.武则天寝宫后殿　白天　内景

屋里幽暗，一簇惨淡的光线射在太平的床榻上。

太平发着高烧，头上蒙着白布巾。

春进来，轻轻地坐在太平身边。

太监：（小声地）公主，春来了……

太平猛地从床上坐起来，抓住春。

太平：春，保住孩子……告诉我，他没死……把他救活……（突然压低声音，失态地）小声点，别让人听见……你把孩子带出去，别放在宫里，我……不放心，到处都是眼睛……千万别告诉太后……我母亲……她要知道……不会让我走的……

太平说着，神情渐渐迷乱起来，推开春，恐惧地蜷缩在床角。

太平：我要死了，他就是你的孩子……好好待他，像待我一样……你干吗这样看着我？他没有死！春，我只有指望你了，他是我和薛绍的命根子，我的惟一的信念……我对不起薛绍，原谅我，我，我是太伤心了……他们把我关起来，不让我出去……

太平随即又一次晕过去。春心痛地落下眼泪。

武则天站在远远的门口，透过珠帘望着自己的女儿，这一幕令她心碎。她嘴唇颤抖着，抑制住泪水。

5. 武则天寝宫　白天　内景

　　侧卧在凤榻上的武则天显现出从未有过的疲惫。她微合着眼睛，情绪上全然不配合对面声调激越的武三思。婉儿恭立在一侧。

　　武三思：英公徐敬业在扬州谋反，气焰极其嚣张，公然与朝廷作对，声称要重振李氏雄风。上月将朝廷派去劝降的大员首级悬于城头达一月之久，对朝廷的蔑视已达到令人发指的程度……（婉儿示意他小声）……叛军现已攻下楚州、润州，开设匡复府，叛首自封扬州大都督，传令天下讨伐太后……现已查明从逆的有周至徐敬猷，给事中唐之奇……怡海丞骆宾王，楚州司马李崇福……以及监察御史薛颐。请太后当机立断，将叛臣及其家眷一网打尽，向天下昭示您的英明与威仪。臣愿请令出击，不斩除祸根甘愿解甲归田，请太后明示！

　　武则天依旧闭着眼睛，寂静中只有淅沥的雨声丝丝入耳。武三思不知所以地看着婉儿，武则天终于开口。

　　武则天：薛——颐？……哪个薛颐？

　　武三思：监察御史，已故驸马薛绍的哥哥薛颐！

　　武则天：（睁开眼睛）果真是他……

　　武则天望着窗外连绵的雨丝，神色恍惚。

　　武则天：婉儿，雨下了很久吗？我记得太平回宫那天就下上了……

　　婉儿：一个星期了，太后！

　　武则天：连天公都与我为难……三思，你打算怎么办？

　　武三思：唐律分明：谋反当斩，诛灭九族！现在需要的是决心！

　　武则天：你有这样的决心？

　　武三思：已在心中酝酿许久了，只等太后一声令下付诸行动！

　　武则天直视着武三思的眼睛。

　　武则天：……你做事很坚决！这很好，我喜欢这样！……去吧！就按祖宗的规矩办！

武三思：遵旨！

武三思转身踌躇满志地向外走。身后响起武则天的声音。

武则天：不许对薛家人无礼，明白啦？

武三思：可……太后，薛颐谋反，已成定案，这样厚此薄彼，恐怕难服人心。再说，他薛绍抗旨不遵，也已经……

武则天：我已经说得很清楚了，你去吧！

武三思：（心领神会）三思明白太后的意思，一定从轻发落。

武则天：（失神地望着窗外）……婉儿，我记得太平出生时也是这样漫天漫地的大雨……

6. 薛府门外　夜晚　外景

松明火把。薛府在重兵的严密看守下。军士的身影不断地出没，气氛十分紧张。

7. 薛府薛父卧室　夜晚　内景

薛父正在妆台前为薛母盘头，两个人都穿着崭新的衣服，脸上不见丝毫悲痛，反而有一种豁达的喜悦。

薛父：你还记得我曾说过，活在这世上，连命都是别人赐予的，所以要学会把苦难当作荣幸，只要你的灵魂是洁净的。我父亲就是这样……我倒是担心叶儿的命运，他是我们薛家仅存的一支血脉了……

薛母：（眼里有了泪）有太平在，还有什么可以担心的呢？有大唐公主这么爱着、护着，也算是老天爷有眼……

薛父：是啊！这也算了了我在这世间惟一的想念，我们可以走得无牵无挂、无忧无虑了！

8. 武则天寝宫　夜晚　内景

太平昏迷在床上，病弱苍白的脸上依然还挂着泪痕。

武则天坐在床边，痛苦地凝视着女儿。她抚摸着太平的发梢，手微微地颤抖。她似乎预感到女儿的苏醒将意味着彻底离开自己。武则天眼里噙满泪水，春在一旁侍立。

武则天：你会理解我的，太平，终究有一天你会理解我……我仅仅是想做一个称职的母亲，一个……能给予女儿幸福的母亲……请你理解我，我真的是为你好……真的……别恨我，太平……母亲很怕，我需要你……还记得我曾说过，这宫里只我们两个女人，母亲很难，你懂吗？……因为爱你，所以就更难！

一滴泪顺着太平的眼角儿溢出。她睁开眼，母亲的形象在眼里渐渐清晰。武则天艰难地笑着。

武则天：你总算醒了。你睡得好熟，像永远也醒不来似的……

太平意识到眼前的是母亲，眼中再一次溢满仇恨和恐惧。她猛地甩开武则天的手。

太平：你怎么在这儿?!你来干什么?!我不愿再见到你！你走！我不需要你！……

太平坐起身，环顾四周。

太平：我怎么会在这儿？……春，谁把我接来的？我说过我永远不要回来！

太平撑着虚弱的病体，春忙过来搀扶。

太平：春，我们走，离开这儿！……永远离开这儿！……

春搀扶太平，眼睛始终没离开床沿儿上目光呆滞的武则天。

武则天：（稍稍恢复了镇定）太平，外面还在下雨，要走也等雨停了再……

太平：不，在这宫里哪怕是停留一个时辰对我都意味着折磨……

武则天：你就……那么恨我？

太平：您说对了！我的感情早已被您剥夺了。母亲，您面对的仅仅是一具躯壳，心早已做了她爱情的祭祀，再也不会为世间任何事物所动……春，走！

绝望使武则天恢复了平静，恢复了太后冰冷的理性。

武则天：站住！……你要去哪儿？

太平：我还能去哪儿？回家！母亲忘了吗？我早已不属于大明宫了！

武则天：你回不去了！

太平：为什么？

武则天：（敷衍地）那已经不再是你的家了……

太平：（坚定地）薛绍虽然不在了，我依然还是他的遗孀，他的父母依然需要我……

武则天：（不得不说出真相）薛绍的哥哥参与了徐敬业谋反，薛家已经成了大唐的敌人！我不认为那还是一个光荣的去处！

太平惊惧地转过头，盯视着武则天的眼睛，难以置信……

武则天：（再次请求）太平，留下来吧。

太平义无反顾地转过身去，在春的搀扶下，离开。

武则天：太平！……

武则天颓丧地重新跌坐在床上。

14. 薛父母卧室　夜晚　内景

两条白绫分别挂着二位老人。太平惊慌地冲进来。被眼前的景象惊呆了，全然没有了表情，人木然地跪倒。

太平：……我来晚了……

在接二连三的打击下，太平欲哭无泪。

武氏三兄弟无声地出现在太平身后。

军士们把两具尸体从房梁上解下来。

太平的声音瑟瑟发抖。她没有回头,但她能知道身后站着的人。

太平：他们……走时还算安详？

武攸嗣见武三思不说话,看着他的脸色。

武攸嗣：安……详……太后赐了他们体面的死法儿……

武三思：（打断他）死对两位大人未尝不是一件幸福！

太平抬起头,锋利的目光直视武三思。

太平：他们走前说过什么？

武三思铁青着脸,沉默。

武攸嗣不忍如此残酷的场面,同情地望着太平。

武攸嗣：二位大人……他们永远……信任您……

太平逐渐从沉重的打击中惊醒。

太平：叶儿,叶儿在哪儿？

太平艰难地站起来,直视他们。

太平：你们为什么不说话？我儿子在哪儿？！

武三思笑了。

武三思：你的儿子？你哪有什么儿子？

太平恼怒,伸手要打武三思耳光,被武三思强有力的手一把抓住。

武三思：（坦言）我必须抓他！薛绍犯了欺君之罪,如今薛颐又是叛军党羽,是株连九族之罪……

太平挣脱武三思的手臂,武三思不放松。

武攸嗣看不下去。

武攸嗣：大哥,叶儿是薛绍的儿子,与叛党并无关连,你就看在太平的面上,还有我的……

武三思怒斥武攸嗣。

武三思：哪有你的面子！（又对太平）人我已经交给太后,要人就去找你母亲吧！我们只是奉命行事。

武三思：（放开太平，对武攸嗣和武承嗣）我们走！

正当他们要走出去的时候，太平叫住他们。

太平：你们等一下！

武攸嗣回头看太平。

太平：（极为虚弱的声音）春……拿绢巾来……

春把绢巾放在桌案上。太平当即咬破自己的手指，血泪泪地溢出指尖。武攸嗣等惊呆了。

太平：（奋笔疾书）太后，还我叶儿！否则您见到的将是女儿的尸体！

太平用最后的力气把白绢朝武氏三兄弟扔过去。三人面面相觑，最后是武攸嗣上前捡起来。

太平瘫坐在椅子上，把脸转向一边。

太平：（吃力地）你们都给我出去！

15. 武则天寝宫　白天　内景

武则天临窗而立，手中拿着太平的血书。她看完后扶着桌案，仿佛再也站立不住，血书滑落到地上。

叶儿在不远处惊恐地注视着这一幕。

武则天缓缓回过身来，她变得虚弱不堪，脸色苍白。

叶儿害怕地看着她。

武则天远远地审视叶儿。

武则天：你叫什么名字？

叶儿不说话。

武承嗣：（对叶儿）回太后，你叫什么名字！

叶儿狠狠地瞪武承嗣。

叶儿：（对武承嗣）我没有名字！

武则天嘴角微微一扬，哼了一声。

武则天：知道你的父母是谁吗？

叶儿沉默。

武则天：你不喜欢我？

叶儿低下头，依然不语。

武则天：婉儿，去拿点吃的来。

武氏三兄弟相互看看，猜不透武则天的心思。

武则天对武氏三兄弟。

武则天：你们都下去吧。

武则天三兄弟中只有武三思看出武则天难以对太平下狠心，看出武则天对这个孩子微妙的感情变化。

武三思：太后，恕我直言……您一世英明，现在却在犯一个危险的错误！

武则天：（打断他）三思，不要说了……

武三思：（坚持地）这孩子是祸根！您不想若干年后天下又多一个莽撞的仇人吧！岁月可以轻易地洗去眼前的这一幕以及您对他的宽恕，却永远洗不掉他悲惨的身世。要知道复仇和报恩相比，人往往更急切地选择复仇，因为它象征着荣誉，似乎更有价值！

武则天：（坚定地）我说过了，你们都下去！

武三思明显不满地被喝退。武攸嗣和武承嗣也相继而去。武则天对面只剩下叶儿。他的身影遥远而矮小，孤独无助。

武则天：你饿了吧？过来……

叶儿不动。

武则天：你不用怕我，我是你干娘的母亲，过来吃吧。

说到干娘，叶儿的心情动摇了。他小心地走向前去，在精美的点心面前，他再也忍不住饥饿，吃得很香。

武则天始终在注视他，冷漠的脸上流露出一丝不易察觉的母性。

武则天：（对婉儿）所有孩子吃东西都一个样，嘴里总是塞得满满的……

叶儿突然开口了。

叶儿：我干娘在哪儿？

武则天哑然，她不知道该如何跟这个孩子说。

武则天：……你想见她？

叶儿鼓着腮，沉沉地点点头。

武则天：可是她并不是你的亲娘。

叶儿慢慢停下，不再吃了。他警觉地看着武则天。

叶儿：我干娘不要我了吗？

叶儿说着涌出了泪水。大颗的泪珠在眼眶里滚动。

武则天现出少有的窘迫，她回避着孩子灼热的目光。

武则天：把他带下去吧。

太监上前去拉叶儿，叶儿不从。

叶儿：干娘为什么不要我了？她说过永远不离开我的……我听话……

太监执意拉起叶儿，朝大殿外走去。叶儿的哭声深深地刺痛着武则天。

寝宫恢复了一片寂静，只有婉儿在注视武则天。

武则天用手支着两鬓，陷入沉思，许久。

武则天：婉儿，记下来！把叶儿还给太平，免他一死。但是必须有两个条件。一、永远不能让他知道自己的身世，我不想二十年后面对又一个鲁莽复仇的青年。二、尽快把孩子送出长安，永远不得返回京都，否则格杀勿论！

婉儿一一记下。

武则天：你去吧，让我一个人待一会儿。

旁白：这就是你的祖母、大唐的圣母，永远都能以最巧妙的智慧让人明白无误地感受到她的恩泽。"永远不能让你的属臣误认为他们得到的，哪怕是一碗粥，都是他们应该拥有的。要让他们明白甚至连周边空气的存在都源于你的慷慨。"这就是母亲对于帝王之道最精妙的领悟。我敬佩她,因为她内心那坚强庞大的理性;但同时又恐惧她,因为她的感情正在被思想冷冻而逐渐失去了温度。

16. 大明宫勤政殿　白天　内景

中宗李显歪坐在龙椅上,玩弄着手中的香囊,龙阶下一名文官和一名武将正慷慨陈词,互不相让,李显偶尔抬起头来看他们一眼,表情很有些厌倦,无聊。

武将:请皇帝废止神射手比赛,现在获胜者大多不是汉人将领,如去年的第一是契丹降将,今年第一是高句丽人,长此以往臣担心会使蛮族轻视汉人,挑起他们谋反作乱的野心。

显:(把香囊放在桌上,头也不抬)一个射箭比赛能惹出这么大的乱子,那就废了吧!

文官:皇帝,千万不能废,这神射竞赛是太宗皇帝创立,历经近百年,已成为朝廷的一项规矩,怎么能说废就废呢?臣担心这会给圣上惹来藐视先君、不守祖训的恶名。被蛮族耻笑事小,被先祖的英灵怨怒事大呀!

显:(眉头皱了一下)那就不废了!

武将:圣上,刘大人不懂边防,不了解蛮夷心态,更不懂军务,纯粹是腐儒之流的一派胡言。

文官:秦大人无能,不督促部下锻炼技艺,反倒蛊惑陛下触犯祖宗法令来掩盖自己的过错,应该治罪。

显把香囊在龙案上摆出各种图案,不再理会两个人的争吵。

武将:刘大人只知道死守古训,而不考虑时局变化,为了一点虚名而耽误军机大事,实在是可笑。

文官:我不懂军务,但我知道身为朝廷大将,应该以国家的荣誉为重,时刻准备用一腔热血奉献臣子的忠心。现在连一个射箭第一的名誉都不能为皇上争取过来，而旁落蛮人手中，不仅可笑，而且可耻！

武将：（大怒，上前一把夺过文官手中的象牙笏板）你手无缚鸡之力，有什么资格跟我谈武士的职责？！

文官：你……快把笏板还给我！

武将：这笏板是皇帝赐给你的荣誉，你就先把自己的荣誉抢回来，再奢谈国家荣誉吧！

文官：你既然没有荣誉感，我就把笏板送给你，让你每天瞻仰学习。

两人抢夺不休，群臣也跟着乱成一团。

显皱眉看着下面的一幕，突然露出了轻蔑的笑容。

显：你们每天争来吵去的，就不觉得厌烦吗？为一点小事，你们就能讲出一大堆歪理，还让我给你们主持公道。（随手指着阶下的众臣）我准了你吧，他会鸣不平，我听了他的呢，你又觉得委屈！今天我就给你们一个彻底的公平。

显：给我拿条绳子来！

显说着走下台阶，拿过太监手中的绳子，把一头交给武将手里，把另一头交到文官手里。

显：主张废的呢，就站在秦大人这边，主张不废的呢，就站到刘大人那边。今天哪一方拔河赢了，我就听哪一边的。

看着犹豫的众人，显突然严厉起来。

显：都拿好了，谁不出力我就治谁的罪！

显从腰间解下一只香囊，在绳上比画了一下，认真地系在中间，然后下令开始。

众臣只好用力拔，显则童心大发，大吼着指挥着双方，最终居然伏在地上看着香囊移动的方向。

这时候，大臣们突然神色尴尬地停下了动作，显直起身子，刚要迁怒众臣，却惊异地发现武则天已经坐在了自己的位子上。

显：圣母皇太后……您怎么？

第十八集

显和众臣相继跪下。武则天看着跪伏在地上的显，表情复杂。

武则天：婉儿，念吧！

婉儿：废中宗显，改封庐陵王，贬居汇州，钦此！

显：（激动起来）为什么？我……我做错了什么？

武则天：你什么都不做，当然就没有错！

显：母亲以为我应该做什么？和他们一起因为那些无关痛痒的小事吵成一团吗？我这么做恰恰是为了提醒他们自己有多么可笑和迂腐！您以为我在儿戏吗？

武则天：显，做一个帝王，就要天天和这样的琐事打交道，用自己的爱心和智慧在这样的琐事中发现国家的问题，开导臣属的心智，磨炼自己的能力和意志。只有这样，一旦国家出现大事，才能临乱不惊，你认为自己在做一个皇帝吗？

显：我……

显已经大汗淋漓。望着一脸茫然不知所措的显，武则天突然感到一丝伤感。

武则天：婉儿，汇州路途遥远，蛮荒贫瘠，把显的居地改作房陵州吧！离长安近点儿……

武则天起身扬长而去，只留下在众人注视下失魂落魄的显。

第十九集

旁白：你父亲旦继位前专注的事情似乎只有他的鸽子和抚琴。这令朝臣们忧心忡忡，担心他是另一个心有别恋的显。而我理解他，他是在用自己的语言同鸽子告别，它们是他生活的情调，他的野心，他精神的守护神。旦的痛苦是纤细的，他说鸽子是神明游动在人世间的眼睛，他不想让充满猜忌和权力角斗的罪孽阴影玷污了神的眼力。

1. 相王府　白天　外景

（伴随着旁白）旦长发飘扬着在庭院中操琴，琴声时急，时缓，时乐，时怨，宛若一个人思绪万千的心情。而鸽子在他的肩头、案头、墙头，在院中的各个角落静静伫立，仿佛正在倾听他内心的絮语。

这时，院门轰然打开，一队太监昂然而入，鸽子惊飞，旦的琴声由急变缓。

太监：传太后旨。

旦的妻子刘氏带领家人们一起跪下。太监凝视着旦坐在琴前的背影，缓缓打开诏书。

太监：相王李旦，天纵英姿，气质冲华，恭廉表志，仁孝居心……（一粒鸟屎落在诏书上，太监皱了一下眉，用手拭去，继续）……凤彰睿哲之风，早通诗书之业。朕以虚薄，方启天疆之怍，永传不朽之基。迎相王旦，即刻入宫登基。

太监跪下，把诏书高举过头，高呼万岁。

旦的琴声突然中断。片刻。

旦：（似乎是在对众人，又似乎是在对鸽子）你再怎么飞，也飞不出大明宫顶的一方天空……显现在在哪儿？……

3. 太平府卧室 夜晚 内景

叶儿沉沉地睡在太平的床榻上。太平坐在他身边，爱怜地抚弄着他的头发。武攸嗣站在她身后。

武攸嗣：公主想什么时候将他送出城？

太平：不知道……连考虑这个问题于我都是折磨。我不敢想，只企望着能够如此拖下去……

武攸嗣：恕我直言！我以为眼下应尽快送叶儿出城，越快越好，以免夜长梦多。这是目前关系到孩子生死存亡的首要，您没注意到府上周围越来越多的刑部密探吗？

太平：密探？太后不是答应我，免叶儿一死吗？

武攸嗣：太后是答应过。其实放逐与死刑没什么分别，仅仅是死期更漫长而已。能熬过一切磨难的人寥寥无几，何况一个孩子。眼下太后责成静德王武三思处理叛臣家属刑事，这就更让我担心……

太平：可我即使想自行将他送走，恐怕也很难瞒过这长安的层层关口……

武攸嗣：如果公主殿下主意已定，我愿效犬马之劳，护送叶儿出城，我有刑部特配的腰牌，不必接受检查！

太平感激地回头看着武攸嗣。武攸嗣憨厚地低下头，脸微红。

太平：武大人为什么要这样做？亲自送叶儿回来，又如此关照我们？难道武大人不怕皇太后怪罪……

武攸嗣支吾着，笨拙地组织着词汇。

武攸嗣：我……我一直为公主的真情感动，无论是谁，只要他亲眼见了您对薛家二老尽孝的场面，都会为之动容，除非铁石心肠……薛绍是有情有义的人，我很佩服他！我虽然没有薛绍那样的才华，但我……我实际上也是个好人，其实我和驸马挺像的……

太平：（不愿让他说下去）武大人，薛绍在天之灵会感激你的，我也一样……

这时，春拿着包袱进来，准备带叶儿走。

太平抚摸着他的面庞，突然发现叶儿手里紧紧地握着一把匕首，太平皱了皱眉，她小心地取下了匕首，将自己脖子上的太平锁戴在叶儿身上。

叶儿醒了。

太平：……这是娘给予你的最后祝福，愿你一生平安！记住，叶儿，远离匕首和阴谋！（太平在叶儿额头上深吻着）……你们动身吧！

春将叶儿抱起来。

太平的眼眶立刻湿润了。她突然给春跪下。

太平：春，叶儿就交给你了。你是我惟一信赖的人，好好爱他，像这些年对待我一样对待他，把他当作我生命的一部分，我……会去看你们的！

春也跪下，泣不成声，太平把他们搂进自己怀里。

太平：春，这世上只有您目睹了我生命中全部的悲痛与喜悦，现在又是您来保存我生存下去的惟一指望。只有您这双眼睛能够彻底洞察我内心深处的想念，您知道这孩子对我意味着什么……谢谢您，春，您沉默的关怀是大唐公主至今享受到的最完整的幸福……

三人相拥而泣！

第十九集

武攸嗣站在旁边，也深深被打动了。
武攸嗣：我们走吧，天快亮了……

4. 熏风殿　白天　内景

殿外烛光闪烁，点缀着浮夸的逸致闲情。武则天双目微合，面色漠然。身后站着男宠薛怀义，正在为她揉肩。

一大臣正在为武则天陈述政务，看得出神情激昂、焦急。他最终掀开身旁的笼子的盖布，苏孝祥的首级赫然入目。武则天睁开眼睛，盯视着苏孝祥的首级。

大臣：……后唐军总管苏孝祥率领五千官兵，趁夜色渡船攻打徐敬业，交战三天三夜，血染潮河，其伤亡近半，苏孝祥刀下毙命，首级被叛军悬于阵前十日之久……

武则天：（倦怠地）传旨，继续发兵，派十倍的兵力，直到平定为止！……为苏孝祥将军举行厚葬！……

旁白：那是母亲从政生涯最沉闷的一段时光。旦哥哥对于权力及政治的超脱，使母亲从实质上掌管着整个朝廷的政务。与此同时母亲开始收纳男宠，这一嗜好使得她从形式上真正拥有了帝王的姿态，因此也全面触动了掌管天下的男人们敏感的神经。母亲不仅被宣判为正在盗窃王朝的皇权，更可怕的是，还正在颠覆最神圣的伦理，她一时四面楚歌……

5. 武则天寝宫　夜晚　内景

武则天烦躁地在屋中踱步，周兴在屋正中侃侃而谈。婉儿静静地在一旁记录。

周兴：现已查明的有，天官侍郎邓玄挺，文昌左相韦待价，东平王李读，纪王李桢，秋官尚书张楚金，陕州州长郭正一，凤阁侍郎元万顷，洛阳现长魏元忠，凤阁舍人王隐客……

武则天：别念了！这些人都要谋反？

周兴：都要谋反，而且证据确凿。

武则天：你怎么知道？

周兴：这是我的职责。永远洞察谁在背叛您。

武则天：邓玄挺，元万顷……这些都是朝中老臣，都曾是我信赖的人，怎么可能……

周兴：天下最易变的就是人心，最善于伪装的也是人心。

武则天：他们为什么要反对我？

周兴：他们说您要窃取李姓王朝，要改天下姓武。

武则天：你怎么看？

周兴：皇上心智淡泊，深居简出。然朝务总要有人处理，太后迎刃而上，既尽职于国家，又成全了母爱，可谓两全其美！改姓之说纯属无稽之谈！

武则天：可他们为什么这么看？

周兴：他们迂腐……

武则天：他们还说什么？

周兴：臣不敢说……

武则天：讲！

周兴：说太后广纳男宠，实属骄奢淫逸，扰乱纲常！尤其是……薛怀义，经常衣衫褴褛地出入东门，让朝臣指点，有一次遇见狄大人……

武则天：（笑）这也是他们反我的理由？

周兴：正是，恐怕还是最重要的理由！

武则天：你认为呢？

周兴：我没有认为，我只辅佐明主施政。

武则天：你很聪明。

周兴：所以我能制服口是心非的迂腐之徒，道貌岸然的伪善君子。

第十九集

武则天：你想拿他们怎么样？

周兴：逮捕他们，然后再依唐律治他们的罪，毫不留情！我周兴无依无靠、无牵无挂地在长安闯荡，凭的是一颗赤胆忠心，缺的仅仅是恐惧！

武则天：……既然天下已向我提出挑战，而且理由如此偏激，那我也没理由坐以待毙！周兴，我封你为凤阁舍人，专查密谋造反的叛臣贼子！我要让天下人人自危，要让所有不知好歹的人知道我的耳目永远活跃在他们周围。从今往后，在天下广设告密箱，有重大隐情相报者，不论他是王公贵族还是农人樵夫，都可以带来见我，明白吗？你下去吧，别让我失望！

周兴：臣遵旨！

武则天望着周兴的背影，像是在对婉儿诉说，又像是在自言自语。

武则天：这个人很坚决，但很可怕……他使我想起传说中一种叫作狌犴的怪兽，这种怪兽专吃恶人的心肝，但不是因为它憎恶邪恶，而是因为它嗜血，又碰巧喜欢邪恶的味道……但愿这一切能尽早结束……

6. 宫门外　夜晚　外景

周兴正在赶路，忽听背后有呼哨声，回头见一和尚站在面前，还没弄清怎么回事，就被装进一个麻袋里。那和尚走到麻袋前，狠狠地踢了它一脚。

7. 武则天寝宫　夜晚　内景

武则天继续在和婉儿对话。

武则天：……天下人为何突然与我为敌？

婉儿：因为您是女人！

武则天：你……怎么知道？

婉儿：因为我也是女人，也能感觉到周围妒忌仇恨的目光，而我仅仅是个微不足道的凤阁舍人，更何况您。

武则天：女人当道是男人们最不能容忍的。他们会无限苛求，夸大她们可能犯的错误，甚至怪罪她们高于自己的智慧……

此时门口一阵骚乱，薛怀义怒气冲冲地进来，把手中的麻袋扔在武则天的脚下。

薛怀义：白马寺住持薛怀义叩见圣母皇太后！

武则天：小宝儿，怎么大半夜跑来了？！

薛怀义：给您献礼来了！

婉儿：太后，如果没什么事，我就先下去了！

武则天：好，你先回吧！

武则天眼中浮现出一丝爱意，她含笑望着薛怀义。

武则天：你又在玩儿什么新花样儿？抽风似的。

薛怀义：我花样儿再多，也多不过您。既然太后这么宠他，我就又把他带回来了！……

说着，薛怀义一把扯开了麻袋口。蜷缩在内的周兴探出了头，脸上已青一块紫一块。

周兴：太后要杀我，不必以这种方式！……

武则天：（惊奇地）你？……小宝儿，这是怎么回事？

薛怀义：怎么回事？我倒要问您怎么回事！您不是口口声声专宠我一人吗？您不是说要同我双宿双飞吗？可这丑八怪已经连续三天在您宫里深夜未归了，我，我受不了！我薛怀义……

武则天：（盛怒）你跪下！……

薛怀义：太后，您……

武则天：跪下！……（薛怀义怔怔地跪下）周兴大人，我把这和尚交给你，治他什么罪由你酌情处理！

周兴慢慢站起身，低头盯着薛怀义一脸无辜的惊诧。

第十九集

周兴：既然是误会，我就原谅了怀义法师，不知者不为过嘛……（周兴拍打着身上的尘土）……不过怀义法师，下次再玩瓮中捉鳖，一定别忘了把人捆牢，否则，你等于背了把匕首，随时有可能归天……太后，我可以走了吗？

武则天：小宝儿，还不谢谢周大人！

薛怀义：谢……周大人！

周兴扬长而去。……

薛怀义：太……太后，我错了！

武则天眼里没了怒气，反倒觉得这一切很好笑，语气也见了缓和。

武则天：本来人就恨我，再加上你这个闹事精，成天给我找麻烦……起来吧！……你也是，哪有绑人连绳子都忘了捆的，你就不怕他一刀捅了你？

薛怀义：当时一时情急，心里又如一团乱麻，就忘了……

武则天：……小宝儿，你过来，帮我揉揉肩！……告诉我，你究竟为什么喜欢我？

薛怀义：太后，在我眼里，您只是一个需要快乐的繁忙却又不很如意的女人……

武则天：是啊，所有人都在反对我，我的大臣，我自己的儿子们，我的女婿，甚至……女儿，都离我而去……

薛怀义：但还有很多人爱您，敬重您……太后，您知道吗？百姓想要的只是仓里有更多的谷粮；桌上有更多的肉；能有更多的布匹缝制衣裳，这一切都仰仗着您……

武则天捂住薛怀义搭在肩头的手。

武则天：小宝儿，你不会骗我吧？！

薛怀义：太后，我没上过学，所以也就没学会骗人，只知道谁骗我，我就割了他的舌头；自己骗人，舌头会烂掉，太后……

8.薛绍墓　白天　外景

太平焚香下跪，泪流满面。

太平：薛绍，今天不是你的祭日，也不是你的生日，今天什么日子都不是，我只是想你了！……你在做什么？是在和慧娘同歌《长相守》？打扰你们了，我很……寂寞，受不了身边没有你的日子……如今我已不再是那个娇憨任性的女孩子，不再会为一张打动人心的面孔而倾其所有。我不知这是好事，还是坏事，但我却真切地怀念初见你时的感觉，就像怀念我曾经拥有的一笔精彩的财富……我们在一起的日子是痛苦的，但却是优美的。你教会了我感情，忠诚。我现在全部的期望就在来世……我做了个梦，梦见我们来世又一次相遇，还是那样戴着面具，但这次是你追求我，是你找到我父母向我求婚。我们在大明宫里拥抱，你的手臂是那么有力，眼睛是那么热情……请转告父母大人，我没能力保全他们的生命。我请求他们在天之灵诅咒我；诅咒我这个只能用权力害人而无法救人的公主，我的愧疚和悔恨将终身伴随着我，直到同对你的记忆融为一体……叶儿很好，你放心吧，也转告慧娘，我会细心爱护他，补偿我们一家对你们欠下的感情的债务……

武则天不知何时出现在太平身后，默默观望着女儿的背影。

武则天：薛绍是个好人。

太平：……

武则天：所以我把你嫁给他，我从第一次见到他就知道这是一个可以把我女儿终身托付给他的男人。我当时真替你高兴，甚至有点儿羡慕你。薛绍从什么地方看都是一个完美的男人……我只是错误地认为随着时间的流逝，他的创伤会平复，你们终将会有一个完美而幸福的生活。

太平不信任地缄口不言。

武则天：你就不打算和我讲话吗，太平？

太平：母亲想听什么？

武则天：……这一切错误的根源在于我们三个都把自己心中的爱情做到了极致，所以在爱的同时又伤害着第三者。我爱你的极致是把你不顾一切地嫁给他，所以……伤害了他。而他爱慧娘爱到极致，甚至以死相报，又伤害了你……

太平：可我谁也没有伤害！

武则天：你现在就正伤害着我！……太平，作为女人，守望爱情是艰苦而绝望的，我也曾经伴着感业寺漫漫长夜艰难地等待你的父亲。我理解你此刻的心情！然而女人最可怕的弱点是过于急切地承担责任。你对薛绍的诚挚爱情连神明都会感动，却惟独感动不了他……你不能这样做女人，更不能被男人的道德操纵，不能成为他们用以完善自己德行的工具，这往往比服从他们的命令更可怕……太平，过去的就让它过去，要学会遗忘……

太平缓缓起身，向母亲转过头去。

太平：母亲，您有您做女人的方式，我有我的，我从来也没想变成一个像您那样的女人……我可以走了吗？

武则天望着擦身而过的太平。

武则天：你当然可以自由地选择如何做人，我的一切建议也只是不想让你再遭受痛苦……我听说你最近总和武攸嗣在一起……

太平：（警觉地回头）母亲，您又在过问我的生活！

太平说完拂袖而去。

武则天望着太平远去的身影，一脸惆怅。

旁白：不论什么原因，同自己的母亲斗争是疼痛的，但我必须选择对抗！因为她自始至终还在倚仗权力推卸责任。我要向她最终证明，母亲霸道的爱情是她自己苦痛的起源。我知道天下只有我能从心灵上彻底击败她……

9. 马球场　白天　外景

球场上飘扬着两面大旗，上面分别写着"李""武"的字样，一看便知道这不仅仅是一次竞技，而更像是一场政治势力的较量。武氏家族的地位正在无形中被抬高到能与天子皇族并列的程度。

场地异常寂静，纪王李桢和武三思对视的目光中流溢着战前的挑衅，但始终按兵不动。

看台上，旦在众人簇拥下照例超然地轻抚着手中的鸽子，若有所思地望着某个空洞的方向，对场上的紧张气氛置若罔闻。

猛然传来宣旨官的声音。

宣旨官：圣母皇太后驾到！

立时鼓乐大作，将士与众臣叩拜。整个球场振动起来。

武三思眉毛挑动，面露喜色。

武则天出现在看台上，身边陪伴着薛怀义。

武三思的坐骑威风凛凛地离开马队，向看台奔来。

武三思在马上向武则天拱手施礼。

武三思：静德王武三思恭请天后开球！请天后用高贵的手赐予武家子弟胜利和幸运！

武则天微笑，正准备接过太监递过来的球。

这时，另一队的首领李桢也奔过来，站在武三思身边。

李桢：纪王李桢恭请圣上开球，请皇帝用天子的手赐予皇族力量与勇气！

武则天和旦的脸上顿时浮现出尴尬。

武则天脸色不悦地看着李桢。

武则天：那就圣上请吧！

武则天眉心微蹙，随即转为笑脸。她把球大度地递给旦。旦并未接球，仍凝视着远方，众人都有些不知所措，旦扬臂把一只鸽子送上天空。

第十九集

旦：母亲，我的球开完了，现在该您了。

突然，从边场奔过一匹马，武攸嗣恰在最不合时宜的时候出现在众人面前。

他神情慌张地整理着衣帽。

武攸嗣：大哥，我……来了！

武三思：（羞辱地）你来干什么？

小小的插曲，缓冲了武则天的窘境。她把球向球场高高地抛过去。

刹那间场内的马匹奔腾起来。两队人马在飞扬的尘埃里时隐时现，难分胜负。

武家胜了一局。场边的"武"字旗狂舞起来，助阵的武家军士们高声喝彩。

武则天同薛怀义闲聊着。

武则天：你看静德王这个人怎么样？

薛怀义：武三思英勇过人。但盛气凌人……

武则天：我喜欢这个人，干事果断，相貌也气派……听说他喜欢太平？

薛怀义：如果他们在一起倒是挺好的……

武攸嗣走上看台，想找个座位，但太监连连示意他走开，每一个位置都不适合他。

武则天注视着他。

武则天：武攸嗣这个人真不像我们武家人，我后悔不该答应他来京都……

武攸嗣惶惑地走到武则天身后。

武则天：攸嗣，你怎么在这儿站着，不去上场助战啊？

武攸嗣：（尴尬地）他……他们不要我……人太多了……

几个大臣窃窃私语，讥笑他。

薛怀义：是你不会打，人家不要你吧？

武则天笑了。

武则天：这身衣服倒是挺像那么回事的。

薛怀义：（帮腔）可惜公主没在，错过了欣赏武将军英姿的机会……

武则天立刻沉下脸。

武则天：小宝，怎么说着又扯到太平身上去了？太平只会欣赏骁勇善战的英雄……

武攸嗣被说得无地自容，十分尴尬。

球场上突然起了风波，两队不知何故扭打起来。

武三思故意激怒李桢。

武三思：你输定了！你们李家的运气已经随鸽子一起飞走了！

李桢：你这个武姓匹夫竟敢辱骂皇上！

武三思：我武姓匹夫怎么了？掐死一只鸽子不费吹灰之力……

说完，武三思的球杆就触及到李桢的头上。立时间李家的子弟蜂拥而上。李桢暴怒，冲将过去，双方你推我打，厮扭成一团，马嘶人仰，宛若战场。

看台上的人都站起身，无不惊嘘。

武则天失望地摇着头。

武则天：我从十四岁就侍奉太宗皇帝打马球，从来没见过这样的惨状。如今看来，李家再也不是从前的李家了……

球场上，武三思把李桢推下马，挑下他的球衫，高举着，炫耀地满场飞奔。由于没有人制止，武三思的气焰逐渐高涨，蛊惑人心，竟然引起不少喝彩。

武则天随即看了一眼旦，见他毫无反应，依然一副见怪不怪的神情。武则天站起身来。

武则天：皇上，不觉得丢人吗？

她对这种场面既痛心又感慨，随即拂袖而去。

旦注视着场内的情景，仍然不为所动，倒像在欣赏一场拙劣的演出……

第十九集

旁白：母亲无形中助长了武家的势力，打击了李氏皇族的威望。她的做法让所有人认为是出于她后来被证明的政治野心。而实际上，她心中的悲伤不被人理解。李氏家族曾给她带来何等荣耀的回忆，而这一切和她的年华一起逝去了……

第二十集

旁白:"民可载舟,亦可覆舟"。这句至理名言是我祖父李世民曾说过的。更精辟的解释是民意如水,奔突汹涌,它的自觉性是万万不可高估的。因此民意需要疏导,塑造。于是,在武家人的倡导下,天下兴起了一场拥武倒李的运动。

1. 武三思府　白天　内景

侍卫:大人,有个叫王学迁的求见!
武三思:让他进来!
王学迁:(入)给三位大人请安!
武三思:你怎么了?献点儿什么?
王学迁:我献一段奇遇。
武三思:你是干吗的?
王学迁:更夫!为大明宫打更近二十年了。
武三思:那你能有什么奇遇,说说看!
王学迁:昨儿晚上过了子夜,大概有那么两个时辰吧!我看见一只大鸟，从大明宫飞到上阳宫，后来又飞到左肃政台，就停在梧桐树上，很久之后，才向东南方向飞走。

武三思：(收了笑)你怎么看见的？

王学迁：我跟着跑啊，寻着它的踪迹……不知这说明什么！

武三思：那要看什么鸟？

王学迁：翅膀张开有一人来长，浑身羽毛艳丽，在夜里特扎眼……像、像是只孔雀。

武三思：孔雀，孔雀会飞吗？你再想想，它像什么？

王学迁：像……实话说，我从来都没见过这种鸟儿……

武三思：(启发)那会是什么鸟？主阴的，吉利的？从没见过的？

王学迁努力从武三思脸上读着什么。

王学迁：怕不是……凤凰吧？……对，是凤凰，你看我这脑子！

武三思看着他无声地笑了。

武三思：你很聪明……承嗣，凤凰密降大明宫，这吉利啊！你马上差人写篇文章献给太后，献时让他也跟着，省得人不信！(转对王)你下去吧！从明儿起就别打更了，我想个职位给你！

王学迁：谢武大人！

2. 太平府　白天　内景

酒桌，太平听武攸嗣侃侃而谈。

武攸嗣：……我大哥就问他，你要献什么？他说，我献梦，我就问，你献什么梦？你猜他怎么说？……(太平颇有兴致地)他说你要什么梦我有什么梦……(太平笑)……

太平：这些人都疯了……

武攸嗣：这算什么，还有更邪的！今儿来了个深州农夫，说要献一神龟，龟腹上天生写着"则天万岁"四个字，说着，就把龟献了上来，我一摸，什么呀！敢情是自己刚写上去的，颜色还没干呢！咦？……哪儿去了！奇怪……

　　武攸嗣在怀里摸乌龟，几下没摸着，慌了。他站起身脱衣解怀，几乎把衣服脱光了。

　　太平：攸嗣，你干什么？……（不好意思）你干……什么？
　　武攸嗣脱得只剩下水衣水裤，脸都憋红了。
　　武攸嗣：我明明放在衣襟里，一直揣着，这么一会儿怎么就没了呢？
　　他完全没有意识到自己的失态。太平把脸扭向一边，止不住地笑起来。
　　武攸嗣：（欣喜地）找到了，这儿呢，这儿呢！你看……
　　太平：你先把衣服穿上！
　　武攸嗣这才意识到自己的窘态，忙穿衣裳。
　　武攸嗣：哎哟，忘了，忘了……
　　乌龟在桌上爬，俩人饶有兴味地看。
　　武攸嗣：我最喜欢乌龟，小时候就是，我家旁边有个大池塘，总能见着这些家伙……
　　武攸嗣怔怔地望着太平，不出声儿。
　　太平：你，你看什么！我最讨厌你这样看人，直愣愣的，你忘了因为这你还挨过我一顿骂！……你看什么呢你？
　　武攸嗣：我，我看你！
　　太平：为什么？！我有什么……
　　武攸嗣：因为你好看……
　　太平躲开武攸嗣痴迷的目光，眼里居然有了泪。武攸嗣慌了。
　　武攸嗣：太，太平，你怎么了？
　　太平：没，没什么，好久没人这么说了！也没这么乐了，都不知道为什么？……
　　武攸嗣有点儿傻，不知如何是好。
　　武攸嗣：你别，别不高兴啊！你，你想想高兴的事！我就这样，一不高兴，就想自己最喜欢的事儿。比如，你，你最爱吃什么？我最爱吃并州老家的炊饼。什么时候我让人给你带些来尝尝。你呢，你最爱吃什么？

太平：(逐渐有了兴致，遥想往事，陷入沉思与欢欣)……我在宫外吃过一次馄饨。那时候天刚蒙蒙亮，狂欢的人群刚刚散去，街道是那么寂静，露水结在街边的长凳上，闪着新鲜的光泽，一切都像是在梦中。我已经记不得馄饨是什么味道了，只记得吃馄饨的时候，我的心情特别快乐，特别轻松，但是有那么一点伤心，我不知道什么时候还能再见他，还能不能再见到他……

沉默，武攸嗣想办法岔开太平逐渐低落的情绪。

武攸嗣：我知道兴教坊那边有一个老头的馄饨特别棒，是用鸡汤煮的。

太平：可是我吃馄饨的心情已经没了，让我的心情充满快乐与思念的那个人已经没了，现在我可能最怕吃馄饨。

说着眼中又泛起泪光。

武攸嗣：咱别提吃的了，那就说最爱什么物件？比如……

太平：我能得到世上所有华丽的东西，它们都不能让我心动。而让我心动的却只能引起伤心和思念。这世上已没有什么能让我高兴……

武攸嗣：从小我们家就穷，我想要的都是不可能得到的，所以也就不去想了。而我有的呢，又只能让我感觉自己是多么贫穷。后来进了城，一下有了那么多好东西，我都挑花了眼，现在也弄不明白什么是我最喜欢的。

太平：长安这么富足，你喜欢这儿吗？

武攸嗣：(神情严肃) 不喜欢！你别不信，在这儿，我还是个乡下人。太后不喜欢我，我的远房哥哥们嘲弄我，群臣蔑视我又不敢得罪我，天天制造我的笑话到处传说……可我又不能走，全家的荣华富贵全靠在我一个人身上……可是我有办法，我一想家了就喝酒，我每天晚上喝醉了就在城中乱逛，街道一下就变样了，和我们并州城没有区别，我还给每一条街道起了一个并州城的街名。

太平：那好，咱们就喝酒，然后你带我回并州老家。

两人举杯畅饮。

太平：并州城是什么样子？

武攸嗣：我也说不好，反正有一条街叫城关街。通往州府，是最气派的，街角儿总有一个叫花子装瞎子要钱，我好几次都看见他偷偷数钱。

太平：我看见了，他又睁开眼睛了。这次你往他的破罐里放了一只死老鼠，他还在你背后做鬼脸骂你呢。

武攸嗣：你怎么知道我真这么干过？真神了！可我不知道他还敢骂我，下次回并州一定得教训教训他。

太平大笑，武攸嗣也明白过来，跟着大笑。

太平：还有什么？

武攸嗣：还有马乡街，护国寺，南关市场，其实和我们大唐其他的城市没什么两样，连很多街名都一样。不过我就是喜欢它，一想起它来心里就想唱老家的《花儿》。

太平：那你唱给我听听！

武攸嗣：（唱）天上的光儿散了，黑天就要来了呀，指甲掐肉一样的痛；地上的人儿走了，想念就要来了呀，尖刀剜心一样的痛；尖刀剜心一样的痛，这就是要说的话呀，嘿——

太平：（被歌声打动，目光悲切起来）再唱给我听。

武攸嗣：天上……

武攸嗣似乎被歌声带回了家，眼里也见了泪，歌声在屋内盘旋……

这时，一太监走进来。

太监：公主，明日太后在熏风殿举办千叟宴，恭请公主务必参加。

太平：知道了！我不去，去回太后吧！

太监为难。

武攸嗣：我……看公主还是去的好！你母亲想见你，总问起你，干吗这么怄气？

太平：不去！我不想见她！……（脸上又有了惯有的戏谑之色）不过，如果你陪我，我就去！

武攸嗣：我？我算干吗的！又没人请我。

太平：我请你！对，你跟我去！

武攸嗣：那我也不去！去了，又没我的地儿坐……

太平：去！你必须去，我要你去！

3. 熏风殿　白天　内景

武则天望着脚下跪拜的老人们。

武则天：请平身吧，赐座！

老人们：谢圣母太后隆恩！

纷纷起身就座。

武则天：哪位是陆皓翁老人？

陆皓翁：深州陆皓翁叩见圣母太后！

武则天面露笑容。

武则天：扶老人起来，赐座。

两太监扶着老人坐在第一张桌子旁。

武则天：（起身）诸位老人家，高祖办千叟宴的初衷是让君王感受上天好生之德，领悟修身养性之道。我这次办千叟宴，一来是弘扬列祖列宗的仁爱遗风；二来诸位耄老智叟，代表着天下人的愿望及心声，我是想通过诸位转达对大唐百姓的感激之情……

此时太平带着武攸嗣款款而入，稍稍打断了武则天的演讲，很显然，武则天对太平的到来很激动。

武则天：……并告诉我的子民们，他们未来的幸福是多么的稳固。来，让我们先敬天地神明及列祖列宗在天之灵！（饮罢）这第二杯，我要敬你们，尊敬的大唐兴旺的目击者，以及你们身后无数善良忠诚的子民！

陆皓翁：我们也敬太后，感谢李唐王朝养育之恩！

众人饮罢，坐下。

武则天：（低声对太平）你终于来了，娘很高兴。

太平没有说话。武攸嗣没有座位，只得尴尬地站在太平身后。

武则天意识到他的存在，向后瞟了一眼。

武则天：他来干什么？

太平：我愿意带他来，不行吗，母亲？……攸嗣，你就站在我身后，哪儿也不许去！

武攸嗣：我不去，哪儿都不去！

武则天：（转过头）陆翁！

陆皓翁：老朽在！

武则天：您是天下寿星之首，如果没记错的话，您今年已有一百五十四岁高龄了？

陆皓翁：蒙太后挂念，到今年八月老朽已一百五十五岁。

武则天：真是百闻不如一见，早听说您仙风道骨，今日一见，果真如此。我记得您曾献与先帝一幅《百忍图》，称长寿只凭一个字——"忍"，我一直不解其意，今天正好有机会请教阁下！

陆皓翁：太后，其实道理很简单。太后可曾留意您头顶幽深的夜空？世间万物。惟天地永存，自盘古开天辟地，已历经百世，可天空却愈活弥坚，源远流长。凭的只是一个"忍"字。它要忍耐骄阳似火；忍受冰冷的星空；要忍受疾风骤雨；忍受电闪雷鸣，凭的是一个信念——这就是自然，自古亦正亦邪，从来善恶相间。人生百态，概莫如此，一切悲伤、失意、生离死别，一切阴晴圆缺，皆为自然，为人世常态，心要学会包容，要学会只观其形，而不为其所动，不为其所伤……我的儿子，孙子，曾孙，皆死在卫国戍疆的战场，我的曾重孙目前又在前线为大唐平叛，我不悲伤，相反却觉得光荣。为国捐躯是职责，犹如木炭的任务是燃烧，而成为灰烬则是乐趣，是满足。太后，忍并不意味着僵硬地去忍耐悲苦，它真正的含义是去理解、化解悲苦,从而将其化为快乐,像天空那样将风雨化为彩虹。惟此,则任何人就都可以活得像天空一样久远,因为心感受到的从来是快乐。

武则天:说得好!理解悲苦从而将其化为快乐,像天空那样将风雨化为彩虹。说得好!陆翁,我敬你一杯!

陆皓翁:太后,如果您不介意的话,老朽有一宝物献上……(说着从怀里掏出一瓷瓶)……这是我倾尽毕生研制的一种药酒,不仅作用于体,而且作用于心,能让人永葆快意!

武则天:噢?献上来我看!

陆皓翁拾级而上,面色沉稳,微露笑意。行至武则天面前,陆皓翁将瓶盖打开,闻着。

陆皓翁:我将它命名为"快乐泉",近十年来,老朽每天一杯,确实受益匪浅。老朽愿在此敬您一杯,以表心意!

说着将武则天的杯子斟满,献给武则天。武则天接过酒杯,习惯性地放在太监手中的托盘儿里,还没等太监走远,又把他叫了回来。

武则天:……慢着,拿回来,今天就免了这些陈规陋习,我怎么能怀疑陆翁的诚意呢?……再拿一只杯子来!

武则天将酒倒进另一只杯子,递与陆皓翁。

武则天:来,陆翁,我们同饮"快乐泉",共享长寿!

陆皓翁微露难色,眼神顿了一下,马上又恢复常态,举起杯子。

陆皓翁:请!

武则天:您先来,您是天下寿星之首嘛!理应受此礼遇……

陆皓翁:(泰然自若地)谢太后!

说完一饮而尽,然后将杯底儿呈给武则天。

武则天微笑着盯着陆皓翁。良久,才将杯子凑到唇边。就在此时,太平突然发觉陆皓翁的腿隐隐发抖,下垂的手痉挛一般握紧,指甲将指肚儿都掐出血来。她随即意识到某种不祥……太平本能地扬手打掉武则天手中的酒杯，眼睛始终没有离开陆皓翁的脸。

太平：母亲，先别喝！

武则天惊异地望着太平，然而在此时，一口鲜血从陆皓翁紧闭的嘴中喷出，所有人都大惊失色，卫士闪电般冲上来，陆皓翁缓缓倒地，但手还指着武则天，口中念念有词。武则天脸色大变，惊得说不出话来，她跌坐在椅子上，看着卫士七手八脚地将陆皓翁抬起。

武则天：……等等，把他扶起来，他有话要说！

卫士将陆皓翁强行扶起。

陆皓翁：(微弱) 天空可以忍耐一切，但无法忍耐……太阳在夜间出山……这不是……自然，同样，我……可以忍耐……但无法忍耐你乱……了纲常，我……忍无可……忍！

陆皓翁昏了过去，卫士将他往下抬……

武则天：(神经质地唠叨) 叫御医一定要救活他，我要让他再活一百岁，让他看见无论什么自然，什么纲常，都可以改变！

寂静，惟武则天的声音在大殿中回响。

4. 武则天寝宫　白天　内景

太平今天例外地没有走。

武则天渴望地望着太平，人突然变了，像个被吓坏的孩子，流着委屈的泪水。

武则天：……告诉我，他们为什么要杀我，连一个一百五十岁的老人都不放过我，为什么？为什么都反对我？所有的，所有的人都反对我？……什么是自然？什么是纲常？……难道这一切，都仅仅因为我是个……女人？

武则天泪水汹涌，面对母亲突然间的软弱与无助，太平竟然忘却了两人间的隔阂，她心痛地抱住母亲，眼里也有了泪。

太平：母亲，已经过去了，都已经过去了……

武则天伏在太平肩头，再也抑制不住内心的悲痛，令人心痛地哭了……

旁白：你祖母伏在我肩头悄无声息地哭泣，这是我平生第一次目睹母亲表现出这样孩子一般的软弱。她的整个身体仿佛化作一座盛载委屈和眼泪的容器……陆皓翁的谋杀实现了母亲一生最关键的转折。她实际上是在用自己体内全部的眼泪向女性的一切软弱品格做最后的诀别。从此她真正开始了同传统的决裂，她要向天下证明一个女人也可以同样拥有权力，拥有残酷的禀赋。

武则天：太平，留下来陪我，今晚上别走了……
太平：母亲，我说过我不再属于这儿……您多保重……

太平轻轻推开武则天，缓缓地离开。

武则天：太平……

武则天伤心地伏在椅子上痛哭。

5. 武三思府庭院　白天　外景

武三思在习箭。箭箭入靶。
薛怀义意外地求见，站在他的身后。

武三思：你来干什么？

说罢，一脸鄙夷地看着薛怀义。

薛怀义：贫僧有一事相求！
武三思：你有什么事要求我？求太后去呀，你那么红……
薛怀义：这事儿太后解决不了，只有您！
武三思：连太后都解决不了？怎么，你失宠了？
薛怀义：（不卑不亢）这不是玩笑，请大人注意您的态度！

武三思：（微怒，不可置信）什么？你说什么？我没听清……

薛怀义：我说请您注意您的态度！

武三思：（嘲笑）我说你真是疯了，竟敢教训起我来了……我问你，凭哪条你敢跑到我府上来求我办事？

薛怀义：凭我对太后的感情！凭我为她老人家排忧解难的心愿！

武三思：感情？……感情（大笑），你一个男宠，谈什么感情！……你，你就是长安街头一个玩杂耍的……

薛怀义欲怒又止。

薛怀义：我卖艺是因为出身贫寒，不像大人，有幸生于富贵之家！

武三思：是吗？这么说你还怀才不遇了？那好，你除了登高儿、走绳儿，还会点儿什么？

薛怀义：能借我弓箭用用吗？

武三思看了薛怀义一眼，鄙夷地把箭递过去。

薛怀义弯弓搭箭，对准靶心，一箭出手，正中靶心。武三思不觉一愣。

薛怀义：我可以说我的事吗，武大人？

武三思：……啊？……说吧，说吧！

武三思略微改变了对薛怀义的态度。

薛怀义：自从千叟宴以来，太后心情一直不好，总觉着天下人有负于她几十年来的辛劳，我有幸陪其左右，皆看在眼中，心里很为她老人家的身心健康担忧……

武三思：我也担忧，你没看见刑部成批的叛臣名单吗？

薛怀义：武大人劳苦功高，太后都看在眼里，也非常赏识您的才干。

武三思：多谢太后赏识。

薛怀义：贼子反叛是外忧，可还有一桩事却时常令太后内心隐隐作痛，武大人德才兼备，又风华正茂，恐怕是解决这件事最合适的人选，太后也有这个意思。

武三思：噢！什么意思？

薛怀义：武大人知道太后对太平公主的感情，其浓烈程度不是你我所想象得了的……

武三思：我知道，可这跟我有什么关系，我是爱莫能助啊！

薛怀义：太后一直想替公主物色一个乘龙快婿，希望能有一位像您一样的青年俊杰终身陪伴公主左右，像自己一样爱护她，给她幸福……

武三思：可太平不喜欢我……

薛怀义：大人不试，怎么知道她不喜欢您？

武三思：我……我试过了！我为自己立下过规矩，无论面对什么女人，只试一次！我只打有把握的仗，就像射箭。对女人也是这样，爱情是勉强不得的……

薛怀义：大人喜欢太平吗？说实话！

武三思：当然……喜欢。

薛怀义：那我没想到大人如此怯懦，胆小如鼠！

武三思：我……怎么胆小了？

薛怀义：您没有自信，您害怕失败！所以胆小。这可不符合大人的性格！爱情不同于打仗，第一回合败了，并不意味着全盘皆输。只要您坚持！全大唐都在取笑我薛怀义，那又怎么样！我照样往后宫跑，因为我喜欢太后，我就得到了我想要的！在这一点上，您尽管出身高贵，却不如我一个卖艺的！

武三思：……这……也是太后的意思？让我去找太平？

薛怀义：正是！太后说公主是崖顶的一朵刺儿梅，没有人可以不费周折地得到她。

武三思：……我明白了！……（吩咐仆人）备酒！请薛公子与我共进晚宴！

薛怀义：不了，我得回寺里，多谢大人的一番美意！

说罢抱拳转身走去。

武三思：你在哪儿练的这么好的箭法？

薛怀义：卖艺的嘛，靠这本事吃饭！

6. 武攸嗣府　白天　内景

　　武三思与武攸嗣站在堂中。仆人们正忙着搭皮影戏的布景。武三思从箱中拿出一只皮影，不住地练习着动作。武攸嗣明显地心神不安。

　　武三思："矛盾恰似人生的乌云，虽然引来狂风暴雨，也能结出缤纷的彩虹。误会好比命运的利剑，既能招致厮杀，更能披荆斩棘显露真情。"你觉得怎么样？尤其是这个"缤纷的彩虹"。

　　武攸嗣：（笑得很勉强）挺，挺好的！……

　　武三思：你再听这句，（又开始按照台词舞动皮影）"你的美貌如同恶魔，因为她将把我的生命吞没，你的倩影好比猛兽，因为她时刻把我的心灵撕咬。"反比正用，天下只有聪慧如我武三思者才能写出这样的诗句。

　　武攸嗣：你觉得太平真会喜欢你？

　　武三思：最绝的是这句："看这无边的宫殿，金碧辉煌是我们的心情，巍峨壮阔是我们的前程。我们的爱情将像大唐的运道一样长久。"

　　武攸嗣：大哥，你觉得……太平真会喜欢你？

　　武三思放下手中皮影，望着心神不定的武攸嗣，语重心长。

　　武三思：那你觉得太平应该喜欢你？

　　武攸嗣被问得没有了勇气。

　　武攸嗣：我觉得……她，她可能喜欢你……

　　武三思：三弟，你是个好人，知道如何体谅女人，比我强！可你还不明白吗？太平并不爱你，她是觉得和你在一起安全，不用付出感情，不会受到伤害，她是被伤怕了。你们是不可能有结果的，我想你心里也明白！等我娶了太平，一定会好好感谢你这个媒人！……高兴点儿，别那么哭丧着脸儿……

　　武攸嗣勉强地笑笑。

第二十集

7. 武攸嗣府门前　白天　外景

太平一脸困惑地从车辇上下来，武攸嗣满脸堆笑地迎上来。

太平：什么事这么急？

武攸嗣：我……我想给你个惊奇！我想给你看一出皮影戏。

太平：（惊喜）你怎么知道我喜欢皮影戏？！

武攸嗣：我，我不知道……

俩人说话间已到了堂屋。室内戏已开演，只一个观众。武三思站起身，自信的一脸微笑，向太平迎来。

武三思：（抱拳）静德王拜见太平公主……

太平意外地看看武三思，又看武攸嗣。

太平：（对武攸嗣）他怎么在这儿？

武攸嗣：这戏是大哥特意给您排的，他亲自写的戏词儿，连太后都喜欢……

太平脸色突变，转身就走。

武攸嗣：（追出）太平，太平……

武三思恼羞成怒地站在原地。

武三思：（大喝）别唱了！……

神思恍惚地一把扯掉皮影戏台的幕布。

8. 大明宫勤政殿　白天　内景

早朝。旦打开一份御旨，眉头稍稍皱了一下，他下意识地微微侧头，想要征询帘后武则天的意见。

旦：太后，这……

武则天：念吧！

旦：……右威卫武攸嗣听旨！

武攸嗣出列，跪下。

旦：朕封你为征西道行军大总管，于三日内发兵西域，不得有误！

殿内顿时响起嗡嗡的议论声儿。

武攸嗣：臣……遵旨！三日内发兵西域，不得有误！

一武官出列。

武官：禀报圣上，武攸嗣大人从未带兵打过仗，出征西域，如此大的举动派他去恐怕不妥吧？这不明摆着送死吗？

旦一时无语。

武则天：（小声）散朝！

旦：……散朝！

说完自己第一个拂袖而去。

武则天：武攸嗣将军留下！

殿内空荡。只有帘后的武则天及殿中孤零零跪着的武攸嗣。

武则天：武攸嗣，太平最近怎么样？

武攸嗣：禀报太后，太平最近……挺好的！

武则天：知道为什么派你去征西吗？

武攸嗣：太后是看我……不知道！

武则天：因为太平需要安静，需要一个人冷静地思考自己的生活！懂吗？

武攸嗣：……懂了！

武则天：我会派裴中直将军做你的副手，行军打仗非同儿戏，有事要多同裴将军商量，不要拿自己的脑袋开玩笑，你毕竟第一次领兵。

武攸嗣：臣诚谢太后恩宠！

武则天：去吧，我等着你凯旋！

9. 太平府庭院　白天　外景

武攸嗣坐在回廊台阶上，一副沮丧的样子。太平焦急地来回踱着步。

太平：为什么派你去，你没带过一天兵……是太后的意思？

武攸嗣：……是！……她还说，以后不让我来找你……

太平：你大声点儿，拿出点儿精神！哪有一点儿要出征的样子？

武攸嗣：（苦笑着）我本来也不是个将军，这次去西域，恐怕是回不来了……

太平：你住嘴！……说的什么话，怪不得人家都看不起你，我现在明白了，你没有一点大丈夫的气概！一点儿也没有！连我都要看不起你！

武攸嗣：我知道人人都看不起我！所以也就不生气了！……太平，我现在真的后悔当年进宫，这宫里处处都是人尖儿，和他们比起来，我武攸嗣无才无德，有的只是农民任人宰割的憨劲儿！……太平，还记得我第一次见你的情形吗？我当时被你骂得体无完肤，而我却在当晚给母亲写了第一封家书，傻傻地称我爱上了一个人！……现在想起来真可笑，其实我早知道这是毫无结果的，但还不甘心，凭的还是那股农民的憨劲儿！……不过现在我真的很知足，毕竟能同你这么近的说话……太平，别忘了我，别忘了有这样一个并州的姓武农民成天想着您，甚至觉得看您一眼都是幸福！……嫁给我大哥吧，太平，他英俊，有才华，对您也算是真诚……别拿我跟您母亲赌气了，我还没有那么傻！

太平：这……也是太后的意思？

武攸嗣：不，这是我的意思，我这是为你好！……我配不上你！再说，这已差不多是全大明宫的意思了！

太平：攸嗣，你听着，打起精神，你会打赢的，就凭着你那股农民的憨劲儿！……我明天去送你出征！

10. 武则天寝宫　夜晚　内景

室内烛光摇摆，武则天斜卧床头，双目微合。薛怀义恭立一侧，正为她念诗，语气亲切婉转，如室内蔓延的光线般轻柔。

薛怀义：洛阳城东桃李花，飞来飞去落谁家？幽闺儿女惜颜色，坐见落花长叹息。今年花落颜色改，明年花开复谁家？……

武则天：洛阳，洛阳……好久没回洛阳了。其实我更喜欢洛阳，灵秀婉转如泉，愁颜媚骨似花……你继续！

薛怀义：已见松柏摧为薪，更闻桑田变成海。古人无复洛阳东，今人还对落花风。年年岁岁花相似，岁岁年年人不同。寄言盛红颜嫣紫，须怜半死白头翁……

门被重重地打开，太平一脸盛怒地入。

太平：母亲，你为什么又要干预我的生活？

武则天：我不懂你什么意思？

太平：为什么派武攸嗣去征西？他连一天兵都没带过，难道母亲要他去送死？难道这一切仅仅因为他与我交往？

武则天：武攸嗣是我的朝臣，如果我想让他死，也不必派他去打仗，绕这么个大圈子！不过，他与你走得太近，倒是真的，他不配！

太平：他配不配，不是母亲规定的，他毕竟还是我的朋友！

武则天：他要不是你的朋友，我兴许都不会多看他第二眼……也许他打了胜仗立了功，倒有了点儿资格同我的女儿交往。

太平：母亲，你……

武则天：太平，你不要拿自己的幸福同我赌气，生活是平实而具体的，不论你有一个多么华丽的开始，面临的问题都是一样的。一个女人除了体贴之外，还需要浪漫；需要情话；需要能满足你心情的智慧，他给不了你……如果说上一次是……我……造成了你的不幸，这一次却是你自己在制造不幸！太平，你是大唐惟一的公主，作为母亲，我不可能不为你着想……

太平：您还是多替自己着想吧！您的问题是永远惦记着别人，永远放纵自己，你所谓的爱是自私的。因为您永远都在试图代替别人思想！

薛怀义：公主，您言重了，如果太后放纵自己，那……

太平：你闭嘴，这儿没你说话的份儿……

武则天：太平……你不要逼我！

太平：那就请您不要先逼我！

太平扬长而去。

武则天痛苦地闭上眼睛。

武则天：……我们曾经是天下最和谐的母女……可有一天却突然变成了敌人……小宝儿，你继续！

薛怀义：此翁白头真可怜，伊昔红颜美少年。公子王孙芳树下，轻歌曼舞落花前……

泪悄悄地洇出武则天紧闭的眼帘，静谧地滑落……

11. 城门外　白天　外景

武则天和众臣在箭楼上默默注视着脚下鱼贯出城的唐军。箭楼上战鼓齐鸣，号声嘹亮，旌旗招展。武攸嗣及众将领最后出城，皆勒马列队。武攸嗣为首，向城上抱拳行礼。鼓号都收了音，全场一片寂静，只武攸嗣的声音回响。

武攸嗣：圣母皇太后，征西道行军大总管武攸嗣率全军将士在此请令出兵，誓死效忠大唐！

鼓乐大作。

武攸嗣刚要掉转马头，忽然发现城门口站着华服盛装的太平。武攸嗣又惊又喜。

武攸嗣：太平，你怎么来了？

太平向武攸嗣走去。武则天在箭楼上平静地望着脚下。

太平：武将军，我平生第一次送将出征，知道为什么吗？

武攸嗣：武攸嗣愚钝，还请公主赐教！

太平：因为我需要你打胜仗，大唐公主需要你武将军得胜还朝，像一个真正威武的大唐将领。我府上需要再一次听到并州的酒歌，我桌上需要再看到新摘的玫瑰！你懂了吗？

武攸嗣被说得心潮澎湃，他偷眼向上，看了看默默注视他们的武则天，真切地感受到内心像朝阳一样冉冉升起的豪情。他激动得满脸潮红，连嗓音都变得开阔高扬。

武攸嗣：请公主及太后放心，我武攸嗣此次出征，帝国恢宏的威望是我最锋利的武器；大唐殷切的企盼是我最牢固的城堡。我在此断袖盟誓，（武攸嗣挥剑断袖，高举）势必成功，永不言败！

众将领：势必成功，永不言败！！

太平微笑地望着武攸嗣。

太平：谢谢你，武将军！

武则天注视着这一切，面色平静，内心却如海一般起伏。

旁白：我甚至能够感觉到此刻高高在上的母亲内心的疼痛。我望着眼前被武攸嗣踏起的滚滚风尘，最初的快感被一丝渐渐明了的、转为沉重的茫然取代。我这样做是为了什么？是为了单纯地使母亲品尝背叛的痛苦？还是真的爱上了这个唯唯诺诺、老实诚恳的农民？或者，真如母亲所说，他对我毫无保留并且安全保险的爱情仅仅被我视作献给薛绍的一份昂贵的陪葬，并将注定以失败告终？

第二十一集

旁白：皇权对母亲意味着什么？没有人能够回答，也没有人能够理解。有人把它简单地归结为上天赐予的荣耀，是命运的唆使，是神明对李唐这个以英武、剽悍著称的王朝的戏弄和惩罚。也有人把它仅仅归结为一个卓越非凡的女人强大的野心和与天理抗衡的疯狂。只有我知道这个问题的答案，因为我是她的女儿，她内心生活的阅读者。皇权对母亲意味着爱情，她以全部心血关照帝国的生活和人民的情感。她在皇权面前所表现出来的渴望、激情、执着甚至猜忌全都类似于一个女人坠入爱情时的内心体验。

1. 大明宫勤政殿　白天　内景

武则天垂帘。李旦坐在她面前的皇位上，以其惯有的超然与忧郁姿态轻抚着手中的鸽子，武承嗣正在宣读《万人劝进书》。

武承嗣：远古洪荒，天地之间只有兽群与神明为伍，只有风沙雨雪与寰宇为伴。众神寂寞，遣女娲以五方之土杂天地灵气而成人；四海内始有生灵承接神运，感应天命。由此，四季运转，草木枯荣，方显现造化之神奇意义，上天之仁、爱、礼、义才能垂降于大地。历经万万世，时光运转，气象更新，天后则天降临凡尘，救万民，济众生，整理河山。御敌于外，四海平安，蛮夷归化；主政于内，天下太平，万众敬仰。女娲有造人之德，而天后有再造之功。正当此时，谶语、天书纷呈于世，天命人情，敬请武后登基称帝。

全场静默，全体朝臣的眼睛都集中在旦的身上。旦没有抬眼，神情仍专注于手里的鸽子。

旦：……这《万人劝进书》是谁写的？

武承嗣：天下感应神命，这是万民共同的心声。现在各州府都在推举德行高尚的士绅汇聚京城，呼吁太后顺应天命人心……

旦：（脸上带有一丝戏谑的微笑）他们为我安排去处了吗？

武承嗣沉默。

旦：（笑得更开朗）写得不错……也确实道出了天下人的心声！

武则天：（声调沉稳）什么写得不错？皇上只当听个笑话！这天下就像一个家族，母亲生了孩子，爱护孩子，是应该的。但一家之主还应该是父亲。现在我们大唐这个家姓李，于理于情我都不会容许别人更改的。三思，你现在就去办一个万民宴，代我向万民表示感谢！然后让他们早早散了吧。

武三思：太后，百姓从四方赶聚京城，历经万水千山，心诚意挚，不是那么容易就可以遣散的！这万民书毕竟代表着大唐子民的心意，如此草率打发，恐怕辜负了万民的诚意，请太后深思，也请圣上三思！

武则天：百姓如同我的孩子，他们诚实，却不懂礼仪；做父母的就要引导他们，不能随着他们的性子！你说呢，皇上？

旦：……其实孩子考虑问题往往比大人更有实效！他们的问题在于不懂礼仪，有时显得过于心急！这样吧，武三思，以我及太后的名义写一封答万人书，劝他们先回去！让他们放心，会给他们答复的！

武则天：就按圣上的意思办。武三思，你文采不错，告诉百姓，其实是女娲自己寂寞，才造出人类。她关爱照顾他们，也是对自己良心负责，此为我本意，下去吧！……

武三思：遵旨！

旦：凤阁舍人周兴！

周兴：臣在！

旦：你有什么奏折？

周兴：禀告圣上、圣母皇太后，现在万民归心，但仍有冥顽不化之徒逆天行事，臣已查明太子通事舍人郝象贤的全部同盟党羽。

武则天：我听说郝象贤在行刑途中高呼天理世道，历数我的淫荡邪恶，还夺过路人手中的棍杖奋击行刑的官人，气焰猖獗至极，为什么没有人及时制止他呢？

周兴：因为已查明纪王李桢是郝象贤谋反的真正靠山，一切行为都是纪王幕后主使的，郝象贤不过是一个帮凶……

旦抚摸鸽子的手突然僵滞……

武则天：那又怎么样呢？

周兴：太后知道纪王李桢在京城的势力，不是一个凤阁舍人的能力可以管制的……

武则天：那怎么办呢？就不管啦？

周兴：太后，说是王子犯法与庶民同罪，但那只是道理，我周兴还没有愚蠢到那个地步！这还请太后及圣上定夺！

邓玄挺：周大人，纪王李桢忠孝耿直，驰名天下。你说他谋反，有什么证据吗？

周兴沉默。

旦：周兴，怎么不说话？

周兴：周兴只对太后及皇上尽职，没义务回答别人的问题！

旦：那我问你，有证据吗？

周兴：证据如山！凤阁各有口供四册、人证五位，圣上可随时查验！

邓玄挺出列下跪。

邓玄挺：启禀圣上，纪王李桢与您自幼一齐长在宫里，您对他的品行，他对李家的感情，他所建的功业了如指掌！即使真如周大人所说，他参与了谋反，想必受了他人指使或蛊惑，一时糊涂，请圣上明察，开恩放过他！

武则天：圣上，李桢与你一同长在宫里？我怎么记不得了？哪一个李桢？

旦：……皇叔李泰的四子，您忘了吗？用木剑差点戳瞎我的眼睛。

武则天：噢？记起来了！……他还是你童年最要好的朋友……

周兴：启禀圣上，我这里还有更不好的消息，现已查明郝象贤谋反集团还包括汝南王李炜、鄱阳公爵李湮等十余位李姓皇族至亲。他们于纪王府日夜密谋，妄图于正月初三起事。

武则天：都是李姓皇亲？

张楚金出列，跪下。

张楚金：臣张楚金请天后明鉴，上述李姓诸公向来恭顺忠义，即使心有怨言，想必不敢犯下如此滔天罪孽，一定是遭了小人的谗言陷害。

武则天：不用我明鉴。张楚金，你应请皇上明鉴，这虽为国事，也毕竟还算是李家的私事。

张楚金：请圣上明鉴！

旦握鸽的手不自觉地愈收愈紧。

旦：……周兴，谋反起事，应定什么罪？

周兴：死罪！凌迟处死，诛灭五族！

张楚金：臣提醒圣上，纪王与您未出五服！

旦面容平静，心绪却全在手上，鸽子在他手中垂死挣扎，他却毫无知觉。

旦：……我十岁时与李桢玩剑，他用剑指着我的眼睛说了一句话，当时让我很不高兴，扑上去与他厮打，才伤了眼睛！我对那句话记忆犹新，曾同他玩笑说，他最终会死在那句话上，今天果真应验，时隔二十四年……太后，就按大唐律……治罪吧，给我个面子，念他们还是李家的皇亲，降罪一等，就别凌迟了，改为赐死，也不必诛灭五族，否则连我也在其列！……散朝！

旦起身离座，鸽子已被攥死。软软地瘫在龙案上。武则天的声音从他背后传来。

武则天：纪王李桢流放岭南，其他人一律处死！

2. 议事殿　白天　内景

堂中横放一长案，上面摆放着几只紫檀木方匣。几位老臣站在案两侧。武则天和旦并坐，婉儿在武则天一侧侍立。

元帅魏元忠跪在武则天和旦面前。

魏元忠：臣身后是徐敬业叛乱为首五大贼子首级，作为此次出征献给太后的礼物！

武则天：我没有看错人，魏元帅！婉儿，魏元忠元帅文明元年平叛有功，封敬天元帅，加采邑一千亩，绢一千二百尺，赏奴四百！

魏元忠：谢圣母皇太后！微臣只尽了应尽的责任！请太后验明首级！

武则天：这礼物越少越好，让人心酸！……婉儿，你替我验吧！

婉儿随魏元忠浏览于案前。

魏元忠：（打开一只匣子）这是魏思温。（又打开一只匣子）这是唐之奇……这就是徐敬业。

武则天：永徽三年，高宗想要立我为后，长孙无忌、褚遂良一干老臣坚决反对，关键时刻，徐世勣帮了我，就是这个人的祖父。我一直对徐家心存感激，没想到第一个举兵反叛我的也是徐家。我一直挺喜欢这个孩子，是显庆元年的元旦华筵上，他还给我献过万寿酒，我还记得他眉心有颗黑痣，说话时一跳一跳的，可爱极了。

婉儿：（上前看了一眼）黑痣还在，只不过一块黑紫，不像太后说的那么中看！

武则天：算命先生说这是福星登顶，能保佑一生逢凶化吉，遇难呈祥，没想到这个孩子竟然这么命短……

魏元忠：逆天行事，与天后为敌，什么样的福星也保佑不了他了……（走到最后一个匣子前）这就是骆宾王！

魏元忠上前准备打开。

武则天：就别打开了。真希望这里面装的不是他。人说骆宾王才趣高雅，相貌英俊，是远近闻名的少年得志的才子。魏元帅，他那篇被人争相传诵的所谓《讨武曌檄》，你带来了吗？

魏元忠：太后，在我这里！

武则天：念！

婉儿接过《讨武曌檄》念。

婉儿："伪临朝武氏者，性非和顺，地实寒微。昔充太宗下陈，曾以更衣入侍。洎乎晚节，秽乱春宫。……入门见嫉，蛾眉不肯让人；掩袖工谗，狐媚偏能惑主。……人神之所同嫉，天地之所不容……"

武则天：嘀，我有那么可恨？连天地都容不了？……你继续！

婉儿："铁骑成群，玉轴相接……江浦黄旗，匡复之功何远？班声动而北风起，剑气冲而南斗平。喑呜则山岳崩颓，叱咤则风云变色。以此制敌，何敌不摧？以此图功，何功不克？……"

武则天：小小的一次叛乱，竟然让他写成如此的雷霆万钧，真是笔力非凡啊，连我听了，都想助他们一臂之力。这果真是个妙笔生花的可造之才，他不在朝里，实在是宰相的过错。你们以为这篇文章写得如何？

众无语。

武则天：写得很好！只可惜站错了立场。骆宾王为天下文人树立了可悲的典范。才华于文人在其次，关键是立场！立场对了，才华是锦上添花。立场错了，才华则会落井下石，加速自身的灭亡。有两个人由于文笔优美而遭灭顶之灾：一为上官仪，二为骆宾王。可惜了他们的学问！

裴炎：其实他们徒负才子虚名，只不过是些会说大话的无赖之徒。太后淑德兼备，才智非凡，是国母的典范，为大唐做出了非凡的贡献。一群狼子野心之辈，借助无聊文人之口，利用愚钝百姓不明天下局势的短浅目光，妄图借机生事，实在是自取灭亡。现在天下太平，皇室英明睿智，太后已经为新君打下了良好的基础，现在只需还政于皇帝，重归后宫，就再也没有让小人诟病的口实，任何野心家也就没了造谣生事的机会，天下自此永远太平。而天下人只会称颂您的美德和贡献。

武则天：你是在劝我隐退？

裴炎：我是在劝进。劝您退出纷乱的政坛，进入宁和安逸的后宫，进入后世赞美的历代伟大皇后的行列。

武则天：《讨武曌檄》是亘古难得的好文章，却如我所说站错了立场，你知道他错在何处？

裴炎：请太后赐教！

武则天：因为他在告诉徐敬业的十万大军要对付的仅仅是一个狐媚的女人。这样的结果只表明他们自己的虚弱，盛扬了我的强大！这篇檄文没有涉及我的任何功过，只耿耿于怀我身为女人的过错，这说明我干得还不错。你刚才说到百姓愚钝，目光短浅，不明白天下局势；恰恰相反，我认为他们深明大义，知道什么是国家安定的真正依托。徐敬业失败了，说明天下人没有被他蛊惑。你们现在反对我，用另一种更动听、更华丽的说辞，核心只有一个，怪我是个女人，而且是大权在握的女人。

裴炎：女主能治理国家，太后已经给天下做出了证明，毋庸置疑。太后还记得骆宾王檄文中最后一句话吗？"请看今日之域中，竟是谁家之天下？"这才是天下人真正担心的，也才是野心家们鼓噪谋反的真正借口。

武则天：你们与他惟一的区别是缺乏揭竿而起的勇气。看来我的权力真是有点太大了。你说呢，圣上？我是不是该退了？

这时候一直沉默的旦站起来，走到从窗中斜射进宫殿的光线之中，手持一卷文书，面容中出现少有的坚定与果决。

旦：母亲不仅不能退，反而应该进。但不是像裴大人所说的进入后宫，进入纪念历代皇后的毫无诚意的香火与仪式之中，而是进入英君明主的辉煌之中，进入亿万人感恩戴德的称颂当中。您的贡献与美德担当得起这一份光荣，您必须以一个伟大帝王的英明载入史册，流芳千古。我这里已经拟好了一份退位诏书，请母后允许我为您的伟大做最后一件事情……让我从皇位上退下来。

旦说罢把奏折递给武则天，武则天愣愣地看着旦，忘记了接过他手中递上来的奏折。婉儿连忙上前接下。几个老臣大惊，邓玄挺第一个跪倒在地。

邓玄挺：皇上，您知道自己在做什么吗？您使天后陷入不义，使群臣陷入不忠，而您不能保全父皇传留下来的江山，更使自己陷入天大的不孝。皇上，您不能这样做，请您收回成命。

裴炎：（也跪倒在地）皇上，这是惊天动地的大事，请您三思而后行。

其他几个老臣：（也跪下来吁请）请皇上三思，请皇上收回成命！

旦：（面对裴炎）裴大人，你知道骆宾王檄文中最精彩、最动人的两句话是什么吗？……"一抔之土未干，六尺之孤何托！"父皇坟茔上的新土未干，而国家就像他遗留下来的孤儿，等待着一个更称职的抚养人，旦的才干是担当不起的。现在父皇新丧、新君昏弱，天下宵小都蠢蠢欲动，一旦失去了母后的呵护与决断，那不仅国家成了任人欺凌的孤儿，恐怕我们兄妹也就真像孤儿一样无所依托了。

说完，旦昂然走出宫殿，只剩下屋中一片难堪的寂静。

3. 旦寝宫庭院　白天　外景

旦坐在院中，鸽子在四周起飞、降落，一会儿升入天空，一会儿飞上檐角，一会儿在他的肩头、膝上徘徊。旦随手抛洒着谷物，他的神情又恢复了往日的宁静、淡泊。太平也坐在他的身边，不时拿过一些谷物学着旦的样子喂养鸽子，但她眉间却暴露了一些不安定的心事。

太平：（抚摸着膝上的一只鸽子）哥哥最喜欢的那只红斑花鸽，我已经替你安葬了。

旦：谢谢你。

太平：你不想知道我把它葬在什么地方了吗？

旦：这大明宫中，除了我，只有妹妹最理解鸽子，你葬的地方一定不会让它失望。

太平：我把它葬在了李姓十二王的墓前。

旦：（向天空中抛了一把谷物，谷物在阳光中散出一片金黄的光泽）它凝结了我的愧疚与哀思，让它陪伴我的亲戚们的亡灵魂游天国，正是我纪念他们的最好方式。

太平：（把膝上的鸽子举起放飞）不知道这满院的鸽子还要带走你多少的愧疚与哀思？

旦：（站起身，肩上的一只鸽子惊飞）妹妹是怨我身为皇帝而无法保护皇室宗亲吗？

太平：对，但是我更奇怪，你为什么放弃皇位，把李家子孙完全放置在毫无保护、任人宰割的境地。

旦：那我应该怎么办？

太平：（把另一只落在膝头的鸽子递给旦）把你的愧疚与哀思转化成保护他们的精神力量。

旦：（接过鸽子，轻轻抚摸）我正是为了保护他们，才放弃了皇位。妹妹只想到了亲情，而没有考虑到亲情在政治中的位置。现在母后称帝在所难免，就是她不想登基，时事、政局、她周围的人也不允许她不登基。我在位一天，母亲考虑到亲情就犹豫一天，而亲李大臣就利用我的名分与亲武大臣争斗一天，这世界上相互残杀的血腥日子就延续一天。

太平：（抖动肩头一只刚刚落下的鸽子）你是在为自己的懦弱开脱。

旦：我是懦弱的，我的懦弱来自我有限的才能和我对自己才能正确的认识；我是懦弱的，但我的懦弱使我明智，我的明智赋予我常人想不到的勇气。我现在能做的就是放弃皇位。

太平：你这样做的结果只能使李家和他的臣仆遭到更快、更血腥的报复和打击，也使自己处于更危险的境地。

旦：你错了。我自认为是了解母亲的，她爱这个她在其中生活奋斗、荣辱与共的家庭。只要纷争平息，她会给予因政治斗争而牺牲的李家子孙应得的补偿和关怀。至于我自己嘛，你倒是说对了，末代君主永远是旧势力的旗帜，也永远是新势力的阴影。

太平：（质问的表情转化为悲伤）为什么李家的男人总是遭受同样的命运呢？

旦：因为我们离权力太近了。而我们的能力又驾驭不了权力。这是我们身为皇子的悲哀。

太平：（抓住旦的手）你是我最后的亲人，我不许你再有任何意外，你一定要答应我。

旦：（凝视着妹妹苍白、憔悴的面庞）我真想答应你呀，但我今后命运叵测，吉凶难定，希望你也答应我一件事。

太平点点头，这也许是她惟一能够表达对哥哥感情的方式。

旦：隆基是我最有出息的孩子。他的才智禀赋都不愧一个帝王的血统。但是他的热情和冲动也很容易让他置身危险之中。我不希望弘和贤的命运在他身上重演。我可能很快受牵连无法关照他了，希望你替我担负起这个职责，把他培养成一个真正的治国之才。这也算替我对咱们的家族和姓氏做出一点贡献，减轻一点我的愧疚之情。

旁白：你父亲外表文弱、淡泊，而内心却坚强、勇敢。是我最敬佩的男人，是我们李家男性中少见的大智大勇之人。他的内心正如他自己所无限关注的蓝天一样宽阔。我理解他的痛苦与悲哀。他把自己所有的梦想都寄托在了你的身上,你不要让他失望。

4. 大明宫勤政殿　白天　内景

朝堂上空无一人,往日的肃穆与喧哗只能衬托出此刻珠帘后面武则天的寂寞与孤立。只有婉儿站在她的身后,旦的位子也是空的。从远处的午门隐隐传来时断时续的嘈杂。武则天面无表情地看着大殿中群臣曾经侍立的地方,嘴唇紧抿着,透露出一个女人全部的刚毅与倔强。婉儿侍立在她的身边,忧心忡忡地看着她的侧影,只有从凤冠中凌乱地挤出的几缕斑白的鬓发透露出她苍凉与无奈的心境。

一个太监急入,禀报。

太监：亲李姓的大臣在午门外静坐了半个时辰,其他大臣无法入朝。

武则天没有丝毫表情。

武则天：婉儿,来,帮我理理头发。这凤冠戴了半天,也挺累的。

婉儿温顺地替武则天除下凤冠,从袖中拿出一把梳子,替她把散发拢住。

武则天：很多年前,我还只是个昭仪,每次上朝前,高宗都要让我为他梳头。他说只有我梳的头松紧适宜,王冠戴在上面,既不会歪斜,也不会把额角压疼。当时我感到的快乐,是一生中任何时候都无法比拟的。我感受到了一个男人在细微处透露出来的关爱、尊敬与信赖。我为有这样一个男人而无比幸福,我为能给大唐朝廷做出的这一点点贡献而无比幸福。我当时认为,这已是一个女人参与政治生活的极致了。

她说着陷入对往事的缅怀之中,刚毅的目光中透露出一丝快慰的光泽。大殿中又陷入寂静,只有梳子划过头发的沙沙声和远处更加嘈杂的声音交织在一起。

武则天：后来我们就一起坐在镜前让宫女梳头,然后一起上朝、下朝。

皇帝更加依赖我，更加尊敬我，但是我们之间再也没有了早先的那份微妙的甜蜜，有时他从镜子里投过来的目光是那样陌生，让我感到难以言表的慌乱。每到这种时候，我就禁不住要问：我到底为什么要参与国事？婉儿，你能回答我吗？

婉儿：您寄关爱于天下子民……

武则天：你说得太虚了……

这时午门外的嘈杂强烈了一些，太监再次进入。

太监：薛怀义在午门外与静坐的朝臣发生冲突，被打伤了。

武则天：薛怀义不在万象宫监造他的工程，跑到这儿来瞎闹，也难怪人家要打他。去把他赶走！

太监退下，殿中又出现寂静。

武则天：看来这次他们真的要和我闹下去了。

婉儿：太后要不先回去？

武则天：不，我要在这儿等他们，我要看看他们让我一个人在这大殿里等多长时间。

婉儿：这明摆着是一两天内结束不了的……

武则天：婉儿，你还没有答我的问题……有时候我自己也不明白。我自己都不明白的事情，怎么能治别人的罪呢？你帮我把凤冠戴好。他们用自己的方式表达忠心，我要用我的方式尽守职责。

这时太监急急跑进来。

太监：郑世勋束发倒悬于午门上，声称皇帝如果不在半个时辰内收回退位诏书，他就要悬剑自杀。

武则天：（刹那间站起来）那让他现在就死！（然后又慢慢坐回去了，沉默良久）我也许真的应该退隐了。

她从珠帘后面走出来，走到空置的皇位前，用手扶着椅背。

武则天：我第一次看到这个大殿，看到这个大唐政治与权力中心的时候，它也像现在一样空空的。那是总章二年三月，皇帝让我和他一起临朝的前一天，我控制不住自己的好奇偷偷地跑进来。那时候是傍晚，只有一个小太监在用拂尘清扫皇位，他扫着扫着就在上面坐了一下，我吓坏了，急急跑出大殿，仿佛刚才坐在龙椅上的那个人是我。前天，旦宣布退位的时候，我又感到了恐惧，就像几十年前看见小太监坐上龙椅时的感觉一模一样。我是一个女人，我用全部的感情和心灵关怀着国家的一切事务，我比一个在同样位置上的男人付出的要多上许多，难道我也像他们那样梦寐以求的仅仅是爬上这把连一个小太监最不成体统的屁股都能坐上去的、装饰着丑陋花纹的椅子吗？他们都不理解我，但我理解他们，我理解他们誓死的忠心，我也能看见这忠心带来的血腥的后果。我是一个女人，我在这个世界上已经完成了自己的职责，也许我真的应该退隐了。

武则天最后抚摸了一下这把椅子，走下台阶。

武则天：婉儿，他们真的让我很伤心，陪我去见旦吧。

5. 旦寝宫庭院　白天　外景

旦在弹琴，悠扬的琴声中透露出一丝隐隐的伤感。武则天走来，旦想要停止，武则天示意他继续，然后凝神聆听，陷入遐想。曲终，两人相视一笑，旦的目光中充满关切，而武则天则有些苦涩。

武则天：我记得十年前，你为我祝寿的时候，弹的就是这首《雁飞鸣》。十年前你的琴声激越、昂扬，如蓝天般明亮，为什么今天我却听见了浮云般忧虑的阴影呢？

旦：琴声如流水，人心似河川，琴声随听者的心境而起伏变化。母亲听见忧虑是因为母亲心中有忧虑。

武则天：也许只有你能替母亲解除忧虑。

旦：母亲是来劝我收回诏书的吧？

武则天：（凝视着旦，似有千言万语）对。（她转过身去）我感到太累了。我再也没有力气和他们斗下去了。现在只有你能让朝廷平静下来，你是李姓皇族惟一的嫡传子孙，你应该负担起自己的使命。

旦：(抬头看着天空盘旋的一群鸽子)身为皇子，自幼耳濡目染，难道我真的没有一点皇权的野心，没有一丝建功立业、开疆辟土的雄心吗？母亲知道我为什么要养鸽子吗？

武则天：你是因为……

旦：你不知道。我从没有告诉过任何人，十一岁的那年夏天，我在熏风殿外，无意中听到了父皇和母后的谈话，你们一个把希望寄托在弘身上，一个把希望寄托在贤身上，你们也谈到了我，我只不过是你们一个可爱而不成器的孩子，回到寝殿以后，我哭了。我知道自己的命运早就被父母决定了，我的光辉梦想永远只能是一个梦想。然后我就看见了那两只西域晋献的鸽子，它们那么像我，它们每天栖身在笼子里等待飞翔。于是我养育它们，我放飞它们，我是让它们代替我巡视帝国无边的疆土，代替我体验一个帝王与疆土一样无边的雄心与梦想。

武则天：现在你已经有了，有了难得的机遇放飞你的梦想。

旦：我已不是从前的我了。政治上的雄才大略于我只不过是童年时代的一个不切实际的幻想。如今母亲把我放在这个位置上，就像把鸽子关在笼子里，使我永远失去了自己渴望的天空。

武则天：你这样做就等于宣告了李唐王朝的寿终正寝。

旦：这也正是我琴声伤感的真正原因。十年前我作《雁飞鸣》，是表达对母亲雄才大略的崇拜，愿母亲的雄心壮志如大雁般飞鸣冲天。十年后，天下已尽在您手中，我再弹此曲，是祝贺母亲的雄心实现，如雁鸣般响彻云霄。作为李姓子孙，我自然也要感到悲哀伤感。但是我更明白，您比所有伟大的君主更多了一份母性的关爱，您能更好地造福众生。至于名分，是男是女，姓武姓李，我劝母亲不要在乎几个腐儒的是非议论。请母亲不要因为一时的感情用事而失去了自己的机会。

武则天凝视着旦，良久。

武则天：(用平静而坚定的语气轻盈地)旦儿，再为母亲奏一曲《雁飞鸣》。

旦操琴,琴声把母子两人紧紧连在一起。

此时婉儿进来通告。

婉儿：太后,郑世勋已经在午门悬剑自刎了。

旦：(叹惜)请母后厚待他的家人。

8. 房陵州显的住所　白天　外景

在破旧的房屋和长着乱草的围墙之间,有一片狭小的花园。一围艳丽的牡丹正在迎风怒放。韦氏在为花浇水。

显呆坐在屋檐下,手中摆弄着破旧的香囊,多年的流放生活已经使他面容憔悴,失去了往日的雍容气度。他的内心也随着生活的不如意而日渐消沉。

韦氏：谁说这儿的土质和气候不适合牡丹？我发誓,如果能把牡丹养好,就一定能回长安！

显：我让你做的香囊做好了吗？

韦氏：(陷入沉思)你看,它们的长势一年比一年好……你还记得刚到房陵州那年夏天它们什么样子吗？花瓣还没蔷薇大,(说着把水桶放下,走到显身边坐下)你看现在,比大明宫的牡丹还要艳丽,也不知道现在大明宫里还有没有牡丹？

显：(有些不耐烦)我让你做的香囊做好了没有？

韦氏：我没做。最近到处传言母后要称帝,这也许是我们回到长安的机会。我昨天晚上又梦见了熏风殿,梦见你正在里面试穿龙袍,也许上天就要圆满我的心愿了,我们应该做点什么,先别玩儿你的香囊了。

显：(急躁地站起来)你没事就跟我提大明宫,提大明宫的牡丹,没完没了！我现在受够了！我告诉你,长安跟咱们永远没有关系了,从今往后再也别跟我说一点有关长安的事情！你让我烦透了！

韦氏被显的态度惊呆了，愣愣地看了他一会儿，眼圈红了起来。

这时一名年迈的家仆走进来。

家仆：王爷，有长安特使求见。

显紧张起来，握着香囊的手禁不住神经质地抖动着，头上又开始冒汗。

显：（警惕地）他们要干什么？

家仆：他们轻纱蒙面，神色诡秘，说是有要事一定要面见王爷。

显：（开始退向屋里）我不见，我不见！我知道他们的要事，他们是来要我的命的！我知道母后不会放过我，她现在要称帝了，就更不会放过我！我不见！你告诉他们，我已经死了，让他们赶快回去，我跟死了没有区别！

韦氏擦掉眼泪，站起来握住显的手。

韦氏：是福是祸，还不知道，先别自己乱了方寸！我想母亲没有道理杀你！

显安静下来，顺从地跟着她一起坐下，但腿紧张地在椅子上微微抖动。

韦氏：把他们叫进来吧！

家仆转身走出去。

韦氏：（轻抚着他的手，宽慰地）母后如果登基，只能原谅李家的人，而且你还是她的儿子。如果她因为地位不稳，非要杀你，也是命中注定，我会陪着你，也算了却了待在这个偏僻、荒蛮的地方一生无尽的折磨。

这时杂沓的脚步声穿过厅堂越来越近，显也越来越紧张，手指僵直地拉紧香囊。随着脚步声停在他的面前，破旧的香囊也被拉断，他猛地抬起头，看见李元季正摘去脸上的轻纱。显惊喜地站起来，上前抱住李元季。

显：你来就好了，你来了就没事儿了，你怎么来了？！

李元季：我们奉命来看望你。

显：（眼泪流了下来）母亲还没有忘记我，她的身体还好吗？宫里现在怎么样了？

李元季：旦已经退位了，现在群臣在一致推荐您……

显：母亲又立我了？

李元季：（犹豫片刻）我们正是要把您接回去。

显：那好啊，咱们走吧，这个破地方我是一刻也待不下去了！

说着就要往外走。

韦氏：你回来！

显有些茫然地回头看着韦氏。

韦氏：（对李元季）李元季，你是皇族里面和庐陵王关系最好的，你们从小一起长大，王爷对你怎么样？

李元季：信任有加，恩重如山。

韦氏：怎么个恩重如山？

李元季：总章二年，我随李孝逸将军北征契丹，大败而归，按律应削爵为民，是王爷在先帝面前替我求情，才保住了现在的封号。

韦氏：那你现在为什么要害我们？

李元季躲避着韦氏的目光，低下头，用手中的轻纱擦汗。

李元季：王妃的话元季不明白！

韦氏：我问你，册立的诏书在哪里？迎帝的仪仗在哪里？你为什么又轻纱蒙面，行踪诡秘？告诉我，宫里到底发生了什么变故？

李元季嗫嚅着，汗如雨下，突然掉头走到一直在屋檐下的显的身边，跪倒在地，失声痛哭。

李元季：王爷，睿宗皇帝写下退位诏书，把皇位禅让给了太后，现在朝廷上下一片沸腾。亲李大臣已经在午门外罢朝多日，郑世勋大人悬剑自刎以死相谏。但皇帝铁石心肠，不肯收回诏书，眼看着李唐王朝就要毁于一旦。现在只有您能挽危澜于即倾。满朝文武派我来接您回京主持大局。王爷，现在江山、社稷危在旦夕，您可千万不能袖手旁观呀！

显：（眉头紧皱）王妃说你们在害我，你们真是在害我！

李元季：恳请王爷以李唐王朝的大业为重，暂时忘却个人的安危！现在满朝文武支持您，伦理纲常支持您，只要您肯回来，一定会扭转危局。

显神情有些激动，走到韦氏身边，抓起她的手。

显：也许这次是上天真随了你的心愿，我们回去吧。是祸是福，听天由命吧！

韦氏抽出手来，走到李元季面前。

韦氏：元季，你站起来，让我好好看看你。

李元季站起身，直视着韦氏。

韦氏：我一直以为你是李姓皇族中最有心机、最不乏才智的人。今天我才明白，你是徒有虚名呀，你想过没有，我们是一代废君，私自从流放地回京，按律应该怎么处置？

李元季：（用几乎听不清的低声）斩！

韦氏：对。我们一到京都，马上就会死于非命，还谈什么拯救社稷？！你们难道准备让一具死尸登基主政吗？你们也会被冠以拥立废君谋逆的罪名一同处斩，还谈什么救亡大业？！

李元季：（长叹一声）我出京的时候，韩王就已经想到了这一点，请你们回京也是没有办法的办法。

韦氏：（抓起显的手）没有圣旨，我们就是有再大的心愿，也寸步难行。

李元季：那就请王爷写一封信，劝请睿宗不要退位，韩王说李家皇子中只剩下您了，也许只有您的话才能劝睿宗皇帝回心转意。

显刚被打落的热情又死灰复燃。

显：好，我马上就写。

韦氏：你怎么写？

显：（又惊住）我……我劝他不要退位呀！

韦氏：你知道他为什么要退位吗？你知道他心里想的是什么吗？你知道用什么理由才能打动他吗？

显：我……我……

韦氏思忖片刻，拉起显。

韦氏：我们一起写吧。（转向李元季）你在这儿等一会儿，我们马上就会写好。

两人一同进屋。

李元季焦急地在花园里走来走去,突然看见满园盛开的牡丹。这时年迈的仆人端着茶点走来。

李元季:这牡丹是王爷养的?

家仆:是王妃养的。

李元季:无事可做,也只好养些花草打发时光了。

家仆:这您可就想错了,王妃念念不忘皇宫的繁华,许下宏愿,只要能在房陵州这块贫瘠的土地上养治娇嫩无比的牡丹,上天就一定会保佑她重返长安。多年的精心养护呀,真是难为她了。

李元季若有所思,突然明白了什么,会心地微笑,似乎已经放心。

良久,夕阳笼罩了花园,韦氏单独从书房中出来,把信交给李元季。

韦氏:你把信带回去吧!

李元季:大唐一定不会忘记王爷和王妃的赤胆忠心。我这就向王爷辞行,马上赶回长安。

韦氏:王爷思虑过度,最近身体又总是不好,想要休息一会儿,就不必用这些虚礼打扰他了。你快回吧!

李元季施礼告退,急匆匆走出门去。

显从屋中走出来,神情非常失落。韦氏看了他一眼,弯腰捡起地上破裂的香囊,交到他的手里。

韦氏:我们也许很快就会回到长安了。

显:(一把打掉香囊)我没脸再回长安了!

两行热泪流了下来。

9. 午门　夜晚　外景

聚集在宫门外的众臣疲惫不堪。他们有的席地而卧,有的嘴中念念有词地来回踱步，有的靠在宫墙上昏昏欲睡。韩王李元嘉背手而立，面对夜色，神情焦急而悲凉。热情而偏执的火焰把他的眼睛烧得异常明亮。这时一阵急促的马蹄声传来，众人纷纷挣扎地爬起，聚拢过来。

李元季翻身下马。

李元季：庐陵王来信了，大唐有救了！

他把信呈交给韩王，韩王焦急地撕开信，紧张地阅读。读后脸色异常沮丧，双手软弱地垂下来，信也飘落在地上。

李元季捡起信，小声念出其中一段："庐陵王偕王妃恭祝母亲登基主政。"

李元嘉：（仰天长叹）李家皇子不成器，大唐完了，天呀，谁还能拯救大唐呀！

群臣目瞪口呆，有人开始小声啜泣。

李元嘉悲凉地向人群外走去。

李元嘉：（不住叨念着）完了，完了，李家无人了！李家无人了……

这时一老臣在他身边怯怯地说：还有一人……

李元嘉站住，眼中又闪现出一丝希望。

李元嘉：太平？对，还有太平！

第二十二集

1. 太庙　白天　内景

随着一声沉闷、沙哑的声响,太庙的大门打开了。透过从两侧窗棂中斜射进来的阳光和在阳光中浮动的尘埃,太平看见李氏先皇的肖像和肖像下面各种神器。一名太监侧身请太平进入。

旁白:太庙是我们这个家庭最神秘的地方,每一次参加祭典,画像上先辈们沉郁莫测的表情都让我感到隐隐地不安,他们每个人都似乎在讲述着我们这个权力家族沉重血腥的历史,同时无言地强调着后世子孙的职责与义务。

太平:约我的人呢?
太平问引她进入的太监。
太监摇头。
太平:是什么人约我?
太监:奴才也不知道,只是内侍总管命小人把公主带到这里。

太平上前点燃一炷香，向祖先施礼。当她把香插好，身后响起杂沓的脚步声。她一回头，发现身后站满了以李元嘉为首的李姓老臣。看着他们凝重、悲切的表情，她似乎明白了什么。

李元嘉：公主还认识老臣吗？

太平思索地看了看他，摇摇头。

太平：您是……

李元嘉：绛州刺史，韩王李元嘉……

太平：我想起来了，您是李家有名的勇士，您离开京城已经有十年了。

李元嘉：十年了，我在绛州又增加了十几处刀伤，无数次契丹人的围城之险让我更加衰老憔悴。

太平：我还记得您进入太庙时哥哥们钦佩的目光，您当时是惟一有资格佩剑祭典先王的皇族。

李元嘉：十年前，老臣最后一次见到公主，就是在这里，当时的祭祖大典上，您和诸位皇子就站在我的面前。您的哥哥们英气勃发，俊朗非凡，连您身上都焕发着一股逼人的英气。看着先帝们的面容，我感到欣慰，同时感到了上天赐予大唐的福祉和希望。第二天，我就要远征镇守绛州了，但我不是带着一个老年人离乡去国的伤感，而是怀着一种伟大亲情和壮志离开长安。我为自己身为这样一个伟大皇室的一员感到骄傲，能为我们的家族、为大唐的安危尽一份守疆卫土的绵薄之力而斗志昂扬。

说着泪流满面，跪倒在地。

李元嘉：我当时怎么也不会想到，短短十年，李家就会落到这步田地。一个初生的皇族还未把它的辉煌照彻大地就要……您的哥哥们或死或离，或者意志消沉。当时参加那次伟大祭典的，只剩下您一个人了，没有人来拯救李唐，明天的太阳也许就不再属于李氏家族了。面对列祖列宗，您不感到痛心吗？

太平看着自己手里的香，一时不知所措，她身边老臣们纷纷跪下。

第二十二集

李元嘉：您是太后最信赖的人，您说的话她会考虑的。您是李家最后一线希望。

另一老臣：现在皇帝去意已决，庐陵王偏安一方，宫内只剩下您一个人了，李唐王朝的基业全仰仗您了。我们冒死请求您，请您一定要担负起一个大唐公主应尽的职责与义务。

太平的神情随着他们的话语激昂起来。

这时武则天的声音从门外传来，语气强硬。

武则天：各位过虑了，大唐不会因为我而灭亡！这里敬奉的先帝也是我武则天的列祖列宗，各位请回吧！

随着她的缓缓进入，神策军包围了李氏众臣，两人一组，架起李姓皇族往外去。众人被武则天的突然而至惊愕不已，失去了最后一丝挣扎的勇气。只有李元嘉回头大呼！

李元嘉：公主，列祖列宗在看着你，李家的英灵在看着你，你不要让他们失望……

太庙又重新安静下来，太平沉思不语，然后准备离开，经过武则天的身边。

武则天：我要称帝了！

太平：（顿了一下，低眉）恭喜你！

说罢，又准备向外走。

武则天：我应该感谢你，是你最后坚定了我的决心。

太平停下来，有些不解地看着母亲。

武则天：你知道吗，我在来太庙的路上还有些犹豫不决，但是当我看见你被他们包围，我知道，摆在我面前的路只有一条了。他们正在把我最亲爱的女儿变成我的敌人，我不允许他们这样做。惟一能制止他们的，就是立即结束这场纷争。所以我必须登基。

武则天凝视了一会儿太平，又把目光投向先王们的画像。

武则天：我不喜欢你看我时的样子，你在谴责我对权力的执迷。那好，我告诉你,我热爱权力,我害怕失去权力。我从来没有告诉过你,四十年前,你有过一个刚出世就死去的姐姐,因为那时我没有权力,而且随时都可能死于权力,所以我必须牺牲自己的亲生女儿来获得它。这件事使我痛苦到几乎疯狂,但是疯狂使我异常冷静地看清了一个真理。在皇宫这个地方,没有权力,就意味着丧失一切,首先是自己的亲人。我不能再失去你,所以我必须更牢固地抓紧权力。

太平:如果是这样,你还会失去更多的。

武则天:我的一个儿子死了,另一个儿子把我当成敌人,也死了,死于自己的偏执与仇恨。第三个儿子流落天涯,我也许永远不能再见到他。我的丈夫带着对我的怨恨离开人世。为了权力,我已经失去了这么多,如果现在放弃,你觉得公平吗?

太平:我不知道……权力也许真的很邪恶。

武则天:不,它一点也不邪恶。(说着一指列祖列宗的画像)你看,这是你的曾祖父,李渊,他为了权力成为隋朝的逆臣贼子。这是你的祖父李世民,他为了权力杀死了自己的两个兄弟。他们曾经被多少人诟病为邪恶呀!他们就是用这邪恶的权力拯救了天下百姓,建立了太平盛世。他们是难得的英君明主!

太平:但你是一个女人,所有人都反对女人做皇帝,已经为此流了那么多的血……

武则天:但我已经不是女人了,从政三十六年,因为选择了权力,我放弃了做女人的一切属性,我等于没有丈夫,在我披星戴月批改奏章的时候,你的父亲和我的姐姐、侄女寻欢作乐。我的儿子们害怕我,甚至仇恨我。因为我没有时间和他们在一起,我很少体验到一个母亲的幸福,甚至每天早晨,别的女人在梳洗打扮的时候,我却在冥思苦想,为国事忧心忡忡。我做的哪件事是女人该做的!三十六年了,我牺牲女人的一切快乐,把所有的关注与体验都交与了朝政,这甚至已经变成了我惟一的爱情,我能把它托付给一个不称职的人吗?

第二十二集

太平：也许把显接回来，继续垂帘听政，就会平息这场纷争……

武则天：你错了，从上官仪开始，宫廷内部不断在流血，到了徐敬业，更演变成尸骨如山的战争。这都是因为我没有一个合法的名义。如果继续这样，还会有无尽的流血纷争。皇位是什么？只不过是治国者的资格。我现在就要用我的铁腕赋予女人这样的资格。女人不能称帝，只不过是一个过时而不合理的传统，我要废除这个传统，这也许是我一生中最伟大的政绩。

武则天目光明亮，面孔绯红，挑战般地凝视着李氏先王的画像，然后转身离去，留下太平在先皇们的瞩目下沉思不语。

2. 大明宫勤政殿　白天　内景

大殿内匍匐着众臣，一侧跪的是李家的遗老遗少，个个神色悲戚。另一侧跪的是亲武的朝臣，皆目光恳切，相对轻松。武则天坐在珠帘后，越过斜前方空空的龙椅平静地注视着众人。

殿外阳光充足，白亮亮地堵住殿门，以至于当太平和李隆基刚刚跨进殿门时，只是两个令视力慌张的黑色轮廓，亲李的大臣急忙调转身，求助一般地望着太平逐渐清晰的身影，仿佛想从太平沉静的面容上读出哪怕是半点儿令人兴奋的含义。而亲武的众臣则依旧跪向武则天，心情忐忑地感受着太平迫近的脚步。殿内鸦雀无声……太平步伐稳重，她望着迎面而来的一个个急切的表情……

旁白：那是我生平第二次临朝，这一次却有着迥然不同的心情和目的。我望着眼前李家的忠臣们一片耀眼的期待目光，意识到在我与母亲这场深刻持久的情感纷争中已经加入了旁的因素。政治就这样猝不及防地落入我的视野。我不再仅仅是一个失意的女儿，我代表着一脉尊贵的血统，我的声音将是李氏的声音。我知道我将说出的话，要么挑起两个同样野心勃勃的姓氏之间仇恨的战争，要么，像我的出生那样，为天下再次带来太平。

太平已行至龙位前，她神情肃穆地同李隆基跪下。帘后的武则天禁不住紧张地闭上眼睛……

太平：太平公主恭请圣母皇太后光荣登基称帝，以应神明恩泽，万民祈愿！

武则天长舒了一口气。她睁开眼，一闪即逝的笑容划过面颊。

大殿内已响起哭声。

李隆基：奶奶，奶奶，你在哪儿？

亢奋的登基音乐随之而起。

3. 大明宫勤政殿广场　白天　外景

一群白鸽在天空翱翔，队形整齐地向一片碧蓝的天空斜刺而去。登基的鼓乐响彻天宇。武则天平静地仰望着鸽子的走向，继而把目光投向广场上正在行跪拜大礼的密密麻麻的人群。她伸出双臂，示意停止鼓乐。广场上就只剩下鸽哨孤独的鸣响。

旁白：天授六年，母亲登基，改国号周，唐王朝平静地覆灭。伴随它的只有从母亲身后腾空而起的一群鸽子，那是惟一一丝来自李家的遥远声音……

武则天缓步走上大殿台阶，高高在上，殷红色的大礼服如同一面旗帜。

武则天转过身来，平静地注视着眼前的天下，像一位母亲镇定地凝视自己一群长大的孩子。她嘴角嚅动了两下。

武则天：你们……要听话！

她的声音激起海潮般的一片回声……

4. 湖心岛　白天　外景

轻歌曼舞，觥筹交错。就餐的长案两侧坐满因刚得天下而得意扬扬的武家子弟。长案两头是武则天和太平。

一民间艺人模样的人恭立在武则天一侧，胳膊上停着一只鹦鹉，所有人的注意力都集中在鹦鹉身上。

鹦鹉：女皇登基，万事大吉！

众人无声地交流着，点头称是。

武则天似乎并没理会鹦鹉的奉承，她注视着对面望着别处若有所思的太平。

鹦鹉：则天大帝，终成大器！

众人啧啧称叹，隐隐有议论声。太平依然毫无反应。

鹦鹉：李家兄弟，全无底气，李家兄弟，全无底气……

众人终于忍不住笑起来，继而演绎成志得意满的哄笑。太平转过头，愤愤地看着母亲。

武则天的脸上并无笑意。

武则天：(冷冷地) 你们笑什么？……武承嗣，你笑什么？

武承嗣望着武则天，一时不知如何回答，笑僵在脸上。

武承嗣：我……

众人皆意识到武则天的寒冷，皆住了笑，紧张起来。

武则天：我问你，你笑什么？

武承嗣：我，没，没什么，就是觉得挺好笑的……

武则天：那你告诉我，什么让你觉得挺好笑？

武承嗣：其实……也没有什么……值得笑的……

武则天：这就是你给我的回答？

武承嗣：是，是的，圣上！

武则天：为什么？你什么意思？

武承嗣：就是为了……表明您登基是多么顺应天意，连鸟儿都大唱颂歌……

武则天：鸟儿也会唱赞歌？你真的相信？

众人都面面相觑。武承嗣更尴尬。

武则天：你们很让我失望！你们同每一代开国的人犯着同样愚蠢的错误，张牙舞爪，居功自傲，惟一的区别是你们连功德都无从谈起！……三思，你怎么看大周？是福是祸？

武三思：能……摄取前车之鉴，谨慎治国，则是福！盲目乐观，妄自尊大，则是祸！

武则天：你怎么看李家？

武三思：这……

武则天：我告诉你们，没有李家就没有我，没有我就没有武家，你们只是一群祖籍并州的乡野村夫。李家是你们的祖宗，是大周朝的开国元老，你们明白吗？

众人：（众口不一）是！

武则天端起酒杯，站起身，众皆慌忙起身，被武则天制止。武则天直视着另一侧的太平。

武则天：太平，这一杯敬你，我谢谢你！

太平举杯，不置可否地喝下酒。

武则天坐下，面容见了些轻松。

武则天：这鸟儿第一句话说的什么？

武承嗣：（学舌地）女皇登基，万事大吉！

武则天：（轻松）这倒是实话，怎么你们反而不笑？

众释然，餐桌上又恢复了活气。

武三思：（举杯，站起）圣上，我有一折相奏！

第二十二集

武则天：说吧。

武三思：太平公主朝堂之举，震惊四野，可谓大智大勇，能以社稷利益为大义，忘却小恩小怨，不论是大唐，还是大周，都应以拥有这样的公主而自豪！圣上，我建议您赐武姓于太平，昭示大周上下对公主的敬意！

太平微微皱了一下眉头。

武则天：准了，我当然要准！从今往后，赐皇姓于太平。我们武家就正式多了一位美丽骄傲的公主！为太平干杯！

众人皆起立，望着太平。

众人：为公主干杯！……为大周美丽的公主干杯！……

太平：（勉强挤出一丝笑）谢圣上隆恩！

武三思：……诸位，请慢坐！……圣上，我还有一折相奏！

武则天：说。

武三思：请圣上将公主嫁给我！……我武三思从见到公主的第一面起，就倾慕于公主惊世骇俗的美丽，更重要的是，公主还拥有同您如出一辙的惊世骇俗的勇气和智慧。能与公主喜结良缘，是世界上任何一个男人可能获得的最大幸福！……（转向太平）太平，我曾说过，没有人能读懂您的美丽，更不用奢谈您的心灵，我懂！我们郎才女貌，我能给予你女人的全部快乐！太平，您不认为应该嫁给我吗？

太平在四下里的一片喝彩声中冷冷地盯视着武三思。

武则天：这，这是好事啊！……三思是我最器重的武家才子，人又相貌堂堂，你们成婚，定能成为天下一道人见人爱的美景……

太平：母亲，请您允许我先于一步离开……

武则天：太平，你不认为武三思的求婚值得考虑吗？

太平：真的吗？……那我告诉您我对这个人的看法，他除了效忠自己的姓氏之外一无是处。他刚才的一番话是大周成立以来我听到的最坏消息……告辞了！

5. 皇宫甬道　白天　外景

太平孤独地行进在宫廷甬道上。

旁白：我感到无边无际的悲凉，我这才意识到我曾泰然处之的姓氏原来是多么大的一项荣誉，而如今却一去不复返了。我这个前朝遗孤，仅仅因为母亲这个永远的赢家的恩赐而受到礼遇。我感到孤独，虽说大明宫依旧如昨，惟一的区别是只剩下我一个李姓皇族，而此刻就连这个荣耀都正在被剥夺……

6. 大明宫勤政殿　白天　内景

武则天端坐在龙椅上，两边分列着文武大臣。一个划时代的开始似乎使他们都焕发了活力，甚至连他们的装束也显示出一个女性主政时代的活跃与魅力。一个太监高声宣谕。

太监：宣平西行军大总管武攸嗣晋见。

随着一声声太监与神策军士的宣谕，武攸嗣身披戎装，气宇轩昂地走入。

武攸嗣：（倒地参拜）臣武攸嗣参见武皇，祝武皇万岁，万岁，万万岁。

武则天：免了，攸嗣，站起来，让我好好看看你。

武攸嗣站起来，显得威武异常。

武则天：穿上这身戎装，倒让你看起来威武了不少。看来我们武家真是人才辈出，连你都能给我一个意外的惊喜。说说，你是怎么打的胜仗呀？

武攸嗣：启禀皇帝，自从离开长安，我带着十万大周义勇将士，日夜兼程，不敢有丝毫耽搁，直奔前敌。一路上，我不断鼓舞手下将士为您，为大周百姓，为高贵非凡的公主殿下英勇杀敌。

武则天：过场话就省了吧，说说战况。

武攸嗣：短短五个昼夜，我们就到达凉州，入城不到一日，回鹘大军就兵临城下。我立即率军杀出城外，与敌阵对峙。这时飞骑特使传报：大唐终结，武皇登基，大周建立。听到这个喜讯，我不仅斗志昂扬，振臂高呼为大周神圣皇帝捐躯，将士们也被我鼓舞得热血沸腾，纷纷要求第一个冲锋陷阵。

武则天：这都是废话，仗是怎么打的呀？

武攸嗣：（开始有些不自信）正当我要挥剑冲锋的时候，突然刮起一阵铺天盖地的狂风，吹得昏天黑地，吹得我们不辨南北东西。我急令全军严守队形，以静制动。

武则天：敌人攻上来了？

武攸嗣：（声音低了几分）没有，等风过去，我们再睁眼一看，回鹘人已经不见了。

武则天：这就是你打的胜仗？

武攸嗣：（脸红了，嗫嚅着）我想这是天助我大周帝国得胜……

武则天：你就这样让敌人跑了？

武攸嗣：没有！我……我急令将士整装进击，追袭敌军。

武则天：追了多少里呀？

武攸嗣：追出好远！

武则天：好远是多远？

武攸嗣：怎么也得有五里……

群臣开始窃笑，武攸嗣更加局促不安。

武攸嗣：也许是十里吧……

群臣的笑声更响亮。

武攸嗣：大概更多一点。

武则天：难道连一个残兵败将都没有抓到？

武攸嗣：没有！

武则天：我听说你倒是损失了一队人马。

武攸嗣：（完全委顿下去）我军战马不习风沙，被惊散了一些，好在大部分又回来了。

武则天：你怎么不在得胜奏章里提及呢？

武攸嗣：我……我想行军打仗，有点损……失，在所难免。

武则天：你这个胜仗赢得真是奇怪，敌人的首级一个都没带回来，反倒丢失了自己的许多士卒。

武攸嗣：大漠荒荒，我军又不辨方位，我怕贸然挺进，会中敌诡计，好在……

武则天：你这仗打得倒是轻松，还有点儿怯战的嫌疑，可不管怎么说，这也勉强……算个胜仗！不过你倒是给我出了难题，你没有一个敌首作为凭证，让我怎么赏你呢？

武攸嗣：我不要奖赏。

群臣笑声更加放肆。

武则天：那怎么成。按功行赏是国家的法度。赏还是要赏的。

说完沉思地看着武攸嗣，似乎真被一个问题难住了。

武攸嗣满脸通红，被盯得局促不安。

武则天：就赏你采邑五百，封……兵不血刃大将军吧！

群臣再也不能自持，全殿爆发出一阵哄堂大笑……

7. 甬道　白天　外景

武则天的车辇缓缓而行，一太监飞跑而至，跪在车前。

太监：圣上，出，出事了！

车停。

武则天：怎么了？

太监：兵不血刃大将军武攸嗣站在宫门上要自杀，他说他……受不了这样的污辱！

武则天：胡闹！……他是指责我污辱他了？好啊，那就让他死吧……

太监：可他又站在那儿不死，从下朝到现在起码有两个时辰了，城下围的全是人，守城卫士人心惶惶，无法执行公务……静德王爷让我问问您的意思！

武则天：没出息的东西！告诉静德王，武攸嗣哗众取宠，扰乱世风，把他就地拿下关押待旨！

太监：是！

8. 宫门　白天　外景

城楼上武攸嗣倚墙而立，他神色悲哀地望着城下围观的众人。武三思骑在马上仰脸望着武攸嗣，一脸戏谑之色。

武三思：三弟，已经整整两个时辰了，你还是不想死？要跳都可以跳十回了……（众人笑）你下来吧！兵不血刃怎么了？这也是一项荣誉，不论大唐还是大周，这还是头一遭有此封号呢！有什么难为情的？

武攸嗣的眼泪在眼里打转儿，他跌坐在城垛儿上。守城护卫小心翼翼地开始行动。

武攸嗣看见摸上城楼的军士。

武攸嗣：（惊慌地）站住别动！谁也别过来，我，我说跳就跳！……

武攸嗣几乎哭出来。

这时太平默默地走上箭楼，神情肃穆。守城卫士忙让出一条路。

太平：攸嗣……

武攸嗣：太平，我……

武攸嗣无地自容，一条腿迈过了城垛儿。楼下众人纷纷后退。

太平：攸嗣，你干什么？！

武攸嗣：我……没脸见你！圣上封我为兵不血刃大将军，这叫什么名儿啊！你别过来……我没脸见你……

太平：我都知道了……

武攸嗣：他们为什么这样待我？为什么没人看得起我？……我做错什么了？……我在前方浴血奋战，为的是能打个大胜仗给他们看看，回来见你也能挺直腰板儿……可没想到就刮起了该死的大风，又不是我让刮的，我能怎么办？……太平，我没脸再活下去了，我满心欢喜地回来见你，可他们不让，那这一切还有什么意义？！

武攸嗣说着终于哭出了声儿。

武三思在城下眯眼仰望着太平和低头抽泣的武攸嗣，表情复杂。

太平：这一切都还有意义！起码对我！……攸嗣，你没有食言，你回来了，而且打了胜仗！

武攸嗣：这算什么胜仗？

太平：对我来讲，这就是胜仗。不管什么形式，你都将回鹘人赶出了大漠，这是从大唐以来朝廷就有的夙愿，你应该感到光荣！

武攸嗣：……真的？你……真这么认为？

城下宣旨官飞跑而至。

宣旨官：静德王武三思听旨！

武三思忙翻身下马，跪拜。

宣旨官：兵不血刃大将军武攸嗣公然藐视圣上封号，哗众取宠，扰乱世风军心，现命静德王将他就地拿下，押回刑部待旨！钦此！

武三思：静德王武三思听旨！

武三思起身，坚决地吩咐手下向城楼上冲去。

城楼上。

太平：攸嗣，下来，我为你接风洗尘……

武三思一行鱼贯而入。

武三思：三弟，晚了！你不死都不行了，圣上派我来拿你回朝，你祸闯大了！……上！

第二十二集

武三思的手下呈扇面向武攸嗣包围。

太平：慢！谁也不许动他！……

兵士站住，一时尴尬。

太平：攸嗣，你要真想死，现在就跳下去！要活，就跟我走。

武攸嗣犹豫着下来，快快地跟在太平身后，俩人经过武三思时，被他叫住。

武三思：公主，你在树一个最危险的敌人！

太平：是吗？

武三思：公主这已是第二次在我手里抢人了，我视做污辱！我武三思是爱听世界上最美的曲子，但如果听不到，我就杀了那乐师！……我不会放过你！……

太平：那我们走着瞧吧！

太平带着武攸嗣拂袖而去，行至楼梯口，听见武三思恼羞成怒，甚至有些歇斯底里的喊声。

武三思：有本事你就嫁给那个懦夫、胆小鬼！否则，别让我抓住他！

9. 太平府外　白天　外景

武三思指挥部下将太平府围得水泄不通。

10. 太平府堂屋　白天　内景

一侍女神色慌张地跑进来。

侍女：公主，不好了，全是武三思的人，说是奉了圣上的旨意，必须拿走武大人！

太平：知道了……

武攸嗣在一旁急得打自己。

武攸嗣：公主，都怪我一时糊涂，连累了您，没事我自什么杀呀我。引出多大的乱子……我该死！我该死！我怎么干出这样的蠢事，简直昏了头……

太平始终镇定自若，似乎已在心中想好主意。

太平：(吩咐侍女) 吩咐膳房备宴，晚上我请武三思大人吃饭！

13. 太平府堂屋　夜晚　内景

武三思进来，见桌上的酒菜，不觉一愣，转而笑了。

武三思：三弟死到临头，竟然还有这等闲情逸致？

武攸嗣一脸苦笑，看着太平。

武攸嗣：大哥，太平的意思……

太平站起身，为俩人倒满酒。

太平：武攸嗣，你说过你爱我？

武攸嗣一时不能适应这个问题，愣在那儿不知怎么回答。

武攸嗣：啊？我是说过……

太平：为什么？

武攸嗣：因，因为您……可爱！

太平：就这些？……现在呢？

武攸嗣：当然，从未改变……

太平：武三思，你也说过爱我，是吧？

武三思：不是说过，是对天盟誓！

太平：你凭什么爱我？

武三思：太多了！凭我的才华，凭我的智慧，凭我的能力让您成为世间最快乐的女人！还有……最重要的是，凭您母亲，当今圣上对我的嘱托和期望，她相信我能让公主幸福！

太平：你呢，攸嗣？

武攸嗣：我，我凭……我的心……

太平微笑，端起酒杯，二武也随着站起身。

太平：今天请二位来，是喝我结婚的喜酒！你们其中一位将成为我的证婚人！

太平望着面前的两张脸，一个自信，一个自卑甚至绝望。

太平：攸嗣，我今天决定嫁给你！你大哥是我们的证婚人，干杯，驸马！

太平一饮而尽，二武却都惊得说不出话来。武攸嗣大概受不了这突然的喜悦，一阵发呆后，竟然哭起来，不断地发问。

武攸嗣：这不可能！是我吗？……你说是跟我吗？！

太平调皮地望着呆立的武三思，亮着杯底儿。

太平：回去报喜请功吧！人你是永远也拿不走了！武大人……

旁白：我想象着母亲听到这个消息时的表情、甚至心跳的速度，为这最终属于我的胜利而浑身战抖。现在想起来真是过于天真，那感觉同我幼年时用自杀恐吓母亲如出一辙。这就是天下所有母女之争永远走不出的怪圈，女儿永远只会以最童稚的手段反抗母爱，不论反抗的背景是多么的成熟深沉！我曾经多么痛恨我公主的身份，然而却始终摆脱不了它的阴影。我这一次又专横地买断了自己的第二次婚姻，把它作为武器袭击了母亲曾经的罪恶……

第二十三集

1. 牡丹园　白天　外景

满园盛开着郁郁葱葱的蔷薇，纤小的白色花瓣如星星点缀着身后强大的绿色背景。牡丹已全然没了踪影，武则天出神地凝视着眼前的景致，婉儿站在她身后。

武则天：我最近明白了许多道理，以前不懂，还傻傻地跟皇上争……如今自己当了皇上，就懂了，也理解了许多他的愤怒……有一年向波斯使者赐"大唐国花图"，太平不懂事，背着我命令女红坊在锦卷上的牡丹周围绣了许多蔷薇，皇上龙颜大怒，连朝上大臣都觉得大祸临头……

婉儿：牡丹是大唐国花，理应惟我独尊，皇上恐怕是担心蔷薇与之争辉是别有用心。

武则天：我现在懂了……当皇上敏感是必然的，这个位置就规定着你不会很自信，因为你站得太高……所以天子住天下最华丽的宅子，穿最昂贵的锦缎，连吃饭的餐具都选用最纯、最稀有的金子……这实际在很大程度上是做给自己看，说服自己是多么与众不同，多么尊贵。于是，衣食住行就都有了意义。甚至爱好，例如这花儿，因为皇上爱它，所以就不容侵犯，侵犯了就是别有用心……婉儿，叫他们把牡丹植回来吧！还是两种花儿放在一起好看！

婉儿：可是，圣上，这蔷薇是您规定的大周国花，再把牡丹植回来，恐怕又要有人杜撰出别的意思来了！

武则天：花儿没有高低贵贱之分，喜欢什么，个人爱好而已，更象征不了什么！这正是我和皇上争执的核心……我至今还记得当年我是多么痛恨那些大臣无事生非的无聊嘴脸……不能做了皇上，就忘了当普通人时懂得的道理，我不想做那样的皇上！

婉儿：花苑的师傅们是按例行事，请圣上别怪罪他们……

武则天：我没怪罪他们，他们除牡丹和当年咬牙切齿地想要铲掉蔷薇的朝臣同出一辙，一帮趋炎附势的奴才而已……叫他们把牡丹植回来，至于天下，爱怎么想怎么想，我只觉得这样更美！

婉儿：遵旨！

武三思急急地走来，一脸无奈，甚至是委屈。

武三思：启禀圣上，武攸嗣我拿不来！

武则天：为什么，你不是挺能干的吗？

武三思：他躲在太平府里不出来，已经一天了，他还……

武则天：不是跟你讲了吗，等！再等他三天三夜，他总不能在那儿躲上一辈子吧？

武三思：圣上……他恐怕真的要在那儿躲一辈子了！

武则天：你什么意思？

武三思：他们成婚了！

武则天：什么？

武三思：他们成婚了，已喝了喜酒，还请我当了证婚人……

武则天怒目逼视着武三思。

武则天：说谎！你说谎！……你，你为什么不拦着他们？

武三思：圣上，我能做什么？……我是大周朝最坏的消息，公主眼里最无能的人！

武则天眼里又一次浮出可怕而坚决的神采。

武则天：……你回去，把武攸嗣给我抓回来，不管做什么，这是我的口谕！

武三思嘴角浮出一丝冷笑，他坚决地起身离去。

武则天：(烦躁)婉儿，回宫！……

婉儿：圣上……我……我有一句话，不知……

武则天：说！

婉儿：圣上，您是公主的母亲，不是她的……皇上！请圣上三思！

武则天定定地望着上官婉儿，一语不发。

2. 太平府外　白天　外景

每隔几步便有一堆干柴，武三思的人将太平府包围得很结实。武三思立于马首，死死地盯着太平府内的动静。

兵士：大人，柴都按您的意思堆好了！

一个侍女走出庭院，众目睽睽下在武三思马前画了一条横线。

侍女：(不卑不亢)公主有令，谁过这条线，格杀勿论！也包括您，武大人！……

武三思在马上冷笑。

武三思：好，我可以不过这条线！但回去转告公主，圣上手谕，案犯于黄昏前再不出来，看见这干柴了吗？就放火烧了房子！

3. 太平府内堂屋　白天　内景

武攸嗣瘫坐在太师椅上，神色紧张地盯着眼前来回走动凝眉怒目的太平。侍女垂手站在门口。

太平：他敢！我倒要看看谁敢烧我的府第！……你告诉武三思，人我留定了！

侍女：是。

武攸嗣：哎，别，别，太平，这……

太平：闭嘴！

武攸嗣：（结结巴巴）公，公主，我看算了吧！……这，玩儿得有点过分了！武三思可，可不是一般人，什么都做得出来！……公主，别折腾了！你把我交出去得了！……我，我本来没多大罪过，这么一闹……快赶上死罪了！……公主！

太平：你给我闭嘴！

武攸嗣：得，我自己出去！多谢公主一番好意！……早知这样，还不如刚才就从城门楼上跳下去……

武攸嗣已经走至院中。

太平：你站住！

武攸嗣：（一脸苦笑）哎哟，公主，别闹了！

太平：谁闹了！我嫁了你，你有什么可害怕的？你应该高兴！

武攸嗣：我，我当然高兴！……（跺脚）哎哟，太平，您别拿我开玩笑了，你嫁我干吗？我……我什么都不会，我兵不血刃，我连自杀都不敢……我，我不配……

太平：我嫁你什么都不干，从现在起，你就是我丈夫，就是大周的当朝驸马！

武攸嗣：圣上非车裂了我不可……

侍女从门外回来，打断武攸嗣的话。

侍女：公主，武大人说您还有一个时辰考虑……

武攸嗣突然凶猛起来，他大发雷霆，居然一脸杀气。

武攸嗣：他敢！你告诉他，他敢进来一步，别怪我刀下无情！……（转向太平）公主，谁敢碰您一个指头，我武攸嗣就敢剁了他整只手，太平，你放心，谁也不敢烧咱的房子！

太平望着陡然盛怒的武攸嗣，禁不住笑了出来！

4. 太平府外　夜晚　外景

夜幕降临，每个火堆都站了一个手持火把的兵士，一时间太平府外灯火晃动，一片动荡的杀气。

武三思：听着，准备点火！

宣旨官：圣上驾到——

武三思慌忙翻身下马。

武则天一行缓缓而至。

5. 太平府堂屋　夜晚　内景

二人并肩临窗而立。

武攸嗣：完了，完了，圣上来了……我，太平，我死定了！……这回你，你还非得嫁我了，否则，我真死定了！……

太平：（镇定）驸马，打起精神，跟我出去迎驾！

6. 太平府外　夜晚　外景

一片火光，映得人脸动荡不安。太平和武攸嗣跪在车辇前。

太平：太平公主，驸马武攸嗣叩见母皇！

武则天在车辇上俯身凝视他们。

武则天：哟！还画了条线，连我都不敢过了。驸马，你跪那么远干吗？跪近点儿，让我看看……

武攸嗣从太平身后闪出身，几乎是跪着往前蹭。

武则天：抬起头来！……要说这眉眼儿吗，也还算将就，虽说都不大清楚！也难怪，从来也没正眼仔细看看你！你不得了呀，还真把我女儿给娶了！谁的主意呀？

武攸嗣：是，太，太平的……

武则天：哟！那我还真小看你了，挺有魅力啊，兵不血刃大将军！

武攸嗣：不敢，不敢！承蒙公主看得起……

武则天突然一改戏谑的口气，语调威严。

武则天：……这是件好事！我当母亲的应该高兴！我祝你们白头偕老！婉儿……把我的礼物拿给太平……

婉儿拿出一个锦盒递给太平。

武则天：太平，你婚结得这么急，母亲也没来得及给你准备，你就拿着这个吧，算是我给你的一份礼物，你早晚用得着！

太平接过锦盒。

太平：谢圣上隆恩！谢母皇恩准女儿的婚事！

片刻的沉默。武则天缓缓地拨开珠帘,深情地望着太平。母女俩对视，武则天的眼里渐渐聚集了泪水。

武则天：平儿，好久没见你了，还是……那么漂亮！……回宫！

太平和武攸嗣怔怔地望着远去的车队。

7. 太平府堂屋　夜晚　内景

太平正在看锦盒里的内容，她的脸由于禁不住愤怒而抽搐着，悲愤的泪水滚滚而下。

旁白：母亲又一次战胜了我！就在刚才，我还在愉快地体验违背她意志的快意！然而，她却以一道手谕再次轻易地击败了我！她居然提前为我的婚姻宣判了死刑！居然以圣旨的名义特准我作为一个女人休掉自己丈夫的权力！我成了历史上第一个可以任意休夫的女人！……我精明的母亲，难道我们俩人的争斗终将以我悄无声息的惨败告终吗？

　　太平愤怒地扔掉卷轴。
　　武攸嗣不知是何物，诚惶诚恐地去捡。
　　武攸嗣：哎，别，别扔啊！这可是圣上赐给咱们的礼物……
　　太平：你别看！
　　武攸嗣：好好，不看，不看……
　　武攸嗣小心翼翼地将卷轴重又塞回锦盒。

　　8.薛绍陵　　夜晚　　内景

　　一盏孤灯忽明忽暗地映亮墓上的薛绍二字。四周一片静寂，只有太平的琴声凄婉地盘旋。太平脸上挂着晶亮的泪水，神色苍茫纷乱。

　　13.薛绍陵前　　夜晚　　内景

　　太平把琴小心翼翼地放在陵前的条案上，虔诚地盖好琴布。
　　太平：薛绍，我把琴还给你们了，它本来也不该属于我……我不想回家……我总是这么心血来潮，我嫁他纯粹是和母亲怄气！可他又是个好人，尽管无能……所幸的是我们之间没有感情，我嫁他恰恰因为没有爱情，因为我都给了你，所以我把这婚姻视作对我们爱情的保护，因为我不用付出……想来真可笑，新婚初夜，你让我等了一夜，因为我爱你，而现在我又让一个人等我，同样因为他爱我，而且同我当年一样强烈……

　　16.武攸嗣府庭院　　白天　　外景

　　太平步入庭院，环顾着四周陌生的景象。

第二十三集

旁白：这就是我的新家，我一生中理应充实的第二轮幸福。我不知道等待我的将是什么？……我慌张地凝望着我的丈夫，大周朝的新一任驸马，像是在审视我未来的生活。我从来没有这样仔细地看过他，他是健硕的，然而却流于沉重，头脑由于缺乏想象力而像他发达的肌肉那样朴实而笨拙……

此时武攸嗣正走出卧室。他抬眼注意到正默默关注自己的太平……他局促得手足无措，话说得结结巴巴。

武攸嗣：公，公主，回来了！……昨晚过得还好？……家里没事儿，都好，你别惦记……中生,中俊,赶紧告诉膳房，公主回来了。饿了吧太平？快进屋歇歇吧，吃点儿早饭……

18. **武攸嗣府卧室　白天　内景**

武攸嗣好像坐不住，在屋里来回转着，他在掩饰忐忑不安的心情。
武攸嗣：你要是不喜欢这儿，我马上让他们改，拆房子重盖都行……我也觉得哪儿不对！……原来这儿有幅画，昨晚上，我让他们给摘了，歪的，什么画匠，明儿个我换幅新的。公主喜欢什么，山水还是动物，采珍坊都有，老板是我至交……
太平：……你坐下！
武攸嗣：啊？好……我坐，坐会儿……
太平：你不怨我？
武攸嗣：怨？哪儿的话，我谢还来不及呢！
太平：你就不想知道我昨晚去哪儿了？
武攸嗣：不想！……想……哎呀，想不想有什么关系！公主肯定有事，回来就好……

太平：武攸嗣，你看着我……

武攸嗣艰难地面对着太平，笑容勉强，眼睛总试图着躲闪。

太平：你……爱我吗？说实话！

武攸嗣低下头，抬起来时眼里已有泪光闪动。

武攸嗣：公主问了多少遍了，我怎么会不爱呢？就在昨天我还都不敢想这个问题，我站在城楼上往远处看着，心里寻思：老家有多好，你好好的来长安干吗？又爱上你永远得不到的东西，公主恐怕难以想象那是怎样的一种心酸……

太平：我……理解！

武攸嗣：公主，我第一次见到您的时候就想，哪怕我有朝一日做公主的家仆也好，那样我就可以偷偷看您，尽全力服侍您，像悉心照顾一朵永不衰败的百合……谁能想到今天，我，居然娶了您，您无法理解这对我有多么的不真实，像一个梦，我甚至有点儿怕，怕您只是累了，在我这儿歇歇脚儿，明儿就走！……可那对我来讲，也已经是至高的幸福了……我只是不想太投入，我怕将来有一天我会受不了……您看我这唠唠叨叨的，没个大丈夫气，您烦了吧！……您睡吧！

武攸嗣说着向门口走去。

太平望着他，鼻子酸酸的，她又一次看到了爱情那令人心疼的真挚。

太平：你去哪儿？……回来！

武攸嗣的泪就流了下来，他闭上了眼睛……

旁白：从我丈夫身上，我又一次感觉到了爱情那令人感动的本质。只有当一个人孤独地坚守她时，爱情才是最美的。她仿佛是人体内秘密分泌的一种液体，血一样流遍你身体的每一个角落。爱情本身只属于想象，属于隐秘的愿望……当你一旦获得愿望中的爱情，她便变幻了容颜……也许她会如你所愿美丽依旧，也许最终只是一张没有生机的面具……这一切全凭你的运气。

第二十四集

旁白：也许所有的夫妻都要面对婚后漫长而单调的生活。我不知道百姓们都是以什么样的态度面对它。但是我，他们的公主，他们心目中最骄傲、高贵、颐指气使的女性却选择了忍耐。我不知道这是为了拯救自己可怜的婚姻，还是由于对母亲送的那件可憎的礼物产生的逆反心理。

1. 武攸嗣府堂屋　白天　内景

（伴随着旁白）太平与武攸嗣正在侍女们的伺候下共进早餐。能够看出太平已有身孕。武攸嗣在喋喋不休地谈论着政治，而太平却沉默不语。对他谈及的话题毫无兴趣。

武攸嗣：我和周兴连夜带着五百神策军包围了赵府，赵家人都还在梦里，被我一一拿下，没有一个逃脱。周兴一个劲儿地夸我，说我拿人从来没有出过纰漏。还说武卫大将军以前从来都是个闲职，只有到我武攸嗣这儿才为国家立下功勋，还说以后凤阁捉拿要犯的事都仰仗我武攸嗣了。

他边说边往嘴里胡乱地扒着早饭。

太平：乳饼好吃吗？

武攸嗣嘴里的饭还没有完全咽下。

武攸嗣：好吃。其实昨天夜里还是差点出了纰漏，赵家老小都抓齐了，就是找不到主犯——吏部尚书赵梦麟。周兴都有点急了，可我不急，我知道他不可能跑出去。我在他卧室里刚待了一会儿，就发现他藏在什么地方了，你猜我是怎么找着他的？

太平夹了一点食品放在碟中，慢慢地吃着。武攸嗣没有注意皱眉头的太平，继续喋喋不休，尽量讨太平欢心。

武攸嗣：（自己忍不住笑了出来）我发现从床下流出一道水印，原来赵梦麟吓得尿了裤子。我马上命人把他从床底下拉了出来。他吓坏了，浑身哆嗦，一点也没有和周大人吵架时的傲慢气派了。你说可笑不可笑？

太平无可如何地笑了笑。

武攸嗣：大周朝建立这么长时间了，还有好多老臣不死心，这不是自寻死路吗？朝臣们也真是不让圣上省心，三天两头就有人想造反，幸亏有周兴、来俊臣他们替圣上分忧，他们也真有本事，不管看起来多老实的大臣，只要让他们一查，就能发现反叛的证据。有那么多人不服你母亲，可她就是倒不了，这可能真是上天注定我们武家要坐天下。

太平把筷子重重地放在桌上。

太平：你能不能安静点？

武攸嗣：你不高兴了？其实你也是武家的人，听说最近连显都要改姓武了呢！你还是劝劝旦也快点改姓吧！显这是明摆着要和他争太子，不过旦确实不适合当皇帝，天天玩鸽子，弹琴。好多大臣私下说母皇最看重信任你，反正女主也不是什么新鲜事了……

太平的不满情绪愈发强烈。她无奈地盯着武攸嗣执迷不悟的神情。

太平：你吃饭时别总吧唧嘴，好吗？

武攸嗣一愣，一脸真诚地转向身边的侍女。

武攸嗣：我又吧唧嘴了？

侍女微笑着点点头。

武攸嗣：是吗？我这毛病怎么总也改不了……

他马上闭上嘴，把最后一点东西嚼完，眼巴巴看着太平站起身，又显出诚恳的样子。

武攸嗣：太平，你再多提醒我几次，我一定会改的……

太平：（轻叹了一下）你该上朝了……

2. 武攸嗣府庭院　白天　外景

太平从堂屋走出来，正准备回卧室去。

这时迎面来了两个人，前面是家仆中俊，身后的竟然是长大了的叶儿。叶儿看见太平，跪倒在地。

叶儿：娘，叶儿回来看您了。

太平端详了他一下，猛然醒悟，冲上去把叶儿搂进怀里。

太平：叶儿，真是你吗？这不是在做梦吗？

太平捧起叶儿的脸仔细端详，热泪涌了出来。

太平：你长大了，越来越像你父亲了，你怎么回来的？

叶儿确实长大了，眉目之间流露着未成熟的蛮气。

叶儿：我就是想让娘看看我长大了，我想娘！

太平：我也想叶儿呀！

母子两人紧紧抱在一起。

这时武攸嗣换好朝服出来，目睹这一幕，赶快示意太平让叶儿进屋。他拉着叶儿，推搡着太平进了卧室。

3. 武攸嗣卧室　白天　内景

武攸嗣进来，又急忙把门关好，一时不知该怎么办，站在一边紧张地搓着手。

武攸嗣：你怎么回来了？

太平：是春妈妈带你回来的吗？她在哪儿？

叶儿：春妈妈不知道，我是偷偷跑回来的。

太平：(有些生气)你怎么能这样？春妈妈知道了该多着急呀！你赶快回去！

武攸嗣：是呀，赶快回去吧，现在城里到处在抓人，你不知道这儿有多危险。

叶儿：(拭去泪水，神情坚定起来)我再也不回去了，春妈妈每天都提心吊胆地陪着我。一有陌生人在我们附近出现，她就紧张，每隔一段时间就带着我换一个地方住。我问她我的身世，她怎么也不肯告诉我。这样的日子我再也不想过了。我现在长大了，我想弄明白我的身世，我要知道我的父母到底是怎么死的……

太平：等你长成一个男子汉，我会告诉你的……

叶儿：他们像小孩子一样管着我，不让我离开他们一步。我这样永远也成不了一个男子汉。我再也不回去了！我要闯荡，游历，像所有那些有志气的男儿一样生活！我要自己弄清楚我身世的真相……

太平：胡说，我不许你胡闹，马上回到春妈妈身边去。

叶儿倔强地看着太平，一言不发。

太平：(又软下来)叶儿，你不知道我有多爱你，我每天都怕你出事，你要体谅娘的心情……

武攸嗣：是呀，叶儿，现在京都到处在调查乱党。没事的人都天天提心吊胆，何况……(他看了一眼太平)你赶快离开长安吧，我现在就安排你出城。

叶儿：娘，你保证有一天，会告诉我真相吗？

太平：会的，当你有能力承担真相的时候，我会把一切都告诉你。

叶儿：好，我现在就走。我一定要成为一个有本事的人，然后回来找您!

太平：攸嗣，你现在就送叶儿出城吧!

武攸嗣：对，越快越好。叶儿，咱们走吧!

叶儿再一次向太平施礼，准备出门。

太平突然心软了，情不自禁地拉住叶儿。

太平：叶儿，你陪娘住两天再走吧!

武攸嗣：太平，你怎么又变了……

叶儿回头看着太平。太平热泪盈眶，注视着他。

太平：（强忍地）你现在就走吧，赶快回到春妈妈那里，别再让我担心。

叶儿：我会照顾好自己的，请娘放心!

太平还想说什么，但是她似乎明白了叶儿的决心，感到无能为力。

4. 武攸嗣府庭院　夜晚　外景

卧室的灯亮着，里面晃动着太平不安的身影。

武攸嗣送叶儿回来，他在院中停住脚步，怔怔地望着映在卧室窗上的太平的剪影。

5. 武攸嗣卧室　夜晚　内景

武攸嗣进来时表现出一种干完大事的样子。

太平：怎么样?

武攸嗣：当然没有问题，谁敢挡我武卫大将军……

太平：那怎么这么晚才回来?

武攸嗣：我一直把他送到十里长亭。一路上我好好开导了他一番，劝他不要鲁莽，要善良，本分。这个孩子还算听我的话。我毕竟是他的长辈，还对他有救命之恩……

太平：但愿他能回到春的身边。

武攸嗣：他会回去的。我把自己的腰牌都给了他，走到哪儿都没有人敢拦。

太平：（摇摇头）你不明白这个孩子……我最担心他没有说实话，他不会回春那儿去的，他自己走了……

武攸嗣：不会吧？你想得太多了……

太平：（掩饰地）不管怎么说，他总算脱离了长安这个虎口，还得谢谢你。

武攸嗣：看你说的……

太平：你也累了一天了，去休息吧。

太平说完径自宽衣躺下。

武攸嗣：（挪到床边）太平，我今天就睡在这儿吧。

太平看他一眼，见武攸嗣一脸憨态，便向床里挪了挪身体。武攸嗣脱去官服躺下。他摸了一下太平的肩膀，太平没有反应，他呆呆地看了一会儿太平。

武攸嗣：你今天真好看。

说着把太平的手拿过来放在胸前，太平把手抽走。武攸嗣有些无趣地看着帐顶，两人无声。片刻。

武攸嗣：你在想什么？

太平：想儿子，想薛绍。

武攸嗣：叶儿是越长越像薛绍了。

太平：你说死去的人还能看见活着的人吗？

武攸嗣：怎么不能啊，我就认识好几个招魂的法师……我母亲就为我父亲招过魂，法师把脸涂得漆黑，嘴里……

武攸嗣一开口，话就跑了题。太平索然无味地叹了口气。

太平：（继续保持在自己的心情里）也不知道薛绍能不能理解我的一番苦心。

武攸嗣：要不明天我把桃花寺的马天师给你找来，也给你招一次魂，问问薛绍……

太平：（转身看着他）你相信长相守吗？

武攸嗣：相信！

太平：我也相信，但我不知道怎么坚守这样的感情。要是两个人无法沟通，这样的感情会不会成为一种相互的折磨呢？我和薛绍的悲剧就在这里，攸嗣……我不想再一次这样……

武攸嗣：你放心，我可不会像薛绍那么傻，放着好日子不过……

太平：（苦恼地哭了，摸了一下他的脸）你说我们会长相守吗？

武攸嗣：怎么不会，只要你对我好，我对你好……再说我们现在又有孩子……

太平：你觉得这就够了吗？你不觉得我们之间还缺少点什么吗？你觉得我们相互了解吗？

武攸嗣：我的心全给了你。可我永远不了解你……只要你让我对你好，我就心满意足了。

太平伤心地背转身去。武攸嗣意识到自己和太平话不投机，不知所措。

太平：算了，睡吧！

旁白：人与人有时候就像天上的星星一样，看起来离得那么近，仿佛就在身边，仿佛伸手就可触及，其实却相距遥远，永远不能心意相通。结婚四年以后，我最后一次试图与武攸嗣沟通的努力失败了。我不知道该怎么办！我感到冰冷的失望，这也许是世界上最彻底的绝望了。

6. 武则天寝宫　　白天　　外景

寝宫大门紧闭着。几个太监正在拦阻着怒气冲冲的薛怀义。

薛怀义：我要见武皇，为什么不让我进去！

太监：圣上吩咐了，你不能进去！

薛怀义野性大发，他不顾太监们的拉扯，擂动寝宫大门。

薛怀义：让我进去！你做了皇帝就忘了我，你忘恩负义！

大门内寂静无声。

薛怀义还在叫骂。

薛怀义：我知道你在想什么，你现在贵为皇帝！你想甩了我，好像什么都没有发生过。这不可能！你可以三天不见我，也可以永远不见，但我不会善罢甘休！我已经在万象宫里堆满了干柴，如果今天你再不见我，我就一把火烧掉它！

7. 武则天寝宫 白天 内景

薛怀义说这番话的时候，武则天就在宫内。她侧卧在床榻上，深深地陷在宫里幽暗的光线里。她闭着眼，听着外面狂躁而绝望的呼喊。可以想见她此刻心情并不轻松。

宫门在薛怀义的擂动下，隆隆震响。

婉儿忧心忡忡地看着武则天。

8. 议事殿 白天 内景

众臣或坐或立，皆神色焦急。武三思、武攸嗣皆在其中。狄仁杰身着官服从外面神色匆匆地进来，众臣皆起立。

张楚金：狄大人，您可来了，那恶和尚果然动了真格的，真要烧万象宫……

狄仁杰：知道了！堂堂大周朝，竟让一个男宠搅得天翻地覆，羞辱啊！

邓玄挺：他到处嚷嚷说圣上不再爱他了，他要报复！

狄仁杰：（难以置信）什么，就为这？

邓玄挺：就为这……

狄仁杰：胡闹！我当了十几年宰相，从没遇见过这样令人啼笑皆非的事！……圣上知道了？

张楚金：派人去报了！还没回信儿……

狄仁杰：哎！……我真后悔上次没一耳光将那恶和尚抽死！……万象宫是什么地方？那是皇家庙堂，是天人合一的圣殿，怎么一个男宠竟敢……

一太监神色匆匆地进来。

太监：圣上说身体欠佳，不能来和大人们议事，请各位大人回吧。

狄仁杰：是不是薛怀义还在宫里和圣上胡搅蛮缠？

太监：已经在寝宫外骂了大半天，圣上一直没有发话，谁也不知该怎么办……

邓玄挺：我们不能就这样静观事态！我看那不自量力的狂徒什么都做得出来！狄大人忘了那年吗？他两眼红通通地求咱们上奏，说他想和圣上结婚……那是个情痴！狄大人，您得……

狄仁杰：我能怎么办？谁都知道他是圣上最宠的人，不论他做什么，只能由圣上自己解决！

邓玄挺：圣上也是，他不就想见她一面吗！那就见一面嘛！

武三思：邓大人错了，圣上只要一露面，他就以为又受了宠，又会自作多情地天天往宫里跑，给各位眼睛里添堵。圣上这样是想淡着他，让他自己死心！

邓玄挺：难道我们只能任他胡作非为，让圣上被一个男宠囚困在宫中？

狄仁杰：圣上不见我们，并不说明她不想见。请各位大人与我一同去见圣上，你们看如何？

大家都认为狄仁杰言之有理。

9. 武则天寝宫　白天　内景

还是那个太监，又匆匆赶至宫中，向武则天禀报。

太监：圣上，狄大人和诸位大臣在寝宫外请求召见。

武则天微微睁开眼。

武则天：他们来干什么？

太监：各位大人听说薛怀义法师要烧万象宫，心急如焚，恳请圣上果断处置……

武则天：一个疯子的话他们也信！

门外又响起薛怀义的声音。

薛怀义：（画外）万象宫是我为你而建造的，你既然无情无义，我就一把火烧了它！……我有办法让你见我！

邓玄挺：（画外）薛怀义！你太狂妄了！万象宫是朝廷和百姓倾其所有建造的佛事圣殿，岂能毁于你发泄私欲的手中！

薛怀义：（画外）笑话！万象宫是我与圣上的爱情殿堂，我想怎样就怎样，与你们有何相干！

狄仁杰：（画外）薛怀义，你不要太放肆！

只听得外面人声大乱。一太监惊慌入。

太监：圣上，不好了，薛怀义抽了武大人的剑，要出人命了！

10. 武则天寝宫　白天　外景

薛怀义举剑直指狄仁杰。所有人都绷紧了神经，注视着他。神策军士举矛蜂拥而上，猝不及防地缴了薛怀义的剑，把他按在地下。

薛怀义匍匐在地上挣扎着。

薛怀义：（对寝宫）圣上，告诉他们你是怎么说的！万象宫是你赐予我的圣殿，我想怎样就怎样！我烧我砸，谁也管不着！如果你再不见我，我薛怀义绝不说第二句!

11. 武则天寝宫　白天　内景

武则天再也坐不住了。她从床榻上起身,来回踱着步,呈现出从来没有过的犹豫不决。

武则天:(脸色阴沉)让狄大人一个人进来。

片刻狄仁杰进来。

武则天:放了薛怀义。

狄仁杰:圣上,薛怀义胡作非为,口出狂言,辱没圣上,圣上如一味包庇,恐难以取信天下!

武则天心中的矛盾难以用言语表达。

武则天:让他去吧!他只是个孩子,性子耍完了,也就去了……

狄仁杰:(十分不理解)圣上,您对人对事向来奖惩严明,从不手软,为什么对这么一个不足挂齿的小人如此偏袒?……圣上如有难言之隐,在下愿尽犬马之劳……

武则天:(缓缓地)我在宫里住了一辈子,从三十几岁开始就噩梦相伴,他是我医治寂寞的一剂良药……

武则天婉转地道出了心中的苦衷。狄仁杰哑然了,沉默了一会儿。

狄仁杰:圣上的意思我明白了。

武则天不再说话。

狄仁杰默默地退下。

武则天重新回到幽暗的深处。

12. 武则天寝宫　白天　外景

薛怀义依然被按在地上,等待发落。

狄仁杰出来，脸色异常复杂。

狄仁杰：（沉重地）放了他！

邓玄挺等人都不敢相信自己的耳朵。

神策军士放开了薛怀义。薛怀义站起来，立刻恢复了昂扬的神情。他整理好衣服，对大臣们，也对寝宫中保持沉默的武则天。

薛怀义：圣上！还有你们！……你们等着，万象宫的大火将是我为大周朝献上的最灿烂的景色！

在众目睽睽之下，薛怀义凛然而去！

狄仁杰及众臣的目光皆投向武三思。

武三思：你们都看着我干吗？

狄仁杰：武大人，你掌管京城治安，又是圣上最器重的大臣，事到如今，只有你武大人可以拯救万象宫了！

武三思：……笑话！触怒龙颜的事倒成了我的责任？我怎么样他？拿他？圣上都放了他！劝他？诸位真的相信他会听我的？再说，他毕竟曾是圣上宠幸的人，万一圣上有一天回心转意，怪罪下来，你们不是往刀底下送我吗！

狄仁杰：那武大人的意思就是看着万象宫化为灰烬？那可象征着咱们大周的威仪啊！总得有人冒险一试……

一直沉默的武攸嗣发了话，怯怯的……

武攸嗣：要不，我去试试？……

所有人都看着他，带着疑虑。

武攸嗣：……我跟薛师傅有旧交，上次白马寺的和尚在西市闹事儿，是……我去拿的人，也，也是我在圣上那儿求的情，薛师傅还，还挺感谢我的……

武三思：对，对，诸位，我三弟和薛法师有交情！他兴许真行……

武三思有些幸灾乐祸。

13. 万象宫　夜晚　外景

武攸嗣东张西望地望着四周站立的和尚，个个都举着松明火把，身边堆着柴。他自作多情地吆喝。

武攸嗣：行了行了，众师兄，都撤了吧，别闹了！……都回去吧，回寺里去！……

14. 万象宫　夜晚　内景

殿内一片漆黑，武攸嗣拿着火炬，四处张望。

武攸嗣：薛兄，薛兄！我攸嗣啊！……

薛怀义：你来干什么？

声音从背后传来。武攸嗣吓了一跳，回头看见薛怀义站在身后，手举火把，脸上流露着不真实的亢奋，随火苗一起蹿动。薛怀义缓缓坐到大殿主座，将脚下的一堆火点燃，殿里明亮起来。

武攸嗣：（讨好地笑）哎呀，薛兄，别闹了！圣上派我来看看你，顺便告诉你……

薛怀义：（咆哮）怎么，她竟然派你来？！你算干吗的？

武攸嗣：我，我大小也是个朝廷命官……我来是想劝劝你，看在咱们俩的交情上，薛兄，你就算了吧！……

薛怀义：你我有什么交情！回去告诉圣上，谁来也不行！必须她自己来，我有话说！

武攸嗣：有什么话你告诉我，我一定转达！……薛兄，你也不想想，圣上是谁？天子成天日理万机，夜以继日地为大周操劳，哪儿有闲工夫……

薛怀义：我不管她是谁！她说过她爱我，不能就这么一脚踢了我，像抖垃圾一样把我薛怀义的感情倒掉……

武攸嗣：哎哟，我说薛兄，圣上可不是一般的女人，不是咱们说爱就能爱的……

薛怀义：你的意思是说圣上在骗我？！

武攸嗣：骗不骗的，我说不好，可她起码是哪天心情好，就顺口说了那么一句，你没必要当真！再说了，即使真是在骗你，能叫圣上这么骗，也已经是光荣了，你薛怀义并没白活……

武攸嗣的话无形中深深地刺痛了薛怀义。

薛怀义：来人！把武大人的头发给我剃了，算我送给圣上的礼物！……武攸嗣，我告诉你，咱俩不是一样的人！我薛怀义活就求个情字，我只要真心付出了，就图个正经回报，不论她是谁！这才叫大丈夫，敢真爱也敢真恨！不像你，还不如你老婆，为情所动，敢一剑结束自己情人的性命！……拉出去，把他给我剃光！……告诉圣上，她要不来，我就敢烧，反正活着也没什么意思！

两个和尚拥着武攸嗣往出走。

武攸嗣：哎，别，别……薛兄，你，你，你不能这样啊……我是可怜你，才……

15. 武攸嗣府庭院　早晨　外景

清晨，大门被轻轻推开，武攸嗣的光头首先伸进来，左右张望着，见院中无人，马上顺着墙边，向庭院一侧走去。

太平此时正好从卧室出来。看见武攸嗣光头的背影，叫住他。

太平：武攸嗣！

武攸嗣：哎，公主，这，这么早！

武攸嗣下意识地摸了摸自己的头，不知把它放在哪儿合适。

太平：你的头发呢？！

武攸嗣：……我……（自嘲地）这个疯和尚……

太平：告诉我，怎么回事？

武攸嗣：我……（难为情地）我去劝薛怀义别烧万象宫，没想到那个臭和尚一点儿面子不给，非要见圣上，我就说圣上那么忙，见你干吗呀？他，他就急了，就把我头发剪了……你看我这样子，这怎么上朝，又成笑话了……

太平：你自取！……我问你，凭什么让你去出这趟差！

武攸嗣：我，我还不是为了保住万象宫！……

16. 长安街　夜晚　外景

远处的一方天空被映得通红，浓烟滚滚。街市上的人们惊恐地眺首远望，喊声一片。

17. 武则天寝宫　夜晚　内景

武则天神色凝重，仰望着火光冲天的远处一语不发。她身后一溜儿跪着众臣。

狄仁杰：圣上，十恶不赦呀！万象宫作为大周皇家佛堂，几经磨难，耗资万千，才成此规模！那是咱们皇室威仪的象征，大周福祉的根基！我们建国寥寥几载，根基尚嫌幼嫩，我只怕这场大火会触犯神灵，伤了大周的元气，天理所不容呀！圣上，这薛怀义竟敢公然藐视您的威仪，取笑臣民的心血，其行为实与聚众谋反并无二致，能犯下如此人神共弃的恶行，即使是车裂凌迟也不足以平民愤、慰人心，请圣上明鉴！

武则天依然一语不发。

周兴：圣上，火球落到皇家殿堂，应是伟大的周王朝的祥瑞之兆。圣上可知，周王姬发攻击商王朝末代帝王受辛时，渡过黄河，有火球从天而降，落到姬发所住的房顶上，化为凤凰！

武三思：圣上，弥勒佛修炼成仙时，天神纵火，焚烧大殿，上宝台霎时崩散，弥勒遂得道成仙。万象宫耗资巨大，本来就不应作为开国时期的首要工程，这也许是天意！是福是祸尚不可知。

武则天侧耳听着身后的两派意见，好像在自言自语。

武则天：建这万象宫的是个疯子，毁它的也是个疯子……这兴许是天意！

19. 武攸嗣府庭院 夜晚 外景

武攸嗣望着火光，喃喃自语。

武攸嗣：他果真烧了……这万象神宫就被这么一把火变成了灰烬，太惨了！那也是他自己的心血啊！……他怎么了？难道如他讲的，他真的爱上了皇上？

太平：咎由自取，这是母皇自己埋下的苦果，不知母亲现在怎样？

武攸嗣：他果真做成了大丈夫……

太平突然冲动地从武攸嗣的剑鞘中拔出剑来，大步流星地向外走……

武攸嗣：太平，你，你去哪儿？！

20. 万象宫废墟 夜晚 外景

四处都是浓烟，满目所见皆断壁残垣，宛如惨败的战场。废墟中薛怀义双眼通红地大声宣讲。神策军卫士早已将现场围得水泄不通，皆默默注视着薛怀义在废墟上的疯狂。

薛怀义：怎么了？我就烧了，一干二净，怎么样？！……你们能怎么样，圣上又能怎么样？这万象宫是我修的，是我献给圣上的厚礼，代表着我的浓浓爱意，如今圣上不喜欢我了，爱意没了，我就把它毁了！……天经地义！你们看着我干吗？拿我呀！……绑我去见圣上！我要亲眼见到她！问她为什么骗我！骗我一个匹夫、除了感情一无所有的街头艺人，去禀报呀，去呀！

薛怀义满脸熏黑，语无伦次，已经完全癫狂。

太平突然携剑出现在他面前，满脸悲愤与盛怒。

薛怀义：公主都来了，看来我祸闯得不小……可圣上为什么不来，她为什么就不见我?! 我做错什么了？我只想见她，哪怕一面也好，谁来也没用！

太平：知道我来干什么吗？你知道你现在在哪儿吗？你把你自己放到了风口浪尖上。请问你这样做，想到如何收场吗？你需要帮助，需要有人来结束这一切！

薛怀义：那也轮不着你来结束！

太平：本来轮不着我的。你至多不过是个男宠！但你却忘了自己的身份，为了你那点儿可怜的情感，玷污了国家神圣象征，玷污了我母亲的名誉！（说罢，举剑直逼薛怀义。）

薛怀义：你和你母亲是一路货色！除了权力，除了威风，你们什么也得不到！……别那么看着我，我不怕！……（薛怀义的身子不住地颤抖，他将自己的身体顶住剑锋）公主，我连万象宫都烧了，还怕你这一尺剑锋？你杀我呀，替你母亲除掉一个累赘，杀我呀！反正我也不想活了，来呀，来呀！

太平内心的伤口被薛怀义困兽一般疯狂地撕扯，她再也忍不住义愤，一剑捅进了薛怀义的胸膛。薛怀义低下头，望着插进自己身体的剑体，无助而悲凉地望着太平，终于恢复了某种程度的理智。

薛怀义：公主，你，你敢杀我?!……我是圣上最得意的男宠……杀得好，谢谢你成全。我本来活着已没了意义……告诉你母亲，我来世再做……她的丈夫，我……真的……爱她……

薛怀义直直地向后倒去，身上还带着太平的剑。太平怔怔地伫立在那儿，心被淹没在无尽的伤感和恐惧之中，茫然地面对眼前的悲剧……

武则天此时分开沉默跪拜的众人，来到太平身后。

武则天：你杀了他……（瞬间的隐痛深深地打击了她，之后又恢复了平静）这样也好！我杀不了他，没有人敢动他，只有你……谢谢你，太平……

太平突然感到委屈及内疚。她意识到薛怀义只是一时冲动，却不合时宜地充当了自己内心痛苦的殉葬……

太平：（哀怨地指责母亲）你为什么不见他？他就想见见你，就这么个请求，你为什么就不见他一面？

武则天：……你们把尸首收了吧……

薛怀义的尸体从武则天身边经过。

武则天：……等等！

她掀开尸布，用手轻轻地将薛怀义的眼睛抚上。她望着薛怀义的尸体，面色沉痛……

武则天：抬下去吧！……他说的都是真话。他爱我，我也……爱情往往把人变得很可怕……

太平：母亲，你不懂爱情……

武则天：我真希望我不懂，懂了就要花费很多精力……皇帝一般都没有爱情，至多也不过是有几分渴求爱情的心境，如果滋长得太疯狂了就得按住，自己杀了这份心情。因为全朝廷的人都看着你……我怎么能见他呢？他爱上了我，这是同皇帝可能有的最危险的关系……

太平：（哭）母亲，我，没想杀他……

武则天上前，轻轻搂住太平抖动的肩膀。

武则天：我知道，我没怪罪你……有些事情也许上天注定就不能有什么结果，不管你心有多诚，有多良好的愿望。就像这万象宫，几经周折，终于建成了，又毁于一旦。可笑的是，毁它的恰恰是建它的人。也许这是上天的旨意！就像他对我的爱情，他不该爱我，像爱一个普通女人那样……那样做注定没有结果，因为我不是一个普通女人，我是……皇上！

第二十四集

我们走吧！

太平：不，母亲！我想再待会儿，你陪我好吗？

空荡荡的废墟中只有母女两个渺小的身影，神策军远远注视着她们……

武则天：太平，你日子过得好吗？

太平：挺好的。武攸嗣自然没什么本事，但懂得疼我并且还算是温顺随和。

武则天：真的挺好？……那就好。太平，没有十全十美的日子，更没有十全十美的男人！我虽然不喜欢他，但你既然嫁了他，我就希望你们好，希望你快乐！婚姻往往是知足者常乐，尤其对女人……珍惜这桩婚姻，你比我强，毕竟还有个家……

旁白：那天，我们谈了很久，你奶奶突然像天下所有普通母亲那样无止境地回味着自己不幸的生活……她终归还是一个女人，有着世间最普通意义上的伤感与悲凉。她爱薛怀义，只是至尊的地位替她选择了不爱的立场。

第二十五集

旁白：我丈夫在犯着穷人乍富后最常见的错误，他身体力行着自己可以想象到的一切所谓贵族的做派，以配合这突如其来的驸马身份。我对于他能做的只有彻头彻尾的沉默，因为我最终意识到任何形式的交流只可能带来对于他更深刻的蔑视。家庭生活的名存实亡反而培养了我对于政治与日俱增的热情，我府上逐渐聚集了一批真正才华横溢的年轻门客，与他们通宵达旦地高谈阔论成为我最大的快乐源泉……

1. 武攸嗣府堂屋　白天　内景

武攸嗣身披一袭长袍，色彩艳丽得几乎显得有些不真实，像戏装。他盘腿坐于地上的蒲团上闭着眼睛，脸上不时浮出略显夸张的表情。一个术士模样的人煞有介事地坐在他对面，口中念念有词地为其发功。武攸嗣突然全身抖动起来，口歪目斜地好像中了邪，声带上滚动着含混的喉音，太平恰好进入堂屋，眉头微耸略带惊奇地注视着这一幕。武攸嗣看见太平，瞬间恢复正常，他忙站起身，语调热情亢奋。

武攸嗣：娘子回来了！你看我正练功，居然没看见你！……王姚，快起来见过公主！……

王姚：拜见太平公主！

武攸嗣：这就是我跟你讲过的享誉京师的王姚大师！真神了，你不老说我爱出虚汗吗？经他刚才这么一发功，顿觉清爽多了，身若鸿翎啊！王师傅说我这属于阳火过剩，没什么事儿……太平，你不试试？……真的管用！

武攸嗣嘴中唠叨着看着太平待答不理地坐在太师椅上。

武攸嗣：哎哟太平，你可别觉得请王师傅来简单，等他发功的王公贵族都排满了，人家王师傅这是给面子，一听说是太平公主，二话没说……

太平：行了！……我问你，怎么家里突然来了这么多仆人？

武攸嗣：我招的呀！驸马之家嘛，就得见个气派。免得让人笑话！

太平：一会儿都遣他们回家，我不习惯……

武攸嗣：不习惯，宫里不比这邪乎吗？怎么叫不习惯……

太平：那我回宫里住不完了？……都给我送走！

武攸嗣：……得，送走，送走，你说怎么样就怎么样……（转向内仆）怎么都傻站着，看茶呀，怎么这么没规矩？怪不得讨人烦……

太平：你穿的是什么？

武攸嗣：怎么样，公主喜欢吗？我刚让采珍阁给做的，西域蚕丝啊这是，你看看这纹理，你摸摸……

太平：质地是不错，穿你身上就走了样儿！……赶紧脱了，你让我想起戏子，还是丑角……

武攸嗣：哟，你不喜欢……我还以为……

仆人上茶，茶香袅袅。武攸嗣嗅了嗅鼻子……

武攸嗣：……等会儿，不跟你们说过上玉片吗？下午喝玉片，晚上喝长恨水，怎么又忘了？……拿下去换！

太平：算了，哪那么多讲头儿……（太平喝了一口茶，注意到王姚的眼睛自始至终没离开过自己）……你老看我干吗？

武攸嗣：噢，王师傅这是给你相面，观察你贵体是否无恙……

太平：谁让你看了？

武攸嗣：得，得，王师傅，别看了。坐，坐，饮茶，饮茶……

太平：（放下茶杯）攸嗣，我失陪了！告诉膳房，今儿晚上加夜点，我有客人！

武攸嗣：啊？又有客人，这，这回得多少人啊？

太平：准备十个人左右的吧！

武攸嗣：十人？！……行，十人，十人就十人吧！

太平起身向外走。

王姚：公主，您是阴火太盛！

太平站住，转过头，盯着王姚，最终看着武攸嗣。

太平：攸嗣，从今往后，少带这些江湖骗子来家里，有病去找御医，你是驸马！明白啦？

武攸嗣：这……明白了！明白！

太平刚一出门，武攸嗣一脸急切地问王姚。

武攸嗣：王师傅，什么阴火太盛？你看她真有毛病？

王姚：没毛病！大人也没有！要说毛病吗？"洞府幽凉恨斜阳"，夫人这叫阴冷，峨眉医典上有记述……这就是你们房事渐少的原因！

武攸嗣：那，有治吗？

王姚：有！我给您开个方子，叫"艳阳春"，专治阴凉性冷，大人不妨给夫人试试！

武攸嗣：好，太好了！

2. 武攸嗣府沙龙　夜晚　内景

众义士或坐或立，神色激昂。徐坚在其中侃侃而谈。

徐坚：当下大周朝廷有一弊二患！所谓一弊，就是酷吏弊，建朝初年，天下枭雄四起，四下野心蠢蠢欲动，圣上实行铁腕制裁、巩固统治地位是为明智之举，有情可原。如今天下日趋平稳，朝内的矛盾亦不过是政见相左，于社稷无害，而酷吏制抑此扬彼，形成帮派；再加之酷吏如周兴、来俊臣之流居功自傲，已成为一个新官僚阶层，并有了自己的政治企望，顺我者昌，逆我者亡。近日市间发生多起冤案，大批有识耿直之士惨遭迫害，让人忧心忡忡，邓玄挺一案便是明证！如此下去，残酷反而成为为官之本，叫人不寒而栗！

众人点头称是。

太平：那徐大人，什么是二患？

徐坚：武三思的张扬为一患，公主的哥哥李旦的淡泊为一患！圣上龙体渐衰，我们面临的又将是立谁为嗣的古老问题。

义士甲：可圣上说过，自己称帝仅为临时权宜之计，以填补权力真空。至于江山传入武李谁家，谁将来有能力谁将得此殊荣。

徐坚：不错，圣上说过此话，可那仅仅是理想而已。江山如今姓武，武家又人多势众，如日中天，你指望谁会放弃到手的山河，拱手相让给异姓？这可不是一道圣旨可以轻易解决的。连自家人立嗣都会互相倾轧，更不要说两家之争。

义士乙：可旦不也被赐姓于武了吗？

徐坚：那又怎么样？他照旧流的是李家的血液，他就永远会是武家的眼中钉！况且，能改姓武就能再改回姓李，只要权力在握，改姓易如反掌。

义士甲：可旦早已声称与世无争，他的淡泊也早被世人所接受……

徐坚：没有人会永远像你那样真诚地相信这一事实，武三思是不会放过旦的；李家的拥戴者也不会放过旦，只要他活一天，他们就一天也不会放弃以他的名义复辟的努力！

3.武攸嗣府后院小屋　夜晚　内景

武攸嗣正在一精致小秤上称药,聚精会神。桌上摊着药方和数包中药,一侧恭立着丫环。

武攸嗣：芥枯草四钱,有了……好,就差这最后的一剂了,经兰,经兰……他满桌子翻找着经兰。

常春：在这儿,大人……

武攸嗣：好,还是你眼尖,我这眼睛都酸了……

武攸嗣似乎总找不准重量,称来称去,他最终有些不耐烦。

武攸嗣：你来,你来,要二钱……

常春做得很熟练,顷刻便加好了剂量。

武攸嗣：不错,还是你行!……好,拿碗来,去煮吧!中火,要不停地搅动。

常春：是!

常春向外走,被武攸嗣叫住。

武攸嗣：等会儿,你叫什么?

常春：常春!

武攸嗣：好,常春,以后的药都归你煮,我看你心挺细的!

常春：谢大人!

她定定地看着武攸嗣不出声儿。

武攸嗣：怎么了,你,看什么?

常春：您,嘴边儿……

常春示意武攸嗣嘴边儿有物。

武攸嗣：（擦拭着）哪边?这边……还有吗?

常春：还有!

武攸嗣：还有吗?

常春点头。

武攸嗣：那过来帮我擦了啊！

常春过来帮武攸嗣仔细地擦脸，胸正好顶着武攸嗣的眼睛，武攸嗣舔了舔干裂的嘴唇，闭上眼睛。

常春：好了！

武攸嗣：（自我解嘲）妈的，药都配疯了，弄得满脸药渣儿……好了，你去吧，别偷喝啊，这可是仙药，当心吃出事来！

8. 武攸嗣府庭院　夜晚　外景

一片静谧。太平走来，好奇地望着在院中双目紧闭、盘腿打坐的武攸嗣。她没有打扰他，绕开走远。武攸嗣睁开眼，眼中有一丝悲凉。他望着太平进屋，影子在渐亮的烛光下逐渐清晰起来。他走到太平门口，刚想敲门，又住了手。屋内鸦雀无声，他继而转过身懊丧地坐在台阶上，把脸埋在掌心，再抬起时，眼中居然有泪光闪动。他轻叹了一口气，坐在台阶上望着空落的院子发呆。身后门响，挤出的光线将武攸嗣裁做一半儿，另一半儿仍然在黑暗之中。

武攸嗣惊慌地站起身，满脸堆笑。

武攸嗣：公主，对不起，我刚才打坐，没看见你……

太平：（一脸冰霜）你进来！

9. 武攸嗣府卧房　夜晚　内景

武攸嗣跟着太平进来，一脸唯诺。

太平：……这是什么？

太平指着桌上的药碗。

武攸嗣：药！补身子用的，我特意从……

太平：刚才那个王先生给开的？

武攸嗣：……是！

太平：你实话告诉我，这是什么药？

武攸嗣：这叫……"艳阳春"，专为夫妻研制的。太平你不知道，这可是好药，由上等的……

太平：别说了！

太平烦躁地制止他，一脸无奈地走到窗前。武攸嗣呆呆地望着她的背影。

太平：攸嗣，你是个好人，可我们之间……有问题。

武攸嗣：所以我请王先生来啊，人家一眼就看出来了，说你这叫阴冷，他说只要公主吃了这服药，保准药到病除。还说，咱俩应该……

太平：我们之间不是这个问题。

武攸嗣：那还有什么问题！我这么随和体贴，哪会有什么其他问题。

太平：有！攸嗣，其实你……并不懂我的心。

武攸嗣：怎么不懂！懂极了，你需要关怀，需要爱护，渴望温存，这些我都有！可你得告诉我呀，你不说，我怎么知道我哪儿做错了，哪儿得罪你了？公主，你一定要告诉我，不对的地方我改，需要我做什么都行，就是别冷着我！

太平：攸嗣，你怎么还不明白，我是怕伤害你，你我之间不是靠吃一两服春药就可以解决的……

武攸嗣：我不怕伤害！太平，说，你只管说，我其实很坚强的。春药不对症，咱们换别的，到底怎么回事，你说呀！

太平望着武攸嗣一脸的执拗，知道再说什么也已经没希望了。

太平：（哭笑不得）……攸嗣，那你就继续试你的春药吧，这服不行，换下一服，反正你有的是时间……

10. 刑部刑堂　白天　内景

气氛阴森恐怖，四壁上挂满刑具，发着残酷的光泽。审讯台后坐着武三思、武承嗣及武攸嗣，不时有犯人的惨叫声从隔壁传来。武攸嗣神情恍惚，游离于二位哥哥的谈话之外。

武三思：……圣上最近是老了，你没看连眼神儿都不如过去活泛，脑子也慢了，知道我为什么叫你们俩来吗？

武承嗣：请大哥赐教！

武三思：我们武家不过是并州小户，无根无基，能有今天全仗着圣上忍辱负重，一点儿一点儿如履薄冰熬出来的。她为我们武家开了个好头儿，可眼下她老了，朝野上下又明显的有人蠢蠢欲动，试图复辟李姓王朝，这不足为奇，大周刚建不过数载，根基还不牢靠……

周兴：（入）报，武大人，他招了！

武三思：招了！好，斩！

武三思俯下头用红叉子勾去一个名字。

武承嗣：大哥的意思我懂了，圣上只为我们开了个好头儿，江山最终归不归武家还要看我们几个的造化。

武三思：造化？造化是自己争取来的，是该我们出击的时候了！圣上毕竟是妇人，女性主政，从来都只是权宜之计，尽管她姓武，但仍难服于天下。如今武家混得有头脸的只我们三人，所以最终完成易主大业，将江山永远收入武家祖庙的也只能靠我们兄弟三人……

周兴：（入）武大人，又招了一个！

武三思：好！叫什么？

周兴：卢怀成，东宫厨子！

武三思：卢怀成？那可是个好手艺人，可惜了，杀！……所以我们三个要团结，要结成坚实的堡垒，以免江山旁落。要知道，一旦天下重新姓李，倒霉的首先是我们。

武承嗣：大哥你放心吧！你是我们的主心骨儿，小弟肝脑涂地，也要拥戴你！

武三思：你呢，攸嗣！哎，问你呢，三弟！

武攸嗣从恍惚中猛醒。

武攸嗣：（敷衍）……当然，当然！……

武三思：什么当然！你知道我为什么叫你来吗？

武攸嗣：为，为什么？

武三思：因为你大小还是个驸马，虽然这驸马当得冤枉！

武攸嗣：我……怎么冤枉？

武三思：怎么冤枉，我听说你府上最近养了不少漂亮小伙子啊！真是有其母必有其女，宫里新设了一个控鹤府，公主家也有一个！

武攸嗣：大哥别瞎说，人家是聚在一起说艺谈诗，纵横天下事，这我都知道！

武三思：纵横天下事？是想谋反吧？

武攸嗣：谋反？他们谋的什么反？都是些文人墨客……

武三思：不一定吧！旦怎么样？表面豁达宽容，实则狼子野心，连他都在谋反，你敢保证你府上那些人不是在图谋不轨？

武攸嗣：（惊讶）旦谋反？

武三思：……你自己看看吧！……这些都是里面刚审出来的供词……

说着扔过厚厚的一摞卷宗。

武攸嗣：供词？可我没见有人招供啊！

武三思和武承嗣皆一脸鄙夷。

武三思：武家怎么出个这么没出息的蠢材……

11. 旦寝宫庭院　白天　外景

院落中支着几排长长的竹架，每一排上都晾挂着同一颜色的衣服或单子，风吹动着它们，颇能暗示此刻东宫飘摇的处境。

旦与妻子刘氏正在一件件把衣服往晾衣绳上挂着，李隆基在旁边守着一只大木桶为他们递衣服。旦扯下一件晾干的单子，发现太平不知何时站在单子后一脸困惑，呆立在那里。两个人对视，旦豁达地微笑。

太平：发生了什么？仆人们呢？怎么……就你们三个？

旦：……你看，我们三个不是过得很好吗？虽然身处深宫，却有着平民的情致，这不挺好吗？

说完又俯身拿起一件衣服，似乎已经倦于解释。

太平：（更加焦急，转向刘氏）到底是怎么回事？家里的人都去哪儿了？

刘氏委屈地悄然哭泣。还是李隆基首先开口。

李隆基：前些天夜里，有一个大胡子、绿眼睛的人带着好多神策军把东宫包围了。他可凶了，带走了家里所有的人，把父亲的书也搬走了，还砸坏了父亲的一只古琴。他走的时候说传天帝口谕不许我们出门，听候圣上的发落。

太平：（愤怒，问刘氏）嫂子，这都是真的？是谁？

刘氏：（仍然有些哽咽，但已趋于平静）是来俊臣。他说家里人参与了成南王李顾的谋反，全部带到凤阁审讯去了。

太平：发生了这么大的事，为什么不早点告诉我？

刘氏：你没注意到吗，门口的神策军全换成了武家的百威虎骑，我们根本出不去。

太平：（已经愤怒到了极点）又是武三思……武三思，我饶不了他！

旦：（似乎置身事外）太平，你来找我……有事儿吗？

太平：哎呀，旦哥哥，都什么时候了，你怎么还这么无所谓？

旦：（长叹一声）什么时候了？这其实很正常，只不过比我预想的要早……你还记得我上次对你说的话吗？废君永远是旧势力的旗帜，也永远是新时代的阴影。这是不可避免的事情，而我们能做的就是以达观的态度面对毁灭，以减轻这最后时刻的痛苦，或者说为这痛苦增加一丝苦涩的欢乐。

太平想要反驳他，旦用手势制止住太平。

旦：我的时间不多了，现在惟一能够告慰我的就是为亲人最后做一点事情。你的事情我都听说了，太平，宫里只剩下你我两人，你我的快乐就是所有李家人的心情。你……不快乐！我希望你不要继续拿自己的幸福和母亲赌气，也许她送你的结婚礼物是你解脱现在苦恼的惟一出路。忍耐只会使不幸更深入！

太平：（由愤怒转化为坚毅的冷静）那你为什么总选择忍耐呢？

旦：我现在明白了这样的道理，但已经晚了，我的性格已经铸成了我的宿命结局。忍耐是我的性格，所以我并不觉得悲痛，而你不是……

太平：我能怎么样？以屈服成全母亲的又一次预言？……我决不认输！

旦：你已经输了！太平，坚持只意味着一败涂地，你在伤害自己的幸福！你心里比我更明白，你现在的生活已经告诉了你！……太平，我们其实生下来就已经输了，我们是皇族，就不存在个人的选择；要么尽享杀戮后的荣华，要么成为别人阴谋的刀下鬼。母亲也是这样，她已经不再是我们的母亲；她是政权，是国家，是另一个姓氏的指望。她对异志的敏感或者对亲情的淡漠，只是国家的旨意，她也无能为力……我们还不如鸽子，它们尽管头脑简单，却拥有整个蓝天和无尽的自由……

太平：（坚定地）旦哥哥，如果丧失亲情是权力的本质，那么保护亲情的惟一出路就是夺回权力！

说完转身扬长而去。

旦：太平，你去哪儿？

太平：去问候权力！

12. 议事殿　白天　内景

武三思正在向武则天汇报旦的罪证。

武三思：（翻着一摞供词）……正月四日，旦与罪臣李顾秘密商谈两个时辰，第二天，李顾家中就出现了许多行踪诡秘的江湖浪人。正月六日子时，李顾的女婿应州刺史奉安乔装进北门，而子时三刻已出现在旦的书房里。翌日，旦派东宫侍卫赵元安到李顾死党、外城巡检司乔羽家中传书，书信已被抄获：（说着拿出一张纸，念了起来）兵械已由应州安抵城外，望速接应。请圣上查阅，此信确为旦的亲笔。正月九日，旦与……

武则天：（痛苦地）别念了……

武三思：天帝，证据确凿，拿不拿他？

武则天：没想到旦也会对我做出这样的事，真是没有想到……

武则天以手支颐，陷入悲伤的沉思。

武三思：天帝，最近京城谋逆不断，危机四伏，您要当机立断……

武则天：（伸出手制止武三思）……让我安静会儿。

她盯视了一会儿武三思，语气又转为平静。

武则天：把供词呈上来。

武则天看着婉儿呈放在案前的证词，想翻阅，又把手轻轻收了回去。

太平走进殿堂。身着庆祝武则天登基时的朝服，表情似乎说明她已经成竹在胸。

太平：母亲真的相信这些废纸吗？

武则天：有什么办法让我把它们当成废纸吗？

太平：有！只要圣上重审此案，它们就一定会变成废纸。

这时徐坚出列。

徐坚：请天帝亲审此案，您在建国初期亲自颁布的诏书上说：审理诉讼案件，要三次复奏。而我听说，最近您又下达口谕，对于涉嫌叛乱的被告，一旦证实，准许法官立即行刑。人命最为尊贵，死后不能再生，万一冤枉，已被屠灭，连哭声都被大地吞没，岂不悲痛！这项严厉的措施并不能肃清奸邪，只能促使执法人任意胡为，草菅人命，陷害忠良，我建议您撤销这项律令，依正常程序，三次复奏。而此案的涉嫌主犯为您的亲生儿子，难道您真要在体验了无尽的丧子之痛后，才能认识到这项法律造成的不公平与失误吗？圣人在《周礼·小司寇》上说，审案要遵从五听法则：一为"辞听"，观察被告说的话，如果有假，一定躲躲闪闪；二是"色听"，观察被告的面部表情，如果有假，一定羞愧变色；三是"气听"，观察语气，如果有假，则上气不接下气；四是"耳听"，观察被告听您说话时的态度，如果有假，一定困惑不安；五是"目听"，观察被告的眼睛，如果有假，一定浑浊无神。臣还听说周兴周大人审案从来不遵循五听原则，而是一味刑讯逼供。这一页页罪证是不是废纸，还请您亲自验证。

许多大臣纷纷跪下请武则天主审。

武则天：……你说得对，那就重审，现在就审！三思，把证人带上来！

武三思：都……都已杀了。

太平：为什么？

周兴：圣上手谕，招即杀！

太平：一个不剩？

周兴：（眼角扯动了一下）一个不剩，全招了，都杀了。

太平：……攸嗣，这是真的吗？

武攸嗣：不，不是……还有一个没，没有！

太平：人在哪里？

武攸嗣：还在……桎狱里……

太平：请圣上传旨宣他上殿！

武则天点头。

两名神策军扶着一个遍体鳞伤的犯人上殿，穿过殿上可怕的寂静。

武则天：你是什么人？

犯人：东宫侍卫赵元安。

武则天：你也参与了皇子的谋反吗？

赵元安：天帝明鉴，皇子从未谋反，臣更无从谈起参与谋反。

武则天：你怎么证明呢？

赵元安：臣被严刑拷打十数日，遍体鳞伤，但仍忠心不改，就是证据。

武则天：那如何解释这如山的卷宗呢？

赵元安：谁都可以撰写如山的卷宗，况且所谓证人皆已被灭口，死无对证。据臣所知，他们是扛不住罕见的折磨，含冤而去的。

武则天：他们都是因为罪证确凿，才依法处死的。

赵元安：（悲愤地仰天长叹）请圣上明鉴，难道世界上的公正就被这几页捏造的罪证掩住了光辉吗？

武则天：你别怨天尤人，只要你拿出证据，我会还你公正，也会还天下一个公正！

赵元安目光扫过众人，最后落在身边神策军士身上，神情突然变得异常果断、坚定。他一把从一个卫士腰间抽出宝剑，众人大惊，按剑以防不测。

赵元安：（仗剑指着武三思）如果有人诬告静德王谋反，只要把他交给周兴，他也就必定谋反。您既然不相信我的话，我就把忠心剖开来给您看，以证明皇子并没有谋反。这是我惟一能拿出来的证据。

说着赵元安就一把剖开了自己的胸膛，众人呆立在原地，没有想到事情发展成这样。

武则天第一个反应过来。

武则天：快传御医，把他救活，一定要把他救活！

卫士快速把赵元安抬下大殿。

武则天：看来我还不如他了解自己的儿子。（她的目光黯淡而悲切）你们都下去吧……

武三思、周兴惶惶而下，太平长舒了一口气。

旁白：我第一次参政就大获全胜！……从此我明白一个道理，面对权力忍耐与豁达是最致命的弱点，它只会使权力更加懒惰。而一个仅凭惰性与惯性行事的政权只会滑向更深的罪恶！你要学会斗争，学会如何逼迫一个政权思考……要知道，你的对手，那些播弄权力的阴谋家永远是勤奋的，像农夫一样为收获而不知疲倦地奔忙……

第二十六集

旁白：母亲老了，她毕竟是女人，对于年龄甚至有超过常人的敏感以及与之相伴的庞大焦虑。越是强大的女性，衰老往往就越是她们可怕的敌人，因为衰老似乎是惟一令她们一贯自信的超常心智无法逾越的困难。这是她们一生终将面临的最后问题。母亲沉浸在无边的沮丧里，她悲哀地意识到自己年轻时所积累的全部骄傲现在像昨夜的一个好梦那样突然间丧失了所有意义……

1. 武则天寝宫　白天　内景

武则天愣愣地注视着自己在镜中明显衰老的面容，任凭宫女在身后摆弄自己的头发。她用手轻轻抚摸着脸上已丧失弹性与光泽的皮肤……

大臣们照例站在她身后，喋喋不休地汇报着时政。

大臣：关中自大周建国以来，已连续三年未遭旱灾，且连年风调雨顺，这堪称百年不遇的奇迹。关中百姓在喜庆丰收的同时，认识到这是圣上恩泽感动上天的结果，皆……

武则天：我不要这个……（武则天训斥着身后为其盘头的宫女）这簪

子老气横秋的，我有那么老吗？换那对小凤簪，银色的……

大臣意识到武则天心情不好，话说得谨小慎微。

大臣：……皆纷纷上疏，颂扬圣上……恩德。另有当地士绅傅鸿义，率五百余……世家豪门，上书请求圣上……赐姓武……

武则天：就这些？

大臣：……还，还有洛阳东魏国寺和尚法明等，撰写《大云经》四卷，称圣上乃弥勒佛投胎转世……

武则天：行了，我问你，有上书骂我的吗？

大臣：没，没有！

武则天：那奏个什么！

大臣：可圣上您总得给个答复，这毕竟都是民意……

武则天：我能怎么答复？不准他们姓武？通告全国我不是弥勒转世，仅仅是一个凡人？……你知道该怎么答复！……（转问武承嗣）你有什么事？

武承嗣：检校凤阁侍郎周允元、司刑少卿甫文备、内史豆卢钦望、周平章事韦巨源、凤阁侍郎杜景俭、鸾台侍郎陆大方……

武则天：直说吧，这些人怎么了？谋反？

武承嗣：诸位大人联名上书，呈献圣上尊贵称号"慈氏越古金轮圣神皇帝"！

武则天：越古？怎么越古？他们除了献我这称号，有没有献上具体的法子？

武承嗣：好像……没有！

武则天：那你下去吧，转告我的谢意！……（对宫女）你把头发散开，不盘了……

武则天懊丧地看着镜子，一语不发。

武则天：婉儿，记，从今往后废寝宫议事，有事在早朝上禀！你让他们都下去吧！

众人纷纷下，鱼贯而出。武攸嗣走在最后一个，有些犹豫，但最终还是下定决心转回身来。

武攸嗣：……圣上……

武则天：你干吗？没听见我让你们都下去吗？

武攸嗣：听见了，可我的喜讯不同于他们的！

武则天：……是吗？你说吧！

武攸嗣：圣上，您现在是咱们武家乃至天下的脊梁，您身体健康与否关系着全国人民的福祉……

武则天：这些我都知道！你要说什么？

武攸嗣：我有一宝物呈上……（武攸嗣从怀里掏出一药罐）这是臣最近召京城名医师共同配制的一种新药，功在延年益寿，强筋壮骨，这大概就是能使您"越古"的法子！

2. 大明宫勤政殿　白天　内景

武则天春风满面，意气风发，与寝宫内判若两人，没有了往昔的萎靡，显得年轻了许多。龙阶下面，一个大臣满面是汗，异常紧张。旁边站着另一个大臣，神色轻松。

催弈：请天帝治罪！

武则天：为什么要我治你的罪呢？

催弈：我知法犯法，为了逆子小小的一次满月，竟然开例偷吃羊肉，犯了律令，欺瞒君主……

武则天：你还算明白，可是你想过没有，如果我治了你的罪，自己就犯下了不近人情、扼杀天伦人性的大错。庆祝子女满月是为人父母的一件大事，用什么方法庆祝都不算过分，何况只是请宾客吃了一点儿羊肉呢！我倒是挺佩服你爱子的至情。再说，这个法令的颁布本身就不合理，五牲、家畜是上天赐予人间的食物，向佛之人不吃它们是为了满足自己爱生的怜悯之情，而强令天下人不吃就有违自然常情了。我倒是请你和天下人原谅我一时的心血来潮，给大家平添了麻烦。

催弈：……谢皇上隆恩浩荡！

武则天：婉儿，你记下来，这条法令就算作废了。（又转向催弈）不过我还要给你治罪！

催弈：这……

武则天：治你交友不慎之罪。命你一个月之内，每次上朝见到这个人（指其旁文官）都要骂他一句"卖友求荣"。是他向我密报你私吃羊肉的事。王知道，你觉得合理吗？

王知道跪倒，满面羞愧，大臣们发出窃笑。

王知道：请天后治罪，这合理，合理！

武则天：你们这些大臣真是的，开口闭口就是请我治罪，你只不过有点儿缺德，大唐律中哪条规定该治你这样的罪呀？你退下吧！

王知道退下。

武则天：慢着！

王知道又战战兢兢地停住，重新跪倒。

武则天：你现在是什么官呀？

王知道：刑部侍郎。

武则天：你不讲友谊，冷酷无情，像冬天一样冰冷，倒是符合你现在这个职位。

说着童心大发。

武则天：就改称你为冬天侍郎吧！……也罢，什么刑部、户部的，听起来死气沉沉，一点儿情感都没有。婉儿，你记下来，从今往后刑部改为冬阁；户部治理众生，应像春天一样温暖，改为春阁；兵部主杀，就称秋阁；礼部为夏阁；吏部主管官员，表明上天选择良才之意，改为天阁；工部治理水利，农业，主管大地上的工程，称为地阁。你们觉得怎么样？

众臣齐称天帝英明。

武则天：你们别以为我是心血来潮，我是以天、地、四季昭示你们的职责，你们从今后一定要顺天行事，为百姓造福。（稍顿）武攸嗣呢？

武攸嗣出班跪倒，不免有点紧张。

武则天：你别一见我就慌，站起来让我好好看看。

武攸嗣站起来，更加局促不安，似乎害怕武则天又要使什么计谋羞辱他。

武则天：看来我女儿没有选错驸马，你倒是挺会讨得女人欢心的，你可比三思他们强多了，他们只会争权夺利，为我增添麻烦，只有你知道我想要什么。

武攸嗣：天帝过誉了，令儿臣惭愧。

武则天：你的聪明从不外露。你什么时候学会的司药？

武攸嗣：儿臣受仙师指点，潜心钻研数年……

武则天：你现在是什么官职呀？

武攸嗣：从三品，武卫大将军。

武则天：别当这个闲职了，你就进宫做我的内侍总管，专门负责司药和我的起居饮食吧！升从一品，赏缗钱五万。

武攸嗣激动地跪倒在地：谢皇恩浩荡！

武承嗣：（有些醋意）他倒真是一员福将，咱们都只是正二品。

武三思：（狠狠瞪着武攸嗣，咬牙对武承嗣低声）什么福将，内侍从来就是太监主事，不过是个太监总管。

3. 武攸嗣府庭院　白天　外景

武攸嗣一脸欣喜一进门，看见一伙儿自己的术士正可怜巴巴地往外走，院中堆满大大小小的瓶罐，上面贴着名目繁多的标签。堂屋台阶下跪着一男一女，背靠背被绑在一起。

武攸嗣：哎，哎，你们上哪儿？怎么了？

术士：公主不让我们待下去了。

武攸嗣：怎么了，你们怎么招着公主了？（指被绑的男女）……你们俩这是怎么了？

太平：（从后院儿走出）他们没招我，是你招我！武攸嗣，这家里成天药味儿熏天，我闻够了！从今往后，我家里不愿再看到一个像这样的江湖骗子，你愿意继续，请另选别处！

武攸嗣：（释然）我已经选了别处，娘子！……你们听着，明天就跟我进宫，去回家收拾收拾吧！……太平，知道今天朝上发生了什么？我升官啦！从一品内侍总管！恰恰是因为这些瓶瓶罐罐……哎，你们都愣着干吗？赶紧回家吧，赶明儿进了宫，咱就真忙了，想回家还兴许回不了呢！……中生、中俊，招几个人过来把药搬回园子里！

武攸嗣看着众人往回搬药，沾沾自喜地同太平唠叨。

武攸嗣：慢点儿啊，你们，小心轻放！……太平，这好东西就得碰上明君！我现在是真的很服咱们圣上，特知道自己要什么！都说我肉，是，和武三思他们比起来，我可能是肉了点儿，没他们张扬，那么会见机行事，可咱凭的是什么？老实，实在！圣上怕老，那就想法子不让她老，这是再简单不过的道理！老人家缺的是什么？不是智慧！不是治国齐家的本事！而是身体！……哎，哎，慢点儿啊你们……你可不知道今儿圣上在朝上有多高兴，指着鼻子夸我！说我是武家最有出息的人！怎么样？这就叫真金，早晚有人识得！……三十年河东，三十年河西，我还告诉你，或许我还能捞个太子当当，您想啊，我媳妇儿是公主，我眼下又这么得宠，我能感觉得到，我有这个预感！

武攸嗣越说越陶醉，太平在一旁注视着他，哭笑不得。

太平：你……就是一个卖春药的！

武攸嗣：春药？公主，这可没那么简单，我研制的是补药，是让人长寿的仙丹！……哎，哎，你去哪儿，太平？

太平：出去透透气！那俩人就交给你了！

武攸嗣：他，他们怎么了？

太平：你自己问吧！大概偷吃了你的春药，成天直眉瞪眼的……

武攸嗣：你什么时候回来？……

武攸嗣怔怔地望着空落的门口，他转过身，走到俩人身边，盯视着他们。

常春：（哭）大人，大人救我！……

武攸嗣：（铁青着脸）怎么回事？

俩人沉默，常春哭个不停。

武攸嗣：先把他们松了，到我屋里来见我！

4. 武攸嗣府卧房　白天　内景

俩人跪在武攸嗣面前，正在坦白忏悔。

男的：我想吃点儿没事儿，大人，我纯粹是为了好奇，没承想……

武攸嗣：蠢材！我警告过你们多少次，怎么还敢……你吃的是哪种？

男的：好，好像是一品香！

武攸嗣：刚配的那种？你好大的胆子！连我都没试过！……你吃了……多少？

男的：就一,一个碗底儿，顶多一勺儿！

武攸嗣：你……有什么感觉？

男的：开始就是觉得浑身燥热难当，有股子气从丹田往上走，接着眼前就有了幻觉，满眼全是……全是……

武攸嗣：全是什么？

男的：全，全是女人，女人的那个……

武攸嗣：行了，别说了！……真有那么强烈？后来呢？

男的：后来我就不知道了！再后来我就被绑了，跪在院儿里……

武攸嗣：没出息的东西！滚吧！别让我再看见你！否则我送你入宫当太监！

男的：谢大人饶命之恩！

男的退出。

男的刚一走，常春便号啕大哭起来。

常春：大人，我，我冤枉啊！

武攸嗣：嘘！……

他惊慌地站起身，匆忙地把所有敞开的门窗都关上。常春就势抱住他的腿。

常春：大人，你饶了我，看在你我的情分上……

武攸嗣：贱货！你怎么会跟他……

常春：大人，怪只怪您的药太厉害了，我看您快回来了，是为您喝了点儿……可没想到刚一喝下，就把他看成您了……

武攸嗣：行了，行了，起来吧！你今儿运气好，否则公主要真怪罪下来，我保都保不住你！

5. 武攸嗣府堂屋　夜晚　内景

武攸嗣独自对着一桌酒席畅饮，已明显有醉意。他对着对面假想中的太平说话，绘声绘色。

武攸嗣：太平，你看啊，我给你分析！武家，是吧，现在有谁？……我、武承嗣、武三思，这都算混得有头脸儿的……武承嗣，明摆着不行，人品不好，有公愤，顶多，他也就是个特务头子。剩下谁？我、武三思。大哥有本事，这我承认，咱甘拜下风，可他欠厚道，欠仁义，这当皇帝最重要的就是仁义，那才能得人心，这你应该比我懂。你父皇就是这样的人！……还剩下谁？我，武攸嗣，当朝驸马，圣上最宠爱的女儿的丈夫，女婿当太子，名正言顺。即遵循了古训又符合潮流……

常春及其他几个丫环默默地看着武攸嗣酒气冲天地唠叨。

武攸嗣：怎么样？你们看待会儿太平回来，我这么说行吗？

常春：……大人，公主今儿晚上不回来，走时不说了吗？

武攸嗣：噢，是吗？又不回来了！……那你来，过来，坐我对面，你演太平……过来呀！……你们都下去吧！这儿没你们事儿了！

武攸嗣望着常春。

武攸嗣：喝酒，太平！为……我的前程！

俩人干了一杯，武攸嗣已烂醉如泥。

武攸嗣：再来！太平，说你喜欢我！

常春：我喜欢你，大人！

武攸嗣：说你一见我，就一见钟情了！

常春：我第一次见您，就一见钟情了！

武攸嗣：说我能当……你不是太平！

武攸嗣哭了起来。

常春：大人，我不是太平，可我说的全是真的！

武攸嗣：真的？……那咱俩喝……

常春已经坐在武攸嗣的怀里。

武攸嗣：知道太平为什么不爱我吗？因为……我没权力，她是谁？公主。我呢？并州的一个农民……她怎么爱我？这根本从一开始就不对等！……可按说结了婚，我就是驸马了，应该平等了，她还是不爱我，为什么？因为她看不起我，因为我出身贫贱，可她有什么呀？她们李家原先不也就是塞外放马的蛮子吗？……我还看不起她呢！赶明儿我当了太子，真有了权力，我就休了她，废了她，让她也尝尝被人冷落的滋味儿。

常春：赶明儿您要真当了皇上，也废了公主，那您立谁为后呢？

武攸嗣：立谁？谁爱我，谁对我好我立谁！我才不管她什么出身呢！

常春：那我爱您，对您也不错……

武攸嗣：小机灵，在这儿等着我呢！常春，你要是一直对我好，我到时就立你!

常春：得了，有您这句话，常春就知足了！你们男人，从来说话都是空口无凭，个个都是薄情郎……

武攸嗣：薄情郎？谁薄情郎，我武攸嗣最痛恨那种人！……（他环顾四周）拿笔来，研墨！

武攸嗣伏在案前，歪歪扭扭地在一块丝绢上写着：废太平公主，立常春为后，钦此。太子武攸嗣手谕。

武攸嗣：拿着，我赐给你，收好了啊！这回不空口无凭了吧？

常春：(扑在武攸嗣怀里)哎呀，大人，您还当真了！

武攸嗣：走，皇后，回宫！叫他们取点一品香来！

6. 武攸嗣府庭院　夜晚　外景

太平、几个门客从外面回来，他们谈笑着。太平也喝了酒，从笑声中带出酒意。她站在院正中。

太平：你们就住在客房吧！……明儿再谈！

众门客：请公主安寝！

之后，一一拱手而去。

7. 武攸嗣卧房　夜晚　内景

武攸嗣和丫环常春相拥着熟睡。太平进屋，先是有些惊奇，继而在酒精的作用下居然觉得可笑。常春被她的笑声惊醒，大惊失色地翻身下床，扑通跪下。

常春：公主饶命，公主饶命！

太平：又是你，大人就是这么制裁你的吗？

武攸嗣也醒了，酒劲儿似乎还没有完全过去，睡眼惺忪。

武攸嗣：太平，你回来了！不是说今儿晚上不回来了吗？睡吧！

他刚想睡去，才意识到跪在地上的丫鬟，他惊得坐了起来，酒全醒了。

武攸嗣：这是怎么回事？……（看着地上的常春）你，你怎么会在这儿！太，太平，我干吗了？

太平：你干吗了？

太平抽出挂在墙上的剑，丫鬟被吓得以头点地。太平缓慢地用剑将常春手中的绢挑出来，脸甚至依然挂着笑。

太平：让我看看你们干了什么……废太平公主，立常春为后，钦此。太子武攸嗣手谕……（太平望着一脸惊诧的武攸嗣）你还挺有出息啊，已经发太子令了！好，明天我去母皇那儿推荐你一下，没准你还真有太子命！……（太平收好丝绢）好了，你们睡吧，我就不打扰了！

太平转身，扬长而去。留下武攸嗣坐在床上呆呆地发愣。

8. 武攸嗣府客房　夜晚　内景

门客们看着太平推门而入，游魂一般一语不发地坐在窗前，众人面面相觑，不知道发生了什么。

徐坚：公主，您怎么了？

太平：……没什么，只是不想睡，你们再陪我一会儿，好吗？……

太平瞪着一个空落的去处，好像和自己说话。

太平：徐大人，你接着说，关于武家……

徐坚：我是说武……三思不会就此罢休，旦的存在对他永远是个潜在的威胁。所以我想提醒公主，要么送旦出宫，要么……公主，您怎么了？

眼泪在太平脸上无声地流着。

太平：没，没什么……你们睡吧，我该走了……

常春的惊叫从对面传来。太平一惊，随众人冲出屋外。

9. 武攸嗣府庭院　夜晚　外景

常春跌跌撞撞地从对面房里跑出来，跪在太平脚下。
常春：公，公主，武大人，他，他自杀了！
太平冲向卧房。

10. 武攸嗣卧房　夜晚　内景

武攸嗣蜷缩在墙角，血已然染红了他大半个身子。箭横在他身旁。他表情平静，看见闯入的太平，艰难地笑了一下。
太平见状大惊。
太平：攸嗣，你……
武攸嗣：太平……过来，把手给我！爱上你是我一生最大的幸福，也是一个巨大的……错误。我早就知道，可我不愿承认也不敢承认……现在懂了，我们根本就不可能……这么些年，支撑我的只是盼望中的美好生活，因为我爱你，而且是真诚的……公主，请相信我！……现在想想，真希望那年武三思真的闯进你的府里，我就能为了保护你而和他拼，拼死了更好，起码……希望是完整的……可现在，连希望都……太平，我如果活下去，我们有……希望吗？
太平：……有！
武攸嗣：真的？
太平：真的！
武攸嗣：那太好了！那我死了也高兴！（苦笑）我真冤枉，不要告诉皇上丝绢的事，答应我，我不想连死都是一则笑话……
太平：我答应你，攸嗣……
武攸嗣：你真……好，公……主……

旁白：我第二任丈夫死了，怀抱着关于我们爱情的希望，尽管那希望早已被证实永远不会实现。他死得毫无光彩，就像他的出生、他的婚恋及有关他的一切，他仅仅是一个老实巴交的农民，无意中成为了我和母亲争斗的牺牲品。他木讷而顽固，并且盲目地轻信自己早已不再是一个农民，这就是他的悲剧，一个真诚的小人物的悲剧……

第二十七集

旁白：驸马武攸嗣的葬礼举行得空前隆重。此刻是这可怜的男人一生所受到的最大礼遇，这源于我与过去所有的生活彻底决裂的心情。在经历了最倾心的爱与最切肤的恨之后我终于感到空前的劳累，我疲惫的心灵渴望与母亲相拥倾诉。在经历了无数的非议，包括来自她最心爱的女儿的仇恨之后，你祖母依然步履坚实地行进在既定的道路上，无声地向世人演示着坚强，这种世间稀有的人格魅力！

1. 长安城门外　白天　外景

路上行进着浩大的送葬队伍，尖利哀怨的送葬音乐响彻天宇。空中狂乱地飞舞着白色的纸花……队伍中的武则天和太平全身着黑，并立而行。两人脸上皆覆着一层黑纱，面容肃穆而多了一分神秘……太平的身孕很明显，望着头顶的丧幡及一方空寂的天穹，禁不住又一次伤感地落泪……

武则天：……过去的就让它过去吧！

太平：我只是觉得命运太不公平，为什么连这样一个男人都在背叛我？

武则天：太平，没有人背叛你。薛绍没有，在某种意义上，他实际上是在背叛我……武攸嗣更没有背叛你。其实是你……背叛了他……

太平：为什么是我承担背叛的声名？

武则天：因为先要有忠诚，才谈得上背叛。武攸嗣对你是忠诚的，而你不是。你嫁给他是与我置气，其实你知道自己并不爱他，从来就没有重视过他，也就无从谈到平等和忠诚。是你首先背叛了自己爱情的直觉，悲剧则不可避免……

太平：（抑制不住地）别说了，母亲……

武则天：太平，其实，我同你……一样伤心。这一切对你我都是一种伤害。你知道我有多么需要你……我一生中爱过两个男人。我爱你的父亲，可被天下理解成窃国；我爱过薛怀义，却被天下理解成纵欲……我们是权力中的女人。薛怀义就不懂这一点，非要和我寻求一种平等的男女之爱，结局必定悲惨……

太平：难道我们一生注定孤独吗？

武则天：只要我们在一起。我们不应该在感情上继续相互伤害了……

太平从黑纱中透出一道意味深长的目光，她已有很长时间没有这样端详过母亲了。

这时，整个队伍停下来。武则天转向太平，拉起她的手。

武则天：有一个像一棵大树一样的男人供人栖身固然好。如果没有，或者树倒了，就要学会自己生根，生出自己的躯干……

太平：（悲哀地）这就是世间做女人最深刻的道理吗？我们必须付出这样残酷的代价吗？

武则天：其实残酷未必只对别人，更多的时候是对自己……要学会控制自己的情感……

太平的神情凝重异常。

武则天：你今后打算怎么办？

太平：不知道……

武则天：回来吧，回来帮我！这天下，我只信任你……

武则天掀开面纱。

武则天：太平，母亲很累……看着我脸上纵横的皱纹，我老了……我需要你！……现在仍有人对我耿耿于怀，包括武家的人！

队伍后面，武三思和武承嗣并行。

武三思：怎么了？怎么不走了？

武承嗣：（张望着）不知道……哎呀，大哥，你赶紧想个办法呀！昨天我府上又有两人让周兴拿了去，结果肯定对我不利。真后悔当初怎么信了他！他，他妈的要干吗呀？

武三思：干吗？这还不明显，周兴这小子想把所有有实力的人都排除出宫，到时还不是他一人说了算，连皇上都得听他的……

武承嗣：啊，他胆儿也太大了！那，那咱怎么办啊？已经有人传说咱们要谋反了！

武三思：怎么办，我怎么知道，你没看皇上最近不怎么搭理我吗？

武承嗣：坏了，让他给诬告了……皇上真是老糊涂……（往四周看了看）真，真是的，怎么信他？咱都是武家人，谋哪门子反啊！

武三思：怎么信他？还不是咱们给惯的！

武承嗣：我看皇上最近和太平又近乎起来了，要不，咱们求求太平？

队伍又开始前行，俩人机械地撒着纸花儿。

武三思：你认为太平愿意救你，还是救我？你怎么突然跟三弟一样了，没心没肺的……有一个办法！

武承嗣：什么？

武三思：拉太平下水！咱将计就计，暗示周兴，太平也跟着咱们一起想谋反，让他当一个案子办……

武承嗣：那，那不一网打尽了？

武三思：太平能束手待毙吗？她能不闹？她救了自己，我们不也就沾了光。现在，能遏制周兴、来俊臣的，也就太平一人了！

武承嗣：我怎么觉得有点悬啊?!

俩人继续向前行进……

2. 武三思府堂屋　白天　内景

武三思官邸。一扇透明的山水屏风后面站着周兴和武承嗣，从他们的方向，只能看见武三思的背影，以及他前面跪伏在地的侍女常春。周兴面无表情，眼帘低垂，武承嗣时时观察着他。

武三思：什么人常和太平往来?

常春：徐坚，王维他们那些年轻俊才。

武三思：他们都谈些什么?

常春：我就是一个端茶送水的使女，偶尔听上一两句，也听不大懂。

武三思：你再想想，他们是不是经常议论朝政?

常春：对，我想起来了，他们有一次说起酷吏制度，都挺激动的，一个叫王思仪的将军还碰翻了我的托盘，说什么要为民除害，好像对周兴大人挺不满。

周兴的眼角扯动了一下，抬起眼睛看了外面一下，又低下头，抿了一口茶。他的举动没有逃过武承嗣的眼睛。

武三思：这么重要的事你都差点忘了，让我怎么帮你?

常春：(拼命想着，急于讨好武三思)还有，几个月前府里来了一个人，十三四岁，全府一下就紧张起来，后来就再也看不见了。前些天驸马跟我说那是薛绍的儿子，已经让他给送出城了。

武三思：这么重要的事驸马都跟你说，看来他对你挺好的嘛!

常春：驸马是对我不错，还说，还说要娶我，可现在他死了，我要是让太平抓住，非死不行，我只有投靠您了。您是他的哥哥，您救我吧! 让我干什么都行!

武三思：没问题! 我给你引见一个人……周大人，我就把她交给你了。

周兴冷冷一笑，站起来，从屏风后面出来。常春恐惧地睁大眼，之后被吓得瘫倒下去。

3. 刑部刑堂　白天　内景

周兴站在一幅很大的人体经络图前。他对面坐着神策军左千牛卫王思仪。刑堂的陈设异常简单，只有王思仪面前的一套花鸟漆器茶具是屋中惟一生动的色彩。

周兴像一位老师，站在一幅人体经络图面前循循善诱地向王思仪讲解。

周兴：这是命门……这是脾，脾很重要，一旦充血，很不好，冲大了就会炸，五脏六腑里像有千万只蚂蚁在爬，很疼，所以要保护脾……这儿是丹田，这儿是肺。我爹肺不好，有时会收缩，变成有这么大吧（周兴用拳头比画），比这得小，婴儿拳头那么大，但坚如生铁，呼吸对我爹来讲是世界上最痛苦的一件事情。唉，惨不忍睹……（周兴仿佛在自言自语）……对了，这儿，叫天枢穴，控制着人的心，心这东西有意思……

王思仪：周大人，你找我来，就为了这事儿？

周兴：啊！怎么，不爱听了？

王思仪：（站起身）恕不奉陪，我还有公务在身！

周兴：等等，我还有事求你……

周兴从袖口中拿出一个册子，甩在王思仪面前。

周兴：听说太平和武三思串通谋反，我是想麻烦王大人作个证，画押吧！

王思仪：（不可思议）你开什么玩笑？……（他翻了翻册子）无稽之谈！太平与武三思是公认的水火不相容，两人从不来往，哪儿来的什么串通？

周兴：……他们必须串通，王将军，我需要他们串通……

王思仪：周大人，您这是让我作伪证？周大人，我劝劝您，公主是圣上最依赖的人，静德王爷是武家的接班人，你与他们作对，是不是有些自不量力？

周兴：是吗？什么叫自不量力？谁想拿掉我就是自不量力，我听说你在太平府叫嚣要杀我？

王思仪：(一副豁出去的神态)你吓不倒我,我知道你什么意思。实话说，我从进来以后就没想着再活着出去。我王思仪世代忠良，从未生过一丝反心，更不可能干出卖主求荣的行径。你就是杀了我，也难改我的一片忠心。

周兴：(转过身)我不杀你，我只是想看看你的忠心……这叫针！四寸，我把它烧红，(走到经络图前，狠狠地扎上去)然后告诉我，从哪开始剥，能尽快看到你的那颗忠心……

王思仪脸上冒出汗来，他定定地望着人体图……

8. 武则天寝宫内殿　白天　内景

太平看着手里一片用囚服下襟写下的血书，凝眉不语。徐坚身着官服站在她身边。

徐坚：王思仪将军历经各种惨绝人寰的酷刑，实在无法忍受，只好画押，以求速死。临死前写下这份遗言，请公主原谅他。

太平手指轻轻抖动，抚摸着遗书。

太平：我会原谅他的，而且要永远纪念他。

徐坚：现在形势越来越危急，我们已经有好几个同伴被周兴扣押。我的住处周围布满密探，很多人已经躲出了城外，昨天崔浩又在下朝的路上被捉拿……

太平：不能再这样下去了。你现在就替我拟一份奏章弹劾周兴。

徐坚：公主还没看出来吗？周兴制造这么多冤假错案的目的就是造成朝廷反对武皇的假象，让武皇离不开他。

太平：难道就拿这个小人没有办法了吗？

徐坚：惟一的办法就是揭穿周兴的真面目。

太平：哪有那么简单，上次旦的事情已经充分说明了问题，可母亲还是执迷不悟。

徐坚：我们上次的失误是过分依赖正常的途径。魔鬼作恶就在于他们比君子更了解道德的缺陷和软弱。现在惟一的办法就是以恶制恶。

太平：你的意思是……

徐坚：有一个人可以帮我们！

太平：谁？

徐坚：来俊臣！

9. 刑部小屋　白天　内景

周兴与来俊臣在饮酒，两人神态亲密，颇似知己。来俊臣一副愁容。

周兴：(放下酒杯) 喝了半天，你一句话不说，到底遇上了什么难事？

来俊臣长叹一声，独饮一杯。

周兴：你叫我来就是看你这副愁容吗？我没这个心情。

说着站起来。

来俊臣：老师，我现在碰上了一个大难题，也许只有您能帮我。

周兴：说吧！

来俊臣：武皇让我审一个大叛臣，可我用了您教我的所有办法，他就是不招，武皇现在又催得急，您说我该怎么办呢？

周兴：你青于蓝胜于蓝，越来越受皇上重用。你都审不出来，我也就没什么办法了！

来俊臣：老师，您老过谦了。我来俊臣有今天都是您的栽培，我所有本事也是从您那儿学来的。您一定得帮我。

周兴：真审不出来了？

来俊臣摇摇头，顺手撕了一只鸡翅嚼起来，像一个无计可施而又贪嘴的小孩。

周兴：你知道这是什么鸡吗？

来俊臣：荷叶熏鸡……不对，味道更鲜美，它是……

周兴：是荷叶熏鸡。可是做法却不一般。

来俊臣：噢？

周兴：我是把活鸡用掺好香料的红泥裹住，再包上荷叶，只露出鸡头，放在瓦罐里用文火慢熏，当鸡头垂下，不再挣扎、蠕动，就算做成了天下第一的美味。你明白了吗？

来俊臣困惑地看着他。

周兴：看来你永远当不了这个行当里的第一人！来人，拿一只大缸来。

10. 刑部院子　白天　外景

几个仆人扛上一只大缸。

周兴和来俊臣来到院中。

周兴：生上火。

仆人们在缸下面点上火。

周兴：你把那个大叛臣放进这只缸里，再怎么坚强的汉子，也会成为你的一道美餐的。

来俊臣立刻兴奋起来，围着缸转了两圈。

来俊臣：妙啊，妙！（突然像儿童一样灿烂地笑）多谢老师。缸热了，就请您进去吧！

周兴顿时明白了来俊臣的用意，瘫坐在椅子上，汗流满面，眼角急剧地抽搐着。但他很快又恢复了镇静。

周兴：你为什么要害我？

来俊臣：（天真地）我害过了吗？我没害过，是您害了自己，您也不想想，太平公主是武皇的什么人？她即使真的谋反，也不是您动得了的，您怎么会这么没有头脑呢？

周兴：咱们是师徒，不是说好以后得了天下，我们一起分享吗？

11. 刑部小屋 白天 内景

在窗内一直旁观的太平与武则天目睹了这一幕。武则天脸色骤变。

12. 刑部院子 白天 外景

来俊臣：（突然憎恶地提高了声音）你不是我的老师，你这么没有头脑的人怎么配做我的老师呢？别说那么多废话了，赶快进去吧！

周兴：你真是个忘恩负义的小人，我怎么瞎了眼收了你这个徒弟！

来俊臣：（大笑）您没瞎眼。我是您最好的徒弟。您不是一直告诫我当酷吏最重要的不是研究酷刑，而是忘恩负义吗？现在的形势就是谁抓到叛臣，谁就能博得武皇的信任，还有比您更大的叛臣吗？您既然得罪了太平公主，就再也没有前途了，您也只能成全我了！我会发扬光大您的事业！

武则天和太平突然出现在门口。来俊臣惊得目瞪口呆，跪倒在地。周兴看着他，却第一次露出笑意。

武则天：把他们都拉下去。

望着两人的背影，武则天转向太平。

武则天：谢谢你，你又一次帮了我。

太平：母亲看见了，这就是周兴们审案的过程，请母亲为所有蒙冤的人平反。

武则天：看来你很懂谋略，你应该从政。

太平：您还没有答应我。

武则天：我答应你。你也答应我，过几天太子学考试，你就替母亲主持吧！

旁白：我又一次大获全胜！从政的接连胜利为我一败涂地的个人生活带来了明亮的转机。我的热情因此拥有了全新的表达形式。尽管我依然谈情色变，并且由于情感匮乏而时常感到某种茫然。政治上的成熟令我真正获得了同母亲平等的地位，而情感上的危机又使我们真正拥有了共同的语言。我甚至佩服起母亲驾驭男人无比自如的能力来……

13. 女红坊　白天　内景

房内的绣架上紧绷着一排排红色绢布，室外强大的光线通过绢布的过滤，在屋内舒缓地蔓延。空气都被染成了新鲜的粉红色，仿佛刚刚经过了红酒的浸泡……太平在空荡的房间内前行，穿过一排排绢布，脸上的喜悦被映得通红。

太平：有人吗？母亲，你在吗？……

张昌宗坐在最后的两排绢布间正专心致志地往绢上绣着荷花。他俊俏秀丽的面容及弥漫于脸上的柔情仿佛是屋中全部色彩运作的最终结果。太平惊奇地望着他，好像是面对一处突然的美景……张昌宗回眸一笑。

张昌宗：在下张昌宗拜见太平公主！

太平：……你是？

武则天：他叫张昌宗。是我从洛阳带回来的，专绣荷花。你不觉得他同荷花一样清秀妩媚吗？

太平低下头，似乎不适应母亲这种直白的评点。

太平：……母亲找我来干吗？

武则天：陪我聊聊。

太平：母皇想如何处置周兴、来俊臣？

武则天：太平，我们今天不谈政事！我找你来是想同你一起轻松轻松。你最近很累，帮了母亲很大的忙，我想感谢感谢你！

太平：母亲想怎么感谢？

武则天：介绍张公子和你认识啊！

太平立刻锁紧眉头。

武则天：你看你，一脸不情愿的样子。这种表情倒像是朝内大臣的，不像我女儿的！

俩人边说边走到张昌宗背后。

武则天：公子的这幅荷花图是专为你绣的！以表达我对你智慧的欣赏！

太平放松了一点戒备，表情也见轻松。

太平：真是给我的吗？

张昌宗：公主会刺绣吗？

太平：会一点儿，被母皇逼着学的！

张昌宗：那公主何不自己收尾？

武则天微笑着望着太平，点头表示鼓励。太平坐在张昌宗的位子上，拿起针，略显生疏。

张昌宗：不对，公主，胳膊再抬高一点儿，这样很快就会累的……好点儿了！……针，再握得靠上一点儿……

太平：这样？

张昌宗：哎呀，不对！

张昌宗说着从后面拥住太平，用手把住太平的手，俩人靠得很近。这久违了的男性躯体令太平的身体不自觉地一颤，她微微闭了一下眼睛。但她没动，坚持着听凭张昌宗摆弄着自己的双手。

武则天在身后眯起眼，微笑着注视俩人，脸上含义丰富。

张昌宗：这样拿针，绣的时候要注意针的走势，行针如书法……

14. 贡院　白天　内景

场内鸦雀无声。考生们正紧张地做着文章。太平逡巡于考场内监考……

15. 狄仁杰府庭院　白天　外景

绣楼窗外挂着一个人。他外形俊朗，风姿潇洒，他跃出窗后，整个身子贴在墙上，侧头偷窥屋内的情景。

16. 狄仁杰府绣楼　白天　内景

狄仁杰背窗而立，正望着自己对面试装的茹夫人。茹夫人神色慌张，动作草率。
狄仁杰：哎，别动，让我再看看……转过去，这采珍阁的手艺就是好，做工精细，转过来……
茹夫人转身时，居然看见张易之的脸现于窗外，她大惊失色地看着他。
狄仁杰：不错，料子也好……怎么了，夫人，看什么呢？
茹夫人：没什么，没什么……
狄仁杰回转身，纳闷地望着窗外……

17. 狄仁杰府庭院　白天　内景

张易之大口喘着气，他的身体更紧地贴住墙，躲避窗内四处张望的狄仁杰。

18. 狄仁杰府绣楼　白天　内景

狄仁杰：（回转头）……你脸色怎么这么不好？

茹夫人：最近可能睡得不好……

狄仁杰：朝里最近很忙，也没时间照顾你……我得上朝了，你注意吃药，早点儿休息……

茹夫人：（往出送）多谢您挂念，我会好的……

茹夫人转回来时，不禁大叫一声。张易之已跳了进来，四脚朝天躺在床上，大口喘气。

茹夫人：你，你怎么这么大胆儿，万一他要是回来……

张易之：回来就回来吧，我顾不得那么多了！……他真是当官儿的，说起话来废话连篇，空洞无物，他这样的宰相我也能当……

茹夫人爬上床，爱怜地望着张易之。

茹夫人：累了吧？……哼，什么都对你来得太容易，这回让你受受苦……

张易之：那要看为什么受苦，值不值得？为你……就算值了吧！

茹夫人甜蜜地笑，俩人刚想温存，张易之突然坐起。

张易之：今儿是什么日子？

茹夫人：八月初七……

张易之翻身下床，慌张地穿起外套。

茹夫人：怎么了你，你去哪儿？

张易之：去哪儿？赶考！我来长安干吗来了？！（跑到门口）记住我托你的事儿，别忘了跟你丈夫说。

茹夫人：忘不了……等等（从手上褪下玉镯）……拿着，听说宫里的小黄门你不行贿，很多事不好办……

张易之：就凭我，哪件事儿办不成？

他说着，拿了玉镯出门。

茹夫人：哎，今儿晚上回来吗？

张易之：（画外）不知道，你等着吧！……

19. 贡院　白天　内景

太平站在案前整理东西，准备离去，殿内已空无一人。

衙役：(进)禀告公主，有个叫张易之的求见，说是考生。

太平：张易之？

太平拿出名册，翻看着，找到张易之的名字。

太平：是有这么个人！……怎么连考试都晚了，这样的人能成什么大事？……告诉他，让他回去吧，明年准时来！

说完扬长而去。

20. 贡院　白天　外景

张易之：你就让我进去吧。我从离家到现在，觉都没睡，都怪我的马，好好儿的居然跑死了……我恨不得是跑到长安来的！

衙役：张公子，我也没办法！里边发话了，让你明年再来！

张易之：明年？那我今年怎么办，我来一趟容易吗？……

他突然不说话了，望着走廊发呆。

太平仪态万千地款款而去……

张易之：……那是谁？

衙役：那就是咱们监考啊！太平公主！

张易之：(眉毛微微上扬)看来我今年是走不了了……(眼睛盯着太平，手却抬起来，摊开)给我……

衙役：给你，给你什么？

张易之：玉镯！

衙役：不是说好了吗？你这人怎么……

张易之缓缓转过头，面带微笑。

张易之：我现在喊，还来得及！

第二十七集

衙役：你？（悻悻地掏出玉镯，重重地拍在他手上）……滚吧！别让我再看见你！

张易之闻着玉镯，若有所思地望着空荡的走廊。

21. 大明宫殿外　白天　外景

武则天面对众臣，站在大殿外的平台上，面色凝重。台阶下的广场上堆积着大量的卷宗，一只焚烧炉里的大火在熊熊燃烧。

武则天：酷吏制度是我的错误，我向你们道歉！向你们当中屈死的人、向你们日夜遭受的惊吓，献上我最诚挚的歉意！你们将获得平反昭雪和补偿。我向你们保证，酷吏时代结束了，它将随着这些伪证，永远成为历史的灰烬。让这熊熊的大火佐证我的誓言！

神策军士随着武则天的话语，将卷宗一摞摞投入炉中，火光冲天。

第二十八集

旁白：一个人在这个世界上的生存从来都不会是孤立和既定的，多少偶然的插曲决定着你的命运。不论你把自己的存在封锁得多么严密，你永远生活在别人欲望的视野内，尽管大部分情况下，你对此浑然不觉。我从没想到自己那天在贡院考场走廊上的行走，会成为另一个欲望的起点。从那一刻起，我以后的感情生活像一头优美的猎物，被一个叫张易之的男人秘密地俘获而规定了走向……

1. 客栈门口　白天　外景

一贵妇模样的人从客栈往出走，头上蒙着纱，出门后即上了一架车辇。张昌宗险些同她撞了个满怀，好奇地看着她慌乱的身影。

2. 客栈客房　白天　内景

张昌宗推开虚掩的门。张易之背身临窗而立，披着睡服。屋内很暗，床上还很凌乱。

张昌宗：哥！

张易之：（没回头）你来了，过来！……看见那车辇了吗？茹夫人就在上面……她一打这儿出去，就又是茹夫人了，尽管在这屋里像我的一条狗……满长安全是这种可怜的人，钱带来了吗？

张昌宗：带来了！你，要那么多钱干吗？

张易之：有钱了，我们可以打扮得像个贵族！

张昌宗：为什么？

张易之：为什么？这不是你我来长安的目的吗？

张昌宗：是啊！是啊！可大哥你急什么？凭你的本事今年肯定中榜，弄不好还是个状元。到时，你不就是真贵族了？

张易之：我根本就没考，去了一趟就回来了……

张昌宗：为什么？

张易之：因为同做文章相比，我更适合谈论爱情。再说，赶考为的是什么？

张昌宗：为，为当官啊！

张易之：当官儿为什么？

张昌宗：为了，为了尽享荣华富贵呀，这不是你我的梦想吗？

张易之：你没考试不也荣华富贵了吗？

张昌宗：我……我算什么荣华富贵，我不过是个男宠……

张易之：武则天当年是什么？才人，才人就是女宠。可如今却做成了皇帝，只要你这儿好，（张易之指了指自己的头）你就不在乎怎么开始……

张昌宗：啊？大哥，你，你也想当男宠啊！

张昌宗看着张易之倒在床上。

张易之：是啊！我还想麻烦老弟给我推荐呢！

张昌宗：（慌张）这……现，现在恐怕时机不是很好，你没看……

张易之：你慌什么？怕我得宠，抢了你的饭碗儿？

张昌宗：那，那倒不是。大哥你想哪儿去了？一有好机会，我一准儿推荐你！

张易之：你见过太平公主吗？

张昌宗：太平？见过啊……

张易之：她喜欢你吗？

张昌宗：……说不准。她跟皇上可不一样……不过……

张易之：不过什么？

张昌宗：不过哪个女人离男人久了，心都会痒痒。我那天试了试她，其实是皇上的意思。我觉得她有点儿把持不住，尽管后来没什么事儿……哎，你怎么想起她来了？

张易之：我见过她，在考场外的走廊……仪态万千，行止婀娜，像一朵夜游的牡丹……

张昌宗：大哥喜欢她？

张易之：何止喜欢？我都有点儿爱上她了！……（腾地坐起身）老弟，给我想个办法见到她，她是我的！

张昌宗：(为难)见她？……见太平没那么容易，驸马死后，除了公事，她基本上就不出门儿……对了！上元灯节宫里演抵角戏，她肯定去！

张易之：哪个戏班儿？

张昌宗：不知道，我没问过……

张易之：好！我让你办三件事。一、打听好哪个戏班儿；二、帮我弄清楚薛绍是谁；三、演戏那天把皇上留在宫里，省得你失宠，明白啦？

张昌宗：明，明白了，大哥，你真想和太平……她可是皇上最宠的人，小心别玩过了，再让……

张易之：你放心吧！我又不害她，我是爱她！哪个女人拒绝得了爱？记住，只要这儿好（指头），就不怕怎么开始……皇上是你的，公主是我的，我们就是天下最名副其实的贵族，懂了吗？

张易之逼视着张昌宗，俩人的脸靠得很近。过度的亢奋令张易之的眼神狂乱迷幻……

第二十八集

7. 大明宫甬道　白天　外景

甬道上气派豪华地排列着一个车队，将要起驾的车辇皆挂着彩，一片节日的喜庆。一个太监神色慌张地向队列前跑，掠过一侧欢乐的景致。太平与武则天并坐于车内，皆身着礼服。太平若有所思地观望着车窗外忙碌的太监，沉默不语。一旁的武则天注视着她。

武则天：怎么了？太平？

太平：上元灯节，又是上元灯节！我第一次偷跑出宫就在上元灯节。一晃将近二十年了……

武则天：又在想他了？

太平：怎么能不想呢？母亲！那是我生命中最优美的一天……

太监此时跑到车外，跪下。

太监：启禀圣上，张昌宗在女红坊哭着不出来，吵着要见您，还说要……要上吊……

武则天透过帘子看着太监。一丝烦躁浮于脸上，她皱着眉。

武则天：……知道了！（她随后转向太平）太平，你看见没，不管什么样的男人，雄壮的，还是娟柔的，只要你把他放在女人的位置上，他就是个女人……你先去吧！我去看看他……

武则天离座下车，吩咐太监。

武则天：起驾吧！我等会儿再去。

太监：起驾！……起驾！……

8. 女红坊　白天　内景

作坊内照旧是红彤彤的一片。张昌宗面对着一幅新绣的山水，脸上有一滴泪。他正注视着武则天渐渐走近的模糊影子，当武则天刚一出现在眼前，还没说话，张昌宗便扑通跪倒。

张昌宗：请圣上赐小奴一死！

武则天：（不耐烦）好好的，你又闹个什么？！

张昌宗：圣上不应该让我绣这幅山水，它让我想起我久别的故里。那儿虽然贫穷，却终究还有狗吠蝉鸣相伴，不像这宫里，听上去人声鼎沸，却谁和谁都没有关联……

武则天：什么话！你有我宠着，还有什么可孤独的！难道这还不够？

张昌宗：够了！有您宠一天就够了！我只是耐不住寂寞，您有一个礼拜没来见我了……

武则天：那你就直说要见我！我最讨厌别人用死来威胁我……行了，你起来吧！……昌宗，我警告你。你是男宠，任务就是让我高兴，当然是在我想高兴的时候！别让我为难，我不想再出现第二个……好了，今儿我留这儿陪你！你要干吗？

张昌宗：我，我想去城门上赏灯！我想绣一幅长安灯景献与武皇……

武则天：行！就依你！反正抵角戏是年轻人的玩意儿，不去也罢……

张昌宗长舒了一口气……

10. 抵角戏观众席　白天　内景

第一排坐着太平和旦，身后已坐满皇亲国戚，最中心的位置空空如也。李隆基神色威严地站在太平身后，手抚剑柄……

旦：太平，母亲不来了吗？

太平：也许来不了了。

旦：太平，你的事我都听说了，你干得很好，我真的很钦佩你！铲除周兴、来俊臣，全朝上下，除母亲之外，只有你有此能力，这一招大快人心啊！

太平：旦哥哥，我还以为你真的大隐于市，对天下事不闻不问呢！

旦：大隐于市并不等于麻木，它其实意味着更深刻的清醒。真正的隐士理应永远不停止对天下的关注，他只是不说话而已。

太平：那又何必呢！既然能够保持清醒，又从未停止过关注，为什么不站出来说话？旦哥哥，李家只剩下你我二人。我现在站出来了，你如果就势出山，我们联手辅佐母亲。你没看为立嗣的事，朝野又一片混乱吗？

旦：你错了，太平。你没看我现在布履麻衣，早已死了那份心情。周兴这一闹，反倒提醒了我自己洗衣煮饭是一件多快乐的事！说话不是我的所长，这一点其实从小我就意识到了……李家有你，就有了希望！

太平：你控制得了自己的心情，却无法控制别人的想念！你是男人，在别人眼里自然就会有野心，只怕有人放不过你，还顽固地把你当作敌人。而我，毕竟只是个女人……

李隆基：还有我呢！姑姑，我也是李家人，也已经长大。保护姑姑和父亲的安危是我的责任！

太平：……听听，我们还有这样一位年轻的后生……

旦：（苦笑）我其实最担心的是他！这孩子性格刚毅，最容易被人树为敌人！他的安全只怕真要系在妹妹的身上……

此时，太平及旦身后的人都担心地站起了身，面容焦急，有隐隐的议论声传来。太平这才注意到白虎已将青虎击倒，用剑顶着青虎的喉咙，原地绕着圈儿……白虎随即转过身，以某种仪式化的动作向太平的方向走来，动作夸张，他越走越近……太平隐约感觉到他似乎冲着自己而来，莫名紧张起来。李隆基握剑的手逐渐加紧……所有人皆屏住呼吸，空气中充斥着令人紧张的静寂……白虎离太平已经很近，他舞蹈的动作极放荡。且越舞越逼近，太平本能地向后靠……

李隆基：什么人，退后！

李隆基话音刚落，剑已出手。动作干脆麻利……剑直直地挑在白虎头顶，白虎头盔瞬间飞出去，露出张易之的脸。他抬起脸，一滴血从眉心缓缓下滑，将他的脸规则地划为两半。他盯着太平的眼睛，语调低沉平稳。太平已被眼前的这张既熟悉又陌生的面孔惊得目瞪口呆。

张易之：对不起，让公主受惊了！

太平恍若梦中，俩人对视。

旁白：我又一次见到了他，在阔别了整整二十年之后。这本应该只属于梦境……血滴沿着他光洁的面孔缓缓地滑落，仿佛是惊醒的记忆惊慌挤出的一滴辛酸的泪水。这不可能！在那一刻，我甚至感到连肌肤都在匆忙地否定我张皇的视觉，这不可能！薛绍！我内心的伤口才刚刚被时间愈合！请不要回来，我刚刚决定同爱情永别……

（伴随着旁白）张易之刚才抬头的动作无声地重复。

张易之：（大声，依然面无表情）对不起，让公主受惊了！

太平：（语塞）……没什么！你……你……

张易之施礼，转身从太平的注视中消失。

11. 太平府卧室　夜晚　内景

太平怔怔地坐在桌前，望着桌上的昆仑奴面具，口中念念有词。春在一旁侍立。

太平：这不可能！这……怎么可能呢？告诉我，春，这是假的，是幻觉！……

太平摇摇头，否定着自己。

太平：（像是在说服自己）这不可能！他死了，他真的死了，死在我的怀里……难道他活了？还魂了？难道薛公子还活着？……（太平急切地摇着春的肩膀）我看见他了，我的眼睛不会说谎！我……我们走！上戏班儿！

12. 抵角戏班驻地　夜晚　内景

班主带领着徒弟们一字跪在太平对面。

班主：不知公主驾到，有失远迎！

太平的眼睛急切地搜寻着戏班的一张张面孔，没有张易之。

太平：今天演白虎的那人呢？

班主：（惊慌）请公主恕罪！他，他根本就不是我们戏班的，他头几天才来，不懂规矩……

太平：我没怪他！他在哪儿？

班主：走了！演完就走了！连个招呼都没打，一阵风似的！我们也在找他呢！真是碰上奇人了！

太平：走了？他叫什么？

班主：叫，叫……你看我这脑子！

徒弟：（在一旁提醒）叫张易之！我记得很清楚，他跟我演对手戏！

太平：师傅，你怎么碰见他的？

班主：哪儿啊，他自己来的，非要学艺，还送来拜师礼，我就收了！早知道……我就知道这有钱人家的公子没常性……

13. 客栈二楼　夜晚　内景

张昌宗沿着狭小的楼梯疾行而上，情绪激动地喊着。

张昌宗：大哥，大哥！……

14. 客栈客房　夜晚　内景

他推开门看见张易之坐在靠窗的案前，正对着镜子察看头上的伤势。

张易之：你喊什么？！

张昌宗：大哥你运气真好，太平八成是你的了！

张易之：怎么见得？

张昌宗：你这苦肉计算是值得了！……（他从怀里掏出一尺绢，扔在案上）看看吧！这就是薛绍！全天下最招咱公主爱的人！

张易之徐徐地展开绢，自己不禁也被惊呆了。

张昌宗：这是我在驸马陵墓的画像上临摹下来的。我都不用看，分明是我大哥嘛！

张易之：……天助我也……（大声，语调亢奋）天助我也！！我说太平看我时目光怎么那么痴迷，原来我就是薛绍，薛绍就是我呀！

张昌宗：给，还有这个！

张昌宗递给张易之一个卷轴，张易之打开。

张易之：《长相守》！……这曲谱是什么意思？

张昌宗：对，《长相守》。这是公主最爱弹的古曲。据说也是薛绍生前最爱听的曲子。这如今也是宫里最流行的情歌儿，是他们婚姻最优美的纪念。公主一听这曲子，到现在还禁不住泪眼……

张易之迅速起身，将墙边的古琴罩布一把扯开，对着谱子弹了起来。开始略显生疏，但很快便弹得流畅自如……音乐戛然而止，张易之神情陶醉。

张易之：太平公主果真是懂得爱的人，这是一首好歌！张弛有度，藕断丝连……这样就好，只要她懂爱，就会懂得我……（转向张昌宗）别的事儿你办了吗？

张昌宗：还，还有什么事儿？

张易之：把我推荐给武皇啊！

张昌宗：啊？你，你不是喜欢太平吗？

张易之：是啊！我是喜欢太平，但这不意味着我就不能喜欢别人呀！我又不想当驸马！老弟，记住，你我要让所有人都喜欢！因为我们最终喜欢的，是美好的生活！

张昌宗：那，那好吧！我有了机会一定带你去！

张易之将绢巾挂在墙上，对着它将披肩的长发挽起来，反复几次。
张易之：薛绍……张易之……张易之……薛绍……多美的两个男人！
他笑了，自我欣赏的笑。

15. 长安街头　白天　外景

太平坐在车辇里，失魂落魄地看着窗外熙攘的市景，一丝琴声传入车内，逐渐清晰起来，竟是《长相守》！太平慌忙透过车窗向外张望，看见人群中一个艺人正动情地演奏……

太平：停，停……

太平走下车辇，分开人群，她径直走到低首抚琴的人面前。《长相守》正进入尾声，余音绕梁，抚琴人披着头发，似乎很落魄。他缓缓地抬起头，正是张易之，神情苍茫邈远……俩人在闹市中又一次对视。

旁白：他不是薛绍，尽管他们有着惊人相似的眉眼以及同等明亮的面孔，但他脸上的光彩却更显得经意而圆熟……然而我无法遏制自己接近他的激情，因为他眼神背后那同薛绍如出一辙的迷宫一般的内涵……我又变成了二十年前那个目光热辣而勇敢的皇家女孩……

16. 长安街头　白天　外景

二人在围观的人群中对视，张易之丝毫不掩饰地直视着太平的眼睛。
太平：你是谁？
张易之：在下张易之。
太平：你从哪儿来？
张易之：宁州，江南小镇。
太平：来长安做什么？投亲？还是……流浪？

张易之：本来是想来长安闯天地，但来了后发觉流浪更有意思……

太平：你住在哪儿？

张易之：芙蓉客栈……

太平：张易之，张易之……你是否参加过太子学考试？

张易之：是！但去晚了……

太平：为什么去晚了？

张易之：当时还没有想好……

太平：现在呢？想好了吗？

张易之：想好了！

太平：那好，我可以再给你一次机会……

张易之：您理解错了，我想好了不再参加考试。（站起施礼）请公主恕在下不敬之罪……我告辞了……说罢义无反顾地抱琴离去。

太平：等等，八月十五，请阁下到我府上赏月，我请的都是历年上榜的才子，你是我请的第一个弃考的人！

张易之：谢公主！

说罢扬长而去……

17. 太平府议事厅　白天　内景

政治聚会仍如往常一般热闹，徐坚依然是主角，在众人注目下慷慨陈词。太平临窗而立，明显地游离于众人之外。

徐坚：果真不出我所料，武家兄弟现在已不再掩饰自己承继天下的野心，我真看不惯他们在朝堂上颐指气使的嚣张做派！

青年政客：诸位知道武家兄弟正在洛阳大修武氏祖庙，耗银上万两，规模空前，俨然一副江山已定的派头！

徐坚：我现在更担心的是李氏诸皇子的安危！依武三思的脾气禀性，他不会饶过在野的李显和与世无争的李旦。他不比圣上，与李家诸子根本谈不上感情！对李家斩草除根，以绝后患，这是他必然的逻辑！这个人不仅有野心，而且胆识超人，连圣上都奈何不了他，再加上他巧舌如簧，我看圣上八成会立他为嗣，那将意味着李家皇运的最后终结……

　　太平出神地望着院中的滴漏，沙子一点点泻尽……院中房檐的阴影水一般无声地蔓延，天逐渐黑下来……

　　旁白：我在等，怀着前所未有的急切以及某种程度的恐惧。我多么希望听到他迫近的脚步声……他会来吗？他不会来！他只不过是一个云游四方的游子。我为什么要盼他来？他谁也不是，只不过长着一张酷似薛绍的脸！可他的脸，那就是我的青春年华……我只想再看一次，一次足矣！……他没来，这样最好，这样我那倾力建构的内心安宁就不致再被破坏，我其实怕他来，这样最好……

　　一丝失望浮现在太平脸上，但只一瞬间……太平长舒一口气，面容也已轻松，身后传来壮士爽朗的笑声，太平转过身……

18. 芙蓉客栈大堂——楼梯——客房　夜晚　内景

　　太平冲进客栈，向跑堂儿的打听着什么，继而向楼上跑去……楼梯在太平眼前急速晃动，太平推开虚掩的门，屋内狼藉一片，屋正中只有那把孤独的古琴……

　　旁白：他走了！像我无数次做过的甜蜜而伤感的梦，来去都悄无声息，只留下梦醒后令人心碎的空虚……

19. 客栈对面的酒楼　夜晚　内景

　　张易之透过窗户悠闲地望着楼下的太平，暇逸地笑了……
　　张易之：太平，（他举起酒杯）我们很快会再见面的……

第二十九集

旁白：围绕立嗣的争斗是每一届君主晚年生活的主要内容，是他们不得不面对的、也是最残酷的现实。这是关系到他们的帝王生涯最终能够名垂青史、还是遗臭万年的关键所在。母亲也不例外，她面对的是选择此刻豪情万丈的武家子弟还是李家仅存的两个心气平和的儿子。

1. 祭坛　白天　外景

梦境。

一处高耸的台阶，似乎有云雾弥漫在四周。已经年迈的武则天吃力地登上一级级台阶。她身后的蓝天白云飞速流动，仿佛显示着时间流逝的诡异与魔幻。突然，上朝的鼓乐声从极远处响起，一队队神色冷漠的神策军仪仗队从她身边走过，渐渐在圆形祭坛两边排列好。她慢慢看见祭坛顶部的龙椅一点点显露出来，龙椅四周布满荒草，她正准备走上去，一阵烟雾涌起，大风吹得她衣发飞扬，当烟雾散去，武三思端坐在龙椅上，杂草也消失得无踪无迹，君臣侍立在他的两边。

武则天：（惊异）三思，你怎么坐在这儿？

武三思：（冷漠）是您让我坐这儿的呀！姑妈忘了吗？你已经把皇位传给我了，我如今是咱们大周的皇帝！您还来干什么？回去休息吧！

武则天惊异地看着武三思。

武则天：（惊怒）胡闹！你给我下来！

武三思：下来？坐上来就没那么容易下去了！怎么？您后悔了？！

武三思身边站着狄仁杰。

武则天：（问狄仁杰）这是怎么回事？

狄仁杰：（表情冷峻）我曾经劝告过你，把皇位传给儿子。你离开人世以后，牌位送到太庙，陪伴先帝，共享香火，代代相传，直到永远。我可从未听说侄儿当了皇帝，把姑妈的牌位送到太庙去的。你不听我的劝告，落得这样可悲的结局……

武则天：（指着狄仁杰）把他给我拉出去砍了！

武三思：准了！本来我也不想留他，浑身上下带着李家的霉气！

两个神策军上前拖走狄仁杰。

武则天更加茫然，感到了阵阵恐惧。

武三思：姑妈，这个地方太高，风又大，您一个弱不禁风的女子很容易着凉，赶快下去吧！上天借您的手赐福我们武家，现在您的使命完成了。我代表武家谢谢您……

武则天：（震怒）来人，把这个狂徒给我拉下去！

两边的群臣默立，没人动手。武三思大笑。这时几个太监走上前，围住武则天。

太监：（嗓音尖利刺耳）武则天，请回宫吧！

这时，武则天看到李家父子正从台阶下朝上走来。

李治、弘、贤面无表情地从武则天身边经过，竟然没有一个人向她打招呼。武则天试图抓住李治。

武则天：皇上，我为大唐忠心耿耿，为天下做出了莫大的贡献。我没有辱没列祖列宗的荣誉，为何落得这般下场，看在多年的夫妻情分上，您救我吧，给我一席之地！

李治神情冷漠，只顾摇头叹息。

李治：晚了，媚娘，一切都晚了！

李治说完，推开武则天，继续向上走去。

武则天又转向弘和贤。

武则天：我是你们的母亲呀！你们怎么都不说话？

结果还是一样。弘和贤推开她的手，看也不看地径直拾阶而上。显和旦从身后走来，武则天再次抓住他们，没有人理会她。最后出现的是张昌宗。

武则天：昌宗，你也要抛下我吗？

张昌宗：我是男宠，可惜您已经不是皇帝了！

说着他也擦肩而过。

太监：（在一旁催促）武则天，快走吧，离并州还有几千里呢！

两个太监拉着满身是血的薛绍迎面出现。武则天已经有些失控，试图抓住这最后的救星，把手使劲伸出去，突然她看见了太平，便朝她扑去。

武则天：太平救我，太平救我！

2. 武则天寝宫　白天　内景

有风，幔帐飞舞，如武则天纷乱的梦境。武则天惊叫着，嘴里念叨着"太平救我"！手在空气中抓着什么。在她的床榻前站着张氏兄弟。

张昌宗示意张易之把手递过去。武则天一下抓住了这只手，睁眼一看，大惊。

武则天：薛绍？！

武则天马上清醒过来，急忙松开手，腾地坐起。梦中的惊恐马上转化为冷峻，但身体还在微微战抖。

武则天：你是谁？

第二十九集

张易之：张易之奉召参见武皇！

张昌宗：这是我哥哥张易之，我常跟您提起的。

武则天：（对张易之发现自己梦中的失态有些不快）你……抬起头来……（武则天盯视着张易之）扶我起来！

张易之把武则天扶到镜前。武则天从镜里上下打量了他一番。张易之并不回避她的目光。

武则天：你会梳头吗？

张易之摇摇头。

武则天：（故意显示自己的轻视）昌宗，过来！

张易之坦然地退到一边。

张昌宗上前为武则天梳头，动作异常轻柔，优美。武则天长时间凝视着镜中的自己，不免有些伤感。她看见镜中年轻俊美的昌宗，想起梦中的情景，皱了皱眉头。

武则天：我刚才梦见了你。

张昌宗：（明媚地一笑）那我有福了！

武则天：我梦见你背叛我！

张昌宗停止了动作，有些慌张，梳子掉在了地上。

张昌宗：我，皇上……可不敢开这种玩笑……

武则天：你说我不是皇上了，你嫌我老了！

张昌宗：昌宗不敢……况且皇上也不老！

武则天：我指在梦里。

张昌宗：即使在梦里，您也不老，您在我眼里永远年轻！

张昌宗紧张地站在一边。

武则天：有多年轻？像二十？三十、四十？

张昌宗：像……

武则天：（问一旁的张易之）你说呢？我老吗？

张易之：您……老了！

武则天：(从镜中逼视他) 你好大的胆子！

张易之：我是没胆子说假话！

武则天：你敢说皇上老了？你就不怕我杀你？！

张易之：我只是在诚实地回答您的问题，我想您的英明不允许您杀一个诚实的人……

武则天一时语塞，严厉的目光转为好奇。

张易之：……圣上，人老是不可抗拒的，谁都会变老，但美不会，美是永恒的，如酒，愈陈愈烈，您与生俱来的魅力足以抵抗时间的河流把美从您身上带走。

武则天看着他，眼中渐渐有了一些笑意。

武则天：(对张昌宗) 把梳子捡起来！……给我梳头！

3. 旦寝宫　白天　外景

刘氏正在庭院中的石桌上摆放碗碟，不远处，旦在喂鸽子。

刘氏：相王，该吃午饭了。

旦置若罔闻，又充满怜惜地喂了一会儿鸽子。

旦：你看它们瘦的。

刘氏：它们足足飞了十五天吧？

旦：三个月前陇右节度使韦宣把它们带走，陆路去蜀中大约要走两个月，它们起码飞了一个月。

刘氏：蜀中与长安相隔无数崇山峻岭，风云气候变幻无穷，真是难为它们了。

旦：它们这次游历了帝国最壮丽的山河，(似乎在问刘氏，又似乎在问鸽子) 你说蜀中是什么样子呢？

刘氏：我听说锦官城为天下至美之城，城中四季开满鲜花。

旦：我们真应该去看一看，从小就听圣上讲大唐的山河如何多姿多彩，如何壮丽恢宏,可我这皇子却连长安都没出过,还不如它们……

刘氏:相王,饭要凉了!

旦长叹一声走到桌旁,这时一个仆人禀报狄大人求见。

旦:(对刘氏,显出无奈)他们又来了。

狄仁杰已迎面走来,神色凝重。

俩人坐在凉亭中。

狄仁杰:相王最近还好吗?

旦:难得像现在这样清静,只有大明宫的晨钟暮鼓,稍稍将它打断。

狄仁杰:真是羡慕您呢!我身为宰相,整天政务缠身,最近更是忧心忡忡夜不能寐。

旦:大周的江河百姓,实在是有劳您了。

狄仁杰:可最辛苦的还是武皇,国事家务已经使她内忧外患,日渐衰老。

旦凝眉不语。

狄仁杰:您真打算就这样置身事外,看着母亲操劳,彻底放弃一个臣子的孝心吗?

旦:(有些不耐烦)如果狄大人在影射皇权,我看就别谈了,要说孝道吗,我只想尽一个普通儿子的孝心。

狄仁杰:(同样激动起来)可您是皇子,命中注定无权享受普通人的天伦乐趣,这是上天对您规定的义务,您无法回避。现在武三思上下活动,武家班步步进逼,武皇犹豫不决,李家的社稷正在经历着前所未有的危机。我知道您憎恶政治,但这关系到社稷大业,关系着您祖上开创的江山何去何从,您还有心情坐视旁观吗?您不害怕李家先帝们的亡灵在天上谴责您的忤逆不肖吗?

旦:我不担心,我的先辈们是为了天下人的幸福而建立的李唐。他们伟大的胸襟也会因为同样的原因而放弃一姓一氏的私心,他们只会为我与他们的灵魂相通而感到欢欣。

狄仁杰：（极度失望）那么您就真的决定永远和这些鸽子生活在一起了？

旦点点头。此时他身后鸽子落在摆满午餐的石桌上，正在啄食着旦的饭菜。

狄仁杰：您以最大的爱心和它们朝夕相处吧，也许您与他们在一起的时光不多了。

旦：我不懂您的意思……

狄仁杰：武皇是您的母亲，也是李家的儿媳，她的亲情会善待李氏子孙。而一旦静德王登基，我真不敢想天下还有没有您及其他李姓王族的存身之地。您只关注自己的心情，而置所有亲人于血光之灾的危险之中。您小心翼翼的处世情调正把您变成世界上最自私、冷漠的男人！告辞了。

狄仁杰头也不回地走了出去，留下旦慢慢地出神。此时身后传来刘氏的惊叫声，她手中的食盘猝然落地。

刘氏：相王……

旦不安地转过身去，突然发现鸽子们被毒死在饭桌上。他再也控制不住自己，大叫起来。

旦：谁要害我！

四周一片寂静，没有人回答他。

4. 大明宫勤政殿　白天　内景

大臣们整齐地列队向武则天山呼万岁，然后分列站好，等待武则天宣布一天早朝的开始。武则天沉吟、肃穆地看着他们，正准备发话，突然目光惊愕起来。旦一身麻衣布履，走上大殿，提着一笼死鸽子，身后跟着一个背着行囊的小厮，文武大臣们的视线都集中在他的身上。

旦：（把鸽子放在地上）我请求母亲贬我为庶人，我要云游四方。

武则天：旦儿，你这是为什么？

旦：（一指鸽子）如果不这样的话，这些鸽子就是我的下场。

旦侧头盯着武三思。武三思回避他的目光。

旦：鸽子是我的心情，我的心情死了，我这个人也就死了……（说完转向武则天）我在皇宫里生活，只有鸽子牵动着我的心，代替我巡游四方！可现在鸽子没有了，我就变成了聋子、瞎子。这皇宫就变成了世界上最无生气，最欠景致的地方。母亲，我决定不再懒惰。这些鸽子把灵魂交与了我，我要带它们去游历梦中的山河。但我走前，还有最后一个请求，请母亲务必答应我。

武则天：你说吧！

旦：请母亲立显为太子。

阶下众臣议论纷纷。

旦：母亲，您了解我，我逊位是为了天下百姓的幸福。我和我的家族凭着对您的信任与爱戴，成全了您的业绩。但是我们的牺牲也正在成全某些人的野心。我们的未来正在被血腥的阴影笼罩，我不希望我的亲人们落到与这些鸽子同样的下场。母亲，您的仁义正在纵容残酷。您儿女的生命也正在遭受最歹毒的威胁！

武则天：贬为庶人我准了，但立谁为太子的事我还要慎重考虑。

旦：诚谢圣上恩德！我想您一定不会让儿臣失望！您知道我很少这样激动！

母子两人又相互凝视了很长时间。旦放下鸽子转身离去。望着儿子的背影，武则天目光怅然。

旁白：你父亲临走时将你托付给了我，还记得吗？我是在你第二天到我府上时才知道了他黯淡的出走。与我的其他哥哥相比，他是幸运的，他毕竟是他们中间第一个真正地随了自己心愿的人，虽然这心愿因为保全生命之计而显得如此的无奈和低调，让他付出了险些死亡的代价……

5. 武三思府 白天 内景

一缕惨淡的斜阳透过窗棂射进屋内，投射在矮桌上朱砂色的漆盘里，上面放着一副白绫和一纸金黄色的诏书。武三思跪坐在榻上，他对面同样姿势跪坐着两个面容精干、凶悍的心腹死士。

武三思：(俯身施了一礼) 那就拜托两位了。

两人冷漠地点点头。

武三思：武家的未来就全靠你们兄弟了。

死士甲：(仍然很冷漠) 我们明白！

武三思似乎仍然不放心，看了两人一会儿。

武三思：这是天大的罪过。如果你们害怕，现在反悔还不晚。

死士乙：我们不害怕！

武三思：所有的程序你们都记清了吗？

死士甲：我们梦中都在演练。

武三思：(终于下定决心，把托盘交给两人) 那就祝你们好运。

两人接过托盘，把白绫和诏书放进袖中，施礼告辞，向门边走去。

武三思看着他们的背影进入到门口的光晕中。

武三思：(忍耐不住脱口而出) 如果一旦发生变故，你们……

死士甲：(回身，显出一丝激动) 我们知道应该怎么办，五年前从刑部死牢里出来，我们的命就是您的了。

死士乙：请王爷善待我们的母亲。

两人离去。

6. 熏风殿 白天 内景

武则天在用膳，她裹在硕大朝服中的枯小身形同眼前庞大的餐桌相比，显得不成比例。她孤独的表情仿佛是桌上洋洒铺散开来的丰盛菜肴的一份没有光彩的点缀。成群的侍从照例远远地站着，婉儿立在一侧。本来用以助兴的鼓乐有气无力地呜咽着，更衬托出此刻的寂静。偶尔的，传来餐具之间清脆的碰撞声，成为空气中仅存的一丝活气。太监殷勤地为武则天更换碗筷，每吃完一口，便会送上一副新的碗筷，武则天似乎显得有些不耐烦。

武则天：行了！……别换了，我就用这副！那是什么？

武则天眯起眼望着餐桌的尽头。

太监：您指……哪个？

武则天：倒数第三盘，绿绿的那个……

太监：噢！那是"杨柳春风"……

武则天：我问你那是什么菜？

太监：那是，扁……扁豆！

武则天：噢！

太监：您来点儿？

说着去替她夹。

武则天：……算了吧！

武则天将筷子重重地放在桌上。

武则天：婉儿，去把太平找来！让她来陪我吃饭！

婉儿：圣上，这么晚了，即使公主来了，也都快用晚膳了。要不，请她晚上来？

武则天：我就是这会儿想见她，我闷得慌。这桌子太大，菜又那么多……也罢，（转向婉儿）你来，你坐在那儿，（武则天指着长案的另一头儿）陪我吃！……还有你们，都坐过来！……

太监侍从们面面相觑，不知武则天什么用意。

武则天：过来呀，都坐，咱把桌子填满，热闹点儿！

每个人都诚惶诚恐地低着头，只示意性地动一动眼前的饭菜……桌上依旧寂静……武则天沉默地望着桌旁的每一个人，伸出手指数着……

武则天：（对婉儿）十四……十五个人。婉儿，你说那位陆皓翁老人吃饭时，身边会不会比这人还多？

婉儿：嗯！恐怕比这人还多！他已是五世同堂了！

武则天：五世同堂。我真羡慕他！按理说我也应该如此，活了他的一半儿，可也已经三世同堂了……我有四个儿子，一个女儿，可没一个人在我身边，如今连旦都走了，他是最后一个。他一走，这宫里就剩下我一个人了……他本来最信任我，可现在居然也怕我……

婉儿：他不怕您！他只是在宫里待烦了，想出去走走。即使要说怕，他也只是怕某些人……

武则天：那也是我的过错！连自己的儿子都保护不了……

婉儿：可您却保护了老百姓的利益，在大周子民眼里，您是英明的，安全的……

武则天：唉！有时想想，这是何苦呢？忙了一辈子，只忙了这一大桌子的菜和一肚子对儿女的愧疚……想起来可笑，你反而同我待的时间最长，而你竟然是最仇恨我的人、上官仪的女儿，婉儿，你恨我吗？

婉儿：不恨！

武则天：为什么？是不恨我，还是不敢恨？

婉儿：圣上，我为什么要恨您呢？

武则天：因为我杀了你父亲！……你爱他吗？

婉儿：爱！

武则天：知道我为什么杀他吗？

婉儿：因为他想废您！

武则天：他做错了吗？

婉儿：错了！

武则天：怎么错了？

婉儿：因为他不识别真正的英雄而拘泥于传统的偏见，因为他没有能力看到今天。天下在您智慧和能力的关怀安抚下表现得如此安定和繁荣，而这一切恰恰光荣地出自您一个妇人之手。

武则天：但他有一点却对了，他早就看出我有称帝的野心……

婉儿：我从来不认为您有称帝的野心，甚至在我入宫辅佐您时都没这么认为。您在这个位置上纯属情境使然，因为您有顽强的使命感，这来自于一个母亲创造生命的动力。至于野心，那是和男人的权欲有根本区别的。对于天资充分的人来讲，他做什么都不过是在成就自己的雄心！

武则天：……你说的这些话如果是诚恳的，你就是一个真正聪明的人。比你父亲强。尽管我一直从心底钦佩他无人能及的学识……但他是个男人，他们普遍缺乏创造力！……可他的确是个好人，忠实的人……

婉儿：我知道！

武则天：现在想想，当年如果被废了也未尝不是件好事。我如今就会是并州的一个农妇，心情坦荡地面对身边围坐着的儿女……婉儿，你说如果连你都不恨我，我的孩子们会恨我吗？

婉儿：我想不会！他们都是聪明人，应该明白任何一个人处在您的位置，都会像您那样做……圣上，儿女往往更容易误解母亲，特别是当他们有一个非同寻常的母亲时，因为他们离您太近……但最终，他们会理解您的……

武则天：婉儿，谢谢你！我现在很累，前所未有的劳累！我想歇歇……其实，立谁为嗣我心里早已有了主意。我不说只不过想看看周围人的反应。遗憾的是，武家的人却令我很失望……婉儿，拟诏吧，召显回京，立他为太子，他应该成熟了……在他回来之前，我还有一个更大胆的决定……我老了，知道为什么吗，婉儿？

婉儿：……

武则天：因为我正在变得多愁善感，而这恰恰是身为帝王最危险的品格！

7. 房陵州居所　白天　内景

两个穿内官侍卫服装的特使冷酷地站在窗前，他们身后是已经悬在梁上的两段白绫。显跪伏在地，泪流满面。韦氏相对平静，她对着背立的特使，试图做最后的挣扎。

韦氏：两位知道武皇为什么要杀我们吗？

沉默。

韦氏：两位想过没有？圣上兴许是偏信了小人的谗言，可她能被蒙蔽多久呢？她很快会为自己的失误而后悔，到那时你们及你们的家人就是圣上一时失误的替罪羊，是你们杀了她的亲生儿子，武皇的悲伤将转化为世界上最恐怖的杀戮……

死士甲：我们只知道遵命行事，从不想这么多！您抓紧吧，时间不多了！……

两人转过身来，目光寒冷地逼视着韦氏。

显：不，我不想死，香儿你再求求他们……母亲不可能杀我，母亲不会杀我，她一定会后悔的……

韦氏长叹一声，满眼泪水。

韦氏：王爷，我们认命吧。武皇是你的母亲，但她首先是天下人的帝王，为了保证江山稳定，她只能选择一个姓氏，以免百年之后再起纷争。我们现在惟一能做的，就是像一个皇子那样尊严地赴死，以无愧自己的门第和血统。

显不再挣扎，失魂落魄地委顿下去，韦氏转向两个死士。

韦氏：两位，我们自尽，是为了天下的平定，是为了替自己的母亲分忧，请你们把圣旨呈给我们，我们要面对它尽忠。

怀抱着圣旨的死士乙露出一丝慌乱。

死士甲：你要它干吗？

韦氏：圣旨如圣上亲临，我们要向母亲最后一次呈献忠心。

死士甲：快死的人了，还讲究这些虚礼，省了吧！

韦氏：难道你们连这点心意都不能满足两个将死之人吗？

死士乙抱紧了怀中的圣旨，目光游移。他的神态没有逃出韦氏的眼睛。

韦氏：历来皇族赐死，都要亲捧圣旨谢恩，两位大人难道连这点礼仪都不懂吗？

死士甲：圣上没有交代。圣上没有交代的事，我们不敢擅自做主。

韦氏：圣上没有交代，难道习礼太监也没有交代吗？

死士甲：（也有些迟疑）没有。

韦氏：（目光犀利起来）怎么可能，你们在宫中当差，连这么重要的事情都不知道？

死士乙：我们是刚进宫当差的。

韦氏：赐死皇族，要由五品以上侍卫执行，你们立过什么功？

死士甲：我们平叛有功，由安息都护调任禁军……

韦氏：胡说，禁军历来由世家子弟担任，什么时候朝廷改了规矩……

死士甲：你们不知道的事情多了，你们这样拖延是枉费心机！

韦氏：不看到圣谕，我们难尽忠心！

死士甲：今天我们是杀定你了，别自讨没趣，敬酒不吃吃罚酒！

死士甲把手扶向剑柄。

韦氏：你们敢越规行事，就是死罪一条！

两人迟疑起来，但同时都握住了剑柄。

显一直沉默着，此时依然蒙在鼓里。

显：香儿，没有用的，母亲从来不把我当成她的亲生儿子对待。我也想明白了，早死也好，多一刻延迟就多一分磨难。你就让他们快点动手吧！我再也受不了了。

韦氏：不对！母亲还没有糊涂到把李家的天下交给别人的地步。她也没有冷酷到不能放过自己毫无野心、无害而善良的亲生儿子的地步。

死士甲不再掩饰，拿过死士乙手中的圣谕，展开，往韦氏的面前一甩，上面一个字也没有。

死士甲：我们出来的时候，主人就交代过你刁钻古怪，看来真不出他所料。

说着露出不再掩饰的狰狞表情。

死士甲：我们本来想让你们少受点罪，谁叫你太聪明呢。

他边说边把手中的宝剑迅速抽出。

8. 房陵州显居所　白天　外景

此时院外马蹄声大作，太监尖利的声音传入。

太监：庐陵王李显听旨！

9. 房陵州显居所　白天　内景

韦氏和显听到屋外的动静，惊异地抬起头。马上意识到发生了什么。韦氏刚想喊，被死士甲一把抓住，剑顶住了咽喉，一旁的显也被他们擒住，无法动弹。

10. 房陵州显居所　白天　外景

院外太监没有听到接旨的声音，满面疑惑。

太监：（高声）庐陵王李显听旨！

依然沉默……片刻，房门在众目睽睽下打开，韦氏和显在两名死士挟持下出来。

众人大惊，手皆扶住剑。

太监：你们是什么人？！好大的胆子，竟敢挟持新任太子……

韦氏和显领悟，俩人在剑下含义复杂地对视……

死士甲：你们听着，太子在我们手里！……现在听我的指令，把手中的剑都放下，给我们让出两匹马……

众将士皆迟疑地看马上的太监……

死士甲：快！否则太子及太子妃就没命了……

太监：……就按他说的办……

将士开始一一上前，将剑放在地上……

韦氏：（突然大喊）把剑捡起来！……捡起来！

众将士惊异地呆在原处，又迟疑地拾回剑……双方僵持……

韦氏：显，颁太子令！你记！……记呀！

太监忙拿出笔，跪在地上……

韦氏：太子口谕……

显：太，太子口谕……

韦氏：谋杀太子者，就地围剿，五马分尸……

显：谋杀太子者，就地围剿，五马分尸……

韦氏：责成刑部，诛灭其九族，将钦犯父母尸首分家，悬于午门前，示众七天七夜！

显像是明白了韦氏的计谋，话说得流利起来，有了底气……

显：责成刑部，诛灭其九族，将钦犯父母尸首分家，悬于……

死士乙：（绝望地）住嘴！

俩人手上都加了劲儿，把韦氏和显又拉进屋里……众将士将院子包围。

11. 房陵州显居所　白天　内景

房内，韦氏和显跪在地上，两死士用剑指着他们……

死士乙：大哥，快动手吧！你还犹豫什么？

死士甲：犹豫什么？我们死无所谓，可我们的父母……

韦氏：你们的父母会比你们死得更惨……

死士乙：（有些疯狂地号叫）住嘴！

说着随手给了韦氏一个耳光……血沿着韦氏的嘴角向下滑动，韦氏依然镇静。

韦氏：……圣上封显为太子，说明李家又将主持朝政。你们谋害太子，就是公然与圣上作对！不论你们的主子是谁，都难逃法网。况且，他为了保全自己，也不会保护你们的家人，相反却会第一个献上他们的首级。不仅灭了口，还邀了宠……

韦氏死死盯着死士甲沉默的面容，她觉察到他脸上的动摇。

韦氏：显，颁二号太子令！二位壮士护主有功，免查其幕后黑手，各赏采邑五百，地点除长安外任选！

显：二位壮士护主有功，免查其幕后黑手，各赏采邑五百，不，一千！地点除长安外任选！

死士甲盯着韦氏的眼睛，无声地笑了。

死士甲：早就听说你胆识过人，果真名不虚传……我佩服你！（随即收了剑）……你们走吧！……

韦氏及显战战兢兢地站起身。

死士乙：（大吼）跪下！……

他绝望而疯狂地用剑抵住两人，韦氏和显忙重新跪倒。

死士乙：（一脸迷惑）大哥，你……别忘了咱这行的规矩，你我将死无葬身之地呀！

死士甲：（坚决地）你把剑收了！……收了！我只知道江湖上最大的规矩是孝道！

他缓缓地朝向死士乙，有些伤感地望着他的眼睛。

死士甲：三弟，你只得先走一步了，我随后就来！

话未说完，一剑捅进了死士乙的胸膛……韦氏和显惊恐地望着这一幕……

死士甲：(眼里见了泪)太子,太子妃,你们很走运,碰上了个孝子!……君子一言,请二位恪守刚才说过的话,免查幕后黑手!

韦氏：当然,当然,壮士,请你放心!你现在就可以选地方……

死士甲：(苦笑)太子妃,您把我看低了!受人之托,成人之美,这是我们这一行人的规矩,没有见利忘义的道理……

他说着又一次举起剑,韦氏和显惊得退后半步,怔怔地望着死士甲。

死士甲跪倒,面对长安方向。

死士甲：主人,恕我们无能,忠孝之间,我只能选择孝道了!

说罢拔剑自刎……

12. 房陵州显居所 白天 外景

院中,韦氏和显互相搀扶着失魂落魄地走出……将士们一拥而入……俩人跪在太监面前。

韦氏：念吧!庐陵王听旨!

太监：朕年迈体弱,念子心切,召庐陵王显于七日内返京,入主东宫,以尽孝道,承袭太子天命。钦此!圣上手谕。

显：(抑制不住哭声)儿臣……接旨……

泪水洗刷着两人的面孔……

旁白：显终于等来了这命运最终的垂青,这要归功于韦氏坚韧的耐性。显哭了,为了即将回到那座久违了的浸泡在香气中的梦幻宫殿,那香气是他全部宫廷生活的底蕴,并且顽固地萦绕于他长达十年流放生活的梦境边缘。韦氏也哭了,那是另外一个非同寻常的女性为了这迟到的锦绣前途洒下的含义叵测的泪水。

第三十集

旁白：母亲表现出前所未有的倦意。对于那些习惯于你奶奶几十年如一日的勤勉的文武大臣们来讲，这不仅令他们惊奇，还带来了许多令人不安的联想。他们想起了你爷爷李治，以及由于他龙体虚弱而牵连出的一系列不愉快的朝政变故……

1. 大明宫勤政殿　白天　内景

文武大臣们都来了，惟独龙位上空空如也。显然，众臣们已经等了很长时间，烦躁与迷惑明显地写在他们脸上。他们开始三三两两地小声议论。狄仁杰眉头紧锁，听着身后几个文官的议论。

文官甲：这可奇了，我从中宗开始跟起，从没看见过圣上迟到一次，更不要说缺勤了。甚至当年她做皇后时，也是早早地第一个坐在珠帘后，今儿这是怎么了？

文官乙：我看最近圣上身体不是很好，难道说……

此时，一太监疾步走上龙阶，牵动着众人企盼的目光。

太监：散朝！圣上让你们都回去，有事明天再议，大伙儿别等了，回去吧!

　　阶下响起了众臣嗡嗡的议论声。太监全然不顾众人的询问,疾步下阶向外走,狄仁杰叫住了他。

　　狄仁杰:德顺儿,你跟我讲实话!皇上怎么了?病了?

　　德顺儿左右看了看,压低了声音。

　　德顺儿:实话告诉您,狄大人,皇上,皇上还没起呢!昨儿晚上皇上高兴,同张易之他们玩色子玩到近天亮,八成累了!……得了,狄大人,回家吧!没事儿……

　　文官甲:狄大人,劳驾您走一趟,看看皇上到底怎么了!皇上怎么突然一下子就开始玩物丧志了?这,这太不像她了!您得去看看……

　　狄仁杰:……行!你们在后殿等我,我去看看……

2. 武则天寝宫外　白天　外景

　　狄仁杰听着里面朗朗的琴声,在门口来回踱步,时不时抬起头往里张望。太监德顺儿从宫里跑出,狄仁杰迎上去。

　　德顺儿:(摇头)不见!圣上叫我把奏本拿进去,说明儿再给您答复。今天,就烦您回去吧!

　　狄仁杰:(愤愤地)这,这太不像话了!

　　说罢将奏本甩给太监,拂袖而去。

3. 贡院　白天　外景

　　太平正在宣读中榜名单,殿上跪着一群候榜的人。太平每读到一个名字,便有一人走上前接榜书,然后神色激动地走出。

　　太平:魏明伦……恭喜你!

　　魏明伦:谢公主!

太平：王良纪……恭喜！你写的《晚台秋歌》连圣上都看了，很欣赏！

王良纪：谢公主！谢圣上隆恩！

太平：万……

太平突然没了下文。跪着的万姓考生刚一脸喜色地站起来，又怏怏地跪下。

太平望着榜上万元衡下面张易之的名字，若有所思。她最终拿起笔，将张易之三个字划掉，像抹去一段记忆，她舒了一口气。

太平：万元衡！

万元衡这才重又在众人倾慕的目光下站起身……

太平：恭喜你！

万元衡：谢公主！

此时一侍从走到太平身边。

侍从：公主，狄仁杰求见！说有急事，有关圣上的！

太平：我马上就来！

4. 贡院旁殿　白天　内景

太平刚一进门，狄仁杰便神色慌张地迎了上来。

狄仁杰：公主，皇上今儿又没上朝！这已经是最近连续第三次了！国不可一日无主，满朝文武看着空置的龙位，心急如焚哪！

太平：怎么，母亲病了？

狄仁杰：没有！圣上昨儿玩到深夜，不知圣上最近怎么了，送上的折子也拖着不批复。如今朝上又谣言四起，说什么的都有！公主，这回必须得麻烦您了，劝劝圣上，这也是朝中其他老臣的意思！

5. 武则天寝宫庭院　白天　外景

太平穿过悠扬的琴声，疾步往宫里走。

6. 武则天寝宫　白天　内景

武则天闭着眼悠闲地靠在龙榻上，陶醉在从张易之指间源源流出的优美旋律中。

太平：太平公主叩见母皇！

就在这时，太平一眼看到了张易之，惊讶不已！

武则天微微睁开眼睛，表情依旧安详。

武则天：你怎么来了？

太平竟然遗忘了来的目的，呆若木鸡，说不出话来。

武则天十分敏感。她发觉太平的目光意外地停滞在背身抚琴的张易之身上。于是把张易之叫过来。这一切仿佛是在她精心安排下进行的。

武则天：他弹得有多好！亦梦亦幻，我仿佛又回到了并州……易之，见过我女儿，太平公主！

张易之止住琴。他知道这一刻对自己及太平意味着什么，他调整着自己的表情，坚定而舒缓地转过头，目不转睛地盯着太平。

张易之：在下张易之拜见太平公主！

太平无法相信眼前的现实，那张令自己激动不已的美好面孔居然是母亲裙下的又一名男宠。她盯着张易之，定定地说不出话来。武则天仿佛早已预料到太平的反应。

武则天：你看他长得多像薛绍啊，第一次见他我也吓了一跳……

此时，太平的心绪完全被张易之扰乱了，并且恍惚起来。母亲和张易之的声音变得遥远。武则天的目光逡巡于两人之间。

武则天：怎么？你们……见过面？

张易之：（毫不回避地）是的！我们在上元灯节的抵角戏场见过……我当时演白虎，演得有些忘形，被公主身后的少年用剑划破了脸！

张易之说这番话的时候，眼睛始终直视着太平。

武则天：是吗？太平，有这回事？那少年是谁，隆基吗？

面对武则天的目光，太平方才猛醒。她不愿在母亲面前袒露初见张易之心灵的震动。于是突兀地提起来意。

太平：……母亲，我以为母亲生病……

武则天：我是生病了，我累了，想歇歇……

太平：可国不可一日无主，朝政大事拖而不办会造成祸患……

武则天看着太平，心情有了变化。

武则天：这道理我明白……显还没有回来，现在连个太子都没有。我的身体也不比从前了……你是我最信任的女儿，我一直想找机会让你多做些事情，看来现在机会成熟了……

张易之似乎还在盯着太平，这目光让她感到灼热难耐。

太平：（恍惚地）我不是在主持太子学吗？

武则天：这还远远不够……

太平愣愣地看着母亲。

武则天：我准备让你在显回来之前做监国……别那么看着我，这我早就想好了，叫婉儿来，我现在就拟旨！

太平愣住了。由于张易之的突然出现，太平的情绪不能自制。

太平：母亲不该拿国事当儿戏！这未免太草率了，况且，我不比母亲，摄政监国从来不是我的理想……（太平瞟了一眼张易之）……母亲还很健康，望您好自为之，别辜负了朝堂上下的指望！

太平说完毅然离开。

武则天和张易之望着太平坚决的背影。

武则天：（感慨地）这孩子……就是脾气太倔了，太任性，总喜欢与我作对！其实，让她做监国恰恰不是我一时的心血来潮……

张易之：（语气肯定）武皇不必忧虑，我可以说服她！

武则天：（回过头看张易之）你说什么？

张易之：我可以说服公主做监国！如果圣上真需要她的话！

武则天怔怔地望着他，脸上竟有些笑意……

第三十集

485

武则天：你就这么自信？

张易之：圣上，我不是自信。我是相信公主的智慧。

7. 太平府堂屋　白天　内景

在门口强烈的光晕中，张易之的身影逐渐清晰起来。他的悄然出现如同一道景致，欣然地凝立在门框边。

春首先看到了他。当太平刚回过头来的时候，张易之开口了。他的直接令太平猝不及防。

张易之：公主是不是生我的气了？

太平：（回避地）你，谁让你进来的？

张易之：公主的大门是敞开的，没人阻拦我！看来，公主确实生我的气了！

太平：生气？我为什么要生你的气？

张易之：因为我在你母亲那里……

太平以嘲讽的态度掩饰着自尊。

太平：你走吧，回到我母亲那里去吧。

张易之：您看，您确实生气了！

太平：（生气地）你出去！我不想跟你说话……

张易之没有走。他保持着极度的冷静。

张易之：（突然严肃地）公主以为男宠是一些什么样的人？

张易之的直率，以及锐利的话锋无形中控制了谈话的局面。

太平：男宠就是一些供人玩乐、不学无术、不顾廉耻的人！

张易之：那公主以为喜欢男宠的是什么人？

太平无语。她知道回答这个问题直接关系着母亲的名誉。

太平：我……不知道……

张易之：其实公主心里知道。喜欢男宠的都是有权有势、精神空虚的人。

太平：不对！母亲不是那样的人！

张易之：所以公主认为在喜欢男宠的人中有例外。那么男宠也有例外。

太平：你在暗示我你恰恰是那个例外吗？

张易之：公主以为我不学无术、不顾廉耻吗？

太平：不知道！我不了解你！

张易之的聪明在于他一直掌握着谈话的节奏。

旁白：毫无疑问，他是一个温文尔雅的人，他柔软的嗓音及飘忽的眼神令他同普通意义上的男人气质相去甚远。那渗入全身每一个毛孔的优雅令他即使是在谄媚时都显得颇有格调。这对于一个女人，无疑是一个致命的诱惑……他很聪明，知道挑拨女人的好奇心是一把开启她们心灵最便捷的钥匙……

8. 太平府卧房　夜晚　内景

春点亮蜡烛。隐在半明半暗中的张易之逐渐明晰起来。太平站在窗前，她渐渐不再排斥张易之，不知不觉对他有了好奇。

太平：……讲讲你的经历好吗？

张易之：我从来不讲经历！

太平：为什么？你有命案？杀过人还是放过火？或者，你谋过反？

张易之：恰恰相反，公主，我什么都没有干过，所以也就没经历可讲。

短暂的沉默。

张易之：……公主，（指着春及两个侍女）她们必须在这儿吗？

太平：当然……没必要！但你为什么要让她们走？

张易之：不为什么，我不大习惯。这么多双眼睛看着我，我都不知道该看谁！

太平被他说笑了，气氛进一步缓和下来。

太平：那好！……春，你们先下去吧！

春及丫鬟退下。

太平：这样好点儿吗？

张易之：好多了。把灯吹灭！

张易之突然的请求把太平弄得有些不知所措。

太平：（难以置信）你……说什么？

张易之盯着太平的眼睛，一脸正经，重复得字句分明。

张易之：我说把灯吹灭！

太平：（情急）为什么？

张易之：因为那样我就不会说谎！

太平：（哭笑不得）什么，你……怎么会有这么奇怪的想法？

张易之：一点也不奇怪。灯亮的时候人爱说谎，因为他怕接触对方听到事实时的态度，特别是当事实不那么尽如人意时。而在黑暗中，人就往往没什么顾虑，因为你不必直接面对失望、痛苦、愤怒，不必直接面对对方受伤害的表情。所以，我请公主把灯吹灭！

太平：这么说我今天注定要失望或者受伤害了？

张易之：我不知道，但我希望我们都说实话，不论它可能有多么令人寒心！

太平：……好！我们一言为定，只说实话！

太平起身将蜡烛吹灭，屋中顿时黑了下来，只月光从窗口泻下来，勾勒出俩人的轮廓。

张易之：你那天为什么去芙蓉客栈找我？

太平：（掩饰）芙蓉客栈？我，我没去啊！我从来没找过你！

张易之：撒谎！你去了，我在对面的酒肆里全看见了！

太平：（不高兴地）你，你既然看到了，为什么不出来？！

张易之：我想先弄清楚你为什么找我，为什么，公主？

太平哑然了，支吾起来。

太平：我……不为什么，我，只想……只想看看你！

张易之：为什么想见我？你喜欢我？

太平：（含混地）我，我只是觉得你……挺有意思的！

张易之：撒谎！我们萍水相逢，我哪里有什么意思？

太平一时说不出话来。沉默。

张易之：……我知道为什么！

太平看着他，似乎在询问。

张易之：因为我像薛绍！因为薛公子是您迄今为止惟一的爱人，他标志着您全部浪漫的少女时代，而他逝去得又是那么……

太平被触到痛处。她不允许任何人如此洞察自己的心灵。

太平：……你凭什么盘问我？你有什么资格提起他的名字！你走！我不愿再看见你！走！

张易之：（镇静）好！我走！看来我的判断是对的。我说过我们之间有一个人肯定会受到伤害！公主，告辞了！

张易之说着向外走。

太平的渴望已被张易之撩拨起来，难以舍弃。当张易之走到门口时，她鼓起勇气叫住了他。

太平：你回来！

张易之不出所料地停住脚步。

太平终于敞开了她的心扉。

太平：……你知道我和薛绍的故事？

张易之：略知一二。

太平：（痛苦地）我杀了他！杀了我惟一的爱人！

张易之：公主没杀他，是爱情杀了他！公主爱薛绍吗？

太平：当然！至今不悔！

张易之：薛绍爱公主吗？

太平迟疑了。

太平：我……不知道，不知道……

太平骤然伤心地哭起来。

张易之：所以公主就更爱薛公子。因为你不敢肯定你所爱的人是否爱你！

太平：可我确实爱他，他忠诚，善良！他宁可为慧娘死，他是一个忠于爱情的男人……

太平仿佛沉入了逝去的记忆……

张易之：那应该是慧娘更爱他，而不是公主您！

太平被张易之说愣了。

太平：可我对不起他，也对不起慧娘！是我害了他们，我欠他们的太多了！……

张易之：所以公主以爱来还债？！……公主以为什么是爱情？

太平：（不假思索地）爱情？爱情就是长相守，就是两个相爱的人永远在一起……

张易之：在一起干什么呢？如果爱情的目的只是终日厮守，那爱情又有什么意义？恕我直言，尽管在别人眼里，您完善了爱情，可您的爱情就真完美了吗？就没有遗憾了？就如公主所言长相守了吗？难道爱情只对死者和他人而言？

太平被张易之的一番话说得茫然起来。

太平：……那，那你以为什么是爱情？

张易之：是快乐，是浪漫！是此刻的感动、融洽及此时的幸福，就像我现在感受到的那样……请公主把灯点亮！

太平顺从地点亮了灯。张易之走上前，在灯下凝视着太平。

张易之：请公主看着我的眼睛……我想，我可能爱上公主了！

9. 太平府庭院　白天　外景

家仆在清扫院落，一片寂静，除了鸟儿清脆的晨鸣。李隆基在院中习剑。

旁白：从他进来的那一刻起，他就已经瓦解了我对爱情的立场……关于他的一切是那样的新奇。他的表情，他的身体乃至他迥异的魅力。长时间的孤独令我丧失了判断，我拥着他及其奇特的理论沉沉睡去，仿佛怀抱着薛绍的另一个灵魂……然而恐惧却随着清晨的第一线光明悄然而至。我望着他熟悉而又陌生的面孔，慌张地预感到自己关于爱情的信念，正在被他微笑着摧毁……

10. 太平卧室　白天　内景

（伴随着旁白）太平醒来，突然意识到自己昨夜的荒唐。她以极其陌生的目光凝望着张易之熟睡的面容，一行热泪潸然滑落。她后悔了，起身下床，将张易之的衣物扔到床上。张易之惊醒……他望着背身而立的太平。

张易之：太平，你怎么了……
太平：你走吧！我不要再见到你……
张易之：为什么？我们不是……
太平：（暴怒）我不许你再说一句话！

11. 太平府庭院　白天　外景

李隆基止住剑法，倾听着屋内太平失控的声音，以及物件撞地的音响。
太平：……你为什么闯入我的生活？！……你以为仅凭你的几句诡辩

就可以瓦解我的思念？……你住嘴，我不要听！我爱薛绍，我爱他，谁也无法改变……

随着带有琴弦震颤的一声巨响，屋中哑然了。

12. 太平卧室　白天　内景

屋内已狼藉一片。太平惊愕地面对地上破碎的古琴。张易之冷静地望着绝望的太平。

张易之：（语调依然平静）你把爱情摔碎了……

太平：（恐惧地后退着）别说了，别说了……我不想听……

张易之：我必须说，公主。您的悲伤使我的心灵感到同样的痛苦。你害怕了，害怕自己又一次坠入爱情。您正在怂恿自己，让对昨晚上背叛过去爱情的懊悔，来摧毁眼前唾手可得的幸福。您在回避自己的感情。我想这是连薛绍都不愿看到的结果……公主，爱是你的自由。再一次的恋爱并不意味着对过去的背叛。除了长相守之外，爱情其实有着世间最丰富的形式。关键在于哪种令您真正感到快乐……薛绍不懂得这一点，所以他在伤害您的同时也令自己饱尝了痛苦，最终只能以死来解脱……你既然已经把长相守打碎了，那就让它碎了吧。

太平的灵魂再一次被张易之撕扯得体无完肤。她不敢面对自己，头脑完全失去了思辨能力。她把破碎的琴捡起来，抱在怀里，黯然神伤。

屋里异常的宁静。

张易之渐渐地向太平走过去。太平清楚地感觉到他的逼近。但她没有反抗。张易之将太平轻轻扶起，小心翼翼地像怀抱一个婴儿。太平已完全丧失了抵抗能力，顺从地被张易之扶到座位上。他半蹲在太平的脚下，仰望着她，手里拿着昆仑奴的面具。像薛绍当年那样，反复做着掀脸的动作。随后，他又散开了头发。

张易之：我不是薛绍，也请您不要将我想象成薛绍，否则您将永远痛苦。你必须明白这一点……并且正视它！……我是张易之,薛绍已经没有了。尽管我们长着相同的脸……现在由我,以新的方式接替他来爱您……

张易之手中的面具似乎是一支魔杖,它使太平进入幻觉。

张易之:(轻声地)……把手给我,闭上眼睛(太平顺从地执行着他的命令)……幸福是可以传递的,通过肌肤,你现在感到我内心的激动了吗?

张易之把双手放在太平伸出的手掌上,让太平感觉身体接触时本质的激动。逐渐地,张易之从太平的手臂开始抚摸着她的肩、脸、胸……

太平突然甩开张易之的双手,她惊慌失措地拒绝着。

太平:不,别碰我!……我需要再想想……

张易之松开手,从身边随手拿来一块红绢。他试探地往太平眼睛上蒙去……

太平:(惊异地)你要干什么?

张易之:我带你去看一个地方!放松,公主!

张易之轻柔地将红绢蒙在太平眼睛上。顿时,太平眼前一片红色的朦胧……

太平:你……要带我去哪儿……

张易之将屋中所有的蜡烛摆在太平面前,点燃它们,然后从容地观望着太平的反应……

太平的眼前出现一片温暖的光晕……

张易之:公主,您看到了什么?

太平:我看见了……火。

张易之:火是什么颜色?

太平:红色……

张易之:红色是什么感觉?

太平:是热情,是温暖……

张易之:温暖是什么?

太平：温暖是我……已经很久没有……的感觉……

张易之：这恰恰是您以往生活最大的残缺！而温暖却是我此刻的心情。

张易之突然一口气将蜡烛全部吹灭……太平眼前重又黑暗。

太平：不，请别，为什么要熄灭它？请把它点亮！

张易之：因为您需要时间再思考，您拒绝了我的心情！

太平在黑暗中站起身来，像盲人一样向前摸索……

太平：不，把灯点亮，我要，我需要它……

太平伸手去摘红绢的时候，险些摔倒，被张易之抱住。

张易之：温暖也同样是充满爱意的抚摸！……很久了，很久没有体会到这纯粹属于肌肤的真挚！爱情不仅是理想，它还是身体之间最真诚的对话……就像我们此刻这样，太平，你体会到我内心对你的渴望与崇拜了吗？……

张易之将太平拦腰抱起，向床走去……

太平像一具等待塑造的雕塑，软软地瘫在那里，任张易之的双手抚摸她身体的每一处线条。

张易之：（俯在太平耳边）……我的初恋曾经属于一位妓女。她没有更高的身份和地位，但她给我的感觉是真实的。她的身体，她的头发，她教会我爱情是男女之间最本质的吸引，就像我现在跟你在一起一样。太平不再是公主，我也不是男宠。我们是两个真实的人……两具正在恋爱的躯体……

张易之仪式化的抚摸及湿润的耳语终于令太平不能自持，她又一次倒进张易之的怀抱……

13. 太平府庭院

院中的光线从黑夜到早晨，又从早晨复于黑夜，反复三次……

旁白：我不得不承认，在这样连续的三天三夜里，我的身体接受了前所未有的爱抚与关怀。我忘乎所以，任凭封尘多年的欲望在他最精致成熟的启发下以最庞大的声势复活！

14. 太平府庭院　早晨　外景

春在太平卧室台阶上放了一张摆好饭菜的小桌，这是他们的早餐。春敲了敲门，然后默默地离去。张易之头发散着开门，一身白色睡服，志得意满。他突然发现对面晨练的李隆基正一脸仇恨地用手中的剑指着自己。两人对视片刻，张易之若无其事地眨了下左眼，神态轻松地将桌子拿进卧房……

15. 大明宫勤政殿　白天　内景

朝堂上，原来的龙椅已经换成了一把花鸟图案的椅子。太平身着朝服坐在上面，她的面容似乎带着一丝忧虑。朝臣冯炳楠正在陈述。

冯炳楠：公主，突厥阿莫竭立可汗为女儿茜萝多公主的求婚奏折可曾批复？

太平：（眉头皱得更紧了）我正在考虑，恐怕还要再拖一些日子。

冯炳楠：可是突厥使者已经在长安城盘桓了半月有余，已经口出怨言。他们抱怨大周朝毫无诚意，歧视外国使节，并且威胁近日就要离开长安。

太平：我也听说了。这些天来，我一直为这件事忧虑……想来想去，还是觉得隆基不大合适。

冯炳楠：臣下愚钝，请公主赐教。

太平：隆基年纪太小，难当此大任。

冯炳楠：如果微臣没有记错，皇孙已经年满十六了，正是青春勃发、英姿天纵的大好年龄。李氏皇族人才凋零，只有他能担负起这份保持边

第三十集

疆安定的大任。

太平：你不用多说了，隆基……不合适……

群臣交头接耳，议论纷纷，朝堂上陷入一片难言的尴尬。

武三思对着另一个亲武的朝臣王化元一使眼色。

王化元：难道公主是抱有什么私心吗？突厥路途遥远，荒凉贫瘠，两国多年冲突不断，凶险难测；而尽人皆知皇孙隆基与您的亲情深厚，您是否在取小情而忘大义，顾念子侄而舍弃边疆百姓呢？您这样做会不会授人话柄，攻击您玩忽职守呢？

太平：（看着武三思）自从监国辅政以来，一直有人攻击我玩忽职守，（又转向朝臣）我现在告诉你们，这件事情上我就是抱有私心，我不能让李家硕果仅存的子孙去拿自己的生命冒险。突厥人出尔反尔，不讲信义，难道靠一两次联姻就能平息他们窥视大周土地财富的贪心吗？难道靠一个弱仅及冠的少年就能抵抗他们数不清的凶悍铁骑吗？边疆的百姓有大周百万雄师护卫，年纪轻轻的隆基担负不了这样的责任。

武承嗣：身为皇子，上天使命的传袭人，天下百姓的保护者，既然担负道义，就应该甘冒风险，否则就有愧万民的敬仰。

太平：（已经有些愤怒）旦已经降为庶人，他的儿子也就自然失去了皇亲的名号。为什么你们武家的人只享受天命赐予的荣华富贵，而让别人替你们担负与这天命伴生的危险和灾难呢？我听说你的儿子武攸宁与隆基年龄相当，同是皇亲，你为什么不让他冒这个风险呢？

武承嗣似乎被太平逼得毫无退路，满面尴尬，不知如何回答。武三思这时长叹一声，向前跨了一步。

武三思：承嗣，公主的话不让你感到惭愧吗？身为大周朝的正统嫡亲，怎么可以这样推卸责任呢？（转向太平）武三思有本参奏，请公主传旨命长信侯武攸宁出关联姻。

武承嗣：（好像也幡然悔悟）为了国家安康，我愿意奉献出自己的儿子，请太平公主给我这个向天下人昭示功德与爱心的机会。

太平：（口气软下来）现在突厥国内情况不明，还是暂缓亲事……

王化元：阿莫竭立为正统国君，民意所向，众望归心，最终会战胜违抗天命的逆臣，请公主不必为长信侯的安全担心。

武承嗣：即使出现意外，攸宁也会无愧他的身份与血统。只要有一线化干戈为玉帛的机会，身为皇亲，就一定要争取。我想公主明白这样的道理，请公主不要再犹豫。

太平：好，我同意你们。

徐坚一直摇头示意太平不要轻易应允，此刻皱紧眉头，似乎预感到了什么。

16. 武三思府堂屋　白天　内景

武三思正在看着一份彩礼清单。王化元、武承嗣坐在一旁，武承嗣愁眉不展，不时唉声叹气。

武三思：彩礼都准备好了吗？

王化元：都按静德王的意思备齐了。

武三思：（突然看见清单中的一条）这里怎么还有稻谷百斛？

王化元：突厥境内的耕地，谷种均来自我国，历来皇帝赐礼，都要赏赐谷种以示善意。

武三思：那就换成蒸过的。

武承嗣：大哥，这会不会触怒阿莫竭立……

武三思：你不是怕攸宁回不来吗，我这样做，就是为了尽快让他回来。

武承嗣：我是担心……

武三思：他不会有生命危险的。阿莫竭立深受汉人礼仪影响，明白善待使节是大国之君应有的风范。

武承嗣：我是说两国一旦成仇，攸宁会不会被扣押为人质……

武三思：糊涂。如果退亲，哪有把新郎留在家中的道理！

武承嗣：大哥，你真有把握吗？

武三思：我不仅有把握让攸宁平安归来，还有把握让太平从监国的位置上下来。现在太平是我们武家接管天下最后的障碍。虽然她聪明，果敢，但是却太讲情义，犯了治国为君的大忌。天助武家承袭帝位，在这个关键时刻送来阿莫竭立的求婚使者。

王化元：静德王的计谋真是万无一失，如果太平送攸宁出关，就等于向天下人承认武家为大周正统皇储的地位，如果派隆基出关，就是替王爷赶走最后一个有资格继承帝位的候选人。但是微臣不明白，突厥为什么一定会发兵呢？

武三思：因为阿莫竭立尊敬李家，一直有意要为李家恢复天下，但是他又不了解武家皇子的底细，所以不敢轻举妄动，现在，咱们就让他了解一下武家人的性情。承嗣，这些道理你转告攸宁了吗？

武承嗣：(点点头)我告诫他了，不管发生什么，都不要逞能斗勇！

武三思：(似乎有些动情)承嗣，武家的列祖列宗在地下感谢你们父子，武家的后世子孙不会忘记你们为大周做出的贡献！

武承嗣：大哥，只要能保住武家的皇位，攸宁吃些苦，冒些风险，也算不了什么。

武三思：那就让攸宁快点起程吧！否则夜长梦多，难免不发生变故。

17. 突厥朝廷　白天　内景

在一座巨大、布置着狰狞动物图案的大帐中，武攸宁正在焦急地等待，他已经换上了突厥贵族的衣服，不时站起来演练突厥人的朝廷礼节。一阵雄浑的号角声传来，他坐回原位，闭上眼睛，似乎在使自己保持镇静。这时，突厥使者在帐外高声宣谕：阿莫竭立可汗到！他睁开双眼，露出胸有成竹的微笑。

阿莫竭立旁若无人地走上宝座，似乎根本没有看见在一边准备施礼的武攸宁，把他异常尴尬地晾在原地。阿莫竭立坐上宝座，做出找人的样子，转问身边的侍臣。

可汗：大周的和亲使者在哪儿？

侍臣也做出茫然不知的样子。武攸宁嗫嚅着上前，施礼。

武攸宁：儿臣参见父皇！

可汗：（故作惊异）这人是谁？（又转向侍臣）我为女儿挑选大周皇亲做丈夫，你们怎么弄来个突厥人假冒充数……

武攸宁：我不是突厥人。我是大周则天大帝的侄孙长信侯武攸宁。

可汗：你怎么不穿大周的朝服。改换我们突厥的装束？

武攸宁：我……我是想表明对贵国的倾慕之情，同时向您展示忠心，我决心和公主永结百年之好，终生做您的臣民……

可汗：多年前，我留居长安的时候，与大唐皇子们交往颇深，他们人人高贵非凡，时刻不忘一个大国皇子的礼仪、风范。他们令我折服的就是那种天之骄子的桀骜不驯和英武果断，连太平公主都有不让须眉的智慧与勇气。我怎么从你身上看不出一点贵国皇子的气度呢？

武攸宁：我……我……

可汗：算了，既然来了，我也就只能将就了，谁让大唐已经易主了呢？

这时两名侍卫搬来一只托盘，上面放着两碗白酒，及两只匕首。

可汗：我们的传统是夫妻订婚，双方都要割破手腕，将血滴在酒里，然后交换喝下去，表示血肉从此永远相连。

武攸宁：（有些慌张）这算是什么规矩，我在长安城时从来没人告诉我……

可汗：我现在就告诉你，请吧！

武攸宁战战兢兢拿起刀，在手腕上比画了两下，又赶快放下。

武攸宁：这……这怎么割呀？

这时突厥公主走上前来，拿过一把刀，插进袖中。

武攸宁：手腕上有人体重要血脉，扎不好要出人命的……

第三十集

499

公主：这才能检验出两人相爱的决心与诚意，血流得越多，越表示两人情深意浓。

说着随手一划！血流如注，一会儿就装满了一只酒碗。

公主：公子请！

武攸宁比画着，怎么也下不去手，最后把刀扔在盘中，浑身直抖。

可汗勃然大怒，一拍宝座的扶手，站了起来。

可汗：什么人就敢来糊弄我！我打算把女儿嫁给李姓皇族，是因为我崇敬李家的热血男儿、英雄豪杰，而你们这些小民鼠辈也敢冒充皇族，不仅欺骗了我，也欺骗了上天！来人呀，把他给我拿下！

几个侍卫上前把武攸宁按倒在地。

可汗：你们武家小门小户，缺乏帝王风度，连娶亲大事都吝惜钱财。你们赠送的谷种是隔年发霉的，种到田里不能生长；送给我们的金银器具，都是下等滥货，不是真正宝物；送来的布匹绸缎，又薄又稀。我要把女儿嫁给皇子，你们却派来一个出身低贱的新贵。为了惩罚你们的非礼，我决定率大军进攻你们，为天下真正的帝王恢复地位和名誉。

说完从袖中拿出一册战书，抛在武攸宁面前。

可汗：你回去吧，转告武则天，让她在长安城下等我。

武攸宁面无表情地捡起战书，向门外走去。

可汗：慢着，你这个怯懦的鼠辈，不配穿我突厥男儿的衣服，给他换上妇人的装束，轰回去！

茜萝多公主欢快地笑着，从袖中拿出一只被切死的草蛇，扔在地上。

公主：父亲，我演得还算像吧？

可汗：像，像极了，可与当年的太平公主一比，你是我们突厥的太平公主。

说完放声大笑。

旁白：突厥与大唐沉寂几十年的战争再一次被点燃。只有你知道我为什么不让你去。你是我哥哥惟一的儿子，我答应过他一生照顾你。我不忍心你流落域外,永远不能再和我相见。我知道这意味着授政敌以把柄，将危及自己的政治生涯。但是我不管。到现在我仍然坚持这个立场，在亲情与权力之间，我将选择亲情！

第三十一集

1. 大明宫勤政殿　白天　内景

朝堂上气氛异常紧张。君臣表情凝重，全用焦急的目光看着太平。太平眼帘低垂，尽量保持镇静。一名内侍正在宣读突厥的宣战书。

内侍：伪大周朝皇帝武则天，出身低贱，骗取大唐先帝信任而篡取李氏江山。又借赐婚之名污辱上天另一骄子阿莫竭立可汗。送腐烂谷种诅咒我颗粒无收，罪行之一；送下等礼器藐视我们的朝廷威严，罪行之二；赏赐之布匹绸缎稀薄不堪，讽刺我国人民衣不遮体，蛮荒未化，罪行之三；又用武氏小门小户之子假冒皇族，骗取婚姻，罪行之四。可汗忍无可忍，率大军亲讨武，惩罚上述罪行。汉人历来知晓我突厥铁骑之剽悍凶猛，突厥军威之雄武强大。我军所到之处，如风卷残云，任何抵抗，都将遭到灭顶之灾。

这时一太监高昂的声音传入：则天大帝到！

众臣大惊，转身跪伏。太平也感到惊异，半信半疑地走下龙阶迎接。她首先看见几名宫女，然后是御医，最后一张覆着轻纱的龙榻缓缓升上来。武则天半卧在上面。透过轻纱，武则天憔悴的面庞更显苍白、虚弱。武则天把一只苍白、枯瘦的手伸出来，太平握住。

太平：母亲，您怎么不在寝宫休养……

武则天：（侧头看了她一下）什么都不用说了，我全知道了！

龙榻安置好之后，宫女帮武则天轻轻坐起。

众臣：请武皇保重身体。

武则天：（看着阶下众臣，又恢复了一些往日的气势与威严）攸宁回来了吗？

武承嗣：（满面忧虑）流落漠北，生死未卜。

武则天：你们送他出去的时候，就从未想到会有今天的结局吗？

徐坚：臣等愚钝，考虑不周，请天帝责罚！

太平：母亲，我想现在已改朝换代，应该送武氏皇族的嫡亲……

武则天：婉儿，再把阿莫竭立宣战书的第四条念一遍。

婉儿：以微贱寒门子弟冒充皇亲，骗取婚姻，不仅辱没了可汗，也辱没了上天！

武则天：阿莫竭立自幼与诸位皇子交好，与大唐结下莫逆之交，近来边境冲突不断，全因为他对大周不满，有意辅助李姓复国。现在你们把攸宁送去，等于承认李姓皇族已失去了宗亲地位，这不是为他们送去战争口实吗？

众臣：臣等知罪！

武则天：婉儿，宣旨！

婉儿：全体朝臣思虑不周，不能辅助太平公主清明朝政，致使情势日益恶化，按律七品以上官员均降职一等，罚半年薪俸。李隆基身为皇子，不能担负道义，贬为金州刺史……

太平：（打断婉儿）母亲，我为了亲情而不听众臣劝告，损害了江山社稷利益，罪责应由我一人承担，请不要处罚他们，更不要处罚隆基！

武则天示意婉儿继续念下去。

婉儿：太平公主主政失职，从即刻起停止监国，削去采邑五百。

武三思露出得意的微笑，太平公主沉默不语。

武则天：（有些爱怜不忍地看了一下太平）你还是不能让我放心。（又转向众臣）你们更不能让我放心！从今后我就把病榻设在朝堂，直到大周渡过这次危难。

朝臣：（纷纷上前）天帝，这使不得，请您一定要保重身体，您是我大周的……

武则天：现在大周朝风雨飘摇，没了江山，哪还有我武则天！（向婉儿一挥手）让她们上来。

几名宫女把武则天常看的几本书，一些起居用品和两只最喜爱的鹦鹉摆在书案上。武则天感到很疲劳，又闭目休息了一会儿，众人担心地看着她。朝堂上鸦雀无声。

武则天：严令河北各路节度使加紧城防，推缓突厥进逼速度，再急调全国兵马，迅速集结，选一良将，出师讨伐。

武则天依旧闭着眼睛。

武三思：（有些按捺不住）微臣不才，愿为您分担忧虑，率军出征。

武则天沉默，武三思有些尴尬地跪于朝中。

武则天：（转向婉儿，终于睁开眼）显应该回来了吧？

婉儿：显已经过了应州，这一两天就能进京了。

武三思听到婉儿的回答，知道自己谋害显的阴谋没有得逞，面色一下变得苍白，跪在那里久久无声。

武则天：三思，你起来吧！……武大人，你听见了吗？

武三思：（继续跪着）请姑妈允许我辞职！

武承嗣：（也跪倒在地）请武皇恩准我辞职！

武家人和武氏近臣纷纷跪倒一片。

武则天：你们为什么辞职？三思你还算是我朝廷倚重的大臣！

武三思：我现在是朝廷倚重的大臣，可是显一旦登基，我就变成了朝廷最危险的敌人。因为我是您的侄子，武姓皇族的领头人，您江山最得力的捍卫者。李氏家族一旦恢复社稷，我将成为他们的心腹大患，失去了您的庇护，失去了正统名分，我将陷入万劫不复的境地。因为显懦弱无能，办事荒唐，他第一无法继承您英明开创的大好局面，只能使江山社稷重新沦为奸佞小人角逐野心的猎场；第二无法分辨是非、亲疏，将听凭武氏死敌、李家不孝子弟为了他们曾经遭受的打击而恣意报复。与其死在噩梦不断的血腥残杀中，不如安静地死在家乡，像一个无辜的平民，这样也许会稍稍减轻李家人的怨恨，赐我一个不太痛苦的死法，请姑妈允许我辞职！

在听着武三思滔滔不绝陈词的时候，武则天神志开始恍惚，似乎有些昏迷，看鹦鹉的视线也模糊了。突然，她感觉鹦鹉从杆上掉下来，死了。等被众人的声音惊醒过来，发现鹦鹉还站在那里。

武则天：（看着跪在地上的众人）我刚做了一个梦，梦见鹦鹉折断翅膀死了，武大人，你帮我想想这是什么意思？

武三思：这个梦太凶险了！鹦鹉象征着我们武家，这是上天被我们悲惨的未来所震动，用这个梦唤起对于武姓子侄命运的关切。上天在告诫您，如果您立显，您的子侄都要死于非命！

跪着的人群中已经有人开始嘤嘤哭泣，武则天眉头紧皱起来。

狄仁杰：（站出来）我从来不这样认为，圣上！鹦鹉象征着您，也象征着大周朝的江山社稷，它的两只翅膀一只代表武家，一只代表李家，您只有保护好这两只翅膀，您和大周朝的江山才能稳定，才能鹏程万里，永不坠落。

武则天：（被狄仁杰的话打动）武大人，你听见了吗？武、李本就是一家，你现在的这种担心只能加重矛盾，造成不必要的争斗。（有些严厉）三思，在我生病的这段时间，你已经给我造成了很大麻烦……

武三思有些惊讶与慌张。

武则天：（语气又柔和下来）……再说，谁说我要立显为太子了？我难道不能见我的亲生儿子吗？……你起来吧，我不可能准你们辞职！三思，你过来。

武三思走到床前。

武则天：（对着太平）太平，来！……（俩人走到龙榻前）你们现在站在大周朝最神圣的地方，在文武百官面前盟誓，保证在我死后，以兄妹相待，永不相残！

两人看着武则天，又相互看看，一时无语。

武则天：记住！你们都是我的亲人。

说完闭上眼睛等待两个人盟誓，两人同时跪了下来。

3. 大明宫勤政殿　白天　内景

太平与武三思从床榻前站起来，似乎很不情愿刚才发下的誓言，相距很远地站着。

武则天：你们所有人都在讲拥戴我，拥戴大周朝。可你们每个人都有私心，连我的亲人都不例外。什么是真正的拥戴？我让你们看看，（对着婉儿）把昌宗抬上来。

几个人抬着一张大祭祀台进入朝堂。张昌宗在牛头、水果和各种祭品之间打坐，一副祈求上苍的虔诚神态，单薄的白纱裹体，面目苍白秀丽，十分凄艳。

武则天：（赞美）他已经发下宏愿，向上苍代我赎罪，我的病一天不好，就一天不吃饭，甘愿成为祭品呈现给神灵。他才是真正拥戴我的人，不仅拥护，而且爱戴！

4. 长亭　白天　内景

旁白：我的监国生涯就这样结束了。母亲对我很严厉，但我这次不怨恨她。我确实犯下了一个大的错误。因为我从根本上就不是一个合格的政治家。我太重感情，我一生注定是一个权力和感情压迫的失败者。我很茫然，不知道什么是自己的归属……

（伴随着旁白）太平与李隆基沿着长亭前的小路缓缓走来，身后跟着两个牵马担行李的侍从。还有一辆太平的车辇。

李隆基：（跪下）姑妈，您回去吧，您已经送了很远了。

太平看着遥无尽头的驿路，目光伤感。

李隆基：请您不要为我伤心，鲲鹏展翅飞翔，他的志向是征服天空，大唐的万里江山就是我的天空。我要用我的爱心和壮志了解自己的子民和帝国，然后像一个真正胸怀大志的皇子那样回到您的身边。

太平为他把被风吹散的头发向耳后拢了拢。

太平：我一定想办法尽早让你返京。

李隆基：我也想尽早回到您身边。我一生都会感激您，都会记住您对我的关爱，只要您需要，我做什么都可以。

太平：（扶起他）我惟一需要你做的就是保重好自己，不要太鲁莽。你是我们李家惟一的希望，也是我的希望。

李隆基：我为了您一定保重好自己！

太平：上马吧！

李隆基：请您先回去吧，我想……看着您走……

太平微笑了一下，转身离去，李隆基目送她单薄的背影渐渐远去，满目的依恋与惜别。

5. 城楼　白天　内景

已近黄昏，城楼上，太平临风而立，她望着城外在风中翻滚着的绵延麦田及远方群山的混沌轮廓，失意苍茫的面容写着被夕阳的血色冻结住、被凄凉的暮色所钟爱的表情。张易之悄然走上城楼，他沉默地端详着太平的背影，片刻。

张易之：张易之拜见太平公主！

太平转过头，目光顿然有片刻的欣喜。但很快又恢复了冷静。

太平：……这几天……你去哪儿了？

张易之：公主知道，我在该去的地方。

太平不再作声。俩人站在城垛边，眺望着城外的景致。

太平：我……被免去了监国！

张易之：知道了！

太平：知道为什么吗？

张易之：因为公主一次外交上的疏忽，授突厥以口实犯我边境……

太平：（委屈，眼里见了泪）……你怎么也这么说！隆基是李家惟一的财富，是我哥哥在这大明宫里最珍贵的挂念，我爱他，我怎么能够忍心将他的幸福当作一件御敌的武器？难道政权的巩固就必须以亲情作为代价？

张易之：……既然公主是性情中人，那么被解除监国也未尝不是一件好事……

太平：现在连隆基都走了，李家又只剩下我一人孤独地留在这大明宫……

张易之：显不是回来了吗？

太平：那又怎么样？无非像父亲一样成为母亲的又一具傀儡，这一切让我感到厌倦，你懂吗？

张易之：……我懂！

太平：（逼视着张易之，充满渴望）易之，你重情意吗？

张易之：我为情而生，公主！

太平：（上前一步，全然不顾周围的目光）你说过爱我，那是真的？

张易之：当然，我从不说谎。

太平：（一把抓住张易之，神情激动）那我们走！你带我走！这大明宫已不值得留恋，我们去洛阳，去游历天下所有的美景，总之离开这个地方，就你和我……

张易之的目光中不自觉地流露出迟疑不决的神色。

太平：你答应我！

张易之推开太平，转过身，他紧皱眉头。太平在他身后依旧一脸渴望。

张易之：公主！……您还是忘不了长相守，还是想着薛绍……

太平：不，这跟薛公子没关系。我是在和你讲话，在和张易之讲话……易之，你给我带来的是我一生中所没有的，就像你说的，爱情是此刻的融洽和幸福，我只是想把此刻延续下去，把幸福延续下去，这和长相守没关系，这不是长相守……

张易之：这就是长相守！此刻如果被无限制地延伸，就没有了此刻，它和明天，后天，明年就没有了区别。这正是薛绍式的妄想。公主，我不是薛绍，也不会有像他一样的生活。幸福和平庸的惟一区别是什么？它是短暂的、偶然的，所以才声势浩大，才值得珍视！而一旦它成为一种习惯，您就会最终忽视它的滋味。出于对自己的保护，我不想成为您生活的另一个习惯！况且，我为什么要走！这是一座多么值得留恋的宫殿！它时刻动员一切险恶锤炼着你的智慧，强者在这里可以充分体验成功的快乐！

太平：(一时语塞)可我，我……我只是想永远和你在一起……我爱你！

张易之：那就请公主把我当作张易之去爱！

太平：那告诉我，张易之是谁？

张易之：张易之目前是一个满足的人！

太平：满足？

张易之：我知道这听上去可笑，可这于我却是由衷的感触！我想象中爱情最优美的形式，不仅包括厮守的快乐，还包括离别后的思念，重逢时的忘情与喜悦。甚至包括不能按时赴约的短暂遗憾，而我在您这儿找到了这一切，这令我感到真正的激情和快慰，这正是我想要的爱情……

太平：可你就永远满足自己的身份？

张易之：会不会永远满足，我不知道，但起码现在我的身份赋予了我某种能力。自由走动的能力。而自由，恰恰是我所企望的，是我生命中不可缺少的元素！如果说从这里出去，对您代表着更精彩的生活，对我却意味着倒退！您高贵的心灵可能鄙视这一切，但这正是我目前心境的水平，请公主尊重它，它是我的一部分，也应该成为您爱的一部分！

太平：……这么说，你是不可能和我走了？

张易之：……起码现在不可能！太平，我爱你，却不敢保证你永远幸福，像现在这样……太平，我劝你也不要心血来潮，你已经饱受其苦……

太平：（打断他）你真的爱我？

张易之：真的！

太平：那你大声说，我要他们都听见（指眼前的满城灯火），这对我很重要！

张易之：我……爱你！

太平：大声！

张易之：我爱你！

太平：再大声！

张易之：我爱你！

张易之的声音在城楼上回荡。除了一脸肃穆的太平，没有人真正理会他。张易之略显尴尬。他面对着太平含义深刻的注视，掩饰地笑笑，将目光移向了别处。

旁白：其实我早已隐隐料到了这个结果，他不可能跟我走！但我仍禁不住去试，仿佛期待着自己希望的破灭……这成了我与张易之感情生活的圈套。他似乎源源不断地给予我希望，而我则孜孜不倦地试图抓住哪怕是最微弱的一线光明。他是那样的一种男人，在伤害别人的同时，永远理由充足，并且有一张堂而皇之的痛苦面孔。似乎他总是被委屈地沦入感情夹缝中成为尴尬而虚弱的角色。他所做的一切都是为了给你更大的失望……

6. 武则天寝宫　白天　内景

侍候武则天的太监们在黑暗中伫立。多日来夜以继日的服侍令他们有些吃不消,太监德顺儿甚至站着都在打盹儿。帷帐内的武则天突然惊坐起,她环顾着四周,仿佛大梦初醒,周围一片寂静。

武则天：我的病好了,你们没看见吗!昌宗呢?我要昌宗!……昌宗在哪儿?

说着大步往出走……

8. 熏风殿庭院　白天　外景

院内一片通明,还有人打着灯笼往这边跑,皆远远地跪在武则天身后。武则天望着依旧坐在祭台上避谷的张昌宗,满目深情。他已奄奄一息,头发凌乱地遮盖住苍白的面颊,光影在他脸上跃动……

武则天：(感动得满目泪水)昌宗,昌宗,我来看你了,我的病……好了,多亏了你……

张昌宗虚弱地抬了抬眼睛,艰难地笑了笑。

张昌宗：圣上,您……回去吧,这儿风大!

武则天：(激动地吩咐左右)你们还看什么?快把他抬下去!传御医!

10. 药浴池　白天　内景

池中的水上浮着各种草药,张昌宗掩映在一片雾气朦胧之中,虚弱地闭着眼睛,四周隐隐的有内侍林立。张易之坐在池沿儿上,微笑着望着张昌宗。

张易之：三弟，三弟……

张昌宗睁开眼睛，委屈得差点儿哭出来。

张昌宗：大哥！你可来了……

张易之：恭喜你呀！你现在是……

张昌宗：（哭腔）恭喜什么呀？！你出的这叫什么主意呀，这不明摆着玩儿命吗！你看看我，都瘦成什么样儿了……下次再有这事，你来吧！不能为争个宠连命都搭进去！

张易之：争宠？三弟，你现在可以停止争宠了，你知道你那天指了件什么品服吗？……紫色，正二品上，您现在是朝廷命官了，咱们张姓也因为你成了贵族……

张昌宗：啊？……真的！我们成贵族了？……那，那咱赶紧，赶紧……我还在这儿泡什么药澡啊！我只想吃，吃它三天三夜，饿疯了我了……

张昌宗从水里往出蹿，溅起一团水花。

张易之：……这药浴可是圣上钦定的药品，为的是给你补补元气！

张昌宗：是吗？……那，我再泡会儿……大哥，太平那边怎么样了？

张昌宗又缩进水中。

张易之：不是很好！

张昌宗：怎么了？怎么不好了？

张易之：她要和我私奔，她爱上我了！

张昌宗：啊？这是好事啊，公主爱上了大哥，这不正是你所希望的吗？

张易之：可我为什么要离开这里，就为了娶门亲？

张昌宗：可，可你娶的是当朝公主啊！

张易之：公主怎么样？看来她已决定不再在长安待下去，那不就成了第二个旦？一个死了心气的皇子只会比任何一个稍有野心的平民活得更乏味平淡。一个从高处自愿下放的人，心里早已全然没了指望……

张昌宗：但她毕竟不是平民，依然是万贯家私，数不清的财富……

张易之：如果说仅仅为了财富，我当初就不必到这宫里来！我要的是什么？是光荣，是征服天下最高贵女人的快感，是居人之上的迷人感觉……最高级的统治莫过于操纵别人的爱情！这比占有万里江河更具有权力的内涵！

　　张昌宗：那，那你打算怎么办？

　　张易之：继续寻找这迷人的感觉！……而最令我兴奋的是，这里还有仇恨！你没看见朝廷上下对你我越来越大的醋意和鄙夷吗？靠我们的魅力战胜这仇恨将是我最大的快乐！……这太令我激动了！

　　张昌宗：……那，那太平怎么办？！

　　张易之：什么怎么办？当然要继续爱她！因为她的确值得去热爱！……可你记住，我们一旦属于了一个女人，就等于把自己的命运沉浮交给了别人的运气……

11. 太液池　白天　内景

　　此时的天气犹如韦氏及她女儿安乐公主的心情，明艳开朗、有些久雨初晴后的轻浮放荡。韦氏和女儿正泛舟于湖上。十几年贫困乏味的流放生活令她们以某种复仇的心情无节制地享受这突现于眼前的富丽堂皇。船头有一小型丝竹班子，演奏着舒缓轻薄的曲子。韦氏端坐于伞下，百感交集地凝视着这池涨满自己儿时记忆的春水。安乐公主伫立船头，身着浮艳的"百羽服"，正嬉笑着将一个荷包扔进水里，船周围游动着几个奴才，鸬鹚似的将丢掉的荷包叼回来。

　　安乐公主：(扔荷包) 去呀，这回谁先叼回来，我赏钱五千……
　　她兴致勃勃地看着几条精壮黝黑的身躯狗一样游向荷包。

　　安乐公主：……母亲，您刚才说什么？

　　韦氏：我说我小时候，就总和太平公主在这湖面上泛舟，也是在这里第一次遇上了你父亲……

安乐公主：母亲，您总是左一个太平公主，右一个太平公主，我们在房陵州受苦时，她在干吗？还不是同大家一样，在这长安城里醉生梦死……

这时对面缓缓驶来一条船，张易之当风而立，手中持箫，仙乐飘飘。那被风扯起的庞大衣袖令他看上去像一片小舟扬起的鲜艳的帆。安乐公主毫不掩饰自己热辣辣的眼神，怔怔地望着飘然而至的张易之，甚至连韦氏都不觉微微侧目……

两船相遇，张易之微笑地弯了弯腰，算是行礼。箫声依旧，风一样飘走。安乐公主回头，眼神再也离不开远去的张易之。

船首奴才们依然举着荷包，眼巴巴地仰望着失魂落魄的安乐公主。韦氏眯起眼，盯着女儿的一脸痴态。

安乐公主：他是谁？

韦氏：……他就是赫赫有名的张易之！

安乐公主：张易之……果真俊朗、飘逸，怪不得人人都把他挂在嘴边儿……母亲，您说他刚才在看谁？

韦氏：当然是看你！……（有些伤感）看我做什么，人老色衰，再也不比从前了……

安乐公主：母亲，我喜欢他！

13. 秘密幽会处　夜晚　内景

张易之侧卧在一张大梳妆台上，身体正好挡住了身后的镜子，眼中依然是已经成了惯性的柔情蜜意，痴痴地望着一个女人。从背后看那女人显然刚刚穿好衣服，头发还略显凌乱。床上的凌乱似乎在暗示着尚未冷却的激情云雨。

女人：别这么看着我，我已经老了……

张易之：您的魅力恰恰在于您眼角那几缕清淡的皱纹，以及……（张易之伸出手，轻柔地触摸她的面颊）贬居塞北的失意在您眉宇间布下的隐隐怨意。您很美，因为您没有宫中盛行的优越神色，所以就更美，更独特……

女人：……易之，你，真的喜欢我？没有骗我？

张易之：如果不喜欢您，我就不会舍弃圣上的宠幸跑到这里同您幽会。而如果我骗您，您以为我会从您身上得到什么呢？

女人：……是啊！我还有什么好骗的！……我只希望，你在太平那儿不会说同样的话！

张易之：我当然要说同样的话，因为她的确可爱！她与您同样的美，只是属于不同的类型！……我从不说谎，怎么，您吃醋了？

女人：……易之，去把我的纱巾拿来。

张易之闪开身，韦氏的面孔在镜中浮现出来。张易之绕到她身后，替她戴好纱巾，两人在镜中对视。

韦氏：（伤感）易之，谢谢你！你知道你对我有多么重要！你就是我今天的全部意义，至于明天，我都不知道自己将身居何处？！

张易之：明天您还会留在宫里，您将是一国之母，是光荣的皇后……

韦氏：那都是自欺欺人罢了！你知道我丈夫是谁，说不定哪天又被贬出了京……

张易之：难道您就甘愿把自己交给您丈夫的造化？您如此聪明……

韦氏：当然不情愿！可你了解圣上，以及……她对于其他女人的敏感。

张易之：那就把才智借给您丈夫，像圣上当年那样，如今天下千呼万唤李家接班，而眼下正有一个让我们李家惟一的传人服众的绝好机会，一旦把握住，甚至连武家都会慑于他的威望……

韦氏：什么机会？

张易之：您知道突厥目前长驱直入，势不可挡，如果显能领兵出征，大败侵略者……

韦氏：（苦笑）显？去打仗？他甚至见了匕首都会打战……

张易之：您错了！他的存在就是力量，您知道突厥可汗发兵的真正目的是什么？匡复李家王朝！他怎么可能真刀真枪地同显干？显的出征，正是向天下表明李家还朝主政，这也正是敌人希望看到的。况且，朝中那么多李唐的骁勇壮士，他们能不拼死呵护显的安全，保存这李家最后的一线希望吗？

韦氏：你说的有道理！易之，没想到你还这么有政治头脑……

张易之：我说过我不仅是个男宠。

韦氏站起身，将面纱放下，神色坚决。

韦氏：是啊！如果没有别人想到为我补偿这二十年荒废的岁月，我也只好自救了！天下不止只有一个不让须眉的女人！

第三十二集

旁白：突厥的铁骑已经逼近黄河，多年不习战事的大周军队溃不成军。那些养尊处优的将军们不是被杀就是被俘。他们为自己的骄横与虚名付出了最惨重的代价。在这危急的时刻，我不得不佩服母亲的智慧！她以自己特有的方式谴责着朝臣们的怯懦，同时激励起他们的勇气。

1. 大明宫勤政殿　白天　内景

（伴随着旁白）武则天一身戎装走上朝堂，大臣们面露惊异与不安，互相交头接耳。武则天目不斜视地走到皇位上坐下，然后威严地看着众人。

武则天：婉儿，这是第几天了？

婉儿：第三天了！

武则天：还没有人应诏挂帅吗？

婉儿没作声。

武则天：（面对众臣）你们是想让我一个女人去征战吗？

她的目光扫过武三思、武承嗣以及一些武将。众人纷纷躲避着她的目光，显也低下头，但双手紧紧握住笏板，头上又冒汗了。

这时一名侍卫快跑上大殿，跪倒。

侍卫：报！易州防线已被攻破，沙叱忠义将军下落不明。易州刺史武德晖困守孤城五十日，又与敌军争夺内城，几经交锋，独力难支最后坠城而亡，以身殉国。

武则天：你们听见了吗？

众人低头不语。

武则天：再报一遍！

侍卫：易州防线已被攻破，沙叱忠义将军下落不明。易州刺史武德晖困守孤城五十日，又与敌军争夺内城，几经交锋，独力难支最后坠城而亡，以身殉国。

武则天：婉儿，追封武德晖为忠文侯，配享宗庙。他也许是我们大周最后一个忠臣了。（又转向众臣）难道我们大周就真的没人了吗？

众人惭愧地低下头。良久，寂静的朝堂上突然响起一个微弱而犹豫的声音。

显：武皇，那就让我去吧！

大家都没明白是谁，开始四下张望着寻找。这时显上前跪倒。

显：儿臣愿意为您分忧，带队出征！

武则天凝视着他，显又有些不自然起来。

武则天：（眼眶中蒙上一层喜悦的泪光）好，好，到底还是我的儿子……（随即声音兴奋而昂扬）我现在就封你为天兵道行军大总管，全权调配关中大军，明日就率兵出征。母亲要亲自把你送出长安！

显也变得雄壮、威武起来。挺直身子，再次叩拜。

显：多谢武皇信任！儿臣一定不辜负您的重托！

狄仁杰被这场面感动，出列。

狄仁杰：武皇，我一生与文稿为伍，纠缠于琐碎的公文政务之中，一直对您的信任与恩宠深感不安。现在国家危难，正是报答您赐予我莫大荣誉的最好时机。我愿与皇子同甘共苦，弃笔从戎！臣愿以老迈之躯效仿先贤，请武皇赐给我这个成就美名的机会！

另一年迈武将也出班跪倒。

武将：我曾为先帝征战边疆多年，虽无帅才，但了解突厥人的习性战法。现在太子以文弱之身慷慨赴敌，使我对自己的年迈丧志而深感惭愧！我愿意率全家所有儿孙一同随皇子出征，最后一次报效疆场。

某神策军青年将领从大殿门边的侍卫队列中走出，跪在殿口。

青年将领：我整日满身戎装在殿前装点门面，实在有愧这身装束，请武皇赐我真正的武士尊严。

一时间，朝堂中跪下了一片忠臣。其场面蔚为壮观。不仅令武则天感动，而且也使显大为意外。看到这么多人拥戴他，不禁泪水潸然而下。

2. 大明宫外广场　白天　内景

当显豪迈地走下大殿，甬道两边的神策军都举着长枪相互撞击，发出有节奏的咔咔声。显终于昂着头在朝堂上走了一回，他眼中泪花闪烁。

3. 长安闹市中的一条小径　白天　内景

两边的青砖墙很高。一条闹市中的小径曲折地向前延伸，张易之跟着一仆役模样的人默默前行。他望着头顶夹缝中仅存的一线天空，面色逐渐疑惑起来，他犹豫地站住，仿佛预感到将近的不祥。

张易之：等等……（他回头看了看）谁要见我？我们这是去哪儿？

仆役：(谦卑地)张大人，我不能说，这是主子的命令。她只让我告诉你，她是你最想见的人。走吧，咱们快到了！

说完继续默默前行，张易之远远地跟着。

4. 陌生地点 白天 外景

仆役：请吧，张大人！

张易之被引入。

仆役：您进去吧，她在屋里等您！

张易之环顾四周，走进堂屋。屋内背身站着一个人，全身皆黑……张易之眯起眼，清了清喉咙。

张易之：在下张易……

黑衣人转过脸，原来是茹夫人。

茹夫人：怎么，连我你都看不出来了？我是你长安城第一个情人呀！

张易之：（释然）……茹夫人……好久没见了，请受易之一拜！

茹夫人：免了吧！……你可真出息了！真是贵族了！举止做派都改了风范……看来公主没白调教你……

张易之：（严肃）您有事吗？

茹夫人：找你自然有事，你上次托我的事，我和狄大人讲了……

张易之：噢，那就多谢夫人了！

茹夫人：（转过身）……你同他自己说吧！

张易之身后传来狄仁杰的声音。

狄仁杰：张大人！

张易之惊异地转回头，发现狄仁杰站在身后，旁边还有几个打手……

张易之虽然预感到有麻烦，但他依然很快镇静下来，以他故有的潇洒姿态，上前向狄仁杰施礼。

张易之：张易之拜见狄大人！

狄仁杰：（语气冰冷）你胆子不小啊！竟敢欺负到我的头上……打！

打手上前将张易之按倒在地。他没有挣扎，任拳脚如雨地落下……

5. 太平府大门外 夜晚 外景

一匹马飞驰而至。路过太平府门前时，骑手将马上驮的一个麻袋甩到地上。夜深人静，那只麻袋显著地耸立在府邸门前。逐渐地，麻袋里开始了蠕动。

6. 太平府卧房 夜晚 内景

张易之一头倒进太平的卧室，极其虚弱地瘫在地上。春和太平一起冲过去，将他扶起来，抬到床榻上。

太平：这是怎么回事？

张易之没有更多的痛苦表情。

张易之：我被人……打了！

春端来水，为张易之擦拭伤口。

太平：谁？！是谁打的？

张易之：这朝里有很多人想打我……公主不用为我担心……

太平：我问你，是谁打的？！

张易之：怎么，你还想着为我复仇？

太平：那是我的事！告诉我！

张易之以惯有的微笑置之。短暂的沉默。

太平：你为什么不说话？你应该告诉我！

张易之抬眼看太平，直视她的目光，似乎在掂量太平的承受能力。

张易之：（很有挑战性地）你真想知道吗？……春，你先下去！

春离去。

太平似乎有些不知所措。

等春关上房门，张易之转向太平。

张易之：请公主把灯吹灭！

太平：（盯着张易之的眼睛）这么说，我又要失望了？

这次是张易之吹灭了灯。太平怔怔地站在黑暗里。她预感到她将听到的是一则令自己心碎的消息。

张易之：我……和茹夫人好过！……在您之前……她爱上我了，所以嫉妒您，所以只能打我！拿我出气！

太平痛苦地闭上眼睛，一行泪静静地滑下……她长舒了一口气，睁开眼。她尽量压抑住撕扯着自己心灵的失望和痛苦。

太平：你，为什么不早告诉我？！

张易之似乎对太平的反应并不意外。

张易之：您从没问过我！

太平突然爆发地朝张易之怒斥。

太平：那你也应该告诉我！为什么骗我？！

张易之：如果公主认为这是欺骗，那在认识您之前，我已经欺骗过您很多次了！

太平：你……那你为什么还要说爱我？

张易之：因为我爱您！

太平：你不爱！难道你的爱情连起码的忠诚都没有吗？

张易之：（一笑）忠诚？公主以为爱情必须忠诚吗？

太平突然被他问愣了。她从来没有怀疑过这二者有什么不同。

太平：难道你以为爱情不需要忠诚吗？

张易之：不知道，我从来没有认真考虑过这个问题！公主认为什么是忠诚？

太平：忠于你自己的感情！

张易之：怎么表现？

太平：把你的感情和身体全部交与对方！

张易之：这又怎么表现？像桎梏禁锢刑犯那样？

太平：这不一样！那是强制性的，而忠诚出自情感自觉的愿望。

张易之：心甘情愿地放弃思想行动的自由？

太平：在某种程度上，是这样的，只要你心中有爱！

张易之：那我理解的爱同您有区别！公主所说的爱需要遵守纪律，而我却正相反，认为爱更需要自由！因为爱是快乐，是生命燃烧的激情，是自然最本质的冲动。你注意过在荒野间燃烧的熊熊烈火吗？看上去，它是那么狂放！何等的浪漫与壮美！如果把它放在灶里，它只能用来烧饭取暖，彻底失去了燃烧的魅力！公主，激情是不可以被强迫的，尽管以忠诚这样一个冠冕堂皇的名义。您母亲可以要求她的大臣们忠诚，但那不是因为爱，而是因为责任！忠诚只能扼杀爱情优美的浪漫！

太平：你所谓的爱情实际上意味着自由地背叛？

张易之：自由并不等于背叛，公主……我刚才完全可以选择骗你！可我没有，因为我知道只要诚实，我就没有背叛！

太平：……在这宫里，这座城市里，你还和谁有关系？

没等易之开口，太平又阻止了他。

太平：你别说了！……（太平仿佛在躲避更深的伤害）把灯点亮！……把它举起来！对着我的脸！……张易之，忘掉你的理论！你不必惧怕伤害我，你完全具有选择的自由。

张易之望着太平被烛光映红的脸。

张易之：你为什么这样看着我？……（张易之放下烛台）我知道你不相信我！多谢公主救我。你知道我在什么地方，如果你原谅我就去找我！……（张易之走到门口）如果不原谅，那我祝公主好运！

张易之打开门，发现门口站满了侍卫，礼貌地请他回去。他惊异地回转头，明白了自己的处境。

太平痛苦地看着他。

太平：张易之，你知道我是谁，你必须忠诚！……从今以后，你就住在我这里养伤，哪儿也不许去！

第三十二集

旁白：薛绍和张易之是男性世界给予我一生的两个问题：忠诚与自我囚禁，背叛与自由天纵。薛绍于我是爱情的启蒙者和导师，而他关于爱情的理念却高高在上，永远置我于无知与稚嫩的境地。张易之却把自己精心设计成一件爱情棘手的并且稍纵即逝的礼物，他了解征服轻浮，是一个女人最大的虚荣。他用不断的背叛来激发一个女人尽快以成熟的经验与之匹敌……

9. 控鹤府　白天　内景

张昌宗身穿七彩羽衣，坐在一只逼真的木制仙鹤上煞有介事地吹着箫。他背后是一块巨大的蓝色绸缎，上面画了几片白云，似乎是在凌空飞翔。他的一边站着一些老臣，另一边站着一些太平府的青年才俊，他们神情严峻，沉默无声。

老臣们担心地一会儿看看张昌宗，一会儿看看卧在软榻上面的武则天。张昌宗突然把箫扔在地上。

张昌宗：（看着武则天有些撒娇地）我累了！

武则天：那就过来歇会儿。

武则天的纵容助长了张昌宗的威风，使得无人敢小视他。众人如此僵持着局面。

张昌宗：你们都算什么俊杰才子啊？都三天了，连一句诗都想不出来？！

北门学士沉默，抗议着张昌宗对他们的亵渎。

张昌宗：从早上开始你们就推三阻四，一会儿说无从下笔；好，皇上让我穿上羽衣，骑上仙鹤！一会儿又说难以想象，那就给你们布置出蓝天白云！这回倒好，干脆自认无能了。（说着转向年轻的学士们）这几天武皇心情好，咱们做臣子的就应该添喜助兴，你们是不是不给皇上添堵心里就不痛快呀？

武则天：（看着面色阴沉的众人）我看他们就是一群徒有其表、缺乏才情的庸人，整天只会和枯燥乏味的文稿打交道。还自称风流才子，真有超出他们想象之外的美景，就全变成了酸臭迂腐的书虫了。

张昌宗：我怎么觉得你们存心跟我作对?!今天是你们最后的期限。看到那炷香了吗？如果香烧到头，你们还做不出来的话，你们就都被免职了。

学士们沉默不语，深恶痛绝地看着张昌宗。

张昌宗：武皇，看！他们讨厌我。

武则天：你们不喜欢昌宗就是不喜欢我，这可不好！

这时一名太监的声音从院门外传来。

太监：太平公主到！

武则天被惊醒，茫然而委顿地四下张望。太平径直走到武则天身边。

武则天：太平，你来得好，看看你养的这些门客，我求他们办这么点事都办不好。就写一首诗，都说不上需要什么才华！

北门学士眼巴巴地看着太平。

太平：他们不是拟不出来，是羞于写这样的诗！

武则天：（似乎想起来刚才的一幕）我看也是，他们是在和我存心闹别扭。你说我该怎么惩罚他们呀？

张昌宗：香烧到头了，就全部免职，现在……

太平打断张昌宗的话。

太平：母亲，您真这么讲过？

武则天：（抬头看了一下张昌宗）谁说要免他们的职了？

张昌宗委屈地张了一下嘴，又看看太平。低下头。

太平：您不能这样做，您正在抛弃耿直的忠贞之士。我想母亲一生清明、勤勉，到了晚年更应该自律！当年大行酷吏制度之时，每天都有上百人进京告密。现在天下又有多少鬼迷心窍、阿谀奉承之辈利用您的闲情逸致来偷取荣华富贵呢？前天我就得到消息，说张昌宗一下就封了

第三十二集

五十个姓薛的人的官职，有人甚至是又聋又哑的残废，就因为他接受了一个姓薛的无名鼠辈的贿赂，又把这个人的名字忘了。现在控鹤府有几十名男宠，他们的势力一个比一个大，造成朝臣们争相献宠。又有无数不知廉耻的无赖争相仿效，右监门卫候祥每天都在宫门外向上朝大臣炫耀自己容仪俊美、阳物硕大，要求进控鹤府当差。现在朝风日下，造成的危害比当年酷吏盛行之时尤甚。

武则天慢慢地看着太平，似乎有些神情恍惚。众人都屏住呼吸，等待武则天动怒。一片寂静。

武则天：婉儿，记下来，太平公主大胆直言，进谏有益，赏各色彩锦百匹。（又转向张昌宗）昌宗，你怎么能滥用我的信任呢？把你封的那些官都给我撤了！

张昌宗不安起来。

武则天：好了，诗不做了，你们都给我下去吧！

众人退下，张昌宗犹豫着。

武则天：昌宗，你也退下吧！

光线黯淡下来，宫中陷入一片寂静。一缕金黄的斜阳照在武则天衰老、疲惫的面孔上，微风吹来，掀动她鬓边的几丝白发，她的脸陷入一片伤感。

武则天：现在是圣历多少年？

婉儿：圣历二年。

武则天沉默，过了一会儿，她又问。

武则天：现在是神功年号，还是久视年号？

婉儿：您已经改为圣历年号了。

武则天：噢！

不再说话。片刻。

武则天：我看还是圣历听上去好些，还是别改了。

婉儿：现在就是圣历。

武则天睁开眼看着婉儿。

武则天：是吗？我还以为是神功呢？

婉儿无语。

武则天：那就还是用久视吧！

婉儿：武皇，您已经废止久视三年了。

武则天：（苦笑）你看我这改来改去的，把自己都搞糊涂了。难怪大臣总劝我要固定年号。

她说着说着，脸上显现出一丝凄凉与苦恼。

武则天：你说我是不是老了？

婉儿不知如何回答。

武则天：我知道自己老了！他们也嫌我老了。但是我还没像他们想的那么糊涂！为什么所有的男人都能有自己宠爱的妃子，我就不能？我辛辛苦苦一辈子，难道因为是女人，就享受不了别的皇帝应有的乐趣？

婉儿：您能！可是……

武则天：你去把那个候祥叫来！我到底要看看他长得有多美！

旁白：母亲彻底老了。曾经新生的牙齿和黑发并没能拯救她的心智，只给她带来片刻欢娱。她一生与男人争斗的惟一武器——智慧，正在无情地将她抛弃。

10. 太平府堂屋　白天　内景

太平怒目盯着跪在自己脚下的小厮。

太平：说，张易之去哪儿了？

小厮：公，公主，我真的不知道……

太平：你是他的贴身侍从，你怎么可能不知道！你在骗我！……

小厮：小的不敢！……

太平：你知道骗我是什么罪过吗？……死罪！来人，把他拿下，交给刑部……

小厮：公主饶命！

太平：那告诉我，他在哪儿？

小厮：他……在芙蓉客栈……

太平：去干吗？……你不用怕，说了我就饶了你！

小厮：他去和……太子妃，见面！

太平：和谁？

小厮：太子妃！

太平腾地站起身，强压着怒火。

太平：他去过几次？

小厮：经常去！

太平：从什么时候开始的？

小厮：从太子妃……回到长安！

太平：你起来！带我去！

小厮：哎哟，公主，小的实在是不敢……

太平：起来！现在就带我去！

11. 秘密幽会处　白天　内景

张易之侧卧在床上，望着韦氏一把将窗帘扯开，光明洪水般涌进房间。张易之微微眯了下眼睛，他定定地望着韦氏伫立在窗前的明亮侧影。

韦氏：(陶醉地闭上眼睛，微微仰头儿) 太阳……长安的太阳，好久没有无牵无挂地享受阳光了……

张易之：……您……真美！再待一会儿，好吗？

韦氏：(侧过头) 算了，我还是放过你吧，否则公主要和我反目成仇了！

此时房外楼梯响起急剧的上楼声，和客栈跑堂儿的声音。

跑堂：哎，小姐，楼上有客，您不能上去……

韦氏惊惧地望着张易之。

张易之：她来了！

韦氏：谁？

张易之：公主！

韦氏：什么？！

几乎在韦氏转头的同时，太平已闯进客房，她目光寒冷地看着两个人。

韦氏：（笑得很勉强，有些尴尬）太平，你来了……

张易之则开始不紧不慢地穿衣服。太平尽量回避着他。

太平：（声音冰冷）韦姐姐，从你们回来，这大概是我第二次见到你！我哥哥回来了吗？

韦氏：还，还没有！不过听说他很好，捷报频传……

太平：既然显哥哥出征在外，为国浴血奋战，就请你多为他着想，检点自己的行为！你是太子妃，有夫之妇，我想不必由我来教你为妇之道！

韦氏的脸色骤然阴沉下来。

韦氏：多谢公主提醒，太平！我当然不必由你来教我为妇之道！相反，这十几年的生活让我比谁都有资格奢谈妇道！告辞了！

说着往出走。

太平：韦姐姐吃过苦，就更应该珍惜今天的来之不易。不要不顾廉耻地挥霍掉自己的名声！

韦氏站在门口，似乎被太平的话刺痛，她转过身，一脸悲愤。

韦氏：廉耻！我简直不敢相信如今这宫里还有人谈论廉耻……（她绕到太平正面，盯着太平的眼睛）……你母亲守着控鹤府七十二只雄鹤，你太平公主府上由于供养门客而声名远扬，请问这算不算不讲廉耻？至于名声，太平，那是我自己挣来的，是保持住还是由着性子挥霍掉，那是我的事！……（伤感地）太平，我流落在外十几年，你们谁来看过我？哪怕是问过我？更不要说替我着想！包括你这个所谓的儿时的挚友！……

现在来质问我？你知道你自己的哥哥是一个什么样的男人！我能跟他到现在已经是你们李家的福分！所以请你闭嘴！……（指着窗外）太平，就在刚才我还在感叹可以无牵无挂地享受这长安的太阳，没想到竟然是你第一个破坏我的心情！你，你该不会是爱上他了吧！

韦氏说完扬长而去！

太平失魂落魄地走到梳妆台前坐下。是的，正如韦氏所说，这一切都是因为她爱上了这个男宠。她尽力做到平静，因为她知道愤怒与悲伤只能给这个聪明的男人找到反击的借口。她依旧不看张易之，只定定地凝视着某个空洞的方向。张易之依然有条不紊地穿衣服。

太平：（疲惫地）你还有什么可说的？

张易之：没有了，您不是全都看到了吗？

太平：你是一个忘恩负义的小人，你怎么能这么无耻！

张易之：公主对我无所谓恩，我对公主也无所谓义，至于廉耻，公主忘了，廉耻对于我一个男宠，仅仅是一件奢侈品。

太平：（轻蔑地笑）你闭嘴吧！我厌倦了这一切，你的借口，你所谓的道理，你所说所做的一切都是在为你自己开脱！

张易之：开脱！开脱什么？我不明白！

太平：你应该明白！难道你忘了你对我所说过的话吗？还有你那些甜言蜜语，海誓山盟，难道这一切仅仅是玩笑，是儿戏？

张易之出击了，他脸上的无所谓一扫而光，代之以绝对的肃穆。他走上前，半跪在那里，用双手捧住太平由于极度悲伤而万念俱灰的脸，强迫她望着自己。

张易之：（诚恳地）太平，我爱你！这一点永远不会变！以前是这样，现在更是这样！爱上公主是我的福分！……（他低下头，悲伤地）至于海誓山盟，那恰恰是我一贯的奢望，我总是在提醒自己那不是属于我的语言，因为我没有资格，因为那只能仅仅是一个玩笑，一出儿戏！……（他抬起头，眼里居然见了泪水）公主，爱情于我只能是一个秘密，有时甚至是……一种伤害，背叛爱情是我分内的事。

张易之说得十分凄凉。仿佛在表白他的命运，他卑微的处境，以及他无望的前景。他甚至流下了一行热泪。

太平：可你完全可以拒绝！

张易之站起身，似乎在掩饰自己内心的极度悲伤。

张易之：(越说越激动）拒绝？请公主设想，当太子妃吩咐我去约会时，您指望我说不，并且向她进一步解释因为我爱上了太平公主？您能够想象我将听到怎样富于侮辱性的笑声？难道我连这一点保卫自己内心真实感情的自由都没有？……公主，当您在盛怒之下指责一个男宠的不忠时，是否应该了解一下他此刻的心境！

太平望着他的背影。

太平：你转过来！……告诉我，你也爱她吗？

张易之：太平，我是男宠，而她是太子妃，她要我说爱她，我就只能说爱她，这是我的职责！

太平：你又在逃避！正面回答我，爱或是不爱！

张易之：我……不知道！

太平：这么说，你有可能爱上她？

张易之：我有可能爱上很多人！

太平：这么说，你从来不控制自己的感情？

张易之：不控制！控制爱情是对它最大的伤害和蔑视！

太平：那么，你也不知道是否爱我？

张易之：知道！我不记得公主曾命令过我说爱你！但我还是说了！因为我知道我爱你！

太平：那么，你刚才的一大通伤感表白都是因为你悲哀的男宠身份？

张易之：是的！……（这次似乎发自内心）但我有一天将不是男宠！

太平：你会的！而且这一天很快会来！

第三十二集

第三十三集

旁白：我逐渐明白自己的悲哀是爱上了一个男宠，一个不应该对他奢望忠诚的人。但这个人恰恰给过我快乐，给过我那么多真实的感觉，那么刻骨铭心。然而这种没有忠诚的快乐是否真实？是否能够长久？我内心极为矛盾，需要得到一个说服自己的答案，和自己做最后一次抗争。

1. 武则天寝宫　白天　内景

韦氏诚惶诚恐地坐在偏座上，不安地看着太监德顺儿正在将一只金丝雀小心翼翼地放进鸟笼。令人恐惧的是，笼里面有一只猫严阵以待，它贪婪地盯着即将投入罗网的美食。武则天的声音在大殿里有气无力地回荡。

武则天：我最近听说了一些关于你的令人不大痛快的传闻……你丈夫出征在外，为国尽忠，满朝上下都在关注着你们俩人，毕竟你们是李家香火惟一的指望……

武则天躺在椅上闭目养神，话说得不紧不慢，似乎不带什么情绪……此时传来猫令人心悸的叫声……

武则天：……怎么了？德顺儿？

德顺儿：圣上，这已经是第五只雀儿了，我看咱别试了！猫鸟是天敌，哪有相安无事同笼而居的道理！

韦氏心惊胆战地望着笼中的猫叼着已死的金丝雀，警觉地盯着四周……

武则天：……那就算了！我与猫为敌近三十年，最终还是拗不过这畜生！提走吧！

德顺儿：是！

韦氏看着德顺儿提着笼子向外走……

武则天：我刚才说到哪儿了，太子妃？

韦氏：……噢！您说显是李家香火惟一的指望……

武则天：对！太子妃！别叫我儿子失望，他现在的威望蒸蒸日上……还有，李果儿，你那个宝贝女儿，要多管管她，这大明宫不是她自家的乐园……

韦氏：圣上，我懂了，请圣上原谅我一时……

此时太监的声音打断了韦氏。

太监：太平公主到！

武则天睁开眼。

武则天：韦氏，你先下去吧。

韦氏退下。

随后，太平进来。

太平：（单刀直入）请母皇把张易之赐给女儿！

武则天凝视着太平，突然无声地笑了，笑得含义复杂。

武则天：怎么？你想专宠他？

太平：是的！我希望他只属于我！

武则天：（严肃起来）太平，你想专宠他，我当然可以把他给你。他至多不过是为了你的好心情锦上添花，但你一旦想把心境的来源建筑在他身上，给予他真诚，甚至……爱情，那他只会把你的心情变得更糟！

第三十三集

太平：他爱我！

武则天：（笑了）是吗？你不要从一个男人说的话中判断他是什么样的人。张易之对谁都说这样的话。他能打动你，他也能打动别人。他对你说的话，也对韦氏说过。韦氏也说他爱她。在宫里，他不单拥有你，还有韦氏、安乐公主……

太平：（似乎在说服自己）不，母亲，这些我都知道。我问过他，我觉得不是这样。他跟别人，因为他是男宠，我理解他。

武则天：太平，我很担心。你现在脸上的表情让我想起二十年前的你，一样冲动的神色，可那次是为了薛绍……太平，他们完全是两回事！虽说长着同一张脸！薛绍有十分爱，但他只表露两分。而张易之有两分爱，甚至没有，却有能力让你看到十二分的感情！就像他在城楼上向你表露的那样，这些我都知道！

太平：可我们在一起非常快乐！

武则天：是吗？

太平：是的！

武则天：那好！太平，你到帘后去，我把张易之叫来，听听他怎么说！我当然希望你真的是一个例外！

张易之进来。

太平站在帘后，看得见张易之的脸，心情格外紧张。太平知道这场谈话将意味着对于自己感情的全面总结。

武则天：知道我为什么叫你来吗？

张易之：请圣上赐教……

武则天：你惹祸了！

张易之微微皱了皱眉头。

张易之：卑臣不懂圣上的意思……

武则天：你过来，让我看看！……小东西，最近在干什么？

张易之：易之时刻等候圣上召见！

武则天：是吗？你这张嘴总那么甜。你就不如你弟弟，昌宗在我这儿挺踏实的。听说宫里所有女人几乎都爱上了你！

张易之：易之不敢！

武则天：你跟韦氏是怎么回事？

张易之：易之不过是个卑微之人，谁的话都不能不听。

武则天：是吗？那安乐公主呢？

张易之低头不语。

帘后的太平心绪纷乱。

武则天：你还爱上了太平公主，是吗？

张易之又一次沉默。他始终不明白武则天的用意，因此态度极为谨慎。

武则天：她刚来找过我，要我把你送给她，她要专宠你！带你出京！你说我应该怎么办啊？

张易之终于松了口气。

张易之：……我……我听圣上的！

武则天：听我的？好啊，我想去洛阳住几天，身边要选几个贴心的人，于是也想到了你！你看你是想跟我去洛阳呢？还是想让我把你留下，赐给太平公主呢？

张易之在此时恍惚了一下。他知道这个回答或许影响着自己一生的命运，他内心那强烈的、操纵权力者情感的欲望，驱使他不愿放弃这个已经到手的机会。

张易之：……我愿侍奉武皇！

武则天：什么？我没听清楚！

张易之抬起头，语气坚决。

张易之：我愿侍奉武皇！

帘后，太平闭上了眼睛，任泪水无声地滑落。

武则天听后释然地笑了。

武则天：你还算聪明。（对后面）太平，你听见了吗？易之，你只能

第三十三集

是一个女人的情人，当你面对几个女人时，你就成了她们的敌人！

帘子升起来，太平出现在张易之面前。张易之愣住了，第一次流露出某种程度的慌张。

武则天：我说过你闯祸了！易之……

旁白：……其实，在爱上他的那一刻，我就意识到自己爱上的是一个魔鬼，他轻易否定了我一直信奉的那些理想。我是在欺骗自己，因为不忍承认欲望所犯下的错误。那天，母亲不过是又一次轻松地证实了我的自我欺骗，我心如死灰。

2. 太平府堂屋　夜晚　内景

太平背身而立，张易之进来。

张易之：公主！

太平：你还来做什么？

张易之：道别！我明天就走了！……太平，我……我想让你理解我今天的选择，这正是我的悲哀，永远无法纵容自己的性情，尽管我是个性情中人……

太平猛地转过身，手中的剑顶住了张易之的胸膛。

太平：我可以毫不费力地杀死你！知道我为什么下不去手吗？

张易之并不是很慌张，他坦然地直视着太平的眼睛。

太平：因为你长得太像薛绍！但我警告你，收敛你的野心！不管这种野心是夺取权力，还是夺取权力的感情。你是什么人，就做什么人！如果有一天，让我再一次发现你的非分之想，你就会真正死在我的剑下！滚吧！

太平转回身，张易之望着太平的背影。

张易之：太平，时间是我对你爱情最终的考验！告辞了……

3. 洛阳路上　白天　外景

车队缓缓行进着,武则天透过半掩的窗帘看着外面早春俏丽的景色。在一侧,张易之白衣白马,神态飘逸地相伴而行。他似乎陷入沉思,未曾注意到武则天审视自己的目光。微风掀动着他蓬松的长发。武则天看了他一会儿,目光渐渐移开,看见远处山崖上的一簇桃花。

武则天：德顺儿,停车!

德顺：（高呼）停车!

车队停下来。武则天走下车,许多神策军聚拢上来,人人扶剑而立,戒备森严。

武则天从车辇上下来,向路边走了两步,张易之识趣地下马随侍。

众人目瞪口呆地看着一老一少来到山脚下。

武则天：易之,去把那枝桃花给我摘下来。

张易之抬头,发现悬崖十分陡峭。

张易之：易之不能。

武则天：你想抗旨?

张易之：我不会攀岩,而山势陡峭,恐怕桃花尚未摘到,易之已经坠崖身亡。

武则天：我想要那朵桃花,你要是忠于我,就爬上去!

张易之：易之当然忠于武皇,但您是想要一颗死去的忠心,还是要一颗忠心永远陪伴着您呢?

武则天看着他,笑了,笑容有些难测。

武则天：你确实很聪明!听着……太平真的很喜欢你,你如果现在后悔,我准你回去!

张易之：我不后悔!我千里迢迢赶赴长安,就是为了追随您。只不过一直没有机会得到您的重视。现在我终于有了机会,为什么要后悔呢?

武则天眯起眼看着他。

武则天：好了，回去吧！

车队继续顺着蜿蜒的山路向洛阳缓缓行进。

4. 洛阳上阳宫　夜晚　内景

武则天躺在床榻上看奏折，床边的书桌上堆满文件。张易之在一边为她弹琴。琴声悠扬舒缓。在两人之间有一盆取暖用的炉火，红红的火苗诡秘地跳跃着。

武则天从眼前高高堆起的奏折缝隙中看着张易之，随即低下头，字迹渐渐模糊，她试图努力看清。但过了一会儿，字迹又陷入一片混沌。她有些烦躁地把奏折甩在桌上。

琴声被打断，张易之停了手，询问地看着武则天。

武则天：你把婉儿给我叫来。

张易之站起身向门边走去。

武则天：（沉思了一下）算了！听说你读过书？

张易之：自幼苦读！

武则天：那你过来……替我念！

张易之轻轻打开一本奏折，似乎有种庄严感。

张易之：左武卫大将军，朔方道行军大总管张仁愿坚守朔州防线有功，大败突厥可那竭力部，歼灭敌军一万五千人。请封应天侯，赐采邑三百，请武皇准奏。

武则天眯起眼想了一下。

武则天：准！

张易之把奏折合好。武则天示意他放在书案左侧的一叠上。

张易之又拿起第二份奏折。武则天疲劳地闭上眼睛。

张易之：御史中丞李峤为人倨傲不恭，时常冒犯公卿大臣，不合礼教，请降职三等，以示惩戒。

武则天：(睁开眼睛) 为人耿直、桀骜不驯恰恰是我用他的理由，有什么不合礼教的？不准！

张易之的动作开始流畅、自然起来。

张易之又拿出一份，略一浏览，神情慌张起来。急忙把它放在一边，又伸手拿起另一份。

武则天：(仍闭着眼) 怎么不念了？

张易之：(又念道) 扬州蝗灾盛行，农田水稻被吞没，蝗虫过处，如乌云行天。蝗虫过后，秧禾枯死，草木凋残，景象惨不忍睹。而扬州自古繁华，山水秀丽，土地肥美，为人间仅见。诗云："兰若生春夏，芊蔚何青青。"而今人民流离失所，白骨成堆。蝗虫为天灾，人力所难为。《尚书》云：帝王不能恪尽职守，上天遣蝗虫以警示。望武皇正己求仁，以息天怒。

武则天：完了？

张易之：完了！

武则天：这是谁拟的？

张易之：礼司监杜若仪。武皇是不是要惩罚他？

武则天：他的文才不错，你再把那两句诗念一遍。

张易之：兰若生春夏，芊蔚何青青。

武则天：幽空独林色，朱蕤昌紫荆。下面是什么来着？

张易之：迟迟白日晚，袅袅秋风生。岁华尽摇落，意境方何成！

武则天：(神情恍惚，语气缥缈) 我第一次随先帝出京巡视的地方就是扬州。扬州！那时候是仲春四月，空气中到处弥漫着一股花香，还有青草的味道。我当时想，大唐的帝都如果改在扬州有多好啊！皇帝笑我糊涂。易之，你从什么地方来……

张易之：宁州，离扬州很近。

武则天：一定也很美吧！

张易之：胜似扬州！那里水是绿的，草是绿的，稻田是绿的，还有山和树木。但是每一种绿都不相同。它们层层叠叠铺到天边，偶尔被几间农舍，半截古塔或者一行白鹭打断，这绿色就灵动起来，空旷起来，使行走在其中的人能够想得很远……

张易之若有所思地讲着，时不时瞟一眼刚刚被自己偷偷抽出来的奏折。过了一会儿，武则天没有了声音，张易之侧脸看见武则天已沉沉睡去。

张易之：（轻声）武皇……武皇……

张易之大胆地拿起那份奏折，皱着眉看了一会儿，然后把它轻轻放入炉火中，火焰一下烧了起来，把他的脸映得通红。火苗也开始不稳定，在他脸上闪闪跳动。他盯着在火中迅速蜷曲的奏折，表情渐渐陷入狂热，他又伸手拿起一份奏章。贪婪地读着。

5. 射猎场　白天　外景

张昌宗一身短打扮，正摩拳擦掌地准备射箭。他夸张地摆好姿势，冲着不远处大喊。

张昌宗：行了！让鹿跑起来！跑快点儿啊！……

另一侧，一头活鹿被绑着四蹄，像秋千似的悬挂在两树之间。四个侍卫分列于猎物两侧，皆手握盾牌，听到口令后忙用力推着鹿身。于是，鹿"跑"了起来，左右躲闪。左侧的侍卫盾牌上已经布满了射失的箭。

张昌宗弯弓搭箭。

张昌宗：你躲什么？射不着你！

箭"嗖"地出手，正中右侧盾牌。

张易之站在一旁全无兴致，神情显得很烦躁。

张易之：咱俩现在快被人当箭靶子了！

张昌宗继续弯弓搭箭。

张昌宗：大哥你开什么玩笑？！谁敢射咱俩，大周朝这么红的人儿！

张易之：快了！五王已联合牵头儿上了奏折，要弹劾咱俩，放逐岭南！连太平公主和太子妃都签了字！

张昌宗的胳膊定在半空。

张昌宗：……你，你怎么知道？！

张易之：折子我看了！趁圣上睡着时……

张昌宗：那，那她今天不就看到了？！……

张易之：看不着了！……我已经给烧了！

张昌宗：烧了！……你胆子也太大了！

张易之：那怎么办？如样儿呈给圣上吗？

张昌宗突然转过身把箭对准了张易之，话也带了哭腔儿……

张昌宗：都怪你！咱不说好了吗？！我对付皇上，太平和韦氏是你的！……可放着长安不呆，非跟着到这儿干吗来呀？！这下儿好了，你把公主和太子妃都得罪了！这万一圣上有个好歹，朝里那帮大臣能把咱俩撕了！……

张易之：（躲着箭锋）你，你把箭挪开！

张昌宗垂头丧气地站在那儿，张易之从他手里接过弓箭……

张易之：知道我为什么选择来这儿吗？这儿是我征服里程的最后一站！圣上是天下最崇高的女人，在这儿我也就可以成就世上最高贵的爱情。你指望我放弃这个机会？至于大臣，他们的爱憎从来都是意料之中的，他们全部的仇恨加起来也敌不过圣上的一个"爱"字，你慌什么？

张易之箭出手……

侍卫：打中了！

张昌宗：行，大哥，圣上给你的时间可不多了，她毕竟老了！

张易之：这倒是个问题！所以我要抓紧时间……

6. 宴会厅　白天　外景

餐桌四周坐着一些内臣。武则天坐在桌首。张易之和张昌宗坐其两侧。桌子上放着一只焦黄的烤鹿，鹿头甚至还完整……所有人都眼睁睁地看着武则天津津有味地咀嚼第一口鹿肉。

武则天：好吃。昌宗，这是你打的？

张昌宗：不，圣上，是我大哥猎得的！

武则天：是吗？！易之，没想到你还是个不错的猎手……你们都傻看着我干吗？吃啊！都吃……

众人纷纷捡起眼前的筷子。

武则天：我记得很早前吃过一次鹿肉，那是在宫里，我还是太宗的才人……那次好像是清蒸，煮了好大的一锅汤，几乎每个才人都分了一碗，味道鲜美至极！

张易之：圣上，您要是喜欢清蒸，明天我再给您打一只……

武则天：不，不，烤鹿肉我也喜欢！看上去更美，灿若赤金，很吉利……

众人附和着。突然，武则天环视众人。

武则天：你们说说，这鹿肉什么味道啊？！

众人皆忙住了咀嚼，面面相觑。

张昌宗：……什么味道？

他把刚放进嘴里的肉又夹出来，放在鼻子下，以为有什么不对。

武则天：我问你们吃上去什么味道？你闻什么？

张昌宗不敢回答，抬头去看张易之。

张易之：圣上什么意思？您觉得味道不爽口？

武则天：没什么意思，我就是问问鹿肉什么味道？

众人依旧傻在那儿，诚惶诚恐，低眉耷眼地回避着武则天的目光。

内臣甲：啊！……（清了清喉咙）……小的不知，请圣上明鉴！

武则天有些愤怒，"啪"地把筷子撂在桌上。

武则天：什么圣上明鉴！舌头是你们的，我明鉴什么！我就问你们这么简单的一个问题，鹿肉什么味道？你们怎么就推三阻四地不能告诉我！我又没考你们！

内臣甲吓得扑通跪在地上。别人也都吓得把头低得几乎挨了桌面。

内臣甲：圣上息怒！小的该死！

武则天：起来吧！我没动怒！说，鹿肉什么味道？就从你开始，依次往下……

内臣甲：这鹿肉吃上去……有点儿像……像马肉……而且，似乎，可能咸了点儿？

所有人都偷偷看着武则天的神色，试图从她脸上任何一个细小的表情变化上揣摩她的心思……武则天始终皱着眉头……

武则天：说你的，说！

内臣乙：我觉得这鹿肉口感更像狗肉，而且我反倒觉得好像淡了……

武则天：你！

内臣丙：圣上，我今儿染了风寒，吃什么都没感觉，味同嚼蜡！

内臣丁：圣上，我觉得这肉太酸了！甭说您的牙了，连我的都要往下倒……

内臣卯：我觉得问题不在这儿。再说，圣上的牙还壮如稚齿！我觉得，这肉好像，烤得有点过！而且鹿腹那块好像有点糊了，圣上是否觉得……应……该……

他望着武则天，突然语塞。他看到泪水沿着武则天的面颊悄然滑落……

武则天：……我就想听句实话，再简单不过的实话！

武则天泪水湿襟，不胜心寒。至高无上的权力令她得不到一点点起码的真实。

武则天：易之……扶我起来！

7. 宫内甬道　白天　外景

张易之扶着仿佛突然间衰老的武则天漫步在花园小径上。

张易之：武皇为何悲伤？鹿肉哪儿不对了？

第三十三集

武则天：鹿肉没什么不对的，是我的舌头……我的舌头不对了，它死了。我已没了味觉！……

说着，武则天泪水淌得更汹涌。

张易之也伤感起来。他是在为自己伤感。在他唾手可得的欲望面前，他预感到大势已去。

武则天：舌头死了，再丰盛的宴席也没了意义。就像人老了，再美的绸缎，再令人生畏的高贵地位都只是虚设，没有了享受它的心情！我年轻时候就不懂这道理，气盛，见什么都争，总想着争出个所以然来。就像舌头一样，见了没吃过的美味，就禁不住流口水……欲望这东西胃口很大，满足了一个就有更大的一个等着你。我从才人做到昭仪，到皇后，到现在……当年我要止步，早就让王皇后处死了。就这么一步步地不退，就这样一步步到现在，我想退都退不了，可那又怎么样？最终还不是得面对一个普通村妇同样的劫数！舌头先死，然后心死，然后人死……

张易之听着，泪流满面。只有他知道自己眼泪的含义，那是恐惧，对于最后的靠山即将坍塌的恐惧。

张易之：圣上，您，您一定要振作！您可曾想到有多少人还在指望着您的健康清明！您是咱大周山河的脊梁，大周百姓的头脑……圣上……

武则天：起来吧，易之，该回去了，你背着我……我累了！

张易之唏嘘地背起武则天，武则天疲惫地靠住他的肩膀……

武则天：……易之，咱还有没批的折子吗？

张易之：没有了！我记得都给您念过了！……

武则天：噢！那就好！你说，咱们是不是应该回长安了？说好了，就待几天……

张易之有些紧张，他皱了皱眉，思忖着如何回答……

张易之：其实……也没这个必要！这样不挺好吗？有我和婉儿倾心协助您。洛阳这地方花好月圆，不像长安城咄咄逼人，对您身心健康大有好处！急着回去无非是一样批改奏折，惟一的区别是您又不得不面对朝臣的指手画脚了……

武则天：是啊！我是有点看够了……有一件事我不大明白，你不同于昌宗，知书达礼的干吗非要做个男宠？你为什么不去试试殿试？靠才学谋个一官半职？

张易之：……我……跟您一样，也看不惯大臣们迂腐的指手画脚。

武则天：（笑）你这嘴总这么伶俐……

武则天突然望着花园的一角景色。

武则天：……洛阳！其实这早就是令我梦萦魂牵的地方，只一直腾不出空儿。多少年了，我盼望着能在这儿长住一段日子……

武则天的眼里又见了泪……

沉静了片刻。

武则天：易之，你哭什么？……

张易之：不知道，就是想哭！……我，我张易之愿侍候您一辈子。圣上，您一定要振作……

武则天：都振作一辈子了，该休息了……也不知旦在哪儿？估摸着现在正对着一处美景抚琴……显今年有五十了吧？……这孩子命苦，没当几天皇上就被我送到了乡下！……他现在好多了，成熟了！我也该把社稷还给李家了……

武则天闭上眼睛，颠簸于张易之的背上……

8. 后宫小厅　白天　内景

屋内桌子上依旧摆着那盘未尽的鹿肉。

张易之出现在门口，面目凝重。

张昌宗：（关切地）怎么着了，大哥，圣上息怒了？鹿肉哪儿不对了？

张易之神情恍惚地看着一个方向。

张易之：圣上没味觉了，舌头死了，什么都尝不出来了！

张昌宗释然，一屁股坐到椅子上……

张昌宗：嘻！我当怎么了呢！……那圣上，哭什么呀？

张易之：你知道我们怎么回来的？我背她回宫的！圣上……恐怕快不行了！

张昌宗：啊？那……

张易之：知道她还说什么吗？……她说她想退位，想把江山还给李家，显快登基了！没想到这一天来得这么快！我们没有时间了！

张昌宗：(慌张)那，我们怎么办？！弄好了被削为草民，弄不好……大哥，怎么办啊？

张易之脸上浮现出一丝可怕的神采。

张易之：……幸好的是她还活着，活着就能替我们办事！这就叫挟天子以令诸侯！我张易之既然进了宫，就没有理由灰溜溜地出去！……昌宗，从现在开始，你听我的！不许擅自做任何事！懂吗？……

旁白：张易之终于未能如愿从母亲那里获得爱情！母亲的突然衰老令张易之对这场爱情的追逐因为无疾而终、草草收场而变得毫无光彩。这是他那将爱情仪式化的癖好最不忍接受的结局。他想到了报复！他想到了用政治来惩罚母亲对衰老束手待毙的屈从态度。这是一种由情欲引发的疯狂，尽管从表面上看似乎起源于对权力的追逐！

第三十四集

1. 上阳宫城门外 白天 外景

正午的骄阳炙烤着宫门外的空场,地面反射着刺眼的白光。从不远处的一株柳树上传来令人烦躁的知了的叫声。群臣站在午门外,等待武则天的召见,他们很多人早已汗流浃背,汗水已经浸透朝服。他们目光焦虑地看着禁闭的宫门。队列最前面的张谏之抬头看了看天色。

张谏之:现在已经过了正午!今天务必要见到皇上,再派人去击鼓请朝……

2. 上阳宫武则天寝宫 白天 内景

竹帘把寝宫的所有窗户都封挡起来,光线微弱而零散地透射进来,室内显得很阴暗,与午门外强烈的光线形成反差。一名宫女正在为沉沉午睡的武则天打扇。

张易之坐在临窗的书案前面,对着一大堆奏折思考着什么。他的神情洋溢着异样的光彩,书案上摊开着一张拟了一半的圣旨。

这时，隐隐的击鼓声传来。武则天睁开眼睛。她的目光暗弱，已经显得有些迟钝。

武则天：易之，这是什么声音？

张易之站起来，放下最后一席半卷的帘子，走到武则天身边。

张易之：是雷声，可能要下雨了。

武则天点点头，闭上眼，过了一会儿，轻声又问。

武则天：我们到洛阳多长时间了？

张易之：大概……有百天了吧！

武则天：（点点头）那些奏折都批过了吗？

张易之：前天您就批完了。

武则天：（睁开眼）我想出去走动一下……

张易之用目光制止了欲扶武则天的宫女，脸上依然保持着微笑。

张易之：春天风沙大，您还是留在宫中的好……

宫女慑于他的威力，低头不语。

武则天：我记得洛阳春天多旱，怎么今年雨水来得这么早……真有点奇怪。

张易之看武则天依然清醒，便进一步试探她。

张易之：圣上，我给您的折子……

武则天：别说了，那不可能！丹书铁券只能授予托孤大臣。你一个宠臣，哪里能享有如此殊荣？！我没那么糊涂！

说着，又沉沉睡去。

武则天的拒绝使张易之渐渐变得迷狂。他走到书案前挥笔急就，然后卷好，快步走向门外，打开门帘，一股暴烈的光线扑面而来。一刹那，他的面孔由于激动而涨红。他用手挡住眼睛……

3. 上阳宫城门外　白天　外景

这时突然传来宫门开启的声音。众人举目观看，森严的大门缓缓打开，几名太监成品字形从门洞的阴影中走出,来到众人面前。

太监:宣武皇旨!

众人慌忙跪倒。

太监:朕终日操劳国事,略感身心疲惫,意欲在洛阳小憩数日,不愿受人干扰。众臣速回长安,各安所职,等待圣驾回朝!

说罢转身走回宫内,大门再次关闭。

朝臣不明所以地互相看着,一时鸦雀无声。

张谏之紧皱眉头,盯着宫门,表情忧虑、疑惑。他身边的另一重臣武敬晖在耳语。

武敬晖:咱们已经请朝不下十次了,看来武皇是不想见我们。

张谏之:(盯着宫门,轻轻摇头)不对!

武敬晖:那您说武皇是怎么想的?这完全不符合她的禀性……

旁白:三个月过去了,母亲渺无音讯。而且她发布的政命越来越荒唐、怪诞。这不得不使人忧心忡忡。朝臣们按捺不住赶到洛阳。他们在那里空等了数日,没有一个人被她召见。他们不得不赶回长安处理早已堆积如山的政务。宰相张谏之执意留了下来,他一定要解开母亲执政以来留给朝廷最大的疑团。他后来告诉我,他已经闻到了阴谋那野兽般正在悄悄逼近的气息。

4. 祠堂　白天　内景

(伴随着旁白)一座祠堂改成的临时官舍内。人们忙做一团。案上的书籍、奏折正被仆役们放进箱子中。

5. 祠堂　白天　外景

箱子被抬上马车……

众臣依次同张谏之等五王行礼告辞,五王望着车队渐渐走远。

6. 祠堂　夜晚　内景

祠堂显现出了原本的面目。大殿空空荡荡,纸屑飞扬,一片忙碌之后的萧瑟景象……

张谏之、武敬晖、崔玄苇等面对着清灯孤影默默坐着,陷入沉思。这时一名侍卫进门。

侍卫:张昌宗求见!

几个人同时站起,面呈诧异之色。

张昌宗走入,带着僵硬的表情。

张昌宗:张昌宗见过几位大人!

众人还礼。

张昌宗:武皇责备几位了!

张谏之:武皇是不是不高兴我们留在洛阳?

张昌宗:对,她怪你们藐视圣谕!

武敬晖:可是历次武皇临驾洛阳,都要将朝廷搬来,在这儿商议政务……

张昌宗:可是这次不一样。这次武皇的心情不好。

崔玄苇:请问张大人,武皇的心情为什么不好?

张昌宗:(欲言又止)她……等回到长安你们自己问吧!我怎么能随意透露圣上的秘密!

韦彦范:圣上派你来向我们问罪?

张昌宗:(突然笑着扫视了一下众人)不是……派我来奖赏你们!

众人诧异。

张昌宗:你们忠心为国,尽忠职守,是朝廷倚重的大臣,命我赏你们黄金万两!

张昌宗一招手，几个太监抬进一口箱子。

几位大臣相互对视，同时感到张昌宗来意有诈。

韦彦范：那请张大人宣旨吧！我们好谢恩领赏！

张昌宗：这还需要圣旨吗？武皇一片心意你们还不领会吗？

袁恕己：我们一生清正廉洁，这不明不白的……

张谏之：多谢张大人美意，还请张大人在武皇面前为我们多进良言。您是武皇最信任的人，我们处理政务，还需要您的指点。

张昌宗：武皇也正是这个意思！她说你们是她的忠臣，希望我们以后多一些交往，她也就省心多了。

张谏之：武皇还说什么？

张昌宗：……没了！

武敬晖：张大人，现在圣上已经近百日闭门不出，很多政务我们都无法决定，还请您找机会让我们见上她一面。

张昌宗：这个……这个恐怕难以办到……不过我可以代你们问候一下武皇。

张谏之：（一使眼色）那就多谢张大人！

张昌宗：只要诸位不忘记我们兄弟的一片美意，什么都好说……好了，天色不早了，我也得回宫伴驾了！

张昌宗走后，几个人面面相觑。

袁恕己：他为什么向我们献媚送礼？

崔玄苇：他们是承受不住了……是张易之派他来的吗？

张谏之：（打断众人）他是在找退路。洛阳宫里一定出了事！这里已经很危险了，速回长安，禀报太平公主！

7. 上阳宫张易之住处　夜晚　内景

张昌宗面带喜色地推门进屋，发现房中到处散乱着奏折，有的已被撕坏。张易之闭目而坐，面色苍白，仿佛刚刚经历过一场狂乱，此时已经精疲力尽。张昌宗走到他的面前。

张昌宗：你怎么了？

张易之闭目不语。

张昌宗：没拿到丹书铁券？那东西只有托孤大臣才能得到……我比你更了解武皇，她可不会为了咱们破坏规矩……

张易之的表情依然没有变化。张昌宗终于按捺不住。

张昌宗：你知道我刚才去哪儿了？……我跟你说话呢！

张易之：（低沉地）你让我安静会儿……

张昌宗：（洋洋自得）大哥，咱没事儿了，我把一切都安排了……

张易之突然有所预感，睁开眼，严厉地盯着张昌宗。

张易之：你干了什么？

张昌宗：我去看了宰相张谏之……我们谈得不错！

张易之：你，你们谈什么了？

张昌宗：谈了谈礼单！我还以为这些板着脸的大臣有多干净！敢情他们二话没说，挺高兴就收了！我看今后没问题了，他们是朝中最有实力的大臣，只要……

张易之：（霍地站起）你送礼啦？……你是什么人？你是万人唾骂的男宠，张谏之是什么人？是自命清高的道学先生。他凭什么收你的礼……你这不是不打自招吗？！盲目行贿，明摆着告诉人家你心中有鬼……

张昌宗：可拿人家的手短，他们已经收了这万两黄金……

张易之：这是给人家送去罪证！……你看看这些奏折，他们天天想毁咱们，别说万两黄金，就是十万两，二十万两，也抵消不了这些道德家亲手毁灭咱们所获得的快意！

张昌宗：可是他们一见黄金确实很高兴的……

张易之：他们当然高兴。你告诉了他们咱们的虚实，你证实了他们对宫中情况的不祥猜测。他们当然高兴，他们知道武皇现在可能糊涂了，病了，咱们慌了，他们甚至还可能想到武皇被咱们挟持了，因此他们终于能以最正义的名义杀死我们！他们能不高兴吗？他们都快乐疯了……我看你脑袋里是进水了！

张昌宗：（气愤）你以为你聪明？你天天磨着要那个破丹书铁券，你也不想想，武皇死了，大周就完了，大周朝的法令还有什么用！你就是抱着一百个免死令也是一堆废纸……

张易之爆发出惊人的狂暴，一把抓住张昌宗的衣襟。

张易之：……你现在去把他们给我抓回来！不管是死是活，全给我扣下！绝对不能让他们回长安，让太平知道！

说完狠狠地一推张昌宗。张昌宗怔怔地看着失态的兄长。

张易之：……快去呀！

张昌宗急急转身走去，一脚踢飞半张奏折。

8. 祠堂　夜晚　外景

张昌宗率一队人马飞驰而至，急急勒住马。
祠堂已人去院空，满地遗物。甚至连马车都丢弃了。
张昌宗环视四周，意识到事态的严重。

9. 上阳宫城门　夜晚　外景

军事明显增多，大门沉重地关闭。显然一切都在戒备状态。

10. 上阳宫张易之住处　夜晚　内景

东方已经现出一丝微白，房间内的奏折已经被收去。
这里的气氛已变得异常紧张。众多追随张易之的神策军党羽，还有张昌宗站立着，神情森严地注视着他们面前的张易之。

已近似癫狂的张易之在屋中来回踱步，保持着尽可能的镇静。他换上一套血红的衣服，头发整齐地盘起，与以往的风格迥然不同，显得威严、刚毅，满眼血丝更使他看来有几分狰狞。

张易之的目光一个个扫视着众人，最后停留在一个神策军军官的脸上，此人目光显得犹豫，躲闪着张易之的注视。

张易之：你怕了？

军官：我……我没怕！

张易之：你怕了！

军官：我是想武皇一旦……

张易之：没有一旦。……昌宗，告诉他武皇现在怎么样！

张昌宗茫然地抬起头。

张易之：告诉他武皇现在怎么样！

张昌宗：精神抖擞，头上又长出了一缕黑发。

军官：可是咱们困守孤城与整个朝廷为敌……

一名军士：胡说！张谏之阴谋复辟，犯了大逆不道之罪！是他与整个朝廷为敌。你再动摇士气，我就杀了你！

说着宝剑出鞘，凶狠地盯着众人。

张易之：你让他说下去……你还担心什么？

军官：武皇现在……怎么想？

张易之：昌宗，告诉他！

张昌宗转头盯着自己的哥哥，目光复杂。

张昌宗：武皇……已经拟旨，废太子，命武三思大人除逆。

张易之霍地站起，目光从众人头上掠过，看着窗外的一缕天光。

张易之：我们现在只有坚持到武李两家争斗分出个结果，到那时是位列公卿，还是肝脑涂地，就自然会见分晓。

他说着走到门口，背对众人。

张易之：你们或是来自草莽，一生像野兽一样与危险和卑贱做伴；或者出身低微，终日忍受着上司的颐指气使，荣华富贵只是你们夜晚狂想时的喜悦。现在历史给了我们改变我们和我们子孙后代命运的机会。

说完转身面对众人。

张易之：我要抓住这个机会！……你们呢？

众人猛地站起。神策军军官犹豫了片刻，神情变得刚毅，也站起来。他走到屋子中央，抽剑，划破手指，血滴下来。

军官：我们与你盟誓，誓死跟着你！

张易之的目光穿过众人的身体看着坐在案边，被恐惧打击得已经有些麻木的张昌宗。

张易之：好……那就把你们的人都召集起来，等候我的命令。

众人出屋，纷纷从他身边走过。张易之一直走到张昌宗的身边，张昌宗低下头。张易之双手扶案，俯身。

张易之：（轻柔地）昌宗，我需要你！

张昌宗：我已经派人把你写的信交给了武三思。（他突然无助地抓住张易之的手）哥，你说武三思会听你的吗？

张易之：他会听的。武则天死后，他的命运会比我们更惨。他只有和咱们绑在一起……现在胜负未分，你不要先乱了自己的阵脚。去吧，好好休息一下！

张昌宗的身体一下僵硬起来，垂下眼，不敢有任何反应。他径直走出门外。张易之盯着他的背影。

11. 太平府议事厅　夜晚　内景

朝廷中重要的大臣几乎都聚集在这里。显也在。众人已经争论很久。太平始终沉默地注视着他们。

武敬晖：张易之和张昌宗挟持武皇，封锁洛阳，谋反之心已经昭然若揭。我看派大兵围困东都……

韦彦范：擅自拥兵扰驾，无异于谋反，到那时可就真的给了两个小人送去诬陷咱们的借口了。

武敬晖：你说怎么办？武皇的政命越来越不合常情，各州府政务散乱，朝廷更是乱作一团，到处怨声载道，已经有枭雄趁势谋反，京城内的奸佞小人更是蠢蠢欲动。再不当机立断，恐怕大周的锦绣江山就被我们的懦弱与犹疑断送了！

12. 静德王府正堂　夜晚　内景

与太平府的气氛相比，这里略显昏暗。桌上放着一封信，显然是从洛阳送来的。

武三思并没有因为信的内容而动容。他正在煮茶。

武承嗣却滔滔不绝地说着，不时，激动地站起来在屋中走动，与武三思的安静与沉思形成鲜明的反比。

武承嗣：（很亢奋）大周有救了，这是上天在帮助我们武家，为咱们送来张易之。我们应该当机立断，马上和张易之取得联络。现在张谏之他们慌了，都聚在太平府，已经一天一夜，还拿不出对策。只有咱们了解全局的秘密，主动权控制在咱们手里！

武三思为他倒好一杯茶。

武三思：你有什么好办法吗？

武承嗣：马上让张易之拟一道圣旨，宣布张谏之谋逆，然后废掉显，再调动关中各路府兵进长安城围剿。咱们现在就去调动自己的人马，提前做好准备，等圣旨一到，趁着长安城内混乱，把李家和太平的人统统杀掉，到那时武皇也来不及反对了，只好默认。再说，她都不一定能活到那个时候，咱们再杀掉张易之灭口，人神不知地就夺取了天下。

武三思若有所思地点点头，喝了一口茶。

13. 太平府议事厅　夜晚　内景

崔玄苇：对，只要张易之有所行动，就会露出破绽，到时候咱们将计就计……

袁恕己：他要是不行动呢？他要是等到天下大乱再乘机而动呢？以张易之的智力，不难想到利用朝内的争斗，我们已经没有时间了。

张谏之：那我们就应该逼着他行动！

韦彦范：我们有什么办法逼他？

众人被这个问题问住，全部沉默不语，凝眉苦思。

太平站起来。

太平：该是母亲退位的时候！

众人皆惊。

14. 静德王府正堂　清晨　内景

天色已近破晓，远处传来淡淡的更声。两人对着火苗出神，武承嗣突地站起。

武承嗣：都快天亮了，你还不着急，眼看着大好时机就从眼前溜过，你到底是怎么想的？！

武三思：（喝了一口茶）……这是一个好机会！

武承嗣：那就赶快行动吧！

武三思点点头，把茶杯向桌上一放，站起来，伸直了腰。然后面孔严峻起来，像一只即将出击的野兽。

武三思：去把那几个人带来，咱们该走了。

武承嗣：去哪儿？

武三思：太平府！

武承嗣：什么意思？

武三思：张易之是一个天下唾骂的男宠。现在这么胡闹，无异于自取灭亡。现在朝臣、军队都向着李家，咱们的实力根本不是他们的对手，再说长安城戒严就是针对咱们的，咱们如果轻举妄动只能是死路一条。

武承嗣：你怎么变成这样一个懦弱的小人物，你真的服输了？你多年的梦想与努力就这样付诸东流了？张易之完蛋之后就轮到咱们了，这是咱们最后的机会，即使有百分之一的可能，咱们也应该搏上一把！

武三思：张易之肯定完了！他如果完了，咱们的机会就来了。现在上天把他送来，咱们正好借机邀宠，平息太平和朝臣的敌意与戒备。我们不仅能保住岌岌可危的地位，还真可能乘机东山再起。（说着向门外走去）别犹豫了，开始行动吧！

15. 太平府议事厅　清晨　内景

在朝日的光辉中，太平侃侃而谈。

太平：母亲的年纪大了，天下在为她的年迈付出代价。她必须为朝廷的命运退位为自己的政治名誉退位！这是她惟一的选择。我们不能再让她任性了，而这也许是我们救武皇的惟一办法。不管那边发生什么，一国不能没有君主，朝政必须有人主持。现在只有显能拯救危机。我们应该急速上奏武皇，建议让显监国。这样不仅能探得虚实，也能逼张易之有所行动。这意味着母亲将大权旁落。一旦武皇号令天下的王牌失去作用，张易之一定会慌，一定要匆忙应对，他的破绽就会露出来。

显：（惊慌地站起）不行，你们这是往死路逼我，我不能在这时候背叛母亲……我不同意！

武三思的声音从门外传来。

武三思：您必须同意！

武三思出现在门口，手里拿着张易之的那封信。

16. 上阳宫张易之住处　白天　外景

张昌宗神色紧张地走来，听见屋里传来张易之疯狂摔砸东西的声音。一名衣衫不整的死士正在门外不安地看着他。

张昌宗：又发生了什么？

死士：我们一到就被武三思扣押了，只有我趁机杀死看守跑了回来。

张昌宗听罢反倒释然了。有时彻底的绝望会带来异常的平静。他让来人下去，然后进了屋。

17. 上阳宫张易之住处　白天　内景

张昌宗进来，神情松弛地看着激愤的张易之。过了一会儿，张易之疲惫、沮丧地停下手。

张昌宗：（显得很镇静）大哥，你现在死心了吧……没人能帮咱们了。

张易之：（似乎在梦呓）我从来就没想过谁能帮我，谁也不配帮我！他们都是一群肮脏、下流的政治嫖客。可我还是把他们估计得过高了。他们是最吝啬的嫖客，他们总想以最低的代价窃取欲望！（他又有些狂怒）武三思，连最低等的妓女也会藐视你！

张昌宗：咱们现在怎么办？

张易之：我不知道！

张昌宗：大哥，我一辈子听你的，这次你听我的，我要你跟我走！

张易之：我不走！武则天还在我手里，我还没有输到底！

张昌宗：（拿出奏折）他们奏请显当监国，咱们最后一张王牌也失效了。现在逃出去，还来得及！

张易之一把夺过奏折，神经质地看着。张昌宗紧张地看着他。张易之紧皱的眉头突然舒展，从鼻腔喷出几声笑声。

张易之：好……（一把抓住张昌宗）咱们的机会来了！现在就去把奏

折给武则天送去，让她传旨召显和大臣来洛阳举行传位大典！

张昌宗的紧张转化为恐惧，一把甩掉他的手。

张昌宗：你……你要干什么？

张易之：(一剑劈碎花瓶)把他们一锅烩了！

张昌宗：你疯了……

张易之：我没疯，这是我们惟一的办法。

张昌宗：你杀不了他们，武三思一定会提醒他们！

张易之：他不会，他巴不得我杀了他们。

张昌宗：(压住恐惧，再试图说服他)大哥，你杀了他们又有什么用呢？天下人谁会服咱们！

张易之：到那时天下大乱，群雄并起，上天赐给我的智慧不允许我错过这么好的机会！

张昌宗：(恳求)大哥，咱们走吧。祸已经闯得够大了，我不想看着你毁了自己。

张易之：我们只能干下去，不是彻底地奴役他们，就是被愚昧的百姓分尸街头，我们没有退路！

张昌宗：那……我走了，我实在不行了！

张易之：你走不了，你是我的一部分，我们必须同生共死……来人！

两个卫士出现在门口，张易之面对两个卫士。

张易之：把他押起来！

张昌宗：(流下了眼泪)其实我早就能跑的，我为了救你……没想到你这样对我！

张易之：(离他很近，抚摸着他的脸)三弟，听话！你是我最杰出的一部作品！从小就是这样，我征服女人的那个器官因为你而伸展到这个世界上最高贵的地方，你使我成为世界上最神奇的男性！我一旦完了，你还有什么意义存在吗？

18. 上阳宫武则天寝宫　夜晚　内景

武则天坐在榻上，看着外面的月色，她身边的宫女在为她打扇。她面前的案上摊着一份奏折。张易之在旁边站着，两个人都明显满腹心事。

武则天眯着眼，显得很沉着。

武则天不经意地问他。

武则天：他们要立监国是什么意思呢？

张易之和婉儿沉默。

武则天：（闭上眼）他们是嫌我老了，我本来也是要传位给显的，他们连这么点时间都等不及……易之，你觉得我立还是不立呀？

张易之：您……只能立！

武则天：哦？

张易之：您不立，只能加重他们的怨恨，这怨恨最终都要落在我们身上。

武则天：你是让我为了你们逊位吗？

张易之：也为了您！您应该休息了，应该享受一下晚年最后的时光。

武则天沉默。张易之盯着她，目光由于极度紧张而显得狂乱。一滴汗顺着额角流下。

武则天：我要是不愿意呢？

张易之：（语气变得极冷）您没有别的选择！

武则天：我是在这儿立还是回长安呢？

张易之：您的身体经不起旅途劳累！

武则天：（轻叹一声）就这样吧，把太平和显都叫来，在洛阳举行传位大典……婉儿，拟旨吧！

婉儿取出纸和笔，一会儿拟好圣旨，交给武则天。

武则天：我也看不清楚了，易之，你帮我看看吧！

张易之接过圣旨，看了一遍。

武则天：如果没什么纰漏你就下去办理吧！

张易之出殿。

他一走，武则天就睁开了眼睛。

武则天：婉儿，赶快去长安，让太平来救我！

婉儿匆忙起身。

武则天：你能出得去吗？

婉儿：腰牌我已经拿到了！

19. 长安城门　夜晚　外景

夜色中大门缓缓打开，一队队军兵趁着夜色悄悄出城。

20. 上阳宫张易之住处　夜晚　内景

张易之面前站满他的亲信。他们全部戎装，神色严峻，一副拼死的架势。张易之头发散乱，面容苍白，眼中的光芒狂放而散乱。

张易之：都明白了吗？

众人点头，准备行动。

张易之：把暗号再说一遍。

一名头目上前。

头目：每拿下一个宫门，就让传更太监报一声平安。洛阳城守军一旦全部被我们缴械，就向您传报一声：万事大吉！天下太平！

张易之：好，下去吧！……别慌张，我们这个计划万无一失，不可能失败！

众人退出。

张易之在屋中焦急地走了一圈，突然看到镜中的自己。他在镜前站下，对镜慢慢梳理头发。

张易之：(喃喃低语) 你很伟大，你没有理由失败！

21. 通往洛阳的路上　夜晚　外景

太平、显、婉儿及五王率军急奔。

22. 上阳宫武则天寝宫　夜晚　内景

室内一片烛光摇曳，偶尔有风冒失地闯入，那似乎遍及每个角落的火苗便齐齐地动摇，舐噬着此刻的平静。

武则天侧卧在龙榻上，体态安详舒展，目光静谧而空洞地平视着面前温暖柔和的点点烛光。张易之坐在其身后机械地为她摇着羽扇。他紧紧盯着武则天的背影，目光炯炯，像此时燃烧得最明亮的一对焰火……

武则天：(没有转头) 你总盯着我看什么？

武则天的问话令张易之不禁打了一个寒战。

张易之：我，我在看您新生的黑发……您，怎么知道？

武则天：(笑声) 我能有今天靠的就是这点儿本事……

武则天转过身来……

武则天：人是否能顺畅地往前走，最关键的是要看到你身后的情况。我就有这本事，所以我现在……

张易之继续目光如炬地盯着武则天的眼睛，毫不退缩，俩人对视……

武则天：你有一点是我身边所有的男人都不具备的，那就是当人洞察你的心迹时，你依然能坚持直视对方的眼睛，这很不简单……我小时候父亲总爱和我玩一种游戏。他要我们几个孩子坐在他对面凝视他的眼睛，然后看谁先做出反应……我总能赢。我从不逃避，即使是在犯错误的时候……你今天看上去很严肃！

武则天始终盯着张易之的眼睛。

张易之：是的，今天对我很关键！

武则天：为什么？

张易之：因为今天是我梦想成真的时候，我从小就想象着有这样一天，能与世间最尊贵、最伟大的人在黑暗中相互凝视。

武则天：是吗？那你比我走运！每天对我都很关键，因为我知道每一刻都有像你一样志趣高远的人在黑暗中窥视我，所以我每天都要很严肃，这样就很累……

俩人继续对视，似乎在借助目光角斗。片刻……武则天首先笑脸怡人地打破僵局。

武则天：……别那么严肃，今天和往常没什么区别！咱俩聊聊天儿吧！

张易之：（表情也渐轻松）圣上想怎么聊？

武则天：像两个普通人那样……

张易之：圣上以为这可能吗？您毕竟不是普通人……

武则天：那倒是！但这不是关键，关键的是你也不是普通人……不过没关系，我们可以试试……

此时门外太监的声音传来，伴着打更声。

太监：北宫门平安！

张易之的眼角不易察觉地跳动了一下。

武则天：你听，今儿和往常没区别！……说说你们老家宁州吧！你想家吗？

张易之：不想！我把老家当作母腹，一旦生出来，就没想着回去，也回不去，尽管……那里有最安全的温暖，有最体贴的抚慰……那里对我只意味着记忆……

武则天：（沉吟）这……很有意思……我也好久没回老家了，连那有限的记忆都在退却……你怎么看我？怎么看我这个人？

张易之：您绝顶聪明！您是世间智慧和勇气的极致！

武则天：是吗？不过你的这种看法并不独特，这话我听了近三十年了！……（有些失望）其实作为一个女人，我宁愿别人恭维我是世间最美的人……你呢，你怎么看你自己？

张易之：我想我……

太监的声音传入。

太监：东宫门，西宫门平安，万事大吉！

张易之神色略见激动，他定定地望着门外。武则天眯起眼盯着他。

武则天：……你看你，又严肃起来了。易之……易之，你为什么想起到长安来？为什么想要进大明宫？

张易之：因为大明宫同我生长的地方最接近，我熟悉它，熟悉如何在其中生活！

武则天：是吗？那你生长在什么地方？

张易之："翠江阁"！江南最华美的妓院。那是江南几乎所有的体面人最常光顾的地方！

武则天：噢？这更有意思了！

张易之：在大明宫里同样活跃着行为体面、举止精致的王公贵族，他们内心也充斥着同样赤裸的欲望。在表面一团和气的歌舞升平之下，这里有着我最熟识的各种各样的交易。而且这里闻上去有着同样腐烂的味道！我热爱那样的气味儿，那是最阴柔的脂粉与最阳刚的汗腺，以及华美绸缎相混合的气息……

门外太监的声音。

太监：南宫门平安！祝圣上安寝，天下太平！

一阵风涌入，吹灭了蜡烛。只有俩人面前的一根蜡烛依然顽强地挣扎着……

张易之眼中闪着某种近似癫狂的神采。

武则天镇静地转过身，如初始般侧卧……

武则天：你继续说！

张易之此刻已经完全忘却了交流的对象，越说越激动，似乎在独自呓语……

张易之：……在这里，你只有不断地征服才能免遭时刻会被淘汰的厄运，而在一个以尊贵为准则的地方，实施征服是一项多么光荣的事业。没有人在意你的过去和来历，他们只看中你此时的身份，以此决定自己献媚的尺度！当你看到世间至尊的女性为你而癫狂，为了你抛弃尊严而相互猜度，那比权力更让人快意！

23. 洛阳城南门外　夜晚　外景

李显，太平及张谏之等五王正凝望着攻城的战士沿着云梯，动作迅捷地向城墙上攀缘……

不时有人来传报。

兵士甲：太子，公主，北门攻陷！

兵士乙：报！西门攻陷！

兵士丙：报！东门已经被拿下！

太平：好！……张大人，我们准备入城！

显依旧紧张地玩着香囊。他突然转过身，义无反顾地往回走……

张谏之：太子，太子，您去哪儿？！

显不理会。五王企求的目光齐齐地投向太平……

太平：站住！显，你去哪儿？！

显：（站住）我，我回长安！

太平：为什么？

显：母亲只颁旨救主，没说要退位！我，我在这儿不合适！

太平：你必须留在这儿！显，我们所做的一切都是为了你，为了李唐的天下，也为了……我们的母亲！

显：可母亲并没有说要立我，她还健康，还能够……

太平：你还认为母亲健康吗？她如果健康，可能在这上阳宫里深居、不闻不问朝政达百日之久吗？她如果健康，可能平生第一次向别人求援以保全自己的生命吗？可笑的是，她目前的对手仅仅是两个不安分守己的男宠！这王位对于母亲疲惫的心智已经是一种折磨。你如果爱母亲，如果对李家的山河还有一点点感情和责任感，就留下来！所有的人都看着你，包括我们的父亲，我们李家的先辈们……

此时，黑暗中的城门无声地开启。长安来的士兵分两列守卫城门……

太平：显，看看你的身后！……

显回过头，看着洞开的城门……

太平：……这是你一生最重要的时刻，你十三年的流放生活终于有了补偿，太子！请入城吧！

显脸上的勇气在渐渐恢复，他起初有些犹豫，继而大步流星地向城内走去……五王追随着并列而行的太平及显……

24．武则天寝宫　夜晚　内景

武则天：（侧卧）说说你的母亲……

张易之：我母亲是一位同您一样伟大的女性！她带领着"翠江阁"三百美色同男人的全部欲望周旋。她动用一生的积蓄为我曾是嫖客的父亲购买了权力，使他从一个不得志的七品小官一跃而为盐运大臣。而她等来的结果却是一纸休书！理由是她低贱的身份败坏了道德！而母亲没有因此沉沦，依旧保持着快慰的生活。她说她帮助父亲仅仅是为了满足自己一时恋爱的兴致。她甚至先于父亲料到了那最终背叛的结局。我从小在脂粉中长大，看遍了所谓正经人最真实的嘴脸。因此在我入宫后看见他们夸夸其谈理想及政务时，感到那只是世界上最幽默的笑话！对于他们最直接的打击就是羞辱他们的欲望！当他们沾沾自喜自己的荣升时，只有与属于他们的女人偷情才能使他们真正感到由衷的沮丧……

25. 上阳宫甬道　夜晚　外景

太平一马当先，风风火火地前行，张易之的卫士刚试图阻拦，便被太平的卫士果断地处决……

26. 上阳宫武则天寝宫庭院　夜晚　外景

太平定定地望着武则天的寝宫，深深地舒了一口气……
太平：张大人，显，你们等在这里！……把你的剑给我！……
太平向身边的卫士伸出手……

27. 上阳宫武则天寝宫　夜晚　内景

张易之：然而今天，圣上，我将梦想成真！我想以这作为礼物献给母亲。如果圣上获益于女性的智慧，那么我的母亲，则获益于女性的欲望，她在这一点上甚至比您还要勇敢。因为，她从未得到过权力的扶助！
　　张易之的眼中闪着泪光，由于极度的亢奋，他周身经历着颤抖。这是一种癫狂的状态！
　　武则天仔细聆听着，若有所思地凝视着门口……
　　太平突然一脸冰霜地出现了。这似乎并没有影响两个人各自的状态，好像这是他们全都预料之内的结果。
　　张易之甚至延续着自己的疯狂表白。他站起身，不见绝望，反而带着加剧的亢奋……
张易之：太平公主，你来得恰到好处！我正在向你母亲表露我对大周朝的感情……
　　太平缓缓地迫近，手中的剑拖在地上摩擦出点点火星……
张易之：……你们是天下最伟大的女性，只有时间可以考验我对你们的爱情！这是一个多么美好的夜晚，我像小时候梦想的那样面对权力的……

太平一剑捅进张易之的胸膛，他倒地时居然面带笑容。

张易之：……面对权力的爱抚和娇宠……

太平痛苦地闭上眼睛。由于她曾经付出的爱依然在心中隐隐作痛！

武则天在那一瞬间也为之动容，看着张易之垂死的身躯，那依然俊美的形态，她不自觉地站起了身。她想说什么，然而又缓缓地坐下。她顿然感到气衰力竭。

武则天：（虚弱地）这个人可惜了！他不是通常意义上的野心家，他对江山毫无兴趣，要的只是复仇的快乐。他同天下的男人开了一个大大的玩笑……我们只能用这种方式制裁他的智慧……

太平看着委顿在床榻上的母亲。

太平：请武皇到外面去，见过五王及将士。

将士们蜂拥而上，把武则天连床榻一起搬到大殿外面。

28. 上阳宫武则天寝宫庭院　夜晚　外景

院中竟然是大兵压城的阵势。远处火光冲天，半个洛阳城都是亮的。偶尔，遥远地传来士兵的叫喊，风吹动着武则天斑白的鬓发……武则天在阶下看到了显，也看到了张昌宗的尸体。她没有太多的惊讶。

五王作为代表，跪在院中。太平站在武则天身边。

太平：您知道那些被押的人是谁吗？他们都是张易之的兵……如果我们不来的话，被杀死的不是张易之，而是您……

武则天一颤，但依然十分倦怠。

武则天：感谢你，人也已经杀了，你们就回去吧……

众人依旧长跪不起，显又开始禁不住颤抖起来……

武则天：怎么了，你们？平身吧！……显，你在等什么？

显：太，太子李显，等，等候武皇颁，颁旨！

显哆嗦得更厉害，声音都在颤抖。

张谏之：禀告圣上，您年事已高，当颐享天年。如今太子正值……

武则天：……你们，是让我退位？

众人都不说话。片刻。

张谏之：不是让您，是劝您退位！

武则天惨淡地一笑，靠在床榻上……

众人无声，寂静。

太平看出母亲的怅然。她不愿意太威逼母亲。

太平：你们都退下吧！

众人下。

院子里只剩下母女两个人。

一阵风吹过，武则天的披纱飘落到地上，太平试图去捡，但风又将其吹走。武则天把太平的手拉住……

武则天：你现在不想你的父亲吗？

太平看着苍老的母亲，心里不禁一阵酸楚。

武则天：想起那时候，你和你父亲在院里玩儿皮影。我就站在一旁看，然后喊，行了，圣上，别玩儿了，该上朝了……

一滴泪挂在了武则天的眼角。

太平无限感伤，眼睛也湿润了。

武则天：人老了真可怕，你眼见着自己身体的每一部分在逐渐死亡……最近他总到我的梦里来看我，长得还那么年轻，像我第一次遇上他时的样子！他是个好人，并且，真心地爱我……我也爱他……我想好了，等我死了，就和你父亲住在一起，那儿安全……

太平的泪水猝然落下。

武则天：他们是不是把劝退的诏书都拟好了？

太平点点头。

武则天抬起头来看太平。

武则天：我们两个人争争斗斗的一辈子……

说着，武则天淡淡一笑。

武则天：你还记得，我们两人之间死了多少男人吗？现在想来，薛怀义对我还是有一番情义的……

太平泪水盈盈。

武则天：薛绍的事，是母亲的过错，我……对不起你！你能……原谅我吗？

太平：（含泪点头）母亲，别说了……

武则天以恳求的目光看着太平。

武则天：太平，你还回长安吗？留下来陪我好吗？再也不要离开我了。

太平再也把持不住，扑在武则天的怀中大哭。

太平：我留下来陪您……母亲，实际上我是爱您的……

武则天摸着她的头，无限怜爱地流着眼泪。

武则天：记得你十四岁那年，为了见我，在后宫里玩儿上吊吗？我去了，你扑在我怀里说："娘，我想你！"……我当时哭了。那眼泪就一直陪伴了我一辈子，我把它藏在心里。想你的时候，就让它流一点儿出来……

太平：娘，我想你！

武则天：（泪如雨下）我知道，我们毕竟是母女。我做的一切也都是为了你好……

武则天沉静了片刻。

武则天：把他们叫来吧……

29. 大明宫广场　白天　外景

登基大典高大的祭祀台上，李家的皇旗迎风飘扬。祭祀香火在庞大的炉内燃烧。显、太平以及身后显的家人神情肃穆地拾阶而上。台阶很高，似乎永无尽头，身后的广场上匍匐着文武百官……

显突然站住，他茫然地望着高高在上的祭台，喘着粗气……

太平：圣上，您，怎么了？

显：累了！怎么这么高？……

韦氏：（在身后）圣上，快点吧！下面大臣都看着您呢！

显长舒了一口气，重新迈步，似乎有些无奈……

旁白：伴随着登基的庞大鼓乐，母亲悄然离去。你奶奶离世时是那样的沉默简单，犹如她不被注目的降世。她命人为自己立了一块无字的墓碑。这被许多人解释为她对于后世评判的恐惧！只有我理解她的心思，她只是想在死后能如愿安静地做一位平凡的女性！

第三十五集

1. 武则天陵墓　白天　外景

一个硕大的无字碑耸立在太平的面前。强烈的阳光透过拱门射进来。太平一袭黑衣和李隆基身处在逆光之中。她的神情平静而淡然。

太平：……隆基，我的大半生就是这样过来的，你现在应该明白我的心境了吧。我活了半辈子，什么也没得到，还不如母亲。母亲起码还有十六年的江山。现在我还依然记得母亲走时的情景，她望着满园盛开的牡丹和蔷薇，笑得那样的心满意足，像个真正慈祥而平实的妇人。那是她的理想。蔷薇是她从并州带来的消息，而如今她终于看到了那消息在大明宫的一角无拘无束地盛开。所以，她没有悲伤，走时依然带着初来大明宫时的欣喜……为她虔诚地焚一炷香吧！隆基——

李隆基进香。太平看着他年轻英俊的身影，继续诉说着……

太平：她曾经创造了一个朝代，一个政权，以及无数人的命运……其中包括她的子女，她的情人、敌人，甚至，包括我父亲那毁誉参半的脆弱名声……

此时，甬道上传来奔驰的马蹄声。

2. 武则天陵墓甬道　白天　外景

两匹快马并驾齐驱，骑手似乎不分先后到达陵前。

3. 武则天陵墓　白天　外景

使者：（同时）太平公主听旨！左骑果毅李仙凫参见临淄王！

李隆基和太平回头，望着大汗淋漓的两位使者。

太平：（跪下）太平公主接旨！

使者甲：圣上手谕，太平公主复国护主，利及四海。守陵三年，挚意纯情，百官臣服。现封太平公主为镇国公主，设镇国公主府，任用官署。望早日返京，倾心辅政，钦此！

太平：太平接旨！诚谢圣上隆恩浩荡……（太平站起身）请转告圣上，我已心灰意冷，近期无意返京，恭请圣上另择辅政人才……

使者甲转身走。使者乙仍静立在一旁。

李隆基：仙凫，你有什么事？

李仙凫：武三思唆使李承嘉诬告复国元老张谏之等五王。圣上当堂宣布流放武敬晖至琼州；韦彦范至琼州；张谏之至泷州；袁恕己至环州；崔玄苇至古州。又不知何故，圣上改判流放为死刑，并听信韦皇后所言，由武三思死党右台侍御史周利贞监刑。之后，张谏之、崔玄苇二人死于路上。武敬晖、韦彦范二人在住所被凌迟处死。而袁恕己大人被迫灌下野毒汁，喝下数升之多，却不能死。大人无法忍受痛苦加之悲愤交集，双手抓地，指甲全脱，最终被周利贞手下用乱棍打死。至昨夜子时，当朝五王全部遇难！

这个消息令太平大为震惊！她站起来，背过身去，很久没有说话。李隆基看着她，沉默。

4. 显寝宫　白天　内景

大殿内摆着一溜儿样式精美的香坛。李显全神贯注地依次闻着，教年幼的李重茂鉴别香气。

显：我就是同你一样大时开始育香的！那时候呀，宫里专为我配了个育香班子，师傅有唐人也有外国人，气派可比现在大……过来，你闻闻……

李显掀开一丝坛盖儿。

李重茂：……什么味儿也没有啊？

显：你深吸一口气……对，再闻，闻见什么啦？

李重茂：哇，好香啊！真的好香，好像是我身体里的味道！

显：（笑了）……这就叫沁人心脾！这就是龙蛇香的妙处。初闻时，好像什么也没有，但那味道却早已悄悄潜入了你的身体，然后从里向外溢。不信，你闻闻你的皮肤！

李重茂：……真的！连我的袖子都被熏香啦！

父子俩笑了，很开心。

这时候，韦氏和武三思进来。李显没有注意到他们。

韦氏：（十分不满地）重茂……你该去习诗了，别总缠着你父皇！

李重茂怏怏地离去。李显不为所动地打开下一个坛子……

武三思拿出几张传单，在显面前跪下。

武三思：请圣上为卑职做主！

李显这才回过身来。

武三思：圣上，昨日长安城又出现了一批传单，而这次言语却更加恶毒，矛头直指圣上的威名。朝内已被谣言搅得沸沸扬扬。长此以往，微臣恐怕都没脸上朝了，圣上……

李显接过传单看。安乐公主进来，接过去看，并念出了声。

安乐：……大唐天子，不仅乏智，且耳背眼瞎。静德王与韦氏于内室风月云雨、大行其乐，圣上却于堂屋吹箫、数筹码，为其助兴，优哉游哉！

显：太不像话了！这是谁写的？

武三思：是李重俊写的。他哪里是要罢免皇后，分明是把矛头对准了您。不想当太子，想当皇帝……

显：（气愤地）去把李重俊给我叫来！

当太监刚走到门口，他又改变了主意。

显：算了，回来吧。这种小事纯属小孩子胡闹。我更相信你们不会做这种丑事的。再说，我们玩儿赌牌，我确实为你数过码。他也没全说瞎话……

韦氏和武三思相互看了一眼。

安乐在一旁添油加醋。

安乐：我一直觉得李重俊跟咱们不是一条心，又不是母亲亲生的，说不定哪天谋反……

显：（心烦意乱）你们都别烦我了！

说着甩手走了，安乐追着显也出去了。

安乐：父皇，您就让我当皇太公主吧……

大殿里只剩下韦氏和武三思两个人。

韦氏：李重俊在一天，我就一天不舒服，使了这么多招，你看显就是不废他。

武三思：我有一个办法，让他谋反。

韦氏：谋反？太子有这个胆子吗？

武三思：我能真让他谋反，我再来护驾、平叛……

5. 武则天陵墓甬道　白天　外景

太平和李隆基在宽阔的甬道上前行。

太平：你现在长大了，应该建立一番大事业。

李隆基：隆基从来没有忘记姑母的教诲，愿为大唐建功立业。如今江山虽在，但皇上昏庸无能，整个朝廷成了韦家的天下。韦氏公然当着皇上的面和武三思通奸，皇上不但不制止，还在玩赌牌时为他们数筹码。安乐问皇上要滇池作为自己的花园。大臣们强烈反对。滇池是老百姓打鱼为生的地方。安乐见不能得逞，便要几千万两银子，在京都修一个同样大的昆明池，皇上竟然答应了……

太平：你不用担心，韦氏毕竟不是武则天！她眼下的所作所为是一个受过苦的女人在得到幸福后最常见的敏感，她是出于可能失去那幸福的恐惧而不是你所理解的野心！

李隆基：实话对您说，我这次来见您是满朝文武推举的。希望您坐镇京都，他们的言行能够检点一些。

太平：我现在回去是不可能的。我没有这样的心情。我只想和母亲多待一些日子。

说着眼眶湿润了。她回身望了一眼无字碑。

太平：母亲一生功过任人评说，这样的魄力无人可比，胜过任何一届皇帝。我想只有女人才可能做到她这样……

李隆基：其实祖母的英明，在于她一生的最后一刻明白了女人应该远离权力，就像姑母这样。

李隆基说着，发现身旁的太平站在原处怔怔地望着自己。

李隆基：姑母，您怎么了？

太平定定地望着他，目光中似乎有一丝恍惚。

太平：……没什么，我只是觉得你刚才的话很耳熟。没想到母亲动用一生的智慧验证的竟然是这样一个道理！……隆基，你回去吧。至于显，我相信他不会听之任之的。保重自己。不要锋芒太露。朝廷上历来风云变幻，十分凶险……

李隆基：姑母，我不会让您失望的！

太平：回去后，帮我把敬卫大将军崔缇找来！

李隆基拱手告辞。

6. 静德王府堂屋　白天　内景

太子李重俊正心绪不宁地等武三思回来，端茶的手微微颤抖……

此时，屋外传来家仆的声音。

家仆：静德王回府！

李重俊腾地站起身，满脸焦急地迎出来，俩人在堂屋外的甬道上相遇。武三思一脸踌躇，并不理会跟在自己身后唠唠叨叨的李重俊……

李重俊：（手里拿着传单）王爷，王爷，您可回来了！……王爷，这不是我写的，有人陷害我！现在都在传是我写的，你得救我！

他在武三思身后忽左忽右地跟着，俩人进屋。武三思在仆人们伺候下，有条不紊地宽衣，洗面，漱口，最后，端起递过来的茶，坐定。他全然不把太子放在眼里。李重俊站在一旁。

李重俊：……王爷，您跟皇后那么好，您就替我说说情，澄清事实！

武三思：我跟皇后怎么好了？

李重俊：……我，我不是那个意思，我是说……

武三思：晚了！

李重俊：什么？

武三思：晚了！太子，我现在想救都救不了你了。我刚从皇上那儿回来，人家废你的心都有了！

李重俊吓坏了。

李重俊：废我？……为什么？就凭这一张破纸？

武三思：太子，你也不想想，你是谁？一个才人的儿子。皇上能待见你多久？即使皇上待见你，皇后又能容你吗？

李重俊：那，那他们当初为什么立我？

武三思：因为你弟弟还小！因为李隆基还没有回来。为了聚集力量，李隆基门下也养了不少的英才，个个精明强干。他家门口天天车水马龙。假使皇上不废你，他也能废了你！

李重俊：李隆基算什么？他凭什么和我争太子位？就凭有太平撑腰？既然如此，那就拼个鱼死网破！

武三思：……没想到，你也有血气方刚的时候！

李重俊：自从我灰溜溜地回宫那天起，就没想着再同样灰头土脸地出去！你管这叫野心也好，雄心也罢，反正我李重俊不仅要做太子，还要有一天继承王位统领天下……

武三思：看来我没看错你！我早就看出你李重俊有非同凡响的志向和胆识，果不出我所料！事实证明我选对了人！

李重俊被武三思说愣了。

武三思：太子，这天下也曾有我武家的一半儿！看着圣上玩物丧志，皇后一手遮天，公主骄奢淫逸；武皇创立的基业江河日下，我心如刀绞。我早就在物色值得我倾力服侍的主子，今天终于看到了希望！太子请受微臣一拜！

武三思说罢跪地行礼，李重俊有些受宠若惊。

李重俊：王，王爷，您别，快起来！

武三思：太子，机会就在眼前，如果你不下手，江山也许就是别人的了。必须赶在圣上废你之前采取行动……

李重俊：什么……行动？

武三思：逼圣上退位，太子登基！

李重俊：那不是……谋反吗？

武三思：是谋反！但这是民心所向！圣上废你，主意已定。你要么灰溜溜地回房陵州；要么光荣登基，君临天下！太子，你不先下手，李隆基也会下手。到那时，你恐怕连命都保不住了！……怎么，你怕了？

李重俊：我……我……怕，怕什么？王爷，我一向敬重您，您说我

第三十五集

该怎么干?

武三思：老夫愿意助你一臂之力。你围住李隆基，再攻皇城，我在内做策应，里应外合。

李重俊的脸上泛起了红光。

7. 临淄王府　夜晚　外景

李隆基府门外，松明火把，恍若白昼。武承嗣指挥着兵士将府邸围得水泄不通。府门口李隆基冷冷地看着对面的武承嗣，火光在众人警觉的脸上闪烁。武承嗣缓慢地抽出卷轴，打开。

武承嗣：奉旨捉拿朝廷要犯李隆基归案！

李隆基：（镇定）武大人，我犯了什么罪？

武承嗣：你广纳武士，居心不良，涉嫌谋反！

李隆基：这是谁定的罪，圣上吗？你有圣上的手谕吗？

武承嗣：这是当朝太子的命令！

李隆基：（冷笑）太子？如果是这样就恕我不遵了！

说罢转头往回走。武承嗣的兵士刚想有所动作，李隆基的手下剑已出鞘，严阵以待……

9. 武则天陵墓　夜晚　外景

太平坐于蒲团上，神色静谧。此时传来纷乱的马蹄声，以及崔缇急切的声音。

崔缇：母亲，母亲……

太平转过头，崔缇已到面前。

崔缇：母亲，临淄王被软禁了！

太平：为什么？

崔缇：说他涉嫌谋反！

太平：这是谁的命令？

崔缇：太子李重俊！

太平：……谁围的他？

崔缇：武承嗣及武三思的手下！

太平预感到自己不得不回长安了。她望了一眼母亲的无字碑。

太平：春，你去收拾一下行李……崔缇，过来！跪下……我要你答应我两件事：第一，倾注你的全部智慧和勇气辅助临淄王李隆基，他是我们李唐光荣惟一的承继者。你发誓！

崔缇：我发誓！崔缇倾全力辅佐临淄王！母亲，我与李隆基自十年前在江州一遇，便成知己，情同手足。儿即使没有母亲的旨意也会尽一个挚友的责任！

太平：第二，回长安之后，不要跟任何人说起我们的关系，不要叫我母亲！

崔缇：我答应……可母亲，我……

太平：崇谏，你知道你对我的一生意味着什么，你是我这辈子最动人的一段记忆。可我毕竟不是你的亲生母亲，我曾经答应过你的父亲的，等你成人后，告诉你真相！把你还给为了你的降世而撒手人寰的生母。这甚至是我对你父亲的爱情至关重要的一个部分。况且，你是叛臣之子，按律你是永远不得回长安的，你的身份将是阴谋者最大的口实……崇谏，记住，你的生母叫慧娘……

崔缇：您虽然不是我的生母，但您对我恩重如山。您永远是我的母亲！

崔缇从怀里掏出太平锁……

崔缇：母亲，这是您的体温，您的消息！它陪伴了我十几年的颠沛流离！是它牵引着我回到长安……我可以答应暂不叫您母亲，可我确有着一个为人之子全部的感激！我曾经发誓有一天能堂堂正正地叫您母亲，不论那代价将是什么！……我们上路吧！公……主殿下，这是我一直盼望的时刻，同您一起战斗！

太平：（满含热泪）谢谢你！崔将军！

10. 长安街道　夜晚　外景

太平秘密回到长安。她身穿便装从车上下来，凝视着空无一人的街道，长安城正被戒严，气氛紧张。一队队兵士正在换防……

旁白：长安，生我养我的城市，它曾经孕育了我甜蜜的爱情，也曾给予我失意的痛苦。它有着世间最丰富的表情；它可以早晨还是狰狞的战场，而到了晚上，又变成了歌舞升平的人间天堂！

崔缇递给太平一份传单。

太平：这是什么？

崔缇：《桑条韦》，如今长安最流行的歌谣，据传预示着韦姓女主承继天命！

太平浏览着传单，之后丢在地上。

太平：……崔将军，我们直接去皇宫！

11. 熏风殿　白天　内景

偌大而幽深的宫殿里，只有李显一个人。几个太监在为他演皮影。唱词在空荡的大殿中环绕。不论演到悲哀还是高兴处，李显脸上都没有丝毫的表情。

上演的是一出太平公主脍炙人口的故事。

突厥王子：……嫁给我吧，举世无双的大唐公主！您的花容月貌令我梦断魂牵，因为思念您，我已经夜不成眠！

太平：大唐河山锦绣，景致万千！好男儿气吞山河，文武双全，凭什么我要嫁给你一个突厥蛮人！

突厥王子：大唐虽山河锦绣，气质却略嫌文弱纤细，不似我塞外大漠孤烟之壮阔雄浑；大唐虽不乏壮志男儿，却不敌我突厥铁骑勇士！

太平：是吗？那我倒要看看你这沙漠男儿有多大勇气！王子，可将你的佩刀借我一用？

幕布上的太平切下自己的手指，问王子。

太平：你吃吗……

…………

戏演完了，李显神情漠然地看着一方透亮的屏幕。

太平出现在熏风殿内。她悄悄地走近李显。

太平：……显哥哥，我……来看你！没想到，你天天见我！

李显猛然回头，看到太平站在身后。他掩饰着自己的心绪。

显：你回来怎么也不打个招呼，我好去接你……

太平：这是你排的戏？

显：是。回宫后觉得很闷，你们都不在了，弘和贤，旦，还有你……我就把你们的事排成戏，每天演一出。昨天演的是弘在太子学和上官老师，排得不好，没这出好……这出最好！还记得吗？那天我们都笑得直不起腰来……

太平望着唠叨的李显，突然觉得一阵心酸，眼睛有些潮湿。

太平：……李隆基府被太子和武三思的人围了三天，说他谋反。城里到处都是军士，听说有些地方还交了火。这是怎么回事？

显：有这事？……（看太监）你们怎么都不告诉我？！

太平：出了这么大的事，圣上您居然不知道？您这皇上……

显：(沉下脸来)我这皇上怎么当的，是吗？太平，我这皇帝位是你给的，你问过我的想法吗？！……我三番五次地求你回来，你拒绝了我！现在回来做什么？指责我？说我有辱于李家的血统及教养？

第三十五集

演皮影的太监不知所措地站在不远的地方。

显：你们都下去吧。

太监们退下。

太平：显，你是我几个皇兄中经历最坎坷的，几上几下，得来的天下不容易……

显：……这没什么！我早已经习惯了！你们从来就讥笑我。从小你对我就不像对旦那样。你们谁都不喜欢我。我是我们兄妹五人中最不成体统的愚钝之材。我一辈子没有过自己的意志，母亲指责我，我干什么都不对。现在母亲不在了，我再也不用担惊受怕了。现在你又来指手画脚……

太平：显，你是我身边惟一的亲人。旦云游四方，生死不知。我们李家，留在宫里的只有你我两个人！我不是来指手画脚的，我是来帮助你的！你不觉得你需要帮助吗？你到处去看看，京城已成了什么样子？我回来亲眼所见令我很担心！长安城到处传唱《桑条韦》，呼吁女主承继天命，你不该不知道吧？复国元勋张谏之等五位大臣惨死异乡，你也听说了吧？还有漫天漫地的大小传单揭露皇后与武三思的……

显：那是谣言！我不相信！皇后是个好女人！

太平：她曾经是个好女人，可现在已经不是了。她把刀架在了你的脖子上，你还在这里为她袒护。韦氏刻意模仿母亲，她怎么能与母亲相比呢？！这样最终会闯下大祸。很多事情，你不是不知道，你是不想知道。

李显听着听着哭了。他的脸藏在屏幕的背后，被烛光映得半明半暗。他终于吐露了深埋在心中的苦衷。

显：你知道母亲让我们去的房陵州是一个什么样的地方吗？那是一个连大雁都感到寒心、不愿落脚的地方。白天飞沙走石，夜晚寒风刺骨。我们连一床像样的被褥都没有。大人和孩子抱在一起取暖。是韦氏使我们全家都活了下来。没有她，我不可能再回来，我早死了。你们谁也想象不出我所吃的苦。我多少次自杀，我把手腕都割断了，毒药也喝了好几回。韦氏把我抱下来,给我洗清肠子,喂饭喂药,端屎端尿。她所做的一切是无人可以比拟的。我欠她的,我曾经发过誓,把我能给她的都给她。

李显的一席话让太平动容。

太平:……可是,你欠她的是情,你不欠她江山……

显:(失去理智地)可我还有什么呢?一个帝王除了江山,他一无所有!

此时,熏风殿的大门霍地被打开,日光倾泻进来,显眯起眼。

一太监跌跌撞撞地跑入。

太监:圣,圣上,不好了!太子李重俊的人包围了皇宫!

显:什么?皇后呢?韦氏在哪儿?!

12. 皇宫城门外 夜晚 外景

火把松明。李重俊率军冲到皇城下。守城的神策军猝不及防,纷纷向宫门内撤退。就在大军要冲进城门的时候,李重俊出现了片刻的恍惚。他在找武三思。

李重俊:静德王在哪儿?!

他身边的将士勒住了马。

13. 皇宫城门内 夜晚 外景

韦氏和安乐赶来。

韦氏厉声,震慑住混乱的神策军。

韦氏:快把城门关上!

于是,在关键的时刻,城门被关上了。随着一声沉重的声响,皇宫大门把叛军的喧嚣挡在了一墙之外。

韦氏和安乐在神策军的簇拥下上了城楼。

14. 皇宫城门外　夜晚　外景

面对皇宫紧闭的城门，李重俊失去了决胜的良机。一伙儿叛军气焰嚣张地冲着城楼上的韦氏及安乐大声喊叫。李重俊策马而立，神色紧张，但依然傲慢，气焰不减。

叛军：淫妇，把圣上叫出来！……圣上为什么不出来？害怕啦？！……八成又躲起来玩香了吧！

城楼上，韦氏冷冷地注视着城下……

李重俊示意大家安静。接着他向城楼上高声喊话。

李重俊：母后，请转告圣上，我的耐性是有限的！如果一个时辰之内他不来见我，我恐怕就要攻城了！这对你我都不是一件愉快的事情……

李重俊向身边的将士下命令。

李重俊：火烧！

于是，城下的军士开始向城门和城墙上浇火油。

此时，紧闭的城门沉重地缓缓地打开了。

李重俊及众人惊异地注视着城门，一时四周鸦雀无声。

城门开了！孤零零地走出两个人，太平神情坚定地同崔缇缓缓步而出。风鼓荡着她的衣襟……

太平径直走向一时惊得不知所以的李重俊面前，双目如炬。崔缇在她身后警觉地扶住剑柄……

城楼上，韦氏、安乐及随后赶来的武三思等惊奇地俯视着这一幕……

武三思：皇后，让我下去斩了这个逆子！

韦氏：等等！

武三思知道计划将败露，情急而下。

城下。太平神情镇定地面向李重俊。

太平：你不是想进城吗？你现在可以进去了。

太平如此痛快地放李重俊进城，反倒令他不知所措。

李重俊：我，我来见父皇……

太平：你不是要见他，你是要杀他！你进去杀他吧，还有我，你们都杀了，就可以顺利当皇帝了。

李重俊被太平的直率扰乱了，他开始语无伦次。

李重俊：我只是要见他！他为什么不见我？！

太平：他是皇上，是天子！可以选择永远不见你！

李重俊：那不行！我要见他！

太平：你这样是违背圣上的意志，这就叫谋反，你不明白吗？

李重俊最终还是恐惧"谋反"这个字眼。他慌乱地掩饰。

李重俊：我没想谋反！可他和皇后要废我！他，他不明是非，玩物丧志！皇后助纣为虐，狼子野心！

太平：你不是谋反，那是在做什么？用刀架在圣上的脖子上，胁迫他做一个好君主？还是想迫其退位，跻身龙位？

李重俊：我……

太平：（闪开身）你想好了现在就可以进去！是一个人，还是带着这群乌合之众？悉听尊便！如果皇上答应你的要求，不论是什么，算你走运！如果他不答应，那我就要亲自治你的罪！

李重俊怔怔地望着太平，巨大的压力使他眼里见了泪。他的腿一下就软了，翻身下马，把剑扔在地上，跪在太平的面前。

李重俊：姑母饶命！我，我……一时糊涂，都是静德王，是他让我这样做的……

太平：（语气缓和）重俊，谁也没说要废你！你如果对圣上、对皇后有不满，可以上朝去奏，没必要以这种愚蠢的方式，你还是太子嘛！是我们大唐未来的君主……

李重俊：我……姑母，求您饶了我，让我继续留在长安！

就在这时，武三思及武延秀一前一后从城门里飞驰而至……

武三思：（大喊着）公主，静德王武三思前来救驾！

第三十五集

李重俊一见武三思,马上兴奋起来。

李重俊:武,武大人,快来救我……

李重俊挥舞着胳膊迎向武三思,但却被来者一剑戳穿了胸膛。李重俊愣住了。

李重俊:武大人……你……害我……

说完,僵直地倒在地上。

武三思:(翻身下马)静德王武三思拜见太平公主,您受惊了!

太平完全看透了他的狼子野心。当众颁令。

太平:武三思煽动太子聚众谋反,杀人灭口,证据确凿,把他给我拿下!

说罢转身向城内走去。武三思愣住了。

众人刚想接近武三思,被他突然举起的剑逼住,不能近身。他冲着太平的背影大喊。

武三思:太平,我武三思自麟德年间入宫,从未遇见任何敌手,却始终败在你的手下!今天,我要与你同归于尽……

武三思说完挥剑向太平冲去。崔缇沉着转身,一剑刺死了冲上前来的武三思……

被绑住的武延秀在身后大喊。

武延秀:父亲!

太平站住。但她始终没有回头……

武三思:太平,你……为什么……这么恨我!

武三思沉沉倒下……

太平:……崔将军,你现在可以去临淄王府,拿下武承嗣,如遇抵抗,就地正法!

太平继续向城门内走去。

城楼上,兵士们开始用手中的武器相互撞击,以示庆贺。

韦氏表情复杂地望着城下武三思的尸体。

旁白：自此，武家人正式从大明宫中绝了踪迹。他们就像母亲辉煌时养成的良莠不齐的习惯，不论是好是坏，都必将同母亲一同走入坟墓！想来可笑，武氏三兄弟都死于我的剑下！一个由于爱我，却不知如何去爱；另一个，如果我没记错的话，也曾经爱过我，并且谙熟爱情的技巧，但他却更渴望权力。这大概解答了他临终前向我提出的最后一个问题……

第三十六集

1. 太平府门口　白天　外景

太平府又恢复了往日的车水马龙，朝臣们人人神色匆忙，表情充实。一个新的时代开始了。这一切都源于使他们充满信心的太平公主的复出。

2. 太平府议事厅　白天　内景

屋中，太平面对几个朝臣。

太平：国家刚刚恢复秩序，人心还不安定，这个时候，人们最需要的是安全感。你们也别争了，胁从李重俊的人就从宽处理吧！

两个侍女在春的招呼下把食盒抬进来。太平正准备吃饭，发现檐下大臣们晃动的侧影。

太平：几位大人请进来！

几名朝臣进入。

春：（打手势）公主，您已经好几天没进午膳了。

太平：你先下去吧！

朝臣甲：公主，请您保重身体……我们过会儿再来通报……

太平：刘大人，说吧，有什么事？

刘大人：关于缓修宗庙的奏折，我按您的意思递上去了，没想到今天一早就被打了回来。韦皇后还责备我藐视祖上神灵，并且追加官银，命工部侍郎杜尚金大人加紧修葺。

朝臣乙：您关于停止扩充昆明湖的建议也被驳回了。

太平紧皱眉头。

太平：那皇上呢……

朝臣甲：皇上没说话，他好久不说话了！朝堂上全是韦皇后和安乐公主在发号施令……

太平叹了一口气。

朝臣丙：您一直让我们尊重皇后的意见，可皇后总是纵容安乐公主。不管是什么样荒唐的要求，一概满足。前两天又把定业寺的五千亩僧田判给公主做花园……现在朝中怨声载道，请您准许我们集体弹劾安乐公主……

太平：你们再等等，我会和皇后谈的。

这时一名大臣匆匆走入。

大臣：公主，武延秀昨天晚上让安乐公主从刑部大牢中提走了。

太平：怎么回事？

大臣：她说是有皇上的口谕。

太平：皇上怎么说？

大臣：皇上又没说话！

太平：太不像话了！去把他拿回来！

大臣：我们已经把安乐府包围了一天一夜。公主的侍卫不让我们进去。

太平沉思片刻，站了起来。

太平：这个孩子太出格了……走，现在就跟我去！

第三十六集

3. 安乐公主府堂屋　白天　内景

安乐公主在大厅里焦急地走来走去。透过敞开的房门，她看着自己一排排密布的卫士排列在院中，随时准备战斗。武延秀紧张地坐在椅子上，看着她，已完全没了主张。一名卫士走进来。

卫士：公主，崔缇让我通报您，一个时辰内再不交出叛臣，他就要率军攻打府邸了！

安乐：我看他敢！

武延秀：果儿，你救不了我了，你哪儿拗得过太平公主！

安乐：闭嘴！我丈夫谁也害不了，太平也算在内！

武延秀：昨天夜里父皇不见你，我就知道没希望了。

安乐：有希望！只要我们坚持下去，母亲一定会说服父亲的……（转向卫士）把武器发给府中所有的人！谁敢迈进府门一步，杀无赦！（对着另一个卫士）告诉崔缇，攻打公主府无异于谋反！他如果不想活了，就来吧！

安乐抽出自己的宝剑交给了武延秀。

安乐：太平能从武三思手里救出武攸嗣，我就不信我安乐公主救不了你。

这时府门外一名神策军大声传报：太平公主到！

院中，崔缇护卫着太平疾步而入，安乐府卫士都有些犹豫……

崔缇：（大声）公主口谕，立即放下武器，否则一律按附逆论处！

太平昂然而入。安乐与武延秀同时跪在太平面前。

安乐：李果儿拜见太平公主！请您放过我的丈夫！

太平：放过他？为什么？就因为他是你丈夫？

安乐：不！因为延秀是武家最后一个子孙，难道您忍心亲手掐灭武皇惟一的香火吗？

太平：这很值得同情，但我必须把他交给刑部。王子犯法，与庶民同罪！李氏江山刚刚恢复，局势尚欠稳定，更需要我们自觉维护法制的权威！我想你身为公主，应该和我一样明白这个道理！……把要犯武延秀捉拿归案！

安乐：慢！……我再一次以当朝公主的名义请求姑妈赦免驸马武延秀！

安乐用身体挡在武延秀面前。

太平：……公主，请不要妨碍朝廷命臣执行公务！

安乐突然从武延秀手中夺过宝剑……

安乐：……那就请先杀死我！……

太平：……你知道自己在做什么吗？

安乐：知道！我在营救我的丈夫！太平，你与我公公为敌多年，你这是在公报私仇！……

韦氏不知何时出现在众人背后。三个女人以敌视的目光面面相对。

韦氏：果儿！……把剑放下！……

安乐无奈地垂下手……

韦氏：……崔将军，把……武延秀带走吧！

安乐：母亲，为什么？你为什么也……

韦氏：因为他追随他的父亲谋反！我们谁也救不了他……

安乐：（指着太平）因为你怕她！连你也不例外。你是皇后，是一国之母！你为什么怕她？！

韦氏：你住嘴！下去！

这时崔缇指挥军士把武延秀拖走，武延秀彻底绝望。在两个军士的拖拽下转身面对安乐。

武延秀：果儿，别忘记我。

安乐看着他消失的方向，满眼通红。突然转头，声音显得歇斯底里。

安乐：武皇死后，她一走就是三年，朝廷的事全然不闻不问，是我们整治了动乱。等局势好转，她倒回来了！她今天能抓我的丈夫，明天就能抓我，抓你，抓所有反对她的人！（转向太平）你命中注定一辈子没有幸福，就嫉妒别人的幸福！你把自己的丈夫杀了！把你经历过的所有男人都给杀了！现在又来杀我的男人！你表面上深明大义，实际上心如蛇蝎，你比武则天还要狠！

太平平静地看着她，似乎并不介意。丧夫之痛使安乐彻底失去了理智。

韦氏：（对两个宫女）把她扶下去吧！

安乐一把推开宫女。

安乐：你记住，你欠我一个丈夫！

说罢甩手而去。

韦氏看着她的背影，表情显出一丝酸涩。

韦氏：（低眼看着自己面前的地面）行了，你该满意了吧。

说罢向门外走去。

太平沉思了一会儿，在她走到门外的时候，轻声呼唤。

太平：香儿，咱们谈谈好吗？

4. 凌烟阁　白天　内景

昔日曾经熙攘的课堂如今已被岁月褪去了颜色。室内显得很昏暗，课桌上都蒙上了灰。只一束光线透过窗户射进来，将太平笼罩在光晕里。韦氏坐在前面第一排，显得有些心不在焉，斜后方明亮的太平注视着她的背影……

太平：那不是你的位子……

韦氏勉强笑了笑，算是回答。

太平：香儿，从你回来，我们还没好好地聊过天儿……你好像很忙！

韦氏：（戒备地）你不是也很忙吗？

太平：是啊！再也不能像从前那样无拘无束地在一起消磨时光了……

韦氏：太平，如果没什么事，我先回去了……

韦氏站起身，向外走……

太平：皇后！我是想和你谈谈宗庙的事，现在投入那么多银两大兴土木，似乎不妥！我想，我的意思早就递上去了，不知……

韦氏：我看见了！……也考虑过了！但我有自己的想法！另外……太平，作为皇后，只有义务遵从一个人的意志，那就是皇上！

太平：你应该想想为什么我不找皇上而找你商量这件事！事实上，他迄今为止并没有行使自己完全独立的意志，恰恰相反，你的意见却真正……

韦氏：你是在影射我摄政吗？

太平：这不是事实吗？……况且，即使是事实，也不必大惊小怪！我不是刚刚进宫，对这一切已经屡见不鲜了！

韦氏：我是在辅佐皇上……

太平：所以我反倒要感谢你！……

太平起身走向韦氏，她走到韦氏对面，亲密地望着她……

太平：其实我一直都在感谢你！否则显没有今天……你们俩从小就是这样，连他为你写的情诗都要由你先来润色……

韦氏脸上浮现出回忆过去的甜蜜笑纹。

太平：……一晃将近三十年了，那是这宫里最美好的日子……看看这间凌烟阁，它曾经是后宫里最喧闹的场所！……

两个人环视着此刻屋内黯淡的陈设，似乎都有些伤感……

太平：我们俩当时就坐在那儿……

韦氏：不对！我们后来搬到靠角那排去了，因为你讨厌贺兰……

太平：对对……

太平走到座位旁，室外的亮色为她勾勒出明亮的侧影……

太平：是这儿！……来，韦姐姐，咱们在这儿坐会儿……

韦氏：……你呀，跟小时候没什么两样儿！

太平：我小时一直把着窗户，今天呀！我依你，让你靠窗坐！

第三十六集

韦氏脸上滑过一丝不易察觉的黯淡……

韦氏：算了！你还是靠窗坐吧！那是主座儿，我不过是个陪读……

太平：哟！还在因为我不让你坐生气呀！我当时就是喜欢窗户，这样走神儿方便！请坐吧！……皇后！

韦氏笑着坐下，两人都不自觉地望着窗外，光线亲吻着她们的面颊，很美……

韦氏：你看，那棵菩提已经长那么高了，树似乎总能越长越年轻，而且也愈见飞扬，不像人，一老，眉宇之间就少了神气，一脸晦气……

太平：还记得那是谁种下的吗？

韦氏：是弘！他当太子那年种下的……

太平：还想弘吗？你最早可是喜欢他，然后才是显！那时他那么胖，还总出汗，永远是凌烟阁里大家的笑柄。你那时是那么善良，只有你给他安慰……

韦氏：（眼里有了泪）都是过去的事了，还提它干吗？人的命是上天注定的，爱谁，恨谁，嫁谁，娶谁……这其实跟脾气禀性没什么关系……

太平：这满屋子的人都有了归宿，但却都很不幸，弘、贤、贺兰、旦……可悲的是，这一切都起因于对权力的追求。现在，就只剩下我们三个……

韦氏又一次警觉起来，脸上的敌意不自觉地流露出来……

韦氏：你的意思是……我在重蹈他们的覆辙？

太平：香儿，你现在为什么这么敏感？

韦氏：敏感？我无法不敏感！你，包括你哥哥，你们是皇子，追逐权力是永远正当的，而我呢？不过是被你母亲捡来陪读的宫外孩子！我连坐在这儿的资格都源于你们的仁慈……敏感！是的，我已经敏感了整整一生！我从小就要学会说什么、不说什么，做什么、不做什么……我甚至连申请靠窗坐都冒着被当作野心家的危险！太平，我怎么能不敏感！

太平：可你现在不已经是皇后了吗？这不是对这一切的补偿吗？

韦氏：是的！我坚信天下再没有第二个人比我更有资格坐在这个位置！我经历了地狱一般的磨难，我有理由把这里变做自己的天堂，这才是真正的补偿！

太平：这里是皇宫，不是任何一个人的天堂！这里同样有着生活的规则……

韦氏：你又在试图说服我吗？

太平：不，我是试图在劝阻你……

韦氏：我做了什么值得你来劝阻？太平，你已经习惯了以劝阻的名义发号施令，这是你们皇子与生俱来的谈话策略！从小就是这样，我做的任何一件事情都需要你来劝阻，甚至着装的颜色！你永远是正确的，甚至连你吃饭的口味都成了烹饪的标准！我哪点儿不如你？这是我从小就问自己的问题！我后来明白了，因为身份，因为我生不如人，所以就永世不得翻身！……太平，今天，这一切应该结束了，我们终于平等了！请你忘记你的劝阻！

太平：我只想以一个朋友的名义提醒你，这一切来得是多么艰难，你应该格外珍惜！

韦氏：这也不用你来提醒！我知道如何珍惜！……我现在反倒更理解了你的母亲，她和我有着相同的经历，她知道受人冷落的滋味儿，也懂得如何在苦难之后珍惜幸福！

太平：这正是我担心你的地方！母亲永远不能成为榜样，她的一生取决于超人的才智和胆识，她是惟一的！

韦氏：她是不是惟一的尚需要证实。太平，从小我就盼望着能有一个机会同皇子们比试一下才智，但我却从未获得这样的荣幸。今天，我为自己挣来了这份光荣！

韦氏甩袖而去……太平怔怔地望着空落的座位……

第三十六集

7. 大明宫勤政殿　白天　内景

往日庄严的大殿两侧排列着一张张桌子。上面摆满各种零碎的日常生活用品。宫女、太监们扮成商贩站在桌子后面，大臣们被挤在朝堂的中间，显得有些拥挤。一名老臣扒开众人，踉跄着走出来，跪倒。

老臣：臣张守硅有本参奏——

显伸出手拦住他。

显：你们已经当了这么多年大臣了，每天做的惟一一件事情就是"有本参奏"。你们这些奏章对国家起了多少作用呢？我这几天算了算，你们最近给我的建议有一半都是废话！你们知道这是为什么吗？

众臣不明所以地看着他，龙椅帘后坐着的韦氏和安乐也感到很奇怪。

显：因为你们根本不了解百姓的平常生活，更不顾他们的心情和喜怒哀乐。你们整天只为自己的胡思乱想瞎忙！今天我要让你们体验一下普通人的心境。这对你们治理国家很有好处！从今天开始，朝堂改成集市，我教你们的第一课就是做买卖……

几名匆匆买过东西的大臣聚在一起，手里拿着刚买的东西。

朝臣甲：元大人，咱们是在干什么？（用下巴一指兴奋的安乐）让那母女俩开心吗？

朝臣乙：这太荒唐了！这是耻辱！难道我们是一些不谙世事的小孩子？

朝臣丙：这就叫朝风日下！我想，如果武皇在，他又快被免了！

他们望着心不在焉的显……

朝臣甲：臣有本参奏，在朝堂上设集市不合体统，请皇上……

显：我说过今天不愿听见"有本参奏"这四个字！（把目光转向魏忠元）魏大人，你买了点什么？

魏忠元：圣上，我什么也没买！

显：为什么？

魏忠元：因为臣如果想买东西，会上元安坊的集市。那里什么都有。而且臣知道身着朝服与小贩为伍，有损朝廷尊严，更会玷污皇帝的重托和信任。

显：你是在讽刺我吗？

魏忠元：（跪下）臣的一番忠心，请您明鉴！

一伙大臣沉默地跪在魏忠元身后……仅剩下几个装模作样买东西的朝臣，都不敢出声，偷眼望着显……

朝堂上一时一片寂静。显托着下巴沉思片刻，他眼里的哀伤越来越浓。

显：（声音很疲惫）你们说我到底是不是一个好皇帝？

堂下鸦雀无声，不知道他要做什么。

显：你们为什么不说话？其实你们对我有话要说，不必在我面前演戏，你们究竟怎么看我？

韦氏的眉头锁得更紧，安乐也意识到事情的严重性。

魏忠元迎着显的目光出列跪倒。

魏忠元：对于一个帝王来说，最重要的品质就是理智。他要时刻克制自己的心血来潮。因为他的一举一动，一言一行都关系到律令的施行。帝王的尊贵，要求他以最平稳的姿态端立在帝国的中心。因为他是所有权力的象征。帝王如同船舵，稍有摆动，就会影响船的航向。哪怕是出现一点失控，就会造成整个船只的动荡。您的言行不合一个君主的典范！

朝臣乙：您还记得当年率军西征突厥的时候吗？当时满朝文武一致拥戴您，天下百姓爱慕您，您的威望使突厥三十万铁骑望风披靡，不战自溃。您创造了大唐历史上与蛮族交战最辉煌的传奇！而现在朝臣离心离德，纷纷结党营私。忠贞者不甘朝政纷乱，寄希望于镇国公主；观望者纷纷投靠皇后；而更有野心家，势利小人献媚安乐公主！纵容公主危害百姓，扰乱律令。

朝臣丙：您宽厚友善，您的仁慈遍及天下和宗室。但是，仁慈是法律的死敌和公正的叛徒！安乐公主是您的女儿，大唐众多公主中的一个。

她确实与众不同，但是还没有到可以超越礼仪、法规，造成母女双双垂帘听政的旷古奇观的程度。当年只有太平公主因年幼被武皇带上朝堂，难道安乐公主还处在年幼无知的时代吗？您的仁厚与奇思异想，使她不断干下种种骇人听闻的错事，已经严重危害到您的声誉。臣等冒死请求您约束家人，整顿礼教，再造一代名君的新形象！

安乐怒不可遏，猛地站起，狠狠瞪着三个人。

众臣担心地看着三名勇敢的朝臣。显似乎未曾注意到安乐的失态，沉吟片刻。

显：既然我不是一个合格的治国者，为什么还坐在这里！我倒想仿效父皇高宗，把皇位让给皇后，这在大唐历史上已不是新鲜事了。

帘后，韦氏惊得目瞪口呆。安乐又露出喜色，但转瞬就化为无尽的失望。因为绝大部分朝臣都一下跪倒。

张守硅：皇上，这万万不行。天下刚刚姓李，不能再改别姓，绝不能重演武周革命的惨剧！

魏忠元：请皇上三思，由大唐到大周，再由大周恢复大唐，中间发生了多少次流血！有多少人的生命死于争权夺利！武李两家的纷争刚则平息，难道您还要再一次挑起新的一轮祸端吗？天下刚刚太平，您千万不能再凭着自己一时的心血来潮而重演战祸与动乱。

众人齐呼：万万不行！

显似乎满意地微笑了。

韦氏看着下面跪着的一齐反对她的众臣，眼眶湿润。安乐异常气愤，猛地走下台阶，转身瞪了一眼显，扬长而去。

显：你们对我不满意，对皇后也不满意，你们觉得谁合适？太平公主合适吗？

众人鸦雀无声，似乎在揣摩显的意图。

魏忠元：……如果圣上不是在说笑，太平公主确实是接替您的最佳选择。

显：你们也是这个意思？

众人默默点头。

显：好！看来我的心血来潮并没有白费……集市关闭，下朝！

说罢转身离座。留下韦氏及众臣一片目瞪口呆。

8. 显寝宫　夜晚　内景

显和韦氏端坐着，脸上显出焦急的表情。一名太监立在他们身前。

韦氏：所有的地方都找过了吗？

太监：大明宫、天宁桥、玉阳花园，公主爱去的地方我们都找过了。

韦氏：（对显）你说她会去哪儿呢？

显：你放心吧，她走不远，她舍不得长安！

韦氏：果儿脾气暴躁，你在朝堂上那样刺激我们……真不知道她会干出什么事？

显想说什么，看着韦氏焦急的表情，欲言又止，转向太监。

显：你们再去好好找找……对了，去桎狱看看。

太监转身离开。

韦氏：你看你做的事，身为一国之君，竟然这样拿自己开玩笑，你过去在朝堂上拔河，现在又开什么集市，别说大臣们觉得你没威信，连你自己的女儿都看不起你……

显：（又顺手拿起桌上的香囊，有些伤心）你们当然看不起我，朝臣们要一个威严的主人，我不能满足他们；你要一个帝王，我也不行；安乐要一个能传给她天下的父亲，我也无法满足她，更不愿意满足她！你们当然都会看不起我，因为我只是一个普通人！我只关心家庭、感情和与之相关的日常琐事。关心我的香囊，我的心情！我没有能力解决更重大的事情。但我不糊涂，我也不笨！我知道一个国家需要什么样的人治理，我也知道怎样用我自己的办法表达这良好的愿望。我的想象力只能使我把治国看成一个集市,如果它不是,我只能关闭它。

韦氏听着,一时不知如何回答。安乐面容阴郁地走进来。

韦氏:你去哪儿了?……让我们为你担心!

安乐坐下,恶恶地盯着显,显躲开她的目光。

安乐:我去看延秀了……他死了!

韦氏:(吃惊)怎么回事?刑部还没有审讯……

安乐:我让他死的,我既然不能保护他,就不允许别人害他,我要让他有个安静点的死法!我不能容忍安乐公主的丈夫像狗一样在恐惧与痛苦中下贱地死去!

显:(吃惊地站起来)这……这是为什么?

安乐的愤怒与怨恨全部爆发。

安乐:全是因为你!我求过你救延秀,你闭门不见我。我让母亲求你,你却用太平来压制她!你还像一个皇帝的样子吗?你以前怕武则天,现在又怕她的女儿!你忘记了是谁伴着你度过一生最恐怖、黯淡的时期,给你温暖与爱意了吗?你忘记我们为你付出的一切了吗?

显:(还未从震惊中清醒)我没忘记……

安乐:对!你的确没有忘记!可你却没有能力实践你的报答!因为我们永远在疲于应付太平的监视!她痛恨武家的男人,我们就要紧随太平的榜样!延秀死了!我要把他安放在太庙里,我要你用这样的方式谴责太平!我要太平在每次祭奠的时候都面对我丈夫的亡灵下拜!我要让她一生不得安宁!

显:(很果断)这不可能!武延秀谋反,天地不容,神人共弃!如果把他放在太庙中,无异于承认他谋反有理。

安乐:难道你一点不理解女儿的心情!好!那我就让你看看我有多痛苦!

说着拿出一把匕首在手腕上猛划一下,鲜血涌出。

韦氏:果儿!御医,御医!……

显冲过来抓住安乐的手腕,用一块手巾为她扎住伤口。

显:这是为什么?

安乐:(凝视着他,声音低下来)你知道我怎么看你吗?

显只顾包扎伤口,沉默不语。

安乐:(一下甩开他的手)你是个软弱的男人!无能的帝王!不负责任的父亲!我生下来就跟着你颠沛流离。我刚到长安的时候,连一个小宫女都敢偷偷嘲笑我的房陵口音!我从小跟着你担惊受怕,生怕有一天朝廷来人把我们全部杀死。你知道,在我刚刚懂事的时候,我看到你们抱在一起痛哭,母亲把你从房梁上一次次地放下来,我怎么想吗?你害怕,我比你更害怕,我怕极了!(边说边哭)我不想死,我还没有领略过人生的快乐!在你轻生的时候,你想过我吗?想过你不在了,母亲和我们这些孩子怎么办吗?后来我慢慢了解了你。我的父亲是个自私的人,我恨你!

显突然打了安乐一记耳光,安乐瞬间惊呆了。

显:(暴怒)你给我闭嘴!我要是自私就不会这样纵容你,就不会拿我饱尝一生磨难得来的权力报答你们!你做了那么多违法挥霍的事:你为了扩充家园,纵容家奴打死无辜百姓;你半年的开销抵得上与突厥的一次战争。任何一个帝王都会因为你随便一件错事贬黜你,可我却一直包容你!你使我成为朝臣们耻笑的昏君!你还觉得我报答得不够吗?……我再告诉你一遍,过去是找不回来的,你要是再不检点,下场会和你的丈夫一样!

安乐并没有因为显的暴怒而收敛。

安乐:别提延秀!延秀是你害的!是你的胆怯和无能害死的!因为你害怕太平,害怕这个和武则天一样心狠手辣的女人!但是我不怕!既然你不能保护自己的天下,保护自己的家人,我就要保护他们!太平已经夺走了我的丈夫,我不能再让她夺走我的一切。她有天大的本事,我也要和她斗!你就等着瞧吧!

说完扬长而去。

第三十六集

韦氏：安乐，你去哪儿，你给我回来！

显看着她，嘴里喃喃自语。

显：这全怪我，我不能给她一个安稳的童年，让她变成这样一个恐怖的女人……我不能让她这样下去！她要毁了自己，毁了我，毁了我们全家……来人，去把她给我关起来！

韦氏在他身边哭了出来。

韦氏：你就是这样报答我们的吗？你让那么多人当面讽刺我，现在又替别人除掉自己的女儿？！我们真要再重复武则天当政时的命运吗？

显看着她，沉思片刻，目光柔和下来。对着走到门边的太监。

显：（低缓地）回来……算了吧！

韦氏：你这样下去不是办法！太平对我们有成见。她绝对不会饶过我们的，你应该……

显：别说了……你想要的我都明白，你也不必这样敏感！我只不过在朝堂上提了个问题。作为皇上，我还有这点儿自由！不过，我提醒你，不是每个人都能成为我母亲的。

韦氏：（擦了一下眼泪）你是什么意思？

显：我只是劝劝你而已，这是我对你最大的报答！

9. 安乐公主府庭院　夜晚　外景

安乐如同梦游般走进来，一群焦急等待的门客急忙迎上。

门客甲：公主，您终于回来了！

安乐看了他们一眼，视而不见，向内厅走去。

门客甲：公主，出事了！

安乐停下来，看着他。

门客甲：昨天半夜，一大队神策军包围了您的府邸，皇帝传旨限我们明天离开长安，否则一律处斩！我们到处找您，您看该怎么办呀？

安乐一下清醒过来，目光尖利，狂乱。

安乐：你说什么？

门客甲：皇帝命我们明天离开长安，否则一律处斩！

安乐狠狠地咬着牙，一言不发。

门客乙：公主，您快拿主意呀！我们跟您这么长时间，以为是投到了明主的门下，没想到会落得这样的下场。

门客丙：我们与您同甘共苦，一起日夜谋划，眼看着就能功德圆满。可是现在祸起萧墙，功败垂成，我们不甘心呀！

门客丁：咱们的辛苦就要白费了，咱们的理想即将随着明天太阳的升起而化为泡影，您甘心吗？

安乐的表情越来越阴沉。

这时一名太监走来，众人跪下。

太监：安乐公主肆意胡为，有损皇家名誉。命即日赴武家陵守墓思过，直至改过自新！钦此！

太监读罢，等待着安乐接旨。安乐凝视着展开的圣旨，闭了一下眼睛。似乎终于下了决心，她接过圣旨，目送着众内侍消失。

安乐：来人，设灵堂。

10. 安乐府武延秀灵堂　白天　内景

临时搭起的灵堂。安乐素衣面对武延秀的灵位跪着。她的表情已经陷入某种癫狂状态。她突然掩面而泣，而后又愤愤地诉说。

安乐：昨天在桎狱里，你要我为你报仇，我答应了你。所有害死你的人都要付出代价！你别害怕，这是为了你，也是为了我。如果这件事注定要遭到上天永世的责罚，我一个人承担！我要得到属于我的一切！现在，箭已在弦上，我不得不发！希望你在天之灵保佑我。

说完，安乐猛地站起，一把扯下身上的丧服。

第三十七集

1. 温泉　白天　外景

显和韦氏相对而坐，池中水汽缭绕。旁边站着侍女。

李显和韦氏闲散地聊着天，尽量忘记刚刚发生过的不愉快。

韦氏似乎显得很疲劳，双目微合，靠在池沿儿上，显睁着眼睛，望着寂静辽远的天空……一队鸽子伴随着空灵的哨音掠过……

显：香儿，香儿……

韦氏被急促的声音唤醒，她睁开眼……

显抬起胳膊，一脸憧憬地指着天空。

显：看，鸽子！……兴许那是旦的鸽子！

韦氏瞟了一眼转瞬即逝的鸽群，又懒懒地闭上眼睛。显却依然余兴未尽地冲着天空大发感慨……

显：也不知道旦现在在哪儿？！你说奇怪不，从小旦和我都有着与社稷无关的喜好，他爱鸽子，我爱香……可宫里人似乎对我更有微词。我现在明白了，尽管我俩都不适应宫里的生活，可他却选择了积极的逃避，就像这鸽子。他是主动的，至少有一种振翅腾飞的快感与光彩。而我呢，却选择了育香,这是一种被动的逃避,是麻醉自己,甚至有点儿自欺欺人,以为只要闻到了满园春色,天下就没有了腐烂与腥臭……

韦氏:(闭着眼睛)这恰恰是你的问题,真高兴你意识到了。你永远被动,永远不知道什么是该属于你的……

显:我知道什么是该属于我的!只是永远摆脱不了他人的意志……我在想,嗜好兴许真的决定着一个人的禀性。当初我要是选择了鸽子,我现在也许就成功了!像旦那样,得到了我想要的,胜利逃亡,逍遥一生……

韦氏:……你说反了,一个人的脾气禀性决定着他的爱好。你是显,就必定选择育香,选择站在原地,粉饰太平……

显:……所以,我决定改变这一切,要真正发出自己的声音。

韦氏睁开眼,似乎有些激动。

韦氏:那好啊!你是皇帝,当然应该发出自己的声音……

显:对,我是天子,理应有着不可逆转的意志!皇后,答应我一件事,不论我选择什么,我们永远不分开!永远恩恩爱爱像在房陵那样!

韦氏:那……还用说,这么多年,我们不是也熬过来了吗!可你……什么意思?

显:我决定不当这个皇帝了!脱下这身龙袍,换得一世清爽!……香儿,我俩选一处美景,种花养草,读书育子,在殷实与恩爱之中,风花雪月地了却残生!

韦氏难以置信地望着面容激动的显,渐渐被失望打倒……

韦氏:……这就是你的声音,你的意思?这就是你赐予我三十年荣辱与共的最后礼物?

显:对!这其实也是我多年的夙愿!

韦氏重又闭上眼睛,一滴泪滑下眼角儿。

韦氏:你有没有想过,如果我不同意呢?如果你的女儿、儿子不同意呢?

显：你们会同意的！只要你我相爱！

显手忙脚乱地向韦氏靠过去，激起一片纷杂的水花……他坐在韦氏一侧……

显：你设想，香儿……

韦氏：你别说了！……我很累，也很失望……

显怔怔地望着韦氏……

显：你，为什么？难道你真想……

安乐此时出现在池边，眼中闪着某种异样的神采！

安乐：父皇，母后……

显：果儿，你来得正好！我和皇后正有一个重大决定要告诉你，我们……

安乐：你别说了！我都听见了……

显：真的？那……你以为如何？

安乐：我……别无选择，自然听从父皇、母后的意见！

显：（喜悦地）真的！你听听，连我们的女儿都……

安乐：父皇！我来是向您致歉的！我想过了，也许我的行为真的有些过分，为您找了不少麻烦。请父亲原谅我！……我要去为延秀守灵了，走前想送您一个礼物……

安乐送给显一个香瓶……

安乐：这是我早托大唐使节从西域带回来的枯叶蝶香，一直没机会献给您！今天就全当我辞行的礼物吧！

显：这，太好了！果儿到底是我的女儿！

显很激动，打开瓶盖儿……他望着韦氏及果儿，为这最终的和睦兴奋不已……

显：这，太好了！……果儿，你还会是我的好女儿……香儿，你不闻闻？

韦氏仿佛充耳不闻……

显：（打趣儿）你母亲还在生我的气。为朝堂上的事！她会好的……

他把瓶子凑到鼻尖，深深地吸了一口气……

安乐闭上了眼睛……

显：嗯！好香！……

他感到一阵剧烈的眩晕，眼前的安乐模糊起来。他疲惫地靠在池沿儿上，仰望着蓝天……

显：天，离我真近，真蓝，我看见……

显定定地望着一方纯净的天空，不再讲话。一行血迹从他鼻孔中缓缓滑落。

寂静。水汽依旧浓郁，池上清烟缭绕……

显顺池边缓缓地滑落下去。

安乐：（镇定地）母亲，父皇晏驾了！

韦氏依然闭着眼睛，对身边发生的事毫无察觉。

韦氏：你瞎说什么？！

安乐：（提高嗓音）母亲，父皇晏驾了！

安乐的声音令不远处肃立的宫女惊慌地摔掉了手中银盆……

韦氏这才睁开眼，她先从安乐的眼神中读到了这可怕的内容。继而转头，看到尚未瞑目的显，血还在继续流着。她第一个直觉是将显的眼睛合上，然后顺势将显鼻子下的血抹掉……

韦氏：（大声掩饰）你瞎说什么？！圣上是睡着了！……

韦氏盯着一脸惊恐的宫女们。

韦氏：你们都下去吧！皇上需要安静！

宫女们猝然惊醒，慌乱地离去。

池边，韦氏迅速从水中跃起，带起一片水花，她浑身精湿，水顺着她的发梢滑落。她盯着面无表情的安乐，抬手给了她一个重重的耳光！

韦氏：（尽量压低声音）你……你疯了吗？他是你的父亲！

安乐的眼睛木然地平视，语调平静。

安乐：为了你，也为了我！……他早已不是我的父亲，他不配！

第三十七集

韦氏：（泪水充盈）这是为什么？！

安乐转向韦氏，显得有些歇斯底里，声音越来越大，最终几近号叫……

安乐：为了你我曾相拥流下的眼泪！为了我们十几年的流离失所！为了你我不再沦落到受人唾弃耻笑的地步！

韦氏急忙用手捂住女儿的嘴，惊恐地四下张望，一时无语……

韦氏：你这是……造孽啊！

2. 韦氏寝宫　夜晚　内景

有限的烛光将室内装点得诡异阴森。李显居中而坐，一只胳臂僵直地支在胸前……韦氏颓丧地站在对面，端详着李显苍白的面容……安乐站在一边，神情惶惑，愣愣地望着面色惨白、僵硬的父亲。

韦氏跪倒在李显面前，悲伤地流下眼泪。她像显还活着那样，为他拉好衣服，整理好头发，嘴里喃喃自语。

韦氏：是我……对不起你！那么多坎坷我们都过来了，没想到日子过好了，会出这种事儿……我们养了一个逆子……

安乐的精神完全给摧毁了。她毕竟不是一个有预谋的成熟凶手。毕竟她只有十七岁。安乐"咣当"给韦氏跪下，眼泪汹涌而下。

安乐：（语无伦次地）我这样做全是为了您，母亲……您不会……杀我吧？我是为了我们能留在宫里……

韦氏转过头来，狠狠地盯着安乐。

韦氏：我不杀你，可会有成千上万的人要杀我！……

安乐仿佛被摧毁了最后一道防线，恐惧终于使她丧失了全部理智。她上前抓住母亲……

安乐：您是皇后，您马上就成为皇帝了！您会救我的！您不会看着别人把我杀死的！……母亲，我才十七岁，我不想死！母亲，我才刚刚回来……

韦氏：你，好糊涂啊！将死的人了，还嘴硬！

安乐哽咽着，已说不出话来，韦氏站起身，走向窗边……

安乐跪着向前走……她抱住韦氏的腿……

安乐：（神志混乱地）母亲，您登基吧！明天就登基！我……只是气不过！我不忍心看着父亲再让您伤心，您已经整整失望了十三年……母亲。武皇登基前也遭人白眼，可这并没影响那群朝臣最终向她山呼万岁！他们只是一群趋炎附势的狗！

韦氏：可我怎么向天下交代？说公主不慎毒死了圣上？即使我们哄骗了朝臣，那太平怎么办？显是她的亲哥哥……

安乐：母亲，您从小生活在太平的阴影里，您难道要伴随它走向坟墓吗？……我也是公主！而且是当朝公主！我同她有着相同的身份！

韦氏沉思着，这突然的变故尽管令她伤心，却同时也催育了她那颗一直沉默的野心。此刻实现野心成为了保全性命的必要选择！她长舒了一口气，脸上焕发出某种神采！她回过头，望着泪水涟涟的安乐。

韦氏：……你起来！……听着！从现在起我所做的一切仅仅是为了保全你我的性命。你惟一应该感到幸运的是，我目前也不想死，并且像你所说的那样拥有一个不次于任何人的头脑！

安乐：（连连点头）母亲，我听您的！

韦氏：你必须保持缄默，朝内的事由我安排！目前的当务之急是排除异己，扶持我们的势力。即便是这样，还要做好最坏的打算，听天由命吧！现在给你父亲跪下，乞求他宽恕，你毕竟……是他膝下最心爱的女儿……

安乐跪在李显面前，此刻她感到的是彻底的悲伤和恐惧……

安乐：父亲，请原谅我……

院中突然传来太监的脚步声……

韦氏忙用身体挡住李显……

太监：皇后，我们来接驾……

韦氏：圣上刚才受了点儿风寒，有些累，今儿就在我这儿歇了！

太监奇怪地望着跪在地上的安乐，伸了下头，依然没看到韦氏身后的显……

韦氏：还有事吗？

太监：那，圣上今天的晚膳……

韦氏：送这儿来！这几天的御膳都送我这儿来！

太监：……是，皇后！

韦氏：熬点莲子汤，多放些姜片！

太监：是！

太监刚一出屋，韦氏便转过身来，满头惊汗。

韦氏：果儿，起来，这不是办法，我们得把圣上抬上床！

安乐惊恐地闪开身。

韦氏走到显身后，架起他的胳膊……

韦氏：快点儿啊，还愣着干什么？！

安乐惊得步步后退……

安乐：我，我不敢！

韦氏：那你怎么敢下毒？！……快点儿，来帮我！

安乐：（恐惧地）我，我抬不动！

韦氏：抬不动也得抬，如果你还想活命的话！

安乐战战兢兢地走过来，抱起显的腿，浑身战抖……

显的头突然向一侧倒下，安乐惊恐地松开手。韦氏已架起显的上身，突然失了重心，显重重地将安乐压在身下，安乐惊恐地大叫……

安乐：啊！救命啊！母亲！……他活了！……快帮我！……母亲救我！

韦氏忙过来将显翻开。俩人又用力抬着显向床边挪动，安乐由于刚才的惊吓而目光呆滞，游魂一般……

显仰面躺在床上，胳膊依然支着，韦氏气喘吁吁地盯着他……

安乐：（尖声地）……胳膊，父亲的胳膊！

韦氏走上去，试图将胳膊按下，可每次都不成功，胳膊执拗地向上举着……

韦氏：果儿，过来帮我！

安乐机械地执行着母亲的指令，帮她按住父亲的身体。

韦氏：圣上，委屈您了！

韦氏用力"咔嚓"一声，胳膊虽然落下，但显然骨头折断了。

折断骨头的声音在安乐耳中无限放大，像一道闪电刺入她的脑海。她顿然睁大了恐怖的眼睛。

安乐：（突然失态地嬉笑）嘿嘿，父亲的胳膊断了！……咔嚓！咔嚓！

韦氏发现安乐的神态失常，吃惊地看着她。

韦氏：果儿，你，你怎么了？！

安乐突然掉头向外跑去，她完全陷入了疯狂，欢呼着。

安乐：哈哈！按下去了！按下去了！真好听！

韦氏惊慌地追至门口，她看着院中一脸惊异的兵士。

韦氏：看什么？！还不快去追，公主疯了！

3. 太平府堂屋　夜晚　内景

太平和李隆基怔怔地望着突然闯入、衣衫不整的安乐公主。

太平：果儿，你，怎么了？

安乐突然发疯一般地扑上来，嘴里狂吼着。

安乐：都是因为你……都是因为你！我跟你势不两立！

李隆基眼疾手快地护住太平，脸上立刻被安乐抓了一道血痕。

4. 太平府门口　夜晚　内景

追赶的太监们不敢进府，手足无措地愣在门口。

太监：赶快回去禀告皇后，安乐在太平公主府！

5. 堂屋　夜晚　内景

安乐抚摩着李隆基的脸。

安乐：……疼了吗？对不起，夫君！……看你长得有多英俊！我其实早就喜欢上你了，我们结婚吧，你做我的驸马！我们远走高飞，我带你回房陵，那儿还有一束我为父亲种的野菊！……那儿风沙可大了，夜晚寒风刺骨，壁上都结着冰……

李隆基推脱着，哭笑不得地望着太平。太平皱着眉……

安乐：姑母！我渴了！我要喝水！

太平示意家仆取水。安乐接过水，咕咚咕咚地喝着……

这时院中灯火通明，太监的声音传入……

太监：皇后驾到！

话音未落，韦氏已经神色凝重地跨进门槛儿……

安乐惊得扔掉水杯，躲在太平身后……

安乐：姑母救我！姑母救我！我不要回去，他们要杀我！

太平不可思议地望着韦氏……

太平：皇后，她怎么了？

韦氏：她疯了！

安乐：我没疯！……姑母，她胡说！她要杀我……

韦氏：(慌忙打断地)果儿！……跟我回宫，你需要休息！

太平：她……受了什么刺激？

韦氏：都是因为驸马！驸马一死，她就变得这样了！

几个太监上来抓住安乐的手臂……

安乐：(大哭)不，不，我不走！……(安乐紧紧地抓住太平)姑母，我不回去，你救救我，我不回去！

太平的手臂一直被安乐揪住不放。太平无奈，安慰她。

太平：嘘，果儿，你累了！该回家睡觉了，我不走，姑母陪你回去……

韦氏心急如焚，恐怕安乐泄露秘密……

6. 皇宫甬道　夜晚　外景

安乐绕开韦氏，拉着太平向温泉走去……

安乐：（神秘地）别听她的，我不累！来，跟我来……

太平：（对韦氏）没关系！她累了，就自然入睡了！

韦氏只得惶恐地尾随……

7. 温泉　夜晚　外景

显的浴衣搭在池沿儿。安乐撇开太平，独自一人绕着浴池，描述每个情景……

安乐：就在这儿……噢不，这儿……咕咚，咕咚，咕咚……（指天）天真近啊，真蓝！我看见……你猜我看见什么了？

太平：什么？

安乐：天啊！我看见天啦！对，还有鸽子，好多好多的鸽子……

太平迷惑地看着安乐，不明白她话中的意思。

韦氏站在太平一侧，紧张地关注她。

太平突然看到了什么。

太平：……那是，显的浴衣吧？

韦氏：啊？……哦，是！下午圣上在这儿歇了一会儿，回去就病了，受了点儿风寒……

太平：是吗？那我去看看他！

韦氏：（慌忙阻拦）不必了！……他早睡下了！而且，我也不想让他知道果儿的事……（回头问太监）车备好了吗？

太监：早就备好了！

韦氏：太平，请回吧！

太平：圣上……

韦氏：等他醒了，我派人去接您……太平，你先回吧，够晚的了。

韦氏半推半就地将太平送出浴池。太平皱了皱眉，回头望了望在池边睡去的安乐公主。

太平：……好，我先回去！替我问候圣上……把浴衣给他拿回去，那是他最喜欢的一件。

韦氏望着太平走远，瘫坐在池沿儿上，怀里抱着显的浴服出神儿……

8. 大明宫勤政殿　白天　内景

韦氏坐在帘后，越过眼前空空的龙椅望着阶下众臣。龙位一侧的太监正在宣旨。

太监：朕近日龙体欠安，欲小憩数日，朝务暂由皇后打理，殷望众卿，倾力辅助皇后。现宣旨……吏部侍郎李峤……

李峤：（出列）臣在！

太监：调任吏部侍郎李峤为荆州刺史，即日动身，不得有误！

李峤：臣……遵旨！

太监：右台大夫苏向！

苏向：臣在……

太监：调任苏向为广州租庸使，组织岭南租税事宜！

苏向：遵旨！

太监：……裴耀卿！

裴耀卿：臣在！

太监：封裴大夫淮南转运使，四品从上！

此时朝堂中已出现轻微的骚动，众臣交头接耳……

太监：……另任万骑将军崔缇为功曹参军事，即刻动身至洛阳，护卫行宫……任临淄王李隆基突厥节度使，统领西部边陲战区……

朝堂上一片哗然，嘈杂声更大了。

李峤：我有先皇赐予我的丹书铁券，臣有权力质疑圣上的旨意！我要亲眼看看玉玺！

韦氏冰冷而镇静的声音从帘后传出。

韦氏：拿给他看！

李峤从太监手里拿过圣旨，浏览了一遍……

韦氏：你还有别的要说吗？

李峤：有！臣必须面见皇上！臣以为圣上考虑有失周全……

韦氏：我会把你的意思带给圣上！在他召你之前，请你脱下侍郎品服！居家待旨！散朝！

9. 太平府议事厅　　白天　　内景

李隆基和崔缇焦急地望着临窗而立的太平。

太平：就这些吗？

李隆基：就这些！整个早朝干脆利落，不过一个时辰！

太平：皇后说过什么原因吗？

崔缇：……没有！李大人问过，皇后当即就命他脱了品服，居家待旨！

李隆基：公主，这不可能是皇叔的旨意，听上去，倒更像是韦氏的主意！李大人曾在朝堂集市上仗义执言，皇后恐怕就记了仇……

太平转过身，神色庄严。

太平：皇上出事了！

李隆基和崔缇对视……

李隆基：皇上……能出什么事？

太平：不知道，但凭直觉，我已经闻到了某种熟悉的味道，大规模地排斥政治异己，是改朝换代的先兆！隆基，你还记得那天安乐的举动吗？韦氏似乎在掩饰有关圣上的消息，果儿发疯也与这有关！

崔缇：那，公主，我们怎么办？

太平：……你们两个先遵旨出城，别走得太远，在城外听我的消息！我现在就去见圣上！

10. 韦氏寝宫 白天 内景

龙榻四角立着四只香坛，香草燃烧所释放的浓郁烟云将龙榻掩映得宛若空中楼阁。四周帷帐都放下来了，更使得显的身影看上去若隐若现。偶尔有风，伴着清脆的风铃，帷帐慌张地舞动……

韦氏坐在帘后。她可以清晰而不露痕迹地洞见屋内的每一处风景。此时，她看着御医走进寝宫，惶恐地打量着四周，他似乎不适应室内强烈的香气，打了个喷嚏……之后好奇地犹豫地向龙榻靠近……

韦氏：你来了！……

御医被这突然响起的声音吓了一跳，这才注意到自己对面轻微晃动的珠帘内坐着韦氏，他忙躬身施礼……

御医：御医陈怀卿拜见皇后！

没有声音。他偷偷抬眼看了看帘子……

韦氏：……你来晚了！

御医：卑职刚在外面等太监往里传，但没见一个人影儿，就斗胆自己进来了。请皇后恕罪！

韦氏：太监们都让我打发走了！皇上得的是传染病，你没见连我都不敢近身吗？

御医：怎么才两天圣上就病得这么厉害？我还以为仅仅是得了轻微的热病……

韦氏：我也正纳闷呢！你自己去看看吧！

御医：是！

韦氏看见御医小心翼翼走到床边，恭敬地跪下。

御医：御医陈怀卿给圣上请安！……

韦氏：免了吧，怀卿！圣上说不出话来了……

御医开始意识到事情远比自己想象的复杂和严重。他似乎已经从种种迹象中预感到帐内的不祥……

韦氏：你还愣着干什么？！快给圣上诊脉吧！

御医这才开始战战兢兢地将帘子挂在两侧，双手略微有些颤抖。他低头看见显冲里侧卧着，似乎对一切毫无察觉。

他搭住显的脉搏，嘴里叨念着……

御医：圣上，您哪儿不舒服，您……圣上！

他的脸色突然变得惨白，本能地将显身体正过来……他惊得倒退几步，说话带着哭腔。

御医：皇后，圣，圣上晏驾了……

韦氏：（语调平静）胡说！你怎么敢诅咒皇上？！

御医：我，皇后，圣上早已晏驾……

韦氏：圣上活着，听清了吗？圣上必须活着！

御医终于明白了此次出诊的含义，他恐惧地跪下。

御医：皇后，您饶了我吧！我上有老母，下有妻小，您就看在我侍候过您的分上，饶了我吧！我实在没那么大本事，您还是另请高明吧！我，我什么也没看见！

韦氏：可你看见了，你走不了了！……听说有一种药叫神汁？

御医：啊？有！……是有这种药，可那是给死人吃的，能保证尸体不腐烂，不变质，不……

韦氏：……皇上只是染了风寒！他看上去只是病得不轻……

御医明白了韦氏的用意。

御医：那这药正适合圣上，配以折胡粉，兴许圣上脸色还会更好些！……我，我这就去拿！

院中传来纷杂的脚步声。

太监：太平公主驾到！

韦氏惊得挑开珠帘。她面容憔悴，双目布满血丝，头发披散着……她盯着御医惊恐的眼睛。

御医：皇后，怎么办？

韦氏：站在那儿别动！继续为圣上诊脉！

韦氏冲出帘子，坐在床沿儿……

此时太平已神色严峻地进来，身边跟着自己的家医……

韦氏：太平你来了，怎么也不打个招呼……

太平：圣上怎么样了？

韦氏：这不刚睡……（韦氏握住显的一只手）太平，坐吧！

太平入座。从她的角度只能看见韦氏及背立的御医。家医伫立在一侧。

韦氏：圣上，太平来看你了！

之后，假装将头凑近显的嘴边，然后转过头来，把显的话告诉太平。

韦氏：他说谢谢你！……啊？什么？……

韦氏又一次俯身。

韦氏：圣上说他没事儿的，他好了，会去看你！

太平：御医，圣上得的什么病？

御医：（声音颤抖）风……风寒！

太平：什么？你大点儿声！

御医：是……风寒！

太平发现御医背后已湿透了一大片，她皱了皱眉头……

此时，家医示意太平看圣上的脚……

一只苍蝇停在显的趾间，显却毫无知觉……

太平：皇后，我看圣上得的不只是风寒，还是让我的医生看看吧！

张医士……

家医刚刚起身，韦氏知道大势已去，将手中的药碗摔在地上。摔杯为号，从外面冲进一队兵士……用剑指住张医士！

韦氏：不必了！……（缓缓站起身）不用看了，太平，圣上……已经晏驾了！把他们给我拿下！

兵士欲上，被太平喝住。

太平：你们敢！……

双方僵持……

太平：（声音颤抖着）韦氏，你刚才说什么？

韦氏：我说，圣上已经……晏驾了！

第三十八集

1. 韦氏寝宫　白天　内景

太平不敢相信韦氏说的话，凝望着她，片刻。
太平：我可以看看他吗？
韦氏垂眼望着床上明黄色的单子，表情和声音都极冷漠。
韦氏：你看吧！
太平：（看了一下被抓着的家医）你们把他放开。
医生被放开了，太平与他一起走到床边。她轻轻掀开单子，面目黑紫的显平躺着。太平的泪水一下涌出来。

旁白：我害怕看到的一幕终于发生了。最令显恐惧的事情就是遭遇谋杀。没想到他最终还是死在了自己最信任的亲人手上。显最像父亲，但我不知道在他的血液中，流淌着更多的是父亲的软弱，还是善良。我感到悲伤，为我无辜的哥哥，也为我们这个被命运诅咒、遭受权力摧残的家庭。绝望随即吞没了我的心灵，难道权力真的强大到可以瞬间毁灭人性与亲情吗？

太平强迫自己镇静下来，她微微抖动着用单子为显重新盖好，目光对着一片象征皇权的明黄色发呆。她小声问家医，好像是怕听到自己的声音。她只不过在徒劳地试图否定自己内心早已确定的答案。

太平：他是怎么死的？

医生：毒发身亡。

太平：（转向韦氏）听见了吗？……谁是凶手？

韦氏迎视着她，在瞬间退缩之后，又变得非常平静。

韦氏：这已经不重要了！现在……最重要的是解决你我目前的困境。

太平：你这是什么意思？

韦氏：我的意思就是你在朝堂上宣一道手谕，告诉全天下：第一，显死于风寒；第二，太子李重茂登基，皇后垂帘听政。

太平：你是皇后，为什么要让我来宣？

韦氏：你的威望和权势能替我压制住所有的不满和怀疑。

太平：你知道自己在干什么吗？……你是在弑君窃国……

韦氏：只要你宣了手谕，我就不是！

太平：我不能宣！

韦氏：那就麻烦你在宫里住几天吧！

太平：（看了一眼殿中持刀的侍卫）我希望你不要把目前的罪恶扩大成朝廷的灾难。这只能使你遭受更深重的惩罚。

韦氏：有你在，我什么都不怕！

太平：你逃避得了良心的惩罚吗？你们经历了上天为一对夫妻设置的最苦难的考验。我不止一次地羡慕你们。我知道显深深爱着你。靠着你的爱，他战胜了自己的软弱和悲观；战胜了多灾多难的命运！当生活终于为他敞开了幸福的大门，他却死在了最信赖的亲人残忍的欲望之下！你就是这样对待他深厚的爱情吗？香儿，现在就结束这一切吧，向天下，向神灵忏悔，向在九泉之下哀泣的显忏悔！我想你还是能够得到拯救的，因为我知道你也爱显,你只不过……
　　韦氏的眼中渐渐出现了泪光,但是她马上控制住了自己,猛地转过身。
　　韦氏:够了!不要再说了……(又转而逼视太平)你必须照我说的做!
　　太平:我不会的……你挟持我也无济于事!
　　韦氏:(狠狠地打断她)那就只能鱼死网破!把她带下去!

2. 大明宫勤政殿　白天　内景

　　韦氏表情严厉地坐在朝堂上。珠帘也已经堂而皇之地撩起。她毫无顾忌地逼视着阶下众臣的态度和情绪。她身边一名太监正在念任职诏书。
　　太监:封韦宣范为左鹰扬卫大将军,镇守长安西门。
　　韦宣范出列跪拜谢恩。
　　太监:封韦思仪为御史中丞,加从二品。
　　韦思仪:(跪倒)谢皇恩!
　　太监:封韦承庆为右威卫将军,加从三品,即日进宫就职。
　　韦承庆:谢皇恩!
　　韦氏:现在皇上龙体欠安,京城有奸佞小人开始蠢蠢欲动。你们要严守职责,确保京城太平。
　　所有被韦氏先后加封的韦家亲信齐呼:请皇后放心!
　　被孤立成一小群的被贬大臣忧虑地看着韦家班的壮大。
　　韦氏:散朝!
　　被停职的李峤一步跨出行列。
　　李峤:慢!
　　韦氏:你还有事吗?
　　李峤:我们要见太平公主!
　　韦氏:公主在宫中照料皇帝,不能见你们。
　　苏向:(出列)我们要进宫探视皇上的病情。

韦氏：皇上不愿意让你们探视！

李峤：皇帝到底得了什么病？

韦氏：偶染风寒。

李峤：依照朝规，皇帝小恙，顾命大臣可以入宫参见，询问政务。

韦氏：他厌倦了政务，也厌倦了你们！

苏向：身为一国之君，关系天下大事，不应该随意行事。现在朝政混乱，政命荒唐！我们做大臣的，更应该当面进谏直言！

韦氏：两位大人，我记得已经命你们居家待旨，怎么还来朝堂上扰闹？

李峤：见不到皇上，我们不能遵旨，您下的旨意也不能生效！

韦氏：抗旨不遵怎么处置，你应该比我还清楚。

李峤：我清楚！但我也清楚你没有权力处置我们。你仅仅是皇后！

韦氏：（冷笑）是吗！宣旨：李峤抗旨不遵。按律取消功名，发配西北……

苏向：你越规行事，政命不能生效！

韦氏顿了一下，看着他。

韦氏：苏向搅闹朝堂，欺君抗上，一并发配！

裴耀卿：（大叫）众位，皇后肆意胡为，不轨之心已经昭彰，咱们不能坐视旁观呀！

苏向：咱们今天一定要面见皇上，弹劾皇后！

韦氏：裴耀卿诬诽皇后，藐视神权，立即枭首示众。

一些大臣纷纷跪下请求：皇后，裴大人罪不该死，请您三思！

韦氏：（看着为首的大臣）贬武卫大将军马宁渤为河州参军，立即领旨出京。

朝堂上又陷入一片寂静，李峤看着被吓倒的众臣，满眼焦急。

李峤：诸位，皇后任意胡为，滥杀无辜，陷害忠良，又封杀宫内消息，难道想要篡权吗？难道想要仿效当年的武后吗？李唐江山再次面临险恶风波，我们不能允许她这样做！请跟我现在就进宫参见皇上和镇国公主，一定要搞个水落石出!

韦氏：把他也拉出去砍了！

神策军上前把他们拉下去。

三位大臣：（一边挣扎）韦氏，你阴谋叛乱，不得善终——

所有人都目瞪口呆，不敢再动。

韦氏：散朝！

扬长而去。

3. 城外军营　白天　外景

大帐中，李隆基与崔缇在焦急地等待太平的消息。崔缇听着一个军士的情报，李隆基焦急地在大帐中走来走去。

军士：长安城四门盘查严密，关中各道府兵正从四面向长安云集。

崔缇：加派人手，注意他们的动向！长安城内有消息了吗？

军士：您派入城中的密探还没有一个回来的。

崔缇皱眉不语。

此时，一兵士入门。

兵士：崔将军，王爷，有人求见，说是有长安的消息……

一黑衣人挑帘而入，长长的黑色披风将他（她）从头到脚结实地围住。

黑衣人将围巾揭下，原来是春！

李隆基：春，出什么事了？！……

春的嘴唇嚅动着，仿佛用尽全身力气试图做什么……终于，她的喉中居然有了含混而微弱的声音……

春：（艰难地）太平，公……主被韦氏……软禁……皇上……被韦氏杀……死了……

李隆基暴怒地一脚踢翻了一把椅子……

李隆基：狼子野心！果真被公主猜对了！……

崔缇沉浸在巨大的惊奇中，只有他明白春也曾经是自己的养母……他望着春，一时无语。

崔缇：春……您……会讲话！

春安详地望着崔缇，一丝浅笑挂在嘴边……

春：一直会！……我只是无话可讲，在这宫里，嘴只会为你带来灾难……起初，我还曾对自己讲话，后来，连自己都听烦了……听厌了……于是，我就真的不会讲话了……

李隆基：可姑母讲您是被哑酒……

春：我把它都倒进了怀里……

崔缇：可您为什么今天才开始……

春：（激动）因为我已经失去了一个女儿，我不愿再失去第二个！……我愿意用性命换回太平的安全……

崔缇和李隆基先后跪下……

李隆基：春！谢谢你！我们保证救回公主，您放心吧！

春：全看你们的了！两位英雄！我等着你们的好消息……

春义无反顾地走出军帐。

4. 洛阳城门　夜晚　外景

城门打开，崔缇一小队人马押着李隆基出来。一轮明月穿过门洞照着他的背影，城门外是列队等待的韦家军，崔缇下马，跪拜，举剑过头。

5. 议事殿　白天　内景

帘后，韦氏与太平各坐一方。阶下列着一些韦氏的亲信将领，戒备森严。李隆基五花大绑跪着，侍卫将崔缇的剑没收……崔缇跪下。

崔缇：功曹参军事崔缇献逆贼李隆基归顺皇后。祝皇后万岁，万岁，万万岁！

韦氏看着，一言不发。太平目光疑虑地看着两个人。

韦氏：（转向崔缇）崔缇，我记得你和李隆基好像是结拜兄弟，我凭什么要相信你？

崔缇：凭案犯跪在您面前的事实！皇后，李隆基谋反篡权，另立朝廷，犯下了十恶不赦的大罪，即使是亲兄弟也会大义灭亲。

韦氏：这就是你的道理？

崔缇点头。

韦氏：（厉声）把他给我绑起来！一同处斩！

太平与崔缇同时大惊，李隆基额上冒出汗来。

崔缇：皇后，这是为什么？

韦氏：因为就在昨天，你们内心深处还一直在藐视我，整天咒骂我败坏朝纲，大奸大恶！今天怎么会突然抛弃了誓死捍卫的大义，反倒投靠我这个大恶的门下？……你们骗不过我！

几名神策军上前，围在崔缇身边。崔缇低头，焦急地想着对策。李隆基突然放声大笑。

李隆基：好，太好了！一路上我都诅咒你不得好死！没想到苍天有眼，这么快就实现了我的心愿。太好了，你这个卖友求荣的无耻小人，我一直被你的甜言蜜语、信誓旦旦蒙骗！你为了荣华富贵，什么样的卑鄙行径都做得出来，今天我终于认清了你，可惜太晚了！眼看大功告成，就要除去妖后，没想到李唐江山就毁在我的轻信上面，你真是……

崔缇迅疾地抽出身边卫士的剑，所有人大惊，怔怔地看着他的举动！

崔缇：（冲韦氏抱拳）皇后！这代表着我对您的一片忠心！

说罢一剑刺入李隆基肋下。韦氏惊得坐起身……

太平：隆基！……

太平大喝一声，冲下台阶，一把抱住李隆基。她俯视怀中面色苍白、昏迷不醒的李隆基，两行热泪流了下来。她怒视崔缇。

太平：崔缇……你太让我失望了！你，为什么？是什么使你变得如此疯狂！

崔缇扭过脸，眼中却充满悲痛，他尽量做得不动声色……

韦氏：……把李隆基拉下去，一定要救活，我还有用。

几名神策军把李隆基从太平手中接过，抬下朝堂。太平失魂落魄地走下去，身上沾满鲜血。

韦氏：封崔缇为骊驮将军，赏采邑五百。

崔缇上前两步，满面感激，准备谢旨，侍卫把他挡住。

6. 太平被囚的小屋 白天 内景

太平坐在窗前拂琴，琴声时而昂扬，时而悲伤。

韦氏走进来，默默听了一会儿。

韦氏：这是旦的《雁飞鸣》，你为什么把它弹得那么悲伤？

太平：因为我将失去所有的亲人。

韦氏：但你的琴声中浮动着昂扬的斗志。

太平：我的主意已经决定。

韦氏：（摇摇头）没那么简单，琴声告诉我你的内心还很混乱。

太平走到窗前，背身而立，不再理会她。

韦氏：为什么不问我李隆基的伤势？

太平猛地转过身来。

韦氏：我为你救了他，我也会为你再杀了他。现在他的生死就全在你的态度了……李隆基是你最后的亲人。

太平痛苦地皱皱眉头，双手紧紧绞在一起。

韦氏：我现在就可以写下手谕，保证永不伤害他的性命。

韦氏又看了一眼呈现出不信任态度的太平。

韦氏：但是我必须把他发配到最遥远的边疆，让他永远没有机会反对我。

太平：我不知道你说的是真是假，但是我必须先看到隆基，看到他确实脱离了危险，才能答复你。

7. 桎狱　白天　内景

李隆基躺在一堆干草上，面色因失血而显得苍白。

韦氏与太平走进来。沉重的开门声把李隆基惊醒。他坐起来，触动了伤口，急忙以手捂胸，疼痛让他急剧咳嗽起来。

李隆基：姑母，我们总算还能见上一面……

太平异常悲伤，隔着木栏伸手摸抚李隆基的手。他们的手紧紧握在一起。

李隆基：十年前我被贬出京的时候，曾经暗暗发誓为了报答您的恩情，不惜付出生命的代价。现在我的誓言总算兑现了，但我没能救出您，请您原谅我的无能。您一直想把我培养成一个出众的男子汉，我让您失望了……

太平：（泪流满面）你没让我失望，你是我们李家最勇敢、最正直的男子汉，我为你感到骄傲。

李隆基：姑母，请您回去吧，能最后再看您一眼，我已经很满足了……

太平：我对不起你，对不起你父亲的重托，是我无能，不能保护你……

李隆基：您不必为我难过！我这样死去，也算对得起列祖列宗，对得起我的血统、身份和您的抚养、教诲。

一直在一旁监视的韦氏开口。

韦氏：太平，你都看到了。隆基的生命就掌握在你的手上！这是最后一个机会了……

李隆基：姑母，请不要顾及我的性命！大唐的江山再也经不起任何磨难！您现在不能妥协，更不能被亲情软化斗志！否则，以前的牺牲就毫无意义了。

太平握着他的手泣不成声。

李隆基：您是我的好姑母，我从小爱慕您。您挚爱亲情、淡漠权力，是皇室中难得的不为权力而生的非凡女性。但是今天，隆基恳求您为家业国事舍弃一次亲情……您这是为我做这一切，希望您赐予一个皇子最高贵的荣誉……

隆基闭目，转身，不再说话。

太平看着他，良久，思绪万千，心潮翻涌，她最后一咬牙，站了起来，义无返顾地向外走！

韦氏看着她的背影，眼神中多了些绝望。

李隆基：（对韦氏）如果你还记得自己是李家的媳妇，如果你还有一丝对这个家庭的尊敬，就给我一个体面的死法，让三百僧人为我超度亡灵。

韦氏：我憎恨你们的家庭，它只能让人为权力疯狂！

8. 长安街市　白天　外景

李隆基的囚车行进着，后面跟着三百布衣僧侣，低低的咏经声在长安城的上空盘旋，很多老百姓都出来了，簇拥着囚车。

9. 皇宫城门内　白天　外景

韦氏正待上车，突然听见身后人声嘈杂。她回头，发现崔缇推开众人跪倒在自己脚下……

崔缇：皇后，我有一事相求！

韦氏：你有什么事情？

崔缇：请皇后务必赐予我信任！我崔缇大义灭亲，投靠您不是为了遭此冷落！请您不要再怀疑我。

韦氏：那我怎么信任你？

崔缇：让我亲手斩下李隆基的头颅！并且我还有一计献上……

韦氏：……讲！

崔缇：当着太平的面杀他。以他们姑侄间的深情，及太平的为人，她不可能忍心看着自己的侄子死在眼前。她一定会心智大乱，到那时候再逼她就范，一定会水到渠成。她如果宣了诏书，杀不杀李隆基，就全凭您的心情。

韦氏：她如果不宣呢？

崔缇：我就亲手杀死李隆基，亲手为您惩罚他的愚蠢，及对您的偏见！

韦氏看着他，目光叵测。

崔缇急切地关注着韦氏。

韦氏：你别害怕……我只是觉得你的神情有点像一个人。

转向一名神策军首领。

韦氏：听见了吗？就按他说的办，全权听他指挥。

韦氏：（上车，回身对崔缇）你像我的女儿……她为权力而疯狂。

10. 法场　白天　外景

一只凄厉的号角吹响。李隆基被铁链绑在一张巨大的刑床上，仰面朝天。崔缇赤裸上身，一身刽子手打扮，手持巨斧立在他的身边。三百和尚在刑台下远处默默诵经。刑场周围站满围观的百姓。在刑台对面，有一座更高点的台子，上面站着韦氏和太平。韦氏俯视着李隆基，太平跪下来，随着僧人的诵经声默默祈祷。号角声再次响起。

一名军官策马来到台下：皇后，时间到了。

韦氏：准备行刑！

军官离去。

韦氏：你不想最后和他说几句话吗？太平，现在后悔还来得及！

太平不理会，继续诵经。

韦氏：好……

韦氏站起身，举起手……

太平：（睁开眼睛）等等，让我最后看他一眼。

刑台上，太平跪下来看着隆基。韦氏站在他们身后……

太平：我夹在国事与感情中间，进退两难。我心如刀绞，是你为我做出了抉择。

李隆基：我感谢姑母理解我，成全我大唐皇子的光荣。

太平：（站起来）我已做好准备，为你的亡灵超度……可是就在刚才的那一刻，我意识到我不可以，我不能允许惟一的亲人就这样为一个虚幻的名义死去。我对不起你父亲，对不起自己的良心。这是在犯罪！（转向韦氏）去拿笔来，我现在就写诏书。

李隆基：（盛怒）不！太平公主，什么是你的良心？难道仅仅为了救一个无能鲁莽的子侄而辜负天下的重托就是你的良心？难道为了满足自己最普通的亲情而舍弃神圣的使命就是你的良心？难道为了满足自己一时的善良心境而有愧整个家族就是你的良心？你的良心太浅薄、太世俗，它救不了我高贵的生命。你让我失望，太平公主！

太平公主愣在那里，沉默不语。

李隆基：为了已经死去的人，为了无数活着的人，太平公主，你必须离开这里。

太平失魂落魄地走下刑台。

韦氏向军官点点头。

军官：时辰已到！

崔缇再次举起斧子，诵经声四起，围观者沸腾，一名士卒为隆基蒙上眼睛。

太平边走边流泪，终于控制不住。

太平：（大叫）刀下留人！

第三十八集

太平再次冲上刑台，神情果决。

太平：我不再是公主了，我只是你的姑母，我只对你一个人负责！

李隆基：不！您是公主，你的命运不允许你放弃自己的身份……我不允许你……

太平：从我生下来，所有的人都用这句话束缚我。我也一直被他们绑在这个虚幻的祭台上承受煎熬。现在，因为你，这个诅咒我一生的咒语被破除了。

李隆基：你不能因为我这样做，我首先是皇子，其次才是你的侄子，您不能用亲情的名义诱惑我同您一道堕落！

太平：（恳求）你不会堕落，你有远大的前途……要记住我一直对你的忠告……别再鲁莽，要爱惜自己的生命。

李隆基：姑母，谢谢你，我不能接受你的忠告。你如果妥协，那只能保住自己的生命，而我将视你以社稷换来的生机为耻辱！我会用自己的鲜血洗刷这个耻辱！你救不了我，只能害我，而且使我失去一个皇子之死应得的体面和光荣……我会在九泉之下永远恨你！

太平看着他，不知道该说什么好，韦氏向崔湜使了一个眼色。

崔湜再次举起斧子，太平跑上去扑在李隆基身上。

太平：我不能让你死在我的面前，要死我们也一起死。显死了，且不知所终，你是我惟一的亲人，你再死了，我的一生就将在彻底的黑暗中告终，求求你，让我宣了诏书吧！

李隆基：（小声耳语）刀落下来的时候，您最好别动。（又大声）请你尊重我的名誉！

太平抬眼看了一下崔湜。正视着他的眼睛。她似乎突然意识到了什么，转而沉默着站到一边。

太平：……皇后，请下手吧！

崔湜手起斧落，一阵火星迸溅。太平的神经再也经不住任何重负，晕了过去。李隆基奇迹般地站了起来，身上的锁链被砸开！突然在所有的房上都站满持弓的士兵，和尚也拿出武器，万箭直指韦氏的军队。韦氏呆立在那里，崔缇上前一步用刀逼住韦氏。

崔缇：叫你的队伍放下武器！

韦氏：你们都放下武器。

下面准备冲杀的韦家军停住。

韦氏：我命令你们！

众人纷纷缴械。李隆基上前抱住太平，轻唤，太平醒来。

韦氏：显不是我杀的，而是她的女儿！太平，在宫里我一直想告诉你我的想法，你不听，现在，你愿意给我这个机会吗？

太平：(点点头) 放开她。

韦氏：显是被他自己女儿杀死的！我从来不想做武则天，我只想在宫里获得和我的能力相匹配的、一个皇后应有的荣华富贵。我只想保住自己的生命和地位，因为我为此付出的太多。但是权力不允许我这样，它化名为命运慢慢吞噬我。几十年来，噩梦一直纠缠着我的每一个夜晚。我告诉你，来世，我只想做一个普通农妇，和你的哥哥共享生活和爱情。

韦氏抓住刀柄，将头迎上去。

第三十九集

1. 临淄王府卧室　白天　内景

李隆基虚弱的脸上被抹上了一层温暖的金色，经过一番动荡之后，他睡得很甜。

旁白：我无法想象这就是那个在周岁时就紧紧抓住我的衣角不放的婴儿，只有当他熟睡时，我才能依稀辨得写在他脸上的稚气。他对于我与生俱来的亲密曾经是皇亲国戚们饶有兴味的谈资。他父亲说，贯穿他整个少年时期的宏伟志向，就是像一把锋利的宝剑，终日悬挂在太平姑妈的床头，随时准备以最迅疾的速度斩获一切来犯的危险。据他讲，那其中包括毒蛇、刺客以及姑妈的噩梦……成年之后，他终于实现了自己的誓言……

太平疼爱地望着李隆基熟睡的面容……

李隆基睁开眼睛。太平的形象在他眼中清晰起来。他试图坐起身行礼，但虚弱促使他爆发出一阵咳嗽，太平示意他别动，帮他半倚在榻上。

太平：（微笑）别说话，隆基……

太平从一旁侍立的御医手中拿过药，仔细地一勺勺喂他……

太平：隆基，你救了我一命！

李隆基：……您先救了我，否则我现在还可能在沙漠中，充当突厥王的猎物，想救您都没机会……

太平会心地笑了。

李隆基盯着太平的脸，似乎不愿漏过那上面的每一处细节。

太平：你小时候我就这样喂你，那时你就喜欢这个样子看我！……转眼你现在都出落成了个大男人，可看人的样子依然没变……

李隆基：……姑妈别动……

他抬起手，拔下太平的一丝白发……

太平：别拔了，一根根拔能把你累死！我老了……

李隆基：您永远不会衰老，完美是没有年龄的。

太平：（打趣儿）你什么时候变得这么会讨女人喜欢？

李隆基：请您不要把自己当作一个平平常常的女人。如果是这样，不值得我用生命去捍卫她的安全……姑妈，（李隆基握住太平的手）您是我从小到大关于女性及其优美的全部想象。对我来讲，您是大明宫里最明亮和谐的景色。我曾经发誓像捍卫一尊神那样呵护您的安全，我总想着有一天能同……

太平打断他的话，某种预感使得她不愿意让他继续说下去。

太平：隆基！你长大了！我真的很为你高兴！也为自己高兴，因为我最终没有辜负你父亲的重托……你知道我在想什么？为你选一门能令你终身受益的亲事，这是此刻我……

李隆基：不！……

李隆基显得很激动，他咳嗽着……

李隆基：……不，我不要娶亲，没有一个女人能胜过您！

太平：瞎说！你总不能和我这个姑妈过一辈子吧？

李隆基：(严肃地)为什么不能呢？

太平心中掠过一丝深刻的恐惧，她盯着李隆基的眼睛……

太平：(掩饰)看咱们，无缘无故地这么激动，睡一会儿吧！我也该……

李隆基：别走！……姑妈，再陪我待会儿……

2. 桎狱庭院　白天　外景

侍卫表情庄重地望着院中反绑着的一群人，旁边站着一排弯弓搭箭的弓箭手……

院中一片哭喊声，惟有安乐依然嬉笑不止……

侍卫长举起手，果断地下令。于是箭如雨般射向人群。囚徒纷纷倒下。

最终只剩下欢快的安乐公主，她望着四周的尸体……

安乐：(拍手)太有意思了，太好玩儿了！他们装得真像，起来吧，我赏你们丝绸五万尺……

顷刻间安乐连中数箭。她终于止住了笑，望着自己身上的箭，不可思议地抬起头，全身突然软绵绵地弯下，缓缓落向地面，像一朵开败了的荷花……

院中寂静无声……

侍卫长对照着一个个拖走的尸体，在一册名单上画叉……

经过安乐，他草率地掀开尸布，在李果儿的名上划了个大叉。在一片红叉中，只李重茂的名字赫然凸现……侍卫长皱了皱眉。

侍卫长：李重茂呢？李重茂在哪儿？

3. 临淄王府卧室　白天　内景

病床前，太平依然在同李隆基促膝长谈。

李隆基：那一剑我跟崔将军练了上千回。他在我肋下划个点儿，然后天天用木剑戳，要不，我命早没了……

侍卫长：（跑入）启禀临淄王爷！

李隆基：说！

侍卫长：所有叛党全部处死！但还……差一个！

李隆基：谁？

侍卫长：太、太子！太子丢了，现正加紧查找！

太平闻声警觉起来。

太平：……等等！谁被处死了？

侍卫长：韦家的叛党……

太平：这是谁的命令？！

李隆基：是我的，姑妈！

太平回过头来，不解地看李隆基。

太平：你的命令？为什么？谁给你的权力？

李隆基：大唐律，大唐律给我的权力！上面明文写着，谋反当斩，株连九族！

太平：（难以置信）可，可里面有我们李家的亲人，怎么能如此无情？

李隆基：（平静）毒死我皇叔的也是李家的人。他们最先无情，姓李不能成为逃脱罪责的借口。

太平：你！为什么不先同我商量？

李隆基：先同您商量，至少有一半罪臣都死不了啦！

太平皱了皱眉头，意识到李隆基真正的成熟及与之相伴的令她恐惧的内涵。

4. 大明宫勤政殿　　白天　　内景

李隆基站在太平不远处。他的身体仍然很虚弱。

庞大的殿内空无一人。于是说话就有了回音,声音听上去缥缈空灵。
太平轻轻抚摸着龙椅庞大的靠背……

李隆基:姑母,我……我们来这儿干吗?

太平:来看看这把龙椅!你看,没人坐的时候,它看上去多么精美,精工细做,不亚于一件珍品!可有人坐的时候……

李隆基:它就突然变做了繁殖欲望及残酷的温床!

太平:你说得很对!隆基……我经历了整个高宗时代、大周王朝,亲眼目睹了多少人为这把龙椅死无葬身之地。那其中包括我的三个哥哥,包括众多姓氏的野心家……之后,眼睁睁地看着我的亲生父母坐在这上面黯淡地枯萎。我可以想象就在此刻,有多少人正在黑夜和白日的梦里体验坐在它上面的感受……而我才仅仅活了五十年!现在,新一轮的厄运又将降临到你这一辈人头上,周而复始……

李隆基:这是……不可避免的,这是权力的法则……我们只有一把龙椅。不幸的是每个人都有梦想的权利,于是,就总有人注定为做梦付出代价……

太平:……我厌倦了杀戮;厌倦了亲情的泯灭;厌倦了挚友的反目……我看够了!隆基,知道是什么支撑我活到今天?不是权欲,是理想!我盼望着能有一天我有足够强大的声音喝退那一切悲剧的怂恿者。这宫里更需要宽容,需要和平和感情!

李隆基沉思着。他转而坐在龙阶上,望着大殿明亮的入口……

李隆基:在我很小的时候,我曾经问过父亲一个问题,为什么奶奶总在帘后坐着,甚至比祖父还高一个台阶儿,祖父不是皇帝吗?父亲说,因为你祖父从未把坐得最高看作自己的理想。祖父是一个别具一格的皇帝,他更期待和平与感情。他懂得宽容……后来奶奶就从后面走了出来,再后来就有了你我所经历的血雨腥风……

太平:但他却走得满足而平静……

李隆基:但在他身后是一个更加纷乱的朝廷!他是一位高尚的父亲

和丈夫，却是一位失职的君主！他不懂得一个君主的职责不仅仅是提供一个美好的愿望以及满足自己心境的平和。他存在的目的是为天下人得到幸福。在这一点上奶奶做得更成功，尽管她换得了冷酷的名声！……姑母，皇室在某种意义上讲更需要冷酷。因为他们离这把椅子太近，从而更容易产生坐在上面的幻想……

太平：你错了！父亲的悲剧在于他生性沉默，他没有传播自己的理想，尽管他有这个能力！

大殿上突然传来一个孩子隐约的哭声。太平和李隆基惊异地四处张望……声音是从龙椅后帷幔中传出来的。

李重茂怯怯地爬出来。他仓皇地看着太平和李隆基。

李重茂：我，我要回家，我饿了……

太平吃惊地看着李重茂一脸恐惧及委屈。

李重茂：姑妈，你们别杀我，我，我要回家……

说着他爬起，拼命向门口跑去……

太平：重茂，重茂……

李重茂：（边跑边喊）放了我吧，我要回家……

远远的，太平看着几个卫士拦腰抱住李重茂。孩子在卫士怀里踢打着……

太平：放开他！

卫士愣愣地望着李隆基，不知如何是好……

太平转过身，看着李隆基。

太平：放开他！

李隆基：为什么？

太平：因为他是你的兄弟！

李隆基：可他是叛臣，是妖后韦氏的儿子！

太平：他甚至不知道什么是谋杀！

李隆基：可法律并不原谅无知！

太平：那就修改法律！人不能同法律一样冰冷！

太平说完，掉头向阶下走去……

李隆基：（情急大吼）姑母！……他有一天会将复仇的剑架在您的脖子上，到那时你会后悔的！

太平向外走，边走边说。

太平：他有一天会懂得复仇，但同时也会明白正义……

李隆基：您，您不能放他！

太平站住，她缓慢地转过身……

太平：隆基，你没有权力命令他，他现在还是太子……

李隆基：什么，难道我用生命成全的是一个乳臭未干的儿皇帝？难道您还没看够历史上多次上演的闹剧？那么多有抱负有理想的成人在讨论朝务的同时，不得不留意皇上是否尿了裤子，这太可笑了！

太平从怀里放下李重茂，握住他的手。她并没有回头看李隆基……

太平：但这是规矩！这也是大唐的律令。如果你那么看重它的话！

李隆基：这才是最无聊透顶的规矩。这孩子没有最起码的智力，怎么能……

太平：但他有你，有我，有那么多理应爱护他和帮助他的人！……隆基，他不是罪臣！

李隆基：……公主！你会后悔的……

他爆发出一阵令人心惊的咳嗽……

5. 太平府堂屋　白天　内景

李重茂正狼吞虎咽地吃着食物，毫不理会在一旁默默注视着他的太平……

崔缇进来。后面跟着个仆人，抱着一把古琴……

崔缇：公主，您要的琴我……（突然发现李重茂）他怎么在这儿，他不是……

李重茂恐惧地丢下碗筷，扑在太平怀里……

太平：他怎么不能在这儿？今天多亏了我在，否则这孩子就……

崔缇：为什么？

太平：你们怎么都问这个问题？这不很简单吗？他与所发生的罪恶并没有关联！

崔缇：可……公主不会糊涂到让这么个孩子登基吧？

李重茂：姑母，什么是登基？

太平定定地望着他，一时不知如何回答……

太平：……他还是个孩子！

崔缇：（急切地）就是！他只是个孩子！琴放在哪儿？

崔缇脸上的急切与敏感令太平疑惑，她望着崔缇，并未作答。

崔缇：……公主，琴放在哪儿？

太平小心翼翼地打开琴，随意拨弄着琴弦……

崔缇在一旁心神不定地观望。身后李重茂依然远远地坐在餐桌旁……

太平坐下，她抚摸着每一根琴弦，似乎在试图回到某种境界……音乐响起……

崔缇：（低声）公主什么时候登基？

太平似乎没有听见，继续专注地抚琴。

崔缇：（激动）母亲！

太平停了琴，有些惊异地抬起头，她无法理解崔缇此时的激动。

太平：……不是说好，不要叫我……

崔缇：（坚决地）您什么时候登基？

太平：……登基？你觉得我应该登基吗？

崔缇：应该！不仅我这样想，这几乎是朝内所有人的希望！您两次将李姓王朝挽救于水火；您的勇气和智慧令敌人闻风丧胆；您君临天下的威望事实上早已具有了一个君主的实质。您必须登基，这是众望所归，

第三十九集　　　643

我一直在盼望着这一天的到来！公主，请不要再犹豫！

太平：那你觉得隆基怎么样？他毕竟……

崔缇：不可能！这不可能！

太平：什么不可能？！我仅仅是问问他是一个怎么样的人？

崔缇被太平的态度搞得有些不知所以。

崔缇：他，他是个……英雄！否则我们不会成为莫逆之交！您，什么意思？

太平：是啊！他是个英雄，了不起的英雄！可他却使我想起了二哥贤。他虽不乏敢作敢当的丈夫气概，但做事情却欠沉稳，太露锋芒，而这恰恰是在这大明宫生存的大忌……不说这些了，我心里其实早就下了决断……

7.太平府议事厅　白天　内景

一些重臣聚集在大厅里，太平坐在屋中，凝神思考着。

朝臣甲：公主，大唐的明君英主就在您的身边，天天侍奉在您的左右。临淄王李隆基天生聪慧，英武非凡，为大唐的生死存亡建下了盖世功勋。更难能可贵的是，殿下仁义纯良，挚爱亲情，是英君明主难寻的可造之才……

朝臣乙：（打断他的话）刘大人您错了，要说聪慧、英武、功勋卓著，而又仁义纯良的，天下没有人能比太平公主。更难得的是公主深孚众望，多年处理政务，精通国事，比当年的武皇尤过之而无不及。公主，您是天下君主的首选，怎么反倒把自己忘了。

朝臣丙：张大人难道是在邀宠献媚吗？我想公主深明大义，公正无私，定不会轻易被甜言蜜语所左右。天下刚刚从女皇治下脱身，又逢韦后乱政，正是人心不安时，公主绝对不会在此时逾越法度，惹动百姓及朝廷惶恐。

朝臣丁：王大人的言语怎么如此迂腐可笑。女人不能当政的陈规陋习早已被武皇的辉煌政绩不攻自破。现在太平公主是皇室元老，武皇第二代皇子惟一的幸存者，如果她不能顺理成章地登基主政，那才是最大的破坏法度。

朝臣甲：说到法度，临淄王为先帝睿宗皇帝的亲子，子承父业，才是最合法度。

朝臣乙：睿宗已经自愿禅位，而后又自贬为平民，按律他的子孙也就与平民无异。太平公主法外施恩，赐予其亲王称号，怎么有可能更进一步君临天下呢？

太平：不要吵了！（起身环顾众人）你们口口声声讲到法度，怎么会忘了最根本的法度。（转向一名侍女）去把太子请出来。

侍女引着李重茂出来。李重茂怯生生地环视了一下众人，急忙藏到太平身后。

太平：你们刚才说的都有道理，所以我和李隆基都不可能登基。否则只能引起朝廷的纷争，进而造成天下混乱。我们的资格都不完备，而李重茂是显的儿子，且已被册封为太子，只有他具有最正统的名分。

崔缇感到失望。他的神情似乎表明心思已不在这里，他拿起一杯茶，下意识地端到嘴边，茶杯盖脱落，摔碎，众臣都回头看他。

太平：（盯着李隆基）才能不是决定帝王的标准，道德更具有莫大的欺骗性，这只会激发个人野心，是天下大乱的原因。在这个危机四伏的时刻，依照律制是惟一可行的途径。

魏元忠：公主说得对，我们只能照章行事，别无选择。

朝臣乙：可是公主，李重茂为韦氏所生，日后难免不……

太平：只要我们以仁爱之心对待他，教育他，我想他不会恩将仇报……行了，别再说了，我的主意已定，你们都下去吧。

太平望着走在最后一个的李隆基。

太平：……隆基！

李隆基站在门口没有转身，显然俩人之间已有了隔阂。

太平：你觉得我的决定怎么样？

李隆基：您已经做了决定，我的态度已不重要。（他转过身）我只是想不通，我出生入死奋斗来的却是这样一个令人哭笑不得的结果！

太平：如果你出生入死是为了江山重新姓李，那这不已经达到了你的目的？国不可一日无主，我们现在需要的是安定，是秩序，而重茂登基是按祖宗的规矩，是天经地义的纲常！隆基，你目前的状况很让我担心，又让我联想起贤当年……

李隆基：如果没什么事，我先走了。

太平：你站住！……隆基，我已经经历过无数次失望的打击！我再一次感到由衷的恐惧！你如果认为李重茂不合适，谁合适？是你吗？

李隆基：姑母，您错了！如果您真的想了解我的想法，那么现在我开诚布公地告诉您，我所做的一切是为了辅助我的父亲，凭他的睿智及才学，他早就应该成为大唐的君主。然而不幸的是他的超然被自己的母亲匆忙地判作弱点！这也许可以解释我对来自珠帘后的声音由衷的反感！而不幸的是，大唐的朝廷上又将回荡起这种声音，令我心痛的是您将成为那声音的来源！我此刻有着同您相同的恐惧！我没想到我用全部身心崇拜的完美女性原来同她的母亲一样有着垂帘的爱好！

太平：……隆基！你将来有一天会了解我的用心！我只是没想到你对祖母的理解原来如此狭隘……

李隆基：我可以走了吗？

太平：走吧！……隆基，你以后还会来看我吗？

李隆基：……会的，姑母！我当然会来！您知道您在我心中的位置。并且，如果有一天天下大乱，我还会为您出生入死，用生命保卫您！……姑母，其实我下午来过这儿！

太平：是吗？那你为什么不进来？

李隆基：因为我听见您在和崔将军唱歌，而且曲目很熟悉。我记得您曾说过只同爱人吟唱《长相守》……告辞了！

太平望着他的背影，百感交集！

8. 歌舞妓院包房　夜晚　内景

一歌舞妓为李隆基抚琴。《长相守》的旋律在房间内委婉地回荡……
李隆基面前的案上摆着一壶酒，很明显，他已经微醉，目光迷离……
此时隔壁隐隐传来熟悉的旋律……
李隆基侧耳倾听……原来也是《长相守》！

李隆基：谁在唱《长相守》？
跑堂儿：噢！是一位将军，一来就点这支曲子！
李隆基扔过一串铜钱儿。
李隆基：拿着！你过去告诉这位将军，这歌儿今晚上我包了……

9. 歌舞妓院另一包房　夜晚　内景

隔壁，崔缇也在听《长相守》，状态与李隆基出奇地相似。而他却是为了自己童年的记忆……

10. 歌舞妓院包房　夜晚　内景

李隆基怔怔地望着抚琴的妓女。然而隔壁《长相守》的声音反而更大了起来。
妓女一时乱了节奏……
李隆基暴怒地站起身。

11. 歌舞妓院另一包房　夜晚　内景

李隆基一脚踢开崔缇的门。歌舞妓惊慌地缩在一边……李隆基一眼认出了崔缇。

李隆基：你好大的胆子……崔将军！

崔缇：原来是你！怎么……

李隆基：我倒要问你什么意思？你凭什么唱它，你没资格！

崔缇：（激动）我恰恰最有资格！我想听它、唱它整整二十年了！

李隆基一脸盛怒地逼近崔缇……

李隆基：你说什么？你再说一遍……

崔缇：我恰恰最有资格！我……

李隆基一拳打在崔缇的脸上，俩人打了起来……

一片狼藉中，俩人气喘吁吁，崔缇首先独自笑起来……

李隆基：你笑什么？

崔缇：咱俩多少年没打架了！我知道你为什么打我！

李隆基：为什么？

崔缇：因为李重茂！因为你出生入死换来的却是个儿皇帝！……隆基，你想登基？

李隆基：（苦笑）别提这个了……不论谁登基总比公主登基好！

崔缇：（皱了皱眉）为什么？

李隆基：因为她是我姑母！她是我心目中最完美的人，她不应该成为武则天！

崔缇：她也是我心目中最完美的人，她应该登基，那才是真正的完美！

崔缇站起身。

两人关系又开始紧张起来，李隆基盯着崔缇……

李隆基：这就是你为什么唱《长相守》？因为她是你心目中完美的……

崔缇：对！她在我心中不仅完美，她还是我的全部挚爱、全部想念！你无法理解这种感情！永远不会理解！它在我心中埋藏了整整二十年！

崔缇扬长而去。李隆基望着他的背影，茶杯被他生生捏碎，血流了下来。

李隆基：(痛苦地)我，怎么不理解！

11. 薛绍陵前　夜晚　外景

大雨滂沱……崔缇跪在薛绍的陵前，任泪水和雨水洗刷着面孔。一把剑插在他身边的地上……

崔缇：父亲！我发誓偿还你欠下太平的情债，你欠她的太多了！她因为你丧失了一辈子的幸福！……

12. 大明宫勤政殿　白天　内景

李重茂坐在龙椅上，神情木讷。庄严的登基大典似乎已经把他吓坏了。群臣跪倒，山呼万岁。

礼毕，司仪高呼：请圣上宣读登基大诏。李重茂坐在龙椅上愣了，一时不知道该说什么，身体不安地扭动起来，回身观望太平。

太平：(在他身后轻声地)皇上，就按咱们练好的，我说一句，你说一句。

李重茂点点头。

太平：昔者哲王受图。

李重茂：昔……者，哲王受……图。

太平：上圣垂范。

李重茂：上圣垂范。

……

太平：则王季兴周。

李重茂：(头开始下垂，声音低弱)故……以……贤……

太平：则王季兴周。

李重茂不再出声，神情呆滞。

太平：则王季兴周。

李重茂的身体逐渐倾斜，最后"咕咚"一声倒在地上。

大臣们半天没听到声音，一抬头，看见皇上倒下。

众臣：（纷乱）皇上……皇上……

太平掀开帘子冲到李重茂面前，看见他七窍已经出血，把手伸到他的鼻子上，没有呼吸。太平抽回手，默默审视了他片刻，回身。

太平：（表情沉重）皇上已经晏驾了。

大堂上一片静默。众人被这意外事件吓呆了，毫无反应。李隆基的眉头皱起来，慢慢地看着太平，等她拿主意。

太平把目光投到李隆基身上。李隆基并不回避她的目光，似乎在尽量表白……

太平：把临淄王李隆基拿下……

几名神策军上前围住他。

太平：在没有查明圣上死因之前，临淄王李隆基不得出府。

李隆基：为什么？难道公主以为是我谋杀了太子？这真是天大的笑话！

第四十集

1. 临淄王府庭院　白天　外景

庭院内站满卫士，他们麻木地看着李隆基疯狂地奔走，他试图说服在场的每一个人。

李隆基：你们放我出去！我是冤枉的！我没有害死太子……你们为什么不讲话？……好，好，那我自己去……

他大踏步地走向门口，迎接他的是两柄交叉的剑……

李隆基：你们放我出去！……（大吼）姑母，我是冤枉的！你为什么就不信我？！

2. 临淄王府堂屋　白天　内景

李隆基疯狂地将屋里的东西全部打碎，嘴里念念有词……

李隆基：为什么？为什么你们都不信任我？……我李隆基一生光明正大！……我不是实施谋杀的小人！……我，我不服！……谁在害我？！谁？

他似乎是累了，颓唐地倒在椅子上，眼泪流了下来……

李隆基：姑母！您，错怪我了！……

此时一直在一旁侍立的老仆战战兢兢地往前挪了半步……

老仆：王爷！有句话我不知当讲不当讲？……

李隆基：(有气无力地)……讲……

老仆：我觉得这事蹊跷！明摆着这是有人在算计您……可您想想，朝里真正跟您有利害冲突的有谁？

李隆基：(抬头)你，你什么意思？

老仆：……大唐社稷目前谁将成为新的主子？能享此殊荣的无非是您、公主以及太子。如今太子死了，您又被合理地软禁，受益的是谁？这其实并不是什么高明的伎俩，我在宫里呆了近四十年，早已见怪不怪了……

李隆基：你是说……姑母在害我？……

老仆：我没说！

李隆基：不可能，这不可能！……

李隆基的眼里渐渐有了恐惧，惊出一身冷汗。

李隆基：姑母不会的！她是完美的，她的人格是最高贵的……天哪，这都是怎么回事？……

李隆基神情庄重地站起身……

李隆基：现在要是父亲在就好了，可又不知道他在哪儿？

老仆：总要有人去找！

李隆基：你能帮我办这件事吗？

老仆：能！我有办法出去！

3. 旦隐居处　白天　外景

这是一座别致而幽深的小院儿，庭院即花园儿，郁郁葱葱，放眼望去，可以看见大明宫的一角儿掩映在长安的楼宇中……

　　一个老人正在花园中专注劳作，布衣麻履，悠然自得；他周围散落着三五成群的鸽子……

　　太平出现在他身后，她出神地凝视着老人的背影……

　　太平：旦哥哥！

　　老人没有回头。

　　旦：我知道你该来了！……你看，我这花园儿整得怎么样？

　　太平：比上一次更见情趣，旦哥哥，我来是想……

　　旦：等等！让我猜猜……（旦缓慢地站起身，转过头望着太平）你想请我回去？！

　　太平：是的！太子刚继位，竟然被李隆基……

　　旦：我都知道了！你看……（他指着大明宫的一角儿）你我其实近在咫尺，我甚至能听见夜晚的更声，并且始终能闻见那里面的腥味儿……隆基的事我知道了……

　　太平：（哭）旦哥哥，我愧对了你对我的嘱托，没想到这孩子竟然……

　　旦：你已经尽了力，其实这并不奇怪，他是宫里的孩子……

　　太平：旦哥哥，我需要你……

　　旦：太平，你知道终日守望着生我养我的地方，压制住回家的欲望，对于我是多么的艰难。我花了整整二十年的时间培养这份闲淡的心情！其实我从未停止同我所挚爱的人交谈！看，这鸽子是我的信使，还有那蔷薇，那是我对于我们母亲的纪念……

　　太平：不，这不是你的归宿，你在内心深处并未甘心，否则你不会选择在这里隐居。实际上你渴望听到家人的消息，因为你的责任感还没有彻底泯灭！

　　旦：我选择在此定居是因为意识到所谓云游也意味着某种意义上的野心。对于山河的征服，也是一种形式上的占有，它需要与争夺皇位同样的激情和勇气，而这两种品质恰恰是我试图压制的。它只会催化欲望，从而为你带来灾难。

　　太平：但它同时也会给你带来真正光荣的业绩。且哥哥，你试图压制这两种品格，恰恰因为它们是你的天赋。我早就认识到你的超脱来源于彻底的清醒，而这正是大唐领袖目前最需要的禀赋……况且，你是李家惟一合适的继承人，大唐的百姓及李氏祖先正企盼着你担起造福天下、光宗耀祖的责任！

　　旦：你也是嫡亲，为什么你不……

　　太平：因为我不具备那份清醒，因为我总试图运用感情治理国家……

　　旦：……是啊！清醒，这正是我由衷钦佩母亲的地方，你不如母亲，尽管你们有着同样令人骄傲的聪慧头脑……

　　太平：所以旦哥哥，跟我回去吧！

　　旦扬手放走一只鸽子。

　　旦：……我最终没有像它那样远走高飞，知道为什么吗？……因为逃避并不能给我带来一份真正平和的心境！……太平，我知道那不是一个善良的去处，而且无法预知等待我的将会是什么，所以，我由衷地钦佩你。太平，你具有一颗真正坚强的心灵！……你先回去吧，明天早朝时我会托人给你带去消息！不过，不论结果是什么，不要怪我！

4. 大明宫勤政殿　　白天　　内景

　　大殿内一片寂静。太平身着朝服庄重地坐在帘后。她望着阶下沉默的百官，知道这是一个决定自己命运的关键时刻……

　　旁白：我无法捉摸旦哥哥的心迹，但意识到其实今天必须有一个结论，这关系着我们这个庞大国家的走向。我感到恐惧，也许命运真的规定我将像母亲那样独自一人，高高在上地走向枯萎……

此时，一只鸽子飞进大殿，朝堂上响起了嗡嗡的议论声……所有人看着鸽子落在龙案上……

太监急忙将它交给太平……

太平长舒了一口气，平定一下忐忑的心情，缓慢地将信打开……一丝欣喜的笑容随即绽放在太平脸上……

太平：（激动地）拟旨，即刻迎李旦入朝，入主龙位！封万骑大将军崔缇为迎立大使！

崔缇的表情含义复杂。

崔缇：（勉强地）臣……遵旨！

5. 旦隐居处　白天　外景

旦望着眼前化作满目灰烬的园子，略带伤感……

一处残火正在奄奄一息地燃烧……

仆人：老爷！宫里的人来了！

旦：知道了！我走后把这房子扒掉，不要留一丝痕迹，它从来没有真实地存在过，只不过是我的一个梦想……

6. 旦隐居处堂屋　白天　内景

落地铜镜前，旦正在几个人的服侍下着龙服，由里向外，步骤烦琐，两个内侍似乎总也系不上旦的腰带。他们慌张的举止令旦感到疑惑，他从镜中看着自己身后的情景……

崔缇含义复杂地注视着他，两人在镜中对视……

旦：崔将军很像一个人！

崔缇：是吗？很多人这么讲！

旦：你是长安人吗？

崔缇：禀告圣上，我是幽州人！

旦：真的？那很奇怪，你让我想起一个人，一个很了不起的男人！

崔缇明白他指的是谁，眼角轻微地跳动……

崔缇：圣上，您是大明宫中的一个奇迹！二十年大隐于市，这的确令人折服！您想到过有今天吗？

旦：所有的事情，如果你决定去想，都能想到，而我从二十年前就已经决定不再费神想象明天……

崔缇：所以，您觉得这很突然？

旦：我觉得你提出这个问题很突然！我不记得有任何人敢如此盯着天子的眼睛说话！

崔缇：（跪下）圣上，您不应该回宫！您这最后一举将您的整个前半生变做了一个不切实际的梦想！

众人皆跪。旦意识到发生了什么……

崔缇：圣上，您恐怕，回不去了！

旦自嘲地笑了，他转过身望着脚下跪拜的众人……

旦：我不明白这一切为了什么？我一生清醒，终于有人让我在死前糊涂了一次。这于我甚至是一件幸事！……但我告诉你们，如果有来世，相王李旦将选择为权力而生！

7. 临淄王府庭院　白天　外景

兵士们默默地撤走。李隆基欣喜而漫无目的地向众人诉说。

李隆基：我说过我是冤枉的！……

此时，老仆人神色黯淡地从门外走进。

老仆人：王爷！

李隆基：我都知道了！父亲就要回宫了！

老仆人跪下，泪如雨下……

老仆人：王爷，相王……

李隆基：怎么了？你，你说话啊！

老仆人：相王殿下已经不在了！

李隆基：什么？……不可能！父亲已被公主指定登基，怎么……

老仆人：这是真的！我刚从相王那儿回来，他老人家已经喝下了毒酒……

李隆基：不！这不是真的！是谁？谁下的手？

老仆人：不知道！但公主派的使者刚刚去过……

李隆基痛苦地瘫坐在地上。

李隆基：……这不可能！姑母不可能……她是我最崇拜的人，她不会的……

8. 太平府门口　白天　外景

崔缇面目铁青地吩咐两边的侍从。

崔缇：（沉重地）你们在这里等着，没有我的命令，谁也不许进来！

崔缇走在通往堂屋的甬道上。

9. 太平府堂屋　白天　内景

屋内有琴声传出。乐声高扬，犹如此刻太平的心情……崔缇走进屋，出神地望着太平抚琴的背影。

崔缇：（鼓足勇气）公主！我回来了！

太平停住琴，略微平静了一下激动的心情。她大概以为能看到旦。太平转过头……

太平：……旦哥哥呢？

崔缇直视着太平的眼睛，目光中充斥着明显的偏执。

崔缇：相王殿下回不来了！

太平：为什么？……他改主意了？旦哥哥怎么说？

崔缇：殿下走时很平静！

太平：走？……去哪儿？

崔缇：天国！我已经替公主赐死了旦！……

太平一听，脑子"嗡"地如同炸开，简直不敢相信崔缇的话，定定地看着崔缇。

太平：你这是为什么？为什么？！

太平终于控制不住，激情爆发，失声痛哭。

她从墙上取下鞭子。

太平：你给我跪下！

崔缇跪下，任凭太平抽打自己。

太平机械地鞭打着，把所有的痛恨、绝望都发泄在鞭打上。崔缇后背皮开肉绽。

太平：（悲愤地）……你为什么……（爆发）为什么！……为什么！……

鞭子雨点一般落在崔缇的身上，他倔强地始终昂着头……

太平持续抽打着崔缇，直到精疲力竭，瘫坐在椅子上，失声痛哭……

太平：你太让我伤心了，我简直都不认识你了！

崔缇依然跪在地上没有动，但眼睛涌出了泪水。他眼巴巴地盯着太平。

崔缇：（哭）知道我为什么这样做吗？为了报答！我曾经在我父亲陵前千百次发誓，我要帮助您再获得世间最大的幸福！以补偿他欠下您的情债……他欠您的太多了，他令您丧失了一生的幸福！这么多年来，这是我惟一的理想，我一切行为的动力！……您现在只有登基了，没有人能再阻挡您……

太平：这就是你所谓的最大的幸福？

崔缇：对！获得世间至高无上的权力！我父亲，母亲，包括您！我们这个家庭的悲剧在于我们没有权力。您母亲有权力，可以赐死我的母亲，及我的家人。您也保护不了我们！权力将我流放，饱受人间的沧桑与苦难！这一切让我明白一个道理，权力就是生存的本钱。权力就是做人的原则。我的命运在我心中种下了仇恨的种子。我要复仇,我要向权力复仇！把它变做自己的财富，甚至奴隶！我要堂堂正正地叫您母亲！让天下所有人都知道我真实的姓名，我叫薛崇谏，我是薛绍的儿子！不是什么叛臣子弟！

太平惊讶地看着这个她曾经那么疼爱的孩子，悲愤地连连摇头……

太平：这么说太子也是你杀的？

崔缇：是的！

太平：你简直……太让我失望了！我无法相信你是薛绍的儿子，他是那样一个正直的男人！而你却是这样一个人！

崔缇：不！我想我也是正直的！真正的正直是敢于冒犯道德去维护正义！而您登基则是天下最完全的正义！因为您善良、明智，赋予您权力甚至是神明的选择！

太平：可你有没有想到我是否需要权力，是否把它当作幸福？

崔缇：您别无选择！您有没有想过，如果李隆基或是任何一个什么人登基，他怎么能够忍受您功高镇主的威望？怎么能不对您产生妒意？您了解当权者的心态与意志，您时刻都有可能命丧黄泉！而只有权力掌握在您手里，我们才安全……

太平：你谋杀天子，我现在就可以处死你！

崔缇：我早已做好了赴死的准备，只要母亲……

太平：滚！永远别再让我看见你！你在玷污我对你父亲的怀念！

崔缇：母亲……

太平：滚！

崔缇：母亲，终归有一天您会理解我所做的一切！

崔缇离去，太平绝望地呆坐在那里。

10. 临淄王府堂屋　白天　内景

李隆基跪在父亲的灵位前，表情呆滞，似乎仍未从沉重的打击所带来的悲伤与震惊中清醒过来。

太平走入，神情复杂地注视着李隆基的背影……

太平：隆基，你父亲……

李隆基：我都知道了……

李隆基转过脸，脸上带有一种绝望之后的冷静，他艰难地笑笑。

李隆基：您满意了？

太平：我……有着比你更深切的悲痛……

李隆基：是吗？那您就更令我恐惧。您甚至比我想象的更为险恶……

太平：不，隆基！不是你所想象的那样……

李隆基：我一生挚爱着两个人！一个是我父亲，另一个是您……你们分别代表着最完美的人格……我反对李重茂称帝，我出生入死除掉韦氏，我所做的一切努力都是为了我的父亲。他不仅是一个睿智的学者，儒雅的隐士，仁爱的父亲，他还会是一个平静祥和的帝王，就像他的为人！我定下的志愿就是有一天，在朝上辅佐我父亲，在朝外，尽心侍奉您——让您余生幸福！

说到这里，李隆基不禁声音哽咽。

李隆基：（转向太平）现在这一切让您全部打碎了！我已经完全不理解姑母您，您是一个淡薄权力的人，可您现在的所作所为已经判若两人。我完全不知道该怎么办了，这一切把我打垮了！

太平：隆基，你错怪我了，我是来请你明日登基的。

李隆基笑了，指着房梁之上……

李隆基：您要是想杀我，不必用这样的方式。您请那上面的人下来吧！

一黑衣蒙面人一跃而下，眼中闪动着复杂的光芒。他突然从背后抽剑向李隆基刺去。李隆基拔剑，两人厮杀起来，李隆基因为有伤，渐处下风，加之体力慢慢不支，露出破绽。他踉跄一下，几乎跌倒。胸口完全暴露在刺客剑下。刺客一剑捅来，太平疯狂地扑上前，护住李隆基的身体。这一刻令刺客迟疑了一下。太平身后的李隆基借机一剑刺进刺客的胸膛。

李隆基上前把他的面纱除去，大惊失色。

李隆基：崔缇！

太平又从李隆基身边扑到崔缇身上，拖起他。

李隆基愣了。

李隆基：（大惑不解地）你为什么要杀我？！

太平：……你，你来这儿干吗？你……为什么不走？

李隆基：（恍如梦中）崔缇，我们结为挚友，出生入死，你为什么要杀我？

崔缇：（奄奄一息地）因为我只有深爱一个人的能力！我真后悔……如果那次我再刺深两寸，这一切早就结束了。

崔缇说完死在太平怀里。

太平失声痛哭，仿佛乞问上苍。

太平：……这是……为什么？……你们都是我的孩子，都是我心爱的人，可为什么要因为爱我而相互残杀？！难道我就注定毕生遭受权力的诅咒？！为什么？

李隆基站在那儿，不知太平话中的含义。

李隆基：孩子？……这……到底是怎么回事？

太平抬起头，向李隆基吐露真情。

太平：你知道他是谁吗？他就是薛绍的儿子——薛崇谏！就是我经常向你提起的叶儿……他是我惟一的儿子！

李隆基：什么？！……可他为什么要杀我？

太平：因为他把助我称帝，当作爱母亲最好的方式。而你，却以阻挡我登基当作对我的报答！他是薛绍全家对我的嘱托。看来，我这一辈子是要欠薛绍的了！

李隆基跪下，满脸泪水。

李隆基：姑母！您为什么……不早告诉我！我对您……犯下了滔天大罪……

太平摇头，游魂一般向外走去……

太平：……这不怪你！这不是你的过错！……这一切都是为了我……

李隆基：姑母！……您去哪儿姑母！……姑母！

11. 临淄王府庭院　夜晚　外景

太平继续向外走，屋外大雨滂沱，雨水肆意地浇打着太平……李隆基从屋里追出来站在雨中……

李隆基：姑母，您别走！……姑母，请别撇下我！……我爱您！姑母！

李隆基仿佛使尽了全部心力喊出这三个字，他痛苦地蹲在地上……太平像触电一般站住……

李隆基：……我爱您，姑母！这句话憋在我心里整整二十年！我知道我将遭受道德怎样的谴责，可我不得不说！我无法抑制对您的情感，尽管这令我感到恐怖和羞耻……可就连对它的畅想都依然令我体验了前所未有的甜蜜。

太平走到李隆基身边，紧紧地拥抱着他。李隆基虚弱得像个受了委屈的婴儿……

太平：我知道，隆基！我知道！……我也爱你！你是姑母的骄傲……

李隆基：您别走……我离不开您……

太平：我不走，我留下来陪你……

12. 太平府堂屋　夜晚　内景

幕布上的女角儿正倾诉衷肠。

太平：为什么春天每年都如期而至，而我远行的丈夫却年年不见音信……

李隆基：离家去国整整三年，为了梦想中金碧辉煌的长安，都市里充满了神奇的历险，满足一个男儿宏伟的心愿……

屋中似乎每一件物品都在倾听，墙上的昆仑奴面具、古琴、太平锁……

李隆基：现在终于衣锦还乡。又遇上这故人的春天。看这一江春水，看这满溪桃花，看这如黛青山，都没有丝毫改变……

李隆基同太平并列而坐，俩人离得很近，皆充满感情地凝视着幕布……

李隆基：也不知我新婚一个月就别离的妻子是否依旧红颜……

李隆基顿了片刻，他把头缓慢地转向太平，深情地注视着她。

李隆基：……来的是谁家女子，生得满面春光，美丽非凡？这位姑娘，请你停下美丽的脚步，你可知自己犯下什么样的错误？

太平看着李隆基，无声地笑了……她让李隆基伏在自己的膝盖上，用手轻轻地抚摸着他的头发，像一位怀抱着儿子的母亲在追忆过去的时光。李隆基侧脸躺在太平的膝盖上，直直地盯着幕布。

太平：这位将军，明明是你的马蹄踢翻了我的竹篮，你看这宽阔的道路直通蓝天……

太平低下头，望着李隆基的侧脸。

太平：你却非让这可恶的畜生溅起我满身污点，怎么反倒……怪罪起我的错误？

李隆基眼里跃动着一片深情……

李隆基：您的错误就是美若天仙……蓬松的乌发涨满了我的……

一滴泪水打在李隆基的脸上……李隆基停顿了片刻，继续，似乎眼里也见了泪……

李隆基：……我的眼帘，看不见道路山川，只是漆黑一片……

太平：我……真的美若天仙？

李隆基：是的！

第四十集

幕布上，皮影的表演全然不符合太平说话的节奏……

太平：我真的犯下了错误？

李隆基：不，您一世清洁皓白，要说错误，那兴许是您太过完美！

太平：（哽咽）不……

太平已经满脸泪水。

太平：我的错误……是太想爱了！我爱我的父亲，母亲，我的哥哥……还有我的晚辈，尽管，我从来没有过自己的儿子，这个世界上没有爱不好，而太想爱了，反而会令你更失望……

李隆基猛地抬起身，情绪激动……他扶住太平的肩膀……

李隆基：不，姑母，您不会失望的！有我陪您，我一辈子……

太平：……这不可能，隆基！你要成为世间最贤明的君主！使我们大唐真正成为善良人们的天堂！姑母累了，我想休息，我不想成为任何人的负担，不论是情感上的，还是……

李隆基：不，姑母！不会的！您说过您不离开我！我需要您坐在帘后赐予我勇气……

太平：睡吧！明天还要上朝！我也……休息了！

太平站起身，向门口走去……

李隆基：姑母！你说过不会离开我！

太平的身后皮影晃动……

太平：我不离开你！我永远和你在一起！……

李隆基：姑母，我懂了，您只会是我的姑母，我发誓会像爱自己的母亲那样爱您！

太平笑了，很满足……

13. 太平寝室　夜晚　内景

梁上挂着一尺白绫，风丝丝缕缕地挤入，那白绫便有了神采，有了类似飞翔的美感……

旁白：我在离开这个世界之前始终在考虑，我为什么要选择死亡？难道这仅仅是为了让我的侄儿能顺利登基而扫清道义以及情感上的负担？雨停的时候我找到了答案。我意识到，其实对死亡的渴望一直是我的一种向往。我太了解这个世界的规律，因此它在我眼里完全丧失了美感！我怀抱着出生时的激情步入另外一个世界，我凭直觉感到那是一个更优美的所在……我的死亡像我的出生那样，终止了长安城漫天的淫雨，并且又一次为大唐带来了太平……

太平的脸伸进绳套儿，那上面没有绝望，却写满了豁达……

解说：公元713年，太平公主逝世！同年，李隆基登基，史称"唐玄宗"！这个俊朗的青年凭借自己旺盛的精力为整个中国带来了前所未有的辉煌。开元、天宝的治世时代开始了。于是，全体中国人的心中真正埋下了骄傲的种子……

全剧终

剧组工作照

◇导演李少红和制片人李小婉

◇李小婉与演员申军谊

◇导演李少红和曾念平

◇李少红给演员陈红、赵文瑄说戏

◇ 李少红在拍摄现场

◇ 美术设计叶锦添为演员定妆

◇《大明宫词》拍摄现场

◇ 曾念平给演员陈红说戏

太平公主这个角色让我重新经历了一次七情和演技上的历练。
希望大家能够喜欢这个角色！

· 2000年 ·

陈红
饰 太平公主

当公主真是过瘾！

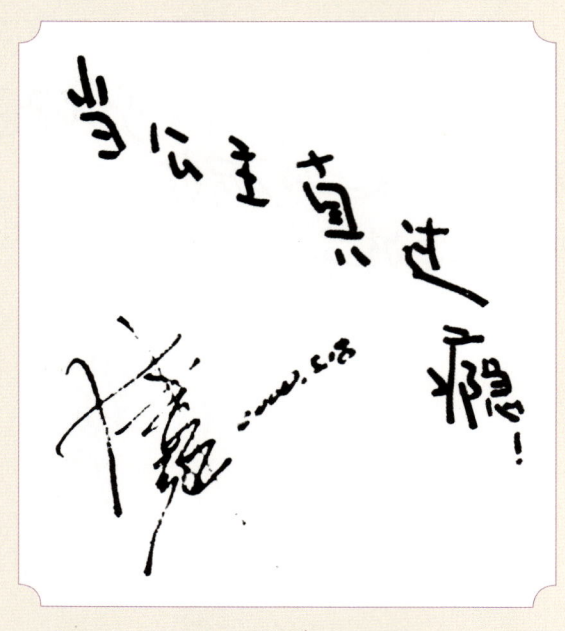

· 2000年 ·

愿大家心想事成！ 周迅 2021

· 2021年 ·

周迅 饰 小太平

魂系梦绕 大明宫

归亚蕾

· 2000年 ·

演繹一生，平凡的自己之外．
最讓我魂縈夢牽的．
卻是大明宮詞的
武則天

· 2021年 ·

归亚蕾

饰 武则天

> 守節重愛真君子,
> 忍辱求全大丈夫．
> 　　　　　以贈薛紹
>
> 瀟湘神秀舉雙子
> 馴美獵色一代男．
> 　　　　　　以贈張易之
> 趙文瑄 2000．
>
> 九八年華麗的冒險
> 二千年丰美的收獲　趙文瑄
> 　　　　　　　　　2000．

· 2000年 ·

> 二十年過去了……
> 今天再看《大明宮詞》
> 依然是那麼的超前！
> 　　　　　　趙文瑄
> 　　　　　　2021年春

· 2021年 ·

赵文瑄
饰 薛绍、张易之

我军知道会发行，我知道一定会成功！

2000-4-

· 2000年 ·

再一次祝贺《大明宫词》二十周年发行顺利

申军谊

· 2021年 ·

申军谊
饰 武三思

韦氏同意《大明宫词》剧本发行！
祝成功！

贾妮
2000.4.29.

· 2000年 ·

《大明宫词》永恒的华彩，一生的记忆！

韦氏：贾妮

· 2021年 ·

贾妮
饰 韦氏

还是做普通人踏实！

·2000年·

傅彪 饰 武攸嗣

希望大家喜欢《大明宫词》
同为我喜欢！！

万事如意
2022.6.29.

·2000年·

郭冬临 饰 太子显

祝《大明宫词》剧本出版发行！

何琳
2000. 4.28

·2000年·

《大明宫词》，
你的错误，
就是美若天仙。

·2021年·

何琳
饰 魏国夫人

恭祝
"大明宫词"剧本
出版发行成功！

2000.4.28.

· 2000年 ·

祝《大明宫词》20周年纪念版
成功发行！

· 2021年 ·

李冰冰

饰 安乐公主

祝：

《大明宫词》剧本发行到世界的每个角落！

2000. 4. 28.

· 2000年 ·

《大明宫词》20年　时光流转 不变的是　浓浓的书香！

· 2021年 ·

胡静

饰 小韦氏

祝：
《大明宫词》剧本发行成功！

林海
2000.4.29.

· 2000年 ·

配乐如针线般串起整个故事，
这是我为《大明宫词》努力的方向。

林海

· 2021年 ·

林海

作曲

《大明宫词》从孕育到诞生历时整二十年，望她能成为永久的纪念！

李少红
2000/4/29

· 2000年 ·

二十年中有更多的活动，也有了宫词系列的第二部《大宋宫词》。但第一部的创作激情和拍摄的印象没有退去。时间赋给一部作品生命力，是我们能够留给这个世界最好的告白。也是影视艺术最大的魅力所在。

李少红
2021.10.20

· 2021年 ·

李少红

导演